THOMSON REUTERS PROVIEW

¡ENHORABUENA!

USTED ACABA DE ADQUIRIR UNA OBRA QUE **YA INCLUYE LA VERSIÓN ELECTRÓNICA.**
DESCÁRGUELA AHORA Y APROVÉCHESE DE TODAS LAS FUNCIONALIDADES

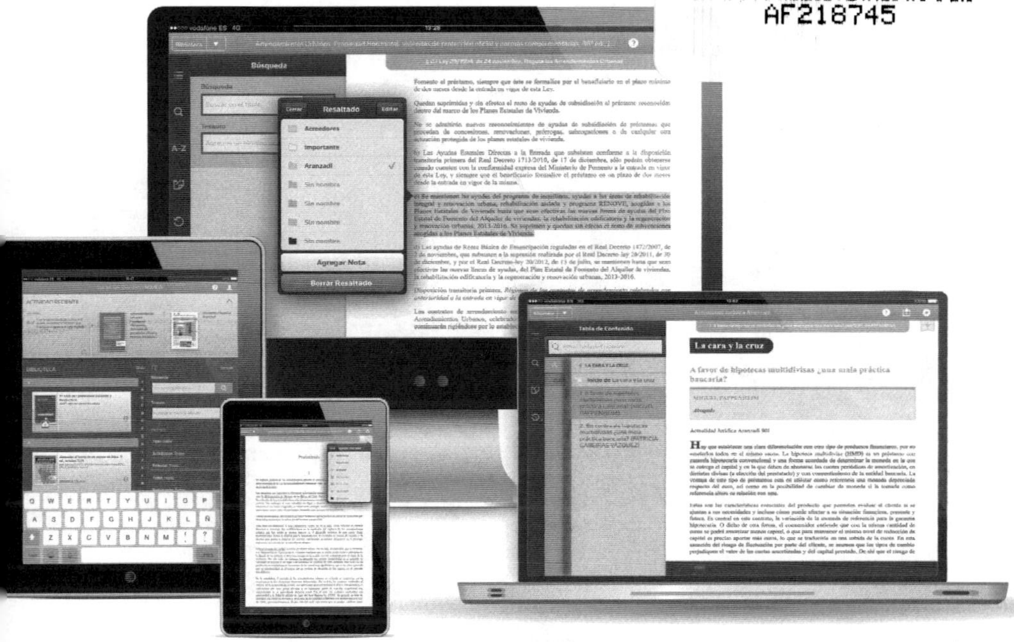

Acceso interactivo a los mejores libros jurídicos desde iPad, Android, Mac, Windows y desde el navegador de internet

FUNCIONALIDADES DE UN LIBRO ELECTRÓNICO EN **PROVIEW**

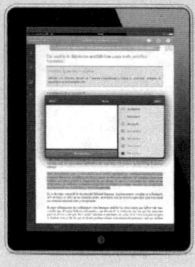

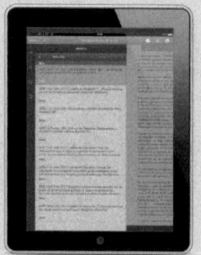

SELECCIONE Y DESTAQUE TEXTOS
Haga anotaciones y escoja los colores
para organizar sus notas y subrayados

**USE EL TESAURO PARA
ENCONTRAR INFORMACIÓN**
Al comenzar a escribir un término,
aparecerán las distintas coincidencias
del índice del Tesauro relacionadas
con el término buscado

HISTÓRICO DE NAVEGACIÓN
Vuelva a las páginas por las
que ya ha navegado

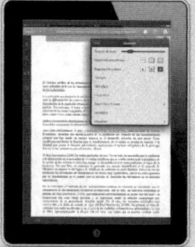

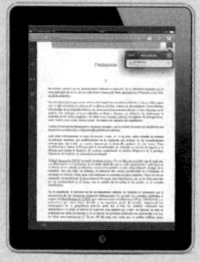

ORDENAR
Ordene su biblioteca por: Título (orden
alfabético), Tipo (libros y revistas),
Editorial, Jurisdicción o área del
derecho, libros leídos recientemente
o los títulos propios

CONFIGURACIÓN Y PREFERENCIAS
Escoja la apariencia de sus libros y
revistas en ProView cambiando la
fuente del texto, el tamaño de los
caracteres, el espaciado entre líneas
o la relación de colores

MARCADORES DE PÁGINA
Cree un marcador de página en el
libro tocando en el icono de Marcador
de página situado en el extremo
superior derecho de la página

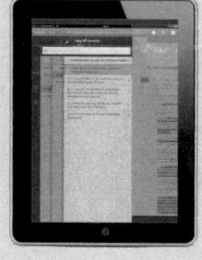

BÚSQUEDA EN LA BIBLIOTECA
Busque en todos sus libros y
obtenga resultados con los libros y
revistas donde los términos fueron
encontrados y las veces que
aparecen en cada obra

**IMPORTACIÓN DE ANOTACIONES
A UNA NUEVA EDICIÓN**
Transfiera todas sus anotaciones y
marcadores de manera automática
a través de esta funcionalidad

SUMARIO NAVEGABLE
Sumario con accesos directos
al contenido

Estimado cliente,

Para acceder a la versión electrónica de este libro, por favor, acceda a **http://onepass.aranzadi.es**

Tras acceder a la página citada, introduzca su dirección de correo electrónico (*) y el código que encontrará en el interior de la cubierta del libro. A continuación pulse enviar.

Si se ha registrado anteriormente en **"One Pass"** (**), en la siguiente pantalla se le pedirá que introduzca la contraseña que usa para acceder a la aplicación Thomson Reuters ProView™. Finalmente, le aparecerá un mensaje de confirmación y recibirá un correo electrónico confirmando la disponibilidad de la obra en su biblioteca.

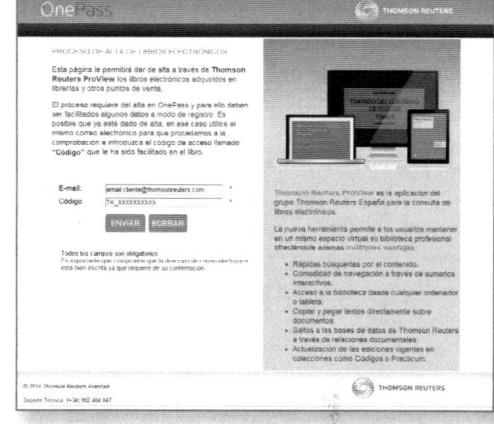

Si es la primera vez que se registra en **"One Pass"** (**), deberá cumplimentar los datos que aparecen en la siguiente imagen para completar el registro y poder acceder a su libro electrónico.

- Los campos **"Nombre de usuario"** y **"Contraseña"** son los datos que utilizará para acceder a las obras que tiene disponibles en Thomson Reuters ProView™ una vez descargada la aplicación, explicado al final de esta hoja.

Cómo acceder a Thomson Reuters Proview™:
- **iPad:** Acceda a AppStore y busque la aplicación **"ProView"** y descárguela en su dispositivo.
- **Android:** acceda a Google Play y busque la aplicación **"ProView"** y descárguela en su dispositivo.
- **Navegador:** acceda a **www.proview.thomsonreuters.com**
- **Aplicación para ordenador:** acceda a **http://thomsonreuters.com/site/proview/download-proview** y en la parte inferior dispondrá de los enlaces necesarios para descargarse la aplicación de escritorio para ordenadores Windows y Mac.

(*) Si ya se ha registrado en **Proview**™ o cualquier otro producto de Thomson Reuters (a través de One Pass), deberá introducir el mismo correo electrónico que utilizó la primera vez.

(**) **One Pass:** Sistema de clave común para acceder a Thomson Reuters Proview™ o cualquier otro producto de Thomson Reuters.

ARANZADI | CIVITAS | LEX NOVA

THOMSON REUTERS

DESAFÍOS DEL DERECHO DE AGUAS. VARIABLES JURÍDICAS, ECONÓMICAS, AMBIENTALES Y DE DERECHO COMPARADO

TERESA M. NAVARRO CABALLERO
(DIRECTORA)

DESAFÍOS DEL DERECHO DE AGUAS

(1ª edición)

Variables jurídicas, económicas, ambientales y de Derecho comparado

Prólogo

FERNANDO LÓPEZ RAMÓN

THOMSON REUTERS
ARANZADI

Primera edición, 2016

THOMSON REUTERS PROVIEW™ eBOOKS
Incluye versión en digital

Editorial Aranzadi, SA
Camino de Galar, 15
31190 Cizur Menor (Navarra)
ISBN: 978-84-9135-338-6
DL NA 1656-2016
Printed in Spain. Impreso en España
Fotocomposición: Editorial Aranzadi, SA
Impresión: Rodona Industria Gráfica, SL
Polígono Agustinos, Calle A, Nave D-11
31013 – Pamplona

SUMARIO

CAPÍTULO I

LA EVOLUCIÓN DEL RÉGIMEN JURÍDICO DEL CONTRATO DE CESIÓN Y DE LOS BANCOS DE AGUAS EN ESPAÑA
TERESA M. NAVARRO CABALLERO

CAPÍTULO IV

**LA SITUACIÓN ACTUAL DE LAS AGUAS SUBTERRÁNEAS
EN ESPAÑA**
SILVIA DEL SAZ CORDERO

13

CAPÍTULO IX

TRATAMIENTO NORMATIVO Y JURISPRUDENCIAL DE LA RECUPERACIÓN DE COSTES EN EL ÁMBITO HIDRÁULICO: DOS CONDICIONANTES DIRECTOS QUE DETERMINAN SU DEFICIENTE IMPLEMENTACIÓN

BEATRIZ SETUÁIN MENDÍA

CAPÍTULO XI

EL RIESGO DE INUNDACIÓN EN LOS INSTRUMENTOS NORMATIVOS DE PLANIFICACIÓN SECTORIAL Y AMBIENTAL. UNA VISIÓN DE LA RESPONSABILIDAD PATRIMONIAL DE LA ADMINISTRACIÓN POR USO DEFICIENTE DE SU FACULTAD PLANIFICADORA

ESTANISLAO ARANA GARCÍA, JESÚS CONDE ANTEQUERA, ASENSIO NAVARRO ORTEGA & JESÚS GARRIDO MANRIQUE

CAPÍTULO XV

LA PROBLEMÁTICA AMBIENTAL DE LA DESALACIÓN: EL RÉGIMEN JURÍDICO DEL VERTIDO DE SALMUERA

CONCEPCIÓN JIMÉNEZ SHAW

CAPÍTULO XVIII

LA RESPONSABILIDAD DE LAS EMPRESAS PARA GARANTIZAR EL DERECHO AL AGUA POTABLE Y AL SANEAMIENTO

María del Carmen Gómez Navarro & Rafael Albacete Balaguer

CAPÍTULO XIX

UN NUEVO INSTRUMENTO PARA CUMPLIR ADECUADAMENTE CON LOS OBJETIVOS AMBIENTALES DE LA DIRECTIVA MARCO DE AGUAS: LA CUSTODIA FLUVIAL Y EL BUEN ESTADO ECOLÓGICO DE LAS AGUAS

Elisa Pérez de los Cobos Hernández

CAPÍTULO XXII

RETOS DE LA DESALACIÓN DE AGUAS SALOBRES
RAQUEL MURCIA MOLINA

CAPÍTULO XXV

LA LEGISLACIÓN DEL AGUA EN MÉXICO Y SU PROYEC-
TO DE REFORMA DE 2015
DRA. ALMA PATRICIA DOMÍNGUEZ ALONSO

CAPÍTULO XXVI

POLÍTICA INSTITUCIONAL PARA LOS ACUEDUCTOS RU-
RALES EN COLOMBIA
JUDITH SOFÍA ECHEVERRÍA MOLINA

CAPÍTULO XXVII

SOBERANÍA HÍDRICA Y DERECHOS AMBIENTALES
GREGORIO MESA CUADROS

CAPÍTULO XXVIII

LA RIMUNICIPALIZZAZIONE DEL SERVIZIO DI APPROVVIGIONAMENTO IDRICO ALLE POPOLAZIONI IN ITALIA. IL CASO DELLA SICILIA: LA NUOVA LEGGE
TINA NOTO

CAPÍTULO XXIX

LOS RETOS Y AVANCES DEL TRATADO DE COOPERACIÓN AMAZÓNICA PARA LA GESTIÓN COMPARTIDA DE LAS AGUAS

VIVIANE PASSOS GOMES & FRANCISCO DELGADO PIQUERAS

CAPÍTULO XXX

DERECHO ANCESTRAL DE LAS AGUAS INDÍGENAS EN CHILE

MIRIAM LUZ ROJAS VEGA

PRESENTACIÓN

Los días 5 y 6 de noviembre de 2015 se celebró en Murcia el Congreso «Desafíos del Derecho de Aguas. Variables jurídicas, económicas y ambientales», encuentro científico en el que reconocidos expertos analizaron los retos que la gestión integral de los recursos hídricos plantea en la actualidad, desde la triple perspectiva jurídica, económica y ambiental, adoptando una visión no sólo de la situación nacional sino incorporando también experiencias de Derecho comparado. El libro que el autor tiene en sus manos constituye la publicación de las ponencias y comunicaciones que se expusieron durante esos intensos y enriquecedores días.

El encuentro tuvo gran impacto tanto a nivel nacional como internacional como constata el numeroso y cualificado público, más de doscientos congresistas provenientes de toda la geografía española y parte de Sudamérica. Este hecho evidencia la importancia y actualidad que las cuestiones relativas al agua siguen teniendo hoy día en los países de nuestro entorno y reclama un compromiso de periodicidad de futuras convocatorias.

Es de justicia atribuir el éxito académico del Congreso al elenco de ponentes y miembros de mesas redondas que con su trabajo riguroso imprimieron un excelente nivel a todas y cada una de las sesiones. Quiero agradecerles su plena disponibilidad y compromiso hasta el final, materializado en los magníficos trabajos remitidos para su publicación. El lector podrá comprobar la veracidad de esta afirmación a lo largo de las páginas que siguen.

Igualmente debo agradecer a los patrocinadores su inestimable apoyo. Su ayuda ha sido fundamental para convertir un deseo personal durante largo tiempo acariciado en la realidad que es hoy: Fundación Séneca Agencia de Ciencia y Tecnología de la Región de Murcia, Facultad de Derecho, Instituto del Agua y del Medio Ambiente (INUAMA), Hidrogea, Aguas de Murcia, Sindicato Central de Regantes del Acueducto Tajo-Segura, Confederación Hidrográfica del Segura, Fundación Cajamurcia, Federación de Cooperativas Agrarias de Murcia (FECOAM), Proexport, Ilustre Colegio de Abogados de Murcia y Confederación Regional de Organizaciones Empresariales de Murcia. Con gran satisfacción para mí, todos manifestaron su interés en el proyecto que les presentaba y aseguraron su compromiso y apoyo no solo para esta primera edición, sino también para las futuras que habrán de venir.

No me olvido de los miembros del Comité Científico, de la Secretaría Técnica y de los compañeros de la organización, cuyo trabajo durante tantos meses hizo que todo funcionara como debía esos días. Al Rector de la Universidad de Murcia, D. José Orihuela Calatayud, y al Secretario General, D. Santiago Álvarez Carreño, compañero y amigo, he de agradecerles particularmente su compromiso con el Congreso así como su participación en los actos de inauguración y clausura.

Por último, a la Revista Aranzadi de Derecho Ambiental, en particular, al Prof. Germán Valencia, les agradezco la oportunidad que me brindan de publicar las ponencias y comunicaciones del congreso, lo que sin duda constituye la mejor manera de difundir los resultados del mismo.

Murcia, 30 de marzo de 2016

Teresa M. Navarro Caballero

PRÓLOGO

Recoge este volumen las actas del importante congreso organizado por la Cátedra del Agua y la Sostenibilidad de la Universidad de Murcia en noviembre de 2015. Treinta estudios suscritos por especialistas de primera línea conforman la completa revisión de los aspectos más novedosos del régimen de las aguas principalmente en el ámbito español y europeo. Así, desde el contrato de cesión y los bancos de aguas, pasando por la planificación hidrológica, las inundaciones y sequías, las aguas subterráneas, la eficiencia agraria, los pesticidas y nitratos, los costes hidráulicos, el ciclo integral del agua de uso urbano y tantas otras cuestiones de plena actualidad, reciben adecuado tratamiento desde perspectivas jurídicas, económicas, ambientales y de Derecho comparado.

Esta profunda revisión colectiva del Derecho de aguas no está hecha desde el aislacionismo tan típico de algunos estudios jurídicos que únicamente son aptos para los juristas de la rama correspondiente. Si se me permite, diría que aquí se ofrece un típico producto intelectual de nuestra ciencia del Derecho Administrativo. En efecto, sin perjuicio de la participación, como ya he indicado, de distintos especialistas, son los administrativistas quienes sostienen la estructura del proyecto. Y lo hacen, como es típico en los trabajos de la parte especial, combinando elementos jurídicos con datos históricos, geográficos, económicos e incluso puramente técnicos. El empleo de este método interdisciplinar no se traduce en referencias eruditas ni en adornos culturales, pues la comprensión de los aspectos no estrictamente jurídicos resulta esencial en cualquiera de los ámbitos de actuación administrativa. Una comprensión realizada con finalidades instrumentales, esto es, al objeto de poder proporcionar adecuadas síntesis de las políticas públicas y ponderados análisis de sus contenidos.

No obstante, las variadas colaboraciones aparecen siempre dominadas por el criterio de la sostenibilidad, que contempla tanto la cantidad como la calidad del recurso. Se han superado así los planteamientos normativos y gerenciales centrados en resolver los problemas de escasez de agua, que condujeron a su notable y generalizado deterioro. Como es sabido, en la época del desarrollismo de la década iniciada en 1960, los vertidos mineros, industriales, urbanos, combinados con las filtraciones de los residuos ganaderos y de los pesticidas y fertilizantes agrícolas, convirtieron buena parte de los recursos hídricos españoles en peligrosas vías de contaminación. La Ley de Aguas de 1985 inició algunos cambios hacia la sostenibilidad, que finalmente se impuso en la Directiva Marco del Agua de 2000.

Sin embargo, nos va a llevar mucho tiempo modificar elementos tan arraigados en los actores de nuestro Derecho de aguas. De ahí que sea necesario el persistente apoyo de juristas sensibles con el objetivo de la sostenibilidad. Mérito de la cátedra murciana y de su activa directora es haber proporcionado el foro adecuado para el desenvolvimiento de la actividad científica que ahora queda plasmada en este libro.

Fernando LÓPEZ RAMÓN

CU Derecho Administrativo

Universidad de Zaragoza

Índice de autores

Rafael ALBACETE BALAGUER

Judith ECHEVERRÍA MOLINA

Estanislao ARANA GARCÍA

Roberto BUSTILLO BOLADO

Isabel CARO-PATÓN CARMONA

José COLINO SUEIRAS

Jesus CONDE ANTEQUERA

David A. COSTA BOTELLA

Francisco DELGADO PIQUERAS

Patricia DOMÍNGUEZ ALONSO

Antonio EMBID IRUJO

José Luis GARCÍA ARÓSTEGUI

M. Encarnación GIL MESEGUER

José M. GÓMEZ ESPÍN

M. Carmen GÓMEZ NAVARRO

Guillermo GONZÁLEZ DE OLANO

Pedro JIMÉNEZ GUERRERO

Concepción JIMÉNEZ SHAW

Antonio JÓDAR ABELLÁN

Inmaculada LÓPEZ ORTIZ

Joaquín MELGAREJO MORENO

M. Desamparados MELIÁN NAVARRO

Ángel MENÉNDEZ RECHAX

Gregorio MESA CUADROS

Carlos MÍNGUEZ

Andrés MOLINA GIMÉNEZ

Carlos MORALES

Teresa M. NAVARRO CABALLERO

Tina NOTO

Anna PALLARÈS SERRANO

Viviane PASSOS GOMES

Elisa PÉREZ DE LOS COBOS

Jose Antonio TARDÍO PATO

Silvia DEL SAZ CORDERO

Beatriz SETUÁIN MENDÍA

Miriam L. ROJAS VEGA

CAPÍTULO I

LA EVOLUCIÓN DEL RÉGIMEN JURÍDICO DEL CONTRATO DE CESIÓN Y DE LOS BANCOS DE AGUAS EN ESPAÑA*

Teresa M. NAVARRO CABALLERO

Universidad de Murcia

SUMARIO: I. LA NECESIDAD DE INCORPORAR FÓRMULAS DE GESTIÓN DE RECURSOS ESCASOS ACORDES CON LA CELERIDAD DE LOS NUEVOS TIEMPOS Y LA PERENTORIEDAD DE LAS SITUACIONES DE ESCASEZ. II. LAS DISTINTAS REFORMAS DEL CONTRATO DE CESIÓN. EL LARGO Y LENTO CAMINO DE SU PUESTA EN PRÁCTICA. 1. *La prístina inoperancia del contrato de cesión en virtud de su restrictivo régimen jurídico inicial.* 1.1. Las diversas ampliaciones de los sujetos que podían intervenir como contratantes. 1.2. El desbloqueo temporal de las infraestructuras intercuencas. 1.3. Límites al elemento objetivo. El volumen cedible y el «precio» de la cesión. 2. *El definitivo golpe de timón hacia la cesión de caudales entre territorios sometidos a distintos planes de cuenca.* 2.1. El desbloqueo definitivo del empleo de las infraestructuras de conexión intercuencas y el impulso al procedimiento autorizatorio del contrato. 2.2. La incomunicación de los regímenes propios de cada trasvase y del contrato de cesión. III. LOS BANCOS DEL AGUA. ¿INSTRUMENTOS DE GOBERNANZA MALOGRADOS? LA NECESIDAD DE EXPLORAR SUS BONDADES Y CORREGIR SUS DEFECTOS. ALGUNAS PROPUESTAS DE MEJORA. 1. *La intervención administrativa plena en los bancos del agua contrasta con su carácter restringido. La oportunidad de revisar su carácter excepcional y de que estén siempre constituidos en las cuencas deficitarias.* 2. *Los sujetos que pueden concurrir a los bancos de aguas. La conveniencia de proteger a los adquirentes*

*   Este trabajo ha sido financiado por la Fundación Séneca-Agencia de Ciencia y la Tecnología, con cargo al Proyecto «El papel de los mercados del agua en la gestión integrada de los recursos hídricos en las cuencas deficitarias» (Ref. 19325/PI/15).

más débiles. 3. El objeto de los bancos del agua. La necesaria incorporación de la exigencia del uso efectivo de los caudales cedidos y la oportunidad de ampliar los medios del intercambio. 4. La falta de regulación de la oferta pública de cesión. 5. La necesidad de prever el destino ambiental de los recursos adquiridos. 6. El respeto a los principios de publicidad y concurrencia junto con la intervención plena de la administración convierten a los bancos del agua en instrumentos útiles para una mejor gobernanza del agua. ¿Cabría un Banco del Agua Nacional llevado por una Autoridad o Ente Regulatorio del Agua?. IV. EL PAPEL QUE LOS MERCADOS DEL AGUA ESTÁN LLAMADOS A DESARROLLAR COMO INSTRUMENTO DE GOBERNANZA A NIVEL NACIONAL. V. REFERENCIAS.

I. LA NECESIDAD DE INCORPORAR FÓRMULAS DE GESTIÓN DE RECURSOS ESCASOS ACORDES CON LA CELERIDAD DE LOS NUEVOS TIEMPOS Y LA PERENTORIEDAD DE LAS SITUACIONES DE ESCASEZ

A finales de la década de los noventa del pasado siglo, tras casi veinte años desde su entrada en vigor, se acomete una importante reforma de la Ley 29/1985, de 2 de agosto, de Aguas a través la Ley 46/1999, de 13 de diciembre. Entre otros extremos de no menor importancia se introducen dos instrumentos nuevos de gestión de los recursos hídricos hasta entonces desconocidos en nuestro Derecho. El contrato de cesión y los centros de intercambio de derechos al uso privativo de las aguas, comúnmente conocidos como los «bancos del agua». Ambos constituyen los denominados «mercados del agua» y en virtud de regímenes y funcionamientos diversos pretenden, no obstante, la misma finalidad: la optimización social de los recursos hídricos a través de su reasignación o redistribución. Desde su creación se subrayaba que estaban llamados a convertirse en instrumentos valederos para una mejor gobernanza del agua, particularmente en cuencas deficitarias. En efecto, frente a las técnicas e instrumentos tradicionales a las que eran consustanciales un alto grado de contestación por parte de sus destinatarios (revisión, modificación, rescate, expropiación de concesiones,...) estos instrumentos aportaban como novedad un elevado grado de participación de los interesados, sustituyendo la actuación pública unilateral por el acuerdo o convenio con éstos. En su concepción pretendían, por lo tanto, una mejor gobernanza de los recursos escasos por comportar mayores niveles de aceptación de los concesionarios ya que en su base se encontraba el acuerdo de las voluntades implicadas.

El contrato de cesión de derechos al uso privativo de las aguas representó en su día un instrumento novedoso, a la par que controvertido, que pretendía efectuar una redistribución de los recursos hídricos ya concedidos, con la finalidad de optimizar socialmente su uso, ya que daba lugar a una cesión de caudales con carácter temporal, en condiciones normales de uso del recurso y de forma generalmente privada entre particulares, aunque intervenida por la Administración hidráulica. Fue sin duda una figura muy contestada en sus orígenes por el protagonismo y alto grado de decisión que sobre los recursos se otorgaba a los usuarios de los mismos –los concesionarios cedente y cesionario–, no en vano los contratantes son los que deciden los términos del contrato que habrá de ser autorizado por la Administración. Esta circunstancia llevaba incluso a afirmar que se producía la privatización de los recursos hídricos por crearse un mercado de aguas. La lectura de los debates parlamentarios dan fe de la controversia suscitada por la reforma que se veía incluso como un atentado a los pilares del Derecho de aguas nacional, basado en el dominio público de las aguas continentales, o cuanto menos que implicaba una privatización del recurso en virtud del mercado que según algún grupo parlamentario instauraba. La intervención de la entonces Ministra de Medio Ambiente en los debates a la totalidad de la Ley resaltaba que se trataba de «una reforma parcial de la ley manteniéndose en pie principios clásicos y tradicionales que no podían ser modificados, como que el agua es un bien de dominio público, (o) el sistema concesional (...). Podríamos decir que esta ley lo que quiere resolver es la escasa relevancia de incentivos normativos para una política de ahorro en el consumo (...), la escasa autonomía de decisión que se reserva a los usuarios respecto a la gestión del recurso, el grave problema de nuestras aguas subterráneas, sobreexplotadas, en gran medida desconocidas, contaminadas y sin sistemas de gestión eficaces en muchos casos, la falta de coordinación entre administraciones territoriales y la necesidad de impulsar el deslinde del dominio público hidráulico»[1]. El resto de grupos parlamentarios insistían en que en virtud de la reforma se llevaba a cabo la privatización de un recurso público, pues «la declaración de las aguas continentales como dominio público se degrada a través de la creación de un mercado del agua que (...) no contribuirá a racionalizar el uso del agua (...). Estos contratos privados de cesión de derechos concesionales sobre aguas públicas, más que un medio más ágil y flexible que los previstos en la Ley vigente para la revisión de concesiones, suponen una dejación de las funciones que la Ley atribuye a los poderes públicos en relación con las aguas y que justifican el carácter público del recurso»[2]. Esta controversia y gran contestación no solo parlamentaria hizo que esta figura naciera

---

1. Diario de Sesiones del Congreso de los Diputados, núm. 247, de jueves 17 de junio de 1999, p. 13159.
2. Diario de Sesiones del Congreso de los Diputados, núm. 171-8, de 6 de julio de 1999. Esta intervención que corresponde al Grupo Parlamentario Mixto puede considerarse representativa del sentir generalizado que los grupos de la oposición tenía sobre los nuevos instrumentos de reasignación.

fuertemente constreñida, sometida a unos condicionantes limitativos de sus elementos subjetivos, objetivos y formales que en la práctica lo hacían inutilizable, por lo que a los pocos años hubo de ser suavizado en algunos de sus extremos, como se verá, para procurar su efectividad.

Por su parte, los bancos del agua nacieron también fuertemente constreñidos pese a que gozaban de un mayor predicamento entre quienes rechazaban abiertamente el contrato de cesión, dada la fuerte intervención pública que le es consustancial. Su régimen jurídico no ha sido, sin embargo, flexibilizado, habiéndose perdido la oportunidad de potenciarlo en las últimas reformas dando así lugar a una mayor redistribución de los recursos hídricos a través de un mecanismo totalmente controlado por la Administración hídrica.

Pese a que desde un principio ha sido el extremo más controvertido para algún sector doctrinal, la singularidad del contrato de cesión en la legislación de aguas española no radicaba, precisamente, en el trasiego de caudales que supone mediante la cesión de los derechos al uso del agua, pues con anterioridad a su creación existían mecanismos en aquella a través de los cuales se podía incidir –ya de forma unilateral, ya de forma negociada– sobre los derechos al uso privativo de las aguas[3]. Tal era y es el caso del artículo 63 del Texto Refundido de la Ley de Aguas, Real Decreto Legislativo 1/2001, de 20 de julio (en adelante TRLA), regulador de la transmisión de los títulos concesionales, del artículo 64 del mismo cuerpo legal, que prevé la modificación de los mismos, del artículo 55.2, que permite al Organismo de cuenca limitar el uso del dominio público hidráulico para garantizar su explotación racional y del artículo 58 del TRLA, que establece una serie de medidas para la superación de ciertas situaciones excepcionales. Sin embargo, como se expondrá seguidamente, las anteriores instituciones –incluidos los centros de intercambio– afectan de diverso modo a los derechos privativos sobre el agua que el contrato de cesión. En efecto, el artículo 63 del TRLA regula la transmisión de los aprovechamientos del agua –«la transmisión total o parcial de los aprovechamientos de agua», dice expresamente la Ley–, y en su virtud es posible la transmisión del título concesional en su totalidad. Dicha transmisión lo es de la titularidad de la concesión y definitiva sin que consecuentemente el primitivo titular pueda recuperarla. Precisamente por ello el Reglamento del Dominio Público Hidráulico, Real Decreto 849/1986, de 11 de abril (en adelante RDPH) exige que sea «el nuevo titular» el que efectúe la inscripción de la transferencia en el Registro de aguas[4]. Por el contrario, el contrato de cesión no sólo no afecta a la titularidad de las concesiones im-

---

3. En este sentido se pronunció el Consejo Nacional del Agua en el Informe de abril de 1998, sobre el Borrador de Anteproyecto de Ley de Reforma de la Ley 29/1985, de 2 de agosto, de Aguas.
4. *Vid.* artículo 146 del RDPH.

plicadas, sino que además la cesión de los caudales se efectúa por un tiempo determinado, recobrando su primitivo titular la integridad de los caudales concedidos una vez expirado el contrato.

Por su parte, el artículo 64 del TRLA permite la modificación objetiva de la concesión pero también con carácter definitivo, es decir, si el titular de la concesión modificada quisiera volver a los términos originarios de aquélla debería incoar un nuevo procedimiento de modificación de la concesión[5]. El procedimiento de modificación de la concesión requiere la necesaria autorización administrativa y se efectúa a través de un farragoso procedimiento que será distinto según la modificación afecte o no a las características esenciales de la misma[6]. Tal procedimiento puede incoarse de oficio o a instancia de parte, ahora bien, lógicamente cuando se trate de revisar a la baja el caudal concedido para adaptarlo a las necesidades reales del aprovechamiento, difícilmente se iniciará tal modificación en virtud de petición del concesionario afectado. En este caso resta la posibilidad de incoar de oficio el procedimiento de modificación objetiva de la concesión-ex artículo 144.4 del RDPH– para adecuar los caudales a las necesidades reales del concesionario, aunque bien se sabe que la Administración hidráulica hace limitado uso de esta figura, por el consabido rechazo que conllevan por parte de los interesados este tipo de actuaciones impositivas. El contrato de cesión se presenta, sin embargo, como manifestación de la creciente tendencia de la Administración a sustituir la tradicional técnica unilateral e impositiva que siempre le ha caracterizado en sus actuaciones por la contractual o de la negociación. De este modo, la Administración opta por el acuerdo de voluntades ante la imposición unilateral de su voluntad a los concesionarios, con la esperanza de obtener de los mismos una mayor colaboración o, cuanto menos, una menor resistencia.

Sin duda, el artículo 55.2 del TRLA es el que más se acerca al régimen previsto por el artículo 67 y siguientes del TRLA. Los artículos 55.2 del TRLA y 90.2 del RDPH prevén la posibilidad de que el organismo de cuenca condicione o limite, con carácter temporal, el uso del dominio público hidráulico para garantizar la explotación racional del mismo. La genérica facultad concedida de «condicionar o limitar» el uso del dominio público hidráulico permite al organismo de cuenca adoptar una serie de medidas como limitar la cuantía de los caudales a emplear por sus titulares; limitar el uso del dominio público en el tiempo, fijando períodos en que aquellos

---

5. Dispone el artículo 64 del TRLA que «toda modificación de las características de una concesión requerirá previa autorización administrativa del mismo órgano otorgante».
6. Dicho procedimiento se encuentra regulado en los artículos 143, 144 y 149 a 153 del RDPH.

podrán ejercer sus derechos de aprovechamiento; limitar el uso en el lugar, estableciendo normas sobre los lugares por los que habrá de verificarse la toma de las aguas; o limitar el uso en la forma en que ha de realizarse, imponiendo sistemas técnicos para la toma, conducción y uso del agua. Si como consecuencia de la adopción de cualquiera de las anteriores medidas, que podrán adoptarse simultáneamente, se originan perjuicios a unos aprovechamientos en favor de otros procederá la indemnización por parte de los titulares beneficiados y en virtud de acuerdo entre las partes. En defecto de tal acuerdo la determinación de la cuantía de la indemnización se fijará por el Organismo de cuenca.

De las medidas que se pueden adoptar en virtud del artículo 55.2 del TRLA indicadas a los efectos del presente trabajo interesa la que permite la limitación cuantitativa de los caudales de que un concesionario sea titular. Debido a que dicha limitación es sólo temporal esta medida es la que más se aproxima a la prevista en el artículo 67 del TRLA aunque, una vez más, existen diferencias que separan ambas figuras. En este sentido, de un lado el artículo 55.2 prevé una medida que será impuesta por el organismo de cuenca al titular de un aprovechamiento determinado, con el consiguiente rechazo que tal imposición conllevará normalmente por parte del afectado y el imprescindible abono de la correspondiente indemnización. En segundo término, esta solución de limitación temporal del uso del dominio público hidráulico procederá generalmente en situaciones excepcionales y para una finalidad muy concreta: garantizar la explotación racional del dominio público hidráulico. Por el contrario, el artículo 67 crea una figura por la que podrán optar con carácter general y libremente los concesionarios interesados que, además, se encuentren en condiciones normales de uso del recurso, sin imposiciones por parte del organismo de cuenca, ni limitaciones de naturaleza teleológica y asumiendo los concesionarios contratantes el pago de la contraprestación que al efecto estipulen.

Sin embargo, la rigidez y excesiva duración de los procedimientos administrativos, unido al rechazo de los concesionarios afectados, han convertido estas opciones legales en recursos escasamente utilizados que suelen venir acompañados de una elevada conflictividad judicial, lo que disminuye considerablemente su aceptación y, por tanto, uso por la Administración hídrica fuera de las situaciones de sequía. Esta situación llevo al legislador a buscar fórmulas más flexibles, acordes con la celeridad que exige la gestión de los recursos escasos en los tiempos actuales como una medida útil que permitiera atender las demandas perentorias particularmente en tiempos de escasez. Su efectividad real queda, no obstante, bastante lejos de lo que hubiera cabido esperar.

Así pues, el funcionamiento y características del contrato de cesión y de los bancos del agua los singularizan en nuestro Ordenamiento jurídico convirtiéndolos en instrumentos con los que procurar una mejor gobernanza de agua. Si la gobernanza del agua ha de emplear instrumentos que a través de una gestión integrada procuren compartir recursos comunes sin dañar a los interesados, manejar el agua de forma compatible con la gestión de los ecosistemas y establecer una política de precios que haga posible el correcto funcionamiento de las demandas urbanas, industriales y agrícolas y, sobre todo, tiende a la participación de los interesados creo que los mercados del agua bien pudieran contribuir a alcanzar dicha tarea. Sin embargo, su restrictivo régimen jurídico inicial ha constreñido considerablemente sus efectos, habiendo sido precisa su revisión y modificación como mejor vía para fomentar su uso, como se expone a continuación.

A lo anterior hay que añadir la cautela o reserva con que la Administración hídrica ha hecho uso de estos instrumentos particularmente en los últimos tiempos, en que una parte del país vuelve a estar inmerso en una de las sequías más rigurosas de las últimas décadas. En esta ocasión las autorizaciones de los contratos de cesión, especialmente intercuencas, han sido mucho más restringidas y cuantitativamente menores que en sequías anteriores como la sufrida en los años hidrológicos 2004-2009, en que además de los contratos intercuencas se pusieron en marcha los bancos del agua en las demarcaciones más deficitarias (Navarro, 2010).

II. LAS DISTINTAS REFORMAS DEL CONTRATO DE CESIÓN. EL LARGO Y LENTO CAMINO DE SU PUESTA EN PRÁCTICA

1. LA PRÍSTINA INOPERANCIA DEL CONTRATO DE CESIÓN EN VIRTUD DE SU RESTRICTIVO RÉGIMEN JURÍDICO INICIAL

1.1. Las diversas ampliaciones de los sujetos que podían intervenir como contratantes

El restrictivo régimen jurídico del contrato de cesión se manifiesta claramente en la regulación de sus elementos tanto subjetivos como objetivos, formales y temporales, particularmente de los primeros. En efecto, de acuerdo con el artículo 67 del TRLA y 343 del RDPH, no puede celebrar el contrato de cesión cualquier persona que alegue una necesidad hídrica, pues aquél se celebrará exclusivamente entre un círculo cerrado de sujetos: los concesionarios o titulares de algún derecho al uso privativo del agua, entendiendo por tales a los concesionarios de aguas superficiales y subterráneas así como a los titulares de aprovechamientos temporales de aguas privadas inscritos en el Registro de Aguas conforme a las disposiciones transitorias segunda y tercera del TRLA[7].

Estas restricciones subjetivas iniciales van en aumento pues el cesionario habrá de ser titular de un derecho de igual o mayor rango que el del cedente y los titulares de usos privativos de carácter no consuntivo no podrán ceder sus derechos para usos que no tengan tal consideración. En este punto cabe señalar cómo al igual que se hiciera en la sequía de 2004, el RD 356/2015, de 8 de mayo, por el que se declara la situación de sequía en el ámbito territorial de la Confederación Hidrográfica del Segura y se adoptan medidas excepcionales para la gestión de los recursos hídricos, autoriza un régimen excepcional de los contratos de cesión de derechos de usos de agua en su ámbito de aplicación. De esta forma, faculta al Ministro de Agricultura, Alimentación y Medio Ambiente a autorizar, con carácter temporal y excepcional, cesiones de derechos de uso de aguas que no respeten el orden de preferencia definido en el plan hidrológico pero respetando en todo caso la supremacía del uso de abastecimiento. Esta opción, varias veces incorporada a distintos decretos de sequía, al menos en la cuenca del Segura no se ha puesto en práctica en ninguna ocasión y presenta algunos interrogantes. El primero tiene que ver con el sujeto a quien se atribuye esta facultad, el Ministro, pues no rebasando sus efectos los límites de la confederación bien podría haberse atribuido al Presidente del organismo de cuenca. Ahora bien, lo extraordinario de la medida parece justificarlo. Pero lo más importante es su difícil aplicación ya que, por debajo del uso de abastecimiento, el único uso consuntivo que queda es el regadío además de algunos usos industriales de poca entidad así que el volumen para celebrar contratos es muy reducido.

De acuerdo con el artículo 343.4 del RDPH, tampoco podrán celebrar el contrato los titulares de concesiones a precario ni los titulares de las autorizaciones especiales otorgadas *ex lege* a favor de los órganos de la Administración Central o de las Comunidades Autónomas en el artículo 59.5 del TRLA, aunque por razones justificadas por situaciones extraordinarias de sequía y similares bien podrían permitirse. A mayor abundamiento, los titulares de derechos incluidos en el catálogo de aprovechamientos de aguas privadas no pueden celebrar el contrato salvo que transformen su derecho en una concesión de aguas e insten su inscripción en el Registro de Aguas, a diferencia de lo que ocurre con los bancos del agua, a los que sí pueden concurrir[8].

---

7. Véase el artículo 343.2 del RDPH.
8. Artículos 67 del TRLA y 343 y 354.2 del RDPH.

En virtud de estos límites subjetivos era previsible que las cesiones fueran más restringidas y se concentraran entre los concesionarios de un mismo uso, particularmente el agrario, por lo que era evidente que se reducirían considerablemente los posibles beneficiarios de los recursos hídricos, como así sucedió. Tales restricciones se justificaban porque siendo el contrato de cesión un instrumento de reasignación de caudales ya concedidos, cuyo principal objetivo era lograr una más racional distribución de los mismos no había de crear nuevas demandas.

En cualquier caso, este limitado elemento subjetivo junto con congelado uso de las instalaciones e infraestructura de conexión intercuencas hizo que a los pocos años de nacer hubiera de ser flexibilizado y en buena medida corregido, aunque lo fuera sólo en parte y de forma temporal, en virtud del Real Decreto-Ley 15/2005, de 16 de diciembre, de medidas urgentes para la regulación de las transacciones de derechos al aprovechamiento del agua y las posteriores disposiciones que lo prorrogaron. El referido carácter parcial y temporal del Real Decreto-Ley proviene de su carácter de norma coyuntural destinada a combatir los efectos de la sequía que desde varios años hidrológicos venía padeciendo el país, lo que determinó que las medidas en él contenidas sólo estuvieran en vigor hasta el 30 de noviembre de 2006, plazo que fue prorrogado por un año más de forma sucesiva en los años posteriores hasta 2009[9].

La ampliación del elemento subjetivo del contrato de cesión en virtud de la citada disposición fue doble. En primer lugar, permitió celebrar el contrato a los titulares de derechos al uso del agua adscritos a las zonas regables de iniciativa pública cuyas dotaciones máximas figuraran en los Planes Hidrológicos de cuenca. Que estos usuarios resultaran de facto excluidos no era una cuestión baladí, todo lo contario, ya que los recursos utilizados por ellos se acercaban al 80% de la totalidad de los recursos superficiales existentes, según se advertía en el Preámbulo de la norma. En segundo término permitió celebrar el contrato a titulares de otros derechos de aprovechamientos de aguas

---

9. El contexto de excepción en el que se aprobó el Real Decreto-Ley 15/2005 venía representado, de un lado, por el cierre del año hidrológico 2004-2005, en el que las precipitaciones registradas fueron las más bajas de toda la serie. El Real Decreto-Ley 9/2007, que prorroga la vigencia del Real Decreto-Ley 15/2005, apuntaba que el año hidrológico 2004/2005 fue el más seco de una serie histórica de más de 100 años para una parte importante de la España peninsular. De otro lado, el inicio del siguiente (2005-2006) no presentaba visos de mejorar la situación deficitaria imperante, que se agravaba aún más si cabe con una difícil situación de partida en lo que se refería a las reservas de aguas superficiales embalsadas. Un estudio más exhaustivo de las modificaciones que para el régimen jurídico general del contrato de cesión supuso el Real Decreto-Ley 15/2005 puede verse en NAVARRO2008.

derivados de leyes especiales, como son los titulares de aprovechamientos de las zonas servidas con el agua procedente del acueducto Tajo-Segura[10] y los aprovechamientos de la Mancomunidad de los Canales del Taibilla. En todos los casos se trataba de usuarios que carecían de título concesional pues en el primer caso se trataba de títulos administrativos *sui generis* derivados de la legislación sobre reforma y desarrollo agrario y en el segundo se trataba de derechos derivados de las leyes reguladoras de su especial situación jurídica.

Posteriormente la ampliación del elemento subjetivo tuvo lugar en un doble sentido, pero esta vez con carácter definitivo. De un lado, el Real Decreto 1620/2007, de 7 de diciembre, por el que se establece el régimen jurídico de la reutilización de las aguas depuradas vuelve a ampliar el ámbito subjetivo del contrato de cesión esta vez a los titulares de la concesión de reutilización y los titulares de la autorización complementaria para reutilización. Cuestión esta última no exenta de polémica por abrir el contrato de cesión a los titulares de meras autorizaciones administrativas, en contra del que constituye su régimen general y hacerlo además a través de un reglamento (Navarro 2012, pp. 389 y ss.). Poco después, la Ley 42/2007, de 13 de diciembre, de Patrimonio Natural, modificó el artículo 13 relativo a la desalación permitiendo de forma expresa a los concesionarios de la actividad de desalación y de aguas desaladas que tengan inscritos sus derechos acudir a los centros de intercambio, omitiendo toda referencia empero a la posibilidad de celebrar éstos también el contrato de cesión. Sin embargo, siendo titulares de concesión administrativa y cumpliendo todos los requisitos establecidos al efecto podrán celebrarlo pese a la omisión del legislador (Navarro 2013, pp. 83 y ss.). Estas dos reformas abren un mundo de posibilidades de cesión e intercambio de aguas regeneradas y desaladas, esto es, para la reasignación de recursos no convencionales produciendo la liberación de éstos y pudiendo la Administración hídrica disponer de ellos para su nueva asignación a usos más exigentes, fines ambientales, para la dotación de reservas, etc.

1.2. El desbloqueo temporal de las infraestructuras intercuencas

La cesión de los caudales que materializa el contrato requiere como elemento indispensable la utilización de aquellas instalaciones o infraestruc-

---

10. Pudiera parecer superflua la referencia a los usuarios del Tajo-Segura de forma expresa y separada de los titulares de derechos adscritos a las zonas regables de iniciativa pública por cuanto aquéllos tienen plena cabida en el supuesto del artículo 2.1 del Real Decreto-Ley (la ejecución del trasvase demandó la previa delimitación por el Instituto de Reforma y Desarrollo Agrario de las zonas regables con las aguas del trasvase y su consiguiente declaración de interés nacional). Sin embargo, tal declaración es consecuente con la superior condición que dimanan estos derechos y que deriva de su propia ley reguladora.

turas hidráulicas que posibiliten la interconexión entre los contratantes: el cedente y el cesionario. En efecto, el traslado de los caudales cedidos desde el punto de origen al de destino no puede producirse sin la existencia de las obras que permitan conectar ambas partes hasta conseguir un equilibrio de precio y cantidad. Por lo tanto, su falta o inexistencia debilita considerablemente la proyección práctica del contrato de cesión, pues su inexistencia o la imposibilidad de emplear las canalizaciones necesarias bloqueará el funcionamiento de esta figura.

El régimen general de utilización de las infraestructuras hidráulicas consagrado en el artículo 70 del TRLA basado en el acuerdo entre las partes siendo de titularidad privada o la autorización del organismo de cuenca en otro caso, puede considerarse suficiente si la situación de los recursos hídricos de cada cuenca es solvente. Lógicamente, en eventuales supuestos de escasez en los que una parte considerable de las cuencas hidrográficas pueden tener dificultades para atender sus demandas ordinarias la reasignación de los recursos a través del contrato de cesión habría de efectuarse con caudales provenientes de fuera de los límites de éstas. Para ello, qué duda cabe que será necesario utilizar infraestructuras que interconecten distintas cuencas hidrográficas, lo que durante buena parte de la vigencia del contrato se encontraba sometido a una regulación tan restrictiva que las hacía impracticables.

En efecto, hasta hace bien poco y salvo el paréntesis que se verá, de acuerdo con el artículo 72 del TRLA, sólo se podían utilizar infraestructuras que interconectaran territorios sometidos a distintos planes hidrológicos de cuenca si el Plan Hidrológico Nacional o las leyes singulares reguladoras de cada trasvase así lo habían previsto. En este caso, la competencia para autorizar el uso de estas infraestructuras y el contrato de cesión correspondía al Ministerio de Medio Ambiente, y se entendían desestimadas las solicitudes de cesión si transcurridos los plazos previstos no se hubiese notificado resolución administrativa. Nótese que se optaba por el silencio negativo para la autorización de las cesiones de caudales entre territorios de distintos planes hidrológicos de cuenca –al contrario que el régimen general previsto en el artículo 68.2 del TRLA–, lo que se justificaba dada la mayor envergadura de la cesión en que éstas consisten.

Así pues, la configuración jurídica tan restrictiva del contrato lo convertía en un instrumento de gestión de limitada aplicación práctica. En efecto, el régimen descrito limitaba de forma natural la puesta en marcha de la figura a un nivel interterritorial, impidiendo que produjera efectos redistributivos a nivel nacional, más allá del ámbito territorial de cada Organismo de cuenca. De otro lado, la limitación de los recursos hídricos en determinadas cuencas las incapacitaba para afrontar con sus propios medios las demandas de recursos que le correspondían y, en última instancia, la redistribución que podía comportar el contrato de cesión devenía prácticamente inútil en aquellas.

El Real Decreto-Ley se hace eco de la restrictiva regulación de la utilización de las infraestructuras de conexión intercuencas y constata que dada la ausencia de previsión al respecto en la Ley del Plan Hidrológico Nacional y en las leyes reguladoras de cada trasvase, era imprescindible que una norma con rango legal confiriera la cobertura precisa a la utilización de aquellas. De hecho, en el preámbulo dispone expresamente que la situación hidrológica demanda que «sea una realidad la posibilidad de llevar a cabo transacciones de derechos al uso del agua (...) puesto que con la legislación vigente las transacciones que pueden llevarse a cabo resultan insuficientes». Pese a manifestar que el volumen de las transacciones previsto no es muy elevado, dado que las zonas potencialmente cedentes y cesionarias están situadas en áreas geográficas pertenecientes a ámbitos de distinta planificación hidrográfica, «resulta esencial que las transacciones puedan realizarse a través de las infraestructuras de conexión intercuencas, ya que en caso contrario, los costes del transporte del agua las harían económicamente inviables». De acuerdo con lo anterior, el artículo 3 del Decreto-Ley 15/2005 (y posteriormente el artículo 11 del Real Decreto-Ley 14/2009 y sus sucesivas prórrogas, con el mismo tenor salvo la omisión de la referencia expresa a las infraestructuras existentes entre el embalse del Negratín y el de Cuevas de Almanzora) permitió utilizar las infraestructuras de conexión intercuencas existentes entre el embalse del Negratín y el de Cuevas de Almanzora, así como el acueducto Tajo-Segura[11]. Ahora bien,

---

11. Según explicaba el propio Decreto-Ley, la urgencia en la aprobación de estas medidas se debía a la necesidad de «aliviar (en las cuencas receptoras) el estrés hídrico de determinados cultivos leñosos, en concreto, los cítricos», necesidad que se ve agravada ante el insuficiente aporte de agua en el año hidrológico pasado, y que no podrá ser remediada acudiendo a los recursos ordinarios que provienen de la cabecera del Tajo a través del acueducto Tajo-Segura. Del otro, la urgencia se debe a otra insuficiencia en un uso de todavía mayor importancia: el abastecimiento a poblaciones del área de municipios servidos mediante los recursos del Taibilla. Por lo que se refiere a las cuencas receptoras, la urgencia se deriva del carácter irreversible de la decisión que adopten los usuarios del agua, pues tal decisión se debía tomar en las fechas en que se aprobó el Decreto-Ley, época de siembra y nascencia de las semillas que darán lugar a los cultivos agrícolas de estas zonas. Por tanto, resultaba claro para el Gobierno que el agua era extraordinariamente necesaria en el momento en que se aprobó la norma, pues el aplazamiento de la decisión haría inútiles las medidas contenidas en la misma en el próximo futuro. Posteriormente, el Decreto-Ley 14/2009 que hacía suyas, en lugar de prorrogar, las disposiciones del 15/2005 reconocía que «en los últimos años se han puesto en marcha experiencias muy positivas para paliar los daños de la sequía mediante la autorización, por una norma con rango legal, del intercambio de derechos de agua entre usuarios de di-

la utilización de las infraestructuras para estas transacciones se subordinaba a los fines prioritarios fijados en las respectivas normas reguladoras de las transferencias, siendo el régimen económico-financiero aplicable el que establecieran las normas singulares que regulaban el régimen de explotación de las correspondientes infraestructuras, sin perjuicio de la contraprestación que pudieran acordar las partes, en función de lo dispuesto en el artículo 68.3 del TRLA[12].

Las transacciones que implicaban la utilización de infraestructuras de conexión intercuencas habían de ser autorizadas por la Dirección General del Agua, previo informe de los organismos de cuenca afectados y de las restantes entidades que deban informar de acuerdo con el artículo 68.2 del TRLA, esto es, las Comunidades Autónomas implicadas y el Ministerio de Agricultura, Pesca y Alimentación, cuando la cesión de derechos se refiriera a una concesión para regadíos y usos agrarios. En todo caso, la Dirección General del Agua podía ejercer el derecho de adquisición preferente a que se refiere el artículo 68.3 del citado cuerpo legal[13].

Finalmente, y como no podía ser de otro modo, durante la vigencia del Real Decreto-Ley 15/2005 y de sus prórrogas, en cuanto a la utilización de infraestructuras de conexión intercuencas y los contratos de cesión de derechos al uso del agua que requerían su utilización quedaba sin efecto el artículo 72.1 del TRLA[14].

1.3. Límites al elemento objetivo. El volumen cedible y el «precio» de la cesión

Con carácter general, el volumen anual susceptible de cesión en ningún caso podrá superar al realmente utilizado por el cedente, aunque se efectúa el emplazamiento reglamentario para que se establezcan las normas para el cálculo del mismo. Para ello habrá de tomarse como referencia el valor medio del caudal realmente utilizado durante la serie de años que se determinen, corregido, en su caso, conforme a la dotación objetivo que fije el Plan Hidrológico de cuenca y el buen uso del agua, sin que en ningún caso pueda cederse

---

ferentes cuencas, de manera que las cuencas excedentarias pueden aportar recursos adicionales a las zonas deficitarias, con la consiguiente compensación económica a los cedentes. Las experiencias obtenidas en los últimos años acreditan el efecto beneficioso de estos intercambios para las dos partes sin que se hayan manifestado efectos adversos. En consecuencia también se propone la aplicación de este tipo de medidas en la presente normativa».

12. *Vid.* artículo 3.2 del Real Decreto-Ley 15/2005, de 16 de diciembre.
13. Disposición Adicional cuarta del Real Decreto-Ley 15/2005.
14. Disposición Final segunda del Real Decreto-Ley 15/2005.

un caudal superior al concedido. El desarrollo reglamentario recayó en virtud del RD 606/2003, de 23 de mayo, de modificación del RDPH y que introdujo el Título VI relativo al contrato de cesión de derechos al uso privativo de las aguas. En lo que ahora nos toca, el artículo 345 desarrolla el procedimiento para determinar el caudal máximo a ceder. Éste no podrá nunca superar el caudal realmente utilizado por el cedente, que se calculará teniendo en cuenta los valores del volumen realmente utilizado durante los últimos cinco años pudiéndose corregir el valor resultante atendiendo a varios ítems tales como la dotación objetivo que fije el plan hidrológico de la cuenca, los retornos que procedan, las circunstancias hidrológicas extremas y el respeto a los caudales ambientales que se hayan establecido o, en su defecto, al buen uso de las aguas. A mayor abundamiento, el volumen que resulte posible ceder de acuerdo con estos cálculos no podrá superar en ningún caso al caudal que resulte de los acuerdos que adopte el Organismo de cuenca en función de la situación hidrológica de cada año.

Pues bien, a este régimen general, una vez más se introduce una vía excepcional que lo altera de forma temporal y para una cuenca determinada. La disposición adicional 3ª del Real Decreto-ley 6/2015, de 14 de mayo, por el que se modifica la Ley 55/2007, de 28 de diciembre, del Cine, se conceden varios créditos extraordinarios y suplementos de créditos en el presupuesto del Estado y se adoptan otras medidas de carácter tributario contiene una regla excepcional y temporal sobre la cesión de derechos al uso privativo de aguas pero sólo para la demarcación hidrográfica del Segura. De acuerdo con dicha disposición, con carácter excepcional y temporalmente limitado hasta el 31 de diciembre de 2015, se podrían autorizar contratos de cesión de derechos al uso privativo de las aguas, entre concesionarios de la cuenca del Segura, en los que el volumen susceptible de cesión fuera igual al volumen concedido al titular que cede su derecho, no siendo de aplicación la limitación establecida en el artículo 69 del TRLA. Esto es, excepcionalmente se permite en la cuenca del Segura que se celebren contratos en los que no se respete el límite objetivo calculado en la forma vista pero sin que quede muy clara la virtualidad que esta medida pueda tener.

En cuanto a la contraprestación de la cesión, en principio, se otorga libertad a las partes para fijar el carácter oneroso o no de la cesión, siendo ellos quienes fijarán libremente la contraprestación −«compensación económica», dice el legislador−, que habrá de hacerse constar expresamente en el contrato. Pese a que lo normal ha sido siempre la fijación de un precio, una cantidad líquida, debe recordarse que se deben admitir todas aquellas figuras que producen la misma función de cumplimiento, esto es, cualquier prestación de dar, hacer o no hacer que satisfaga el interés del cedente por la renuncia que hace; entre ellas sin duda destaca particularmente la permuta.

Reglamentariamente podrá establecerse el importe máximo de esa compensación, facultad que de ser importante para evitar situaciones de desequilibrio no ha sido, sin embargo, ejercida por el reglamentador. Ahora bien, excepcionalmente el Ministerio podrá establecer su importe máximo cuando las desviaciones del mercado así lo aconsejen. Es perfectamente posible que la libertad con que cuentan las partes para fijar la contraprestación unida a situaciones de fuerte presión hídrica, de situaciones hidrológicas excepcionales de sequía, de lugar a la fijación de precios que puedan resultar abusivos para el cesionario, en cuyo caso el carácter taxativo de las causas de no autorización del contrato no permitirán al Organismo de cuenca denegarlo. Ahora bien, ¿podría justificar esta situación la intervención del Ministerio de Medio Ambiente fijando un importe máximo a la cesión? ¿Cuándo habrá de considerarse que existe la desviación del mercado para que tenga lugar dicha intervención administrativa? es más, ¿cuándo podrá considerarse abusivo el precio? Tales interrogantes muestran la conveniencia de que se depure más esta posibilidad interventora limitando un tanto y siempre en aras del interés general la libertad de que gozan las partes, dada la especial naturaleza de los bienes sobre los que recae el contrato y que justifica plenamente dicha intervención pública.

2. EL DEFINITIVO GOLPE DE TIMÓN HACIA LA CESIÓN DE CAUDALES ENTRE TERRITORIOS SOMETIDOS A DISTINTOS PLANES DE CUENCA

2.1. El desbloqueo definitivo del empleo de las infraestructuras de conexión intercuencas y el impulso al procedimiento autorizatorio del contrato

La última reforma del régimen del contrato de cesión de derechos al uso privativo de las aguas es la efectuada por la Ley 21/2013, de 9 de diciembre, de Evaluación Ambiental que da nueva redacción al artículo 72 del TRLA regulador de las infraestructuras de conexión intercuencas. A priori cabe destacar que la modificación afecta al régimen general y lo hace de forma definitiva dando nueva redacción al artículo, no ya a través de una disposición de carácter extraordinario y urgente. De acuerdo con el nuevo tenor

«1. La Dirección General del Agua podrá autorizar la cesión de derechos, a que se refiere esta sección, que implique el uso de infraestructuras que interconectan territorios de distintos Planes Hidrológicos de cuenca, esta autorización conlleva la del uso de las infraestructuras de interconexión. Se entenderán desestimadas las solicitudes de cesión una vez transcurridos los plazos previstos sin haberse notificado la resolución administrativa.

2. Sin perjuicio de lo dispuesto en el artículo 69.3, el régimen económico-financiero aplicable a estas transacciones será el establecido en las normas singu-

51

lares que regulen el régimen de explotación de las correspondientes infraestructuras.

3. La autorización de las cesiones que regula el presente artículo no podrán alterar lo establecido en las reglas de explotación de cada uno de los trasvases».

El texto del artículo es fruto de la Enmienda 306 del Proyecto de Ley de Evaluación Ambiental presentada por el Partido Popular. En efecto, de forma muy criticable dicha reforma tuvo lugar en virtud de la Ley 21/2013, de 9 de diciembre, de Evaluación Ambiental que en su disposición final cuarta modificó y dio nueva redacción al artículo 72 del TRLA.

El Preámbulo de la Ley justifica esta medida como el primer paso de lo que está por venir pues según se afirma «se deberá afrontar la modificación, en profundidad, de la legislación de aguas que deberá establecer, entre otras cosas, un nuevo régimen de cesión de derechos, que le dote de mayor eficacia en el futuro. En este momento se modifica parcialmente el artículo 72 del Texto Refundido de la Ley de Aguas, con el objetivo de flexibilizar su régimen jurídico sin perjuicio de la regulación específica de cada uno de los trasvases».

Como puede observarse, la nueva redacción del artículo 72 del TRLA dada en la última reforma hace suyo el espíritu de las reformas de los diversos decretos-leyes referidos *supra* pues el tenor es prácticamente el mismo. El nuevo tenor del artículo 72 permite a la Dirección General del Agua autorizar contratos de cesión que impliquen el uso de infraestructuras que interconecten territorios sometidos a distintos Planes Hidrológicos de cuenca, señalando que dicha autorización conllevará necesariamente la del uso de las infraestructuras de interconexión.

Este nuevo régimen se aparta del régimen general de utilización de instalaciones e infraestructuras recogido en el artículo 70.4 del TRLA, que expresamente señala lo contrario. En efecto, el régimen general previsto en el artículo 70 encomienda, primeramente, al acuerdo de las partes su régimen de utilización si aquellas son privadas. Siendo públicas, o teniendo el Organismo de cuenca su explotación, los contratantes habrán de solicitar su utilización a la vez que solicitan la autorización de la cesión. Pero, siendo diversas las autorizaciones para la cesión y para el uso de las infraestructuras y presentándose a la vez el legislador se cuidó de establecer un régimen separado y, así, la autorización del contrato de cesión no implicaría por sí misma la autorización para el uso o construcción de infraestructuras que fueran precisas para la cesión, antes al contrario, la resolución del Organismo de cuenca sobre el uso o construcción de las infraestructuras necesarias será independiente de la decisión que adopte sobre la autorización o no del contrato de cesión y, a mayor abundamiento, no se le aplicarían los plazos que rigen para ello en el artículo 68.3 del TRLA. De tal forma, el régimen recién instaurado es intencionalmente distinto con el propósito, entendemos, de agilizar los trámites y conseguir la pronta terminación del procedimiento autorizatorio.

En efecto, el nuevo régimen de utilización de instalaciones de conexión intercuencas persigue facilitar el uso de estas infraestructuras así como la celebración de contratos entre distintas cuencas, a tal fin agiliza los trámites autorizatorios integrando el de las instalaciones en el general del contrato, buscando con ello la pronta terminación del procedimiento autorizatorio y la rápida reasignación de los caudales.

MELLADO RUIZ ha visto en estas modificaciones y, particularmente, en el enlace de autorizaciones una «implícita y encubierta deslegalización de los procesos de transferencia de recursos pertenecientes a diferentes planes de cuenca» así como una «degradación de rango» con la consiguiente «merma democrática del control de las decisiones sobre el uso de las infraestructuras de conexión intercuencas»[15]. Respecto a esto último cabe subrayar que el artículo 72, en la redacción anterior a la reforma, se refería al «Ministerio de Medio Ambiente», no a su titular, dejando sin determinar el órgano que dentro del mismo autorizaría dichas cesiones. Es más, en las primeras redacciones del artículo que analizamos –era el número 14 del nuevo artículo 56 *bis* que finalmente fue el 61 *bis*– la autoridad competente para autorizar el uso de las infraestructuras de conexión intercuencas así como el contrato de cesión no era el Ministro de Medio Ambiente sino el Director General de Obras Hidráulicas y Calidad de las Aguas[16]. Dado que el desarrollo reglamentario del contrato de cesión efectuado en la reforma del Reglamento de Dominio público hidráulico de 2003[17] no incidió en el artículo 72 del TRLA, no fue hasta

---

15. MELLADO RUIZ, L., «Las aguas bajan revueltas... en la política hídrica española», *Revista Española de Derecho Administrativo*, núm. 165, p. 409.

16. Así figuraba tanto en el Proyecto de Ley de Modificación de la Ley 29/1985, de 2 de agosto, de Aguas, («Boletín Oficial de las Cortes Generales», Congreso de los Diputados, Serie A, número 171-1, de 24 de mayo de 1999) como en el texto aprobado por el Pleno en 30 de septiembre de 1999, publicado en el «BOCG» A-171-13, de 5 de octubre de 1999 (DS núm. 263) introduciéndose la referencia al Ministerio de Medio Ambiente en el texto legislativo aprobado por el Pleno del Senado en su sesión del día 3 de noviembre de 1999 aprobado por el Senado, que fue publicado en el «BOCG», II, 158 e, de 15 de noviembre de 1999 («DS», núm. 147).

17. Dicha reforma se articuló con el Real Decreto 606/2003, de 23 de mayo, por el que se modifica el Real Decreto 849/1986, de 11 de abril, por el que se aprueba el Reglamento del Dominio Público Hidráulico, que desarrolla los Títulos preliminar, I, IV, V, VI y VIII de la Ley 29/1985, de 2 de agosto, de Aguas.

el Real Decreto-Ley 15/2005 y sus sucesivas prórrogas cuando se especi-
ficó el órgano que dentro del Ministerio asumiría la función de autorizar
los contratos y las instalaciones[18]. En todo caso, al fijar en una autoridad
superior al organismo de cuenca la competencia para autorizar las cesiones intercuencas se pretendía evitar el conflicto de intereses que necesariamente surgiría al estar implicadas distintas confederaciones hidrográficas. En mi opinión, el nuevo artículo 72 no encierra una deslegalización
del proceso de transferencias intercuencas toda vez que se ha articulado a
través de la LEA, norma con rango legal que a su vez ha modificado otra
disposición con fuerza de Ley, el TRLA. Sí comparto con MELLADO la
conveniencia de integrar en la futura Ley del Plan Hidrológico Nacional
las disposiciones relativas a las transferencias de recursos hídricos que
se encuentren dispersas en diferentes normas y, por ende, incorporar una
referencia al empleo de instalaciones intercuencas en virtud del contrato
de cesión y, por qué no, de los centros de intercambio de derechos al uso
privativo de las aguas.

En fin, este nuevo régimen de utilización de infraestructuras intercuencas parece partir de que las instalaciones ya existen pues no regula
la eventual necesidad de su construcción. En tal caso nada impediría la
aplicación del régimen general del artículo 70 del TRLA y concordantes
del RDPH.

2.2. La incomunicación de los regímenes propios de cada trasvase y del contrato de cesión

La nueva redacción del artículo 72 en sus incisos 2 y 3 deja patente
la afirmación vertida en el Preámbulo y reproducida *supra* que refleja el
deseo del legislador de que sean independientes el régimen del contrato
de cesión que emplee infraestructuras intercuencas y el régimen de explotación de los trasvases correspondientes.

A mayor abundamiento, y tratándose del cómputo de los caudales
cedidos, a diferencia de lo que ahora dispone el artículo 72 del TRLA,

---

18. La Disposición Adicional Cuarta del citado Real Decreto-Ley 15/2005, relativo a la
autorización de las transacciones intercuencas, disponía que «Las transacciones que
impliquen la utilización de infraestructuras de conexión intercuencas deberán ser
autorizadas por la Dirección General del Agua, previo informe de los organismos
de cuenca afectados y de las restantes entidades que deban informar de acuerdo con
el artículo 68.2 del texto refundido de la Ley de Aguas, aprobado por el Real Decreto Legislativo 1/2001, de 20 de julio. Asimismo, en el plazo previsto en el citado
artículo, la Dirección General del Agua podrá ejercer el derecho de adquisición
preferente regulado en el artículo 68.3».

la disposición adicional tercera del Real Decreto-Ley 15/2005 (y con el mismo tenor los posteriores que lo prorrogaban) eran suficientemente explícitos en cuanto al cómputo de los volúmenes cedidos al disponer con idéntico tenor y bajo el título «Cómputo de los volúmenes objeto de transacción a las cuencas receptoras del acueducto Tajo-Segura» que «los volúmenes de agua que, en virtud de este real decreto-ley, sean objeto de transferencia a las cuencas receptoras del acueducto Tajo-Segura, se computarán como volúmenes trasvasados a todos los efectos y, en particular, para el cómputo del límite de los 240 hectómetros cúbicos establecido en la disposición adicional tercera de la Ley 10/2001, de 5 de julio, del Plan Hidrológico Nacional». Nada de esto se establece ahora en el nuevo régimen de utilización de las infraestructuras intercuencas por lo tanto los volúmenes cedidos en virtud de contrato y empleando las instalaciones intercuencas no habrán de computarse en los volúmenes trasvasados al amparo del régimen de explotación de cada trasvase.

En todo caso, conviene resaltar cómo el cómputo de los caudales se imponía a efectos de no afectar el límite de las aguas excedentarias cuya afección repercutiría negativamente sobre el concreto trasvase. Como se ha dicho, ante la falta de una referencia expresa similar nos encontramos con regímenes jurídicos distintos, el de cada trasvase y el de los contratos que utilicen las instalaciones de los mismos cuya autorización conllevará la de uso de las infraestructuras de conexión debidamente pagada, según el artículo 72.1 del TRLA.

Así pues, en ausencia de una disposición que expresamente lo imponga, ante la evidente finalidad flexibilizadora de la última reforma del artículo 72 del TRLA y el régimen jurídico independiente del contrato de cesión intercuencas del régimen de cada trasvase, siempre que el correspondiente contrato de cesión no incurra en alguna de las causas de denegación que con carácter taxativo se recogen en los artículos 68.3 del TRLA y 348 del RDPH y mediando los informes pertinentes favorables, aquél habrá de ser autorizado sin computar los caudales cedidos en el límite máximo de cada trasvase. Más aún, al amparo del nuevo artículo 72 del TRLA podrán celebrarse contratos y cederse volúmenes siempre que las infraestructuras de conexión correspondientes puedan asumir dicha transferencia y no repercuta negativamente al régimen de explotación de las cuencas afectadas ni el concreto trasvase al que da soporte la infraestructura afectada.

III. LOS BANCOS DEL AGUA. ¿INSTRUMENTOS DE GOBERNANZA MALOGRADOS? LA NECESIDAD DE EXPLORAR SUS BONDADES Y CORREGIR SUS DEFECTOS. ALGUNAS PROPUESTAS DE MEJORA

1. LA INTERVENCIÓN ADMINISTRATIVA PLENA EN LOS BANCOS DEL AGUA CONTRASTA CON SU CARÁCTER RESTRINGIDO. LA OPORTUNIDAD DE REVISAR SU CARÁCTER EXCEPCIONAL Y DE QUE ESTÉN SIEMPRE CONSTITUIDOS EN LAS CUENCAS DEFICITARIAS

Como ya se ha referido, los centros de intercambio de derechos al uso del agua se crearon en nuestro Ordenamiento jurídico, junto con el contrato de cesión, como uno de los instrumentos más novedosos de entre todos los recogidos en el TRLA que tienden a la redistribución de los recursos hídricos, con la finalidad de optimizar socialmente su uso. Precisamente por tal circunstancia desde su origen se convirtieron en uno de los retos del actual Derecho de aguas español al representar un instrumento útil que, en conjunción con otros, podría alcanzar una buena gobernanza de recursos escasos, con la Administración hídrica a la cabeza. Sin embargo, su diseño legal fuertemente restrictivo lo ha convertido en un instrumento fosilizado.

En efecto, pese a la importancia que para la reasignación de recursos hídricos tienen y de su gran potencial como instrumento de gobernanza del agua, los centros de intercambio terminaron configurándose en el Derecho de aguas español con un marcado carácter excepcional, lo que se manifiesta, de un lado, porque su creación única y exclusivamente procede previo Acuerdo del Consejo de Ministros, a propuesta del Ministro de Medio Ambiente y, del otro, por las limitadas y singulares situaciones en que aquélla tendrá lugar.

De tal forma, la constitución de los bancos del agua ha sido relegada por el legislador para situaciones particulares y de mayor gravedad que aquellos supuestos en que procederán los contratos de cesión. En virtud del artículo 71.1 del TRLA y 354.1 del RDPH, estas situaciones son las de falta de disponibilidad de recursos que obligue al Organismo de cuenca a fijar la explotación de los mismos para garantizar su uso racional (artículo 55); los casos de declaración de sobreexplotación de acuíferos (artículo 56); los supuestos de sequías extraordinarias, estados de necesidad, urgencia o concurrencia de situaciones anómalas o excepcionales (artículo 58); y, en fin, aquellos otros que reglamentariamente se determinen por concurrir situaciones análogas. Pese al emplazamiento hecho por el legislador, en el desarrollo reglamentario de esta institución no se han ampliado los supuestos en que se podrán crear los centros de intercambio y eso que han sido varias las reformas que ha recibido el RDPH desde su creación y de que habría sido conveniente extender su aplicación con carácter general, como sucede con los contratos de cesión. Quedaba ver si se habría llevado a cabo en la reforma de la ley de aguas anunciada por la Ley 21/2013, pero el momento en el que se encuentra en nuestro país con un gobierno en funciones y que parece abocado irremediablemente a nuevas elecciones nos hace pensar en que resta mucho para ver una futura modificación de la Ley de Aguas que probablemente, no esté entre las prioridades del gobierno que surja de las nuevas elecciones o, aunque parece casi imposible, del acuerdo de partidos políticos.

Como se ha dicho, la intervención de la Administración en los bancos del agua es plena. Así, desde que solicita su constitución el Ministerio de Medio Ambiente y los autoriza el Consejo de Ministros, los Organismos de cuenca dirigirán todo el proceso, efectuando las ofertas públicas de adquisición y luego cesión de derechos permitiéndose, además, a las Comunidades Autónomas instar a los Organismos de cuenca para realizar adquisiciones de derechos de uso del agua para atender fines de interés autonómico. Pero entonces, ¿porqué limitar un instrumento que dirigido por la mejor conocedora de la situación hidrológica de la cuenca y de sus concesionarios y usuarios podría desarrollar un importante papel redistribuidor? Su finalidad redistribuidora sería mayor si los bancos existieran de forma permanente, sobre todo en cuencas deficitarias, en las que podría nutrirse de recursos de los que el organismo de cuenca pueda disponer (aguas desaladas, aguas de laminación de avenidas,...).

Así pues, estando constituidos de forma ordinaria, adquiriendo recursos de forma constante, su eficacia sería mayor, sobre todo en épocas de escasez en las que podría ser el instrumento a través del cual otorgar los recursos disponibles.

2. LOS SUJETOS QUE PUEDEN CONCURRIR A LOS BANCOS DE AGUAS. LA CONVENIENCIA DE PROTEGER A LOS ADQUIRENTES MÁS DÉBILES

Están facultados para concurrir a los bancos de aguas los concesionarios o titulares de aprovechamientos al uso privativo de las aguas que los tengan inscritos en el Registro de Aguas o en el catálogo de aprovechamientos de la cuenca (artículo 354.2 del RDPH). Nótese cómo estos últimos no están, sin embargo, autorizados a celebrar el contrato de cesión a menos que previamente transformen su derecho en una concesión de aguas públicas e insten su inscripción en el Registro de Aguas (artículo 343.4 del RDPH).

En las solicitudes que dirijan al Organismo de cuenca habrá de identificarse el concesionario o titular que desea ceder sus derechos; el título jurídico que ampara el derecho al uso privativo de las aguas que ostenta el solicitante; el volumen de agua que está dispuesto a ceder; así como justificar el cumplimiento del resto de los requisitos fijados por el Organismo de cuenca para poder acudir a la oferta pública de adquisición, en especial los referentes a la calidad del recurso y a los criterios relativos al retorno de las aguas susceptibles de cesión. No se exige sin embargo un extremo que puede resultar de gran relevancia como es la exigencia del uso efectivo de los caudales por parte del cedente aunque sobre esto incido a continuación.

Sería recomendable establecer limitaciones objetivas que protejan a los adquirentes más débiles y que impidan que un solo licitador pueda adquirir más de un porcentaje del volumen ofertado. Quizá la mejor opción sea estratificar el volumen del recurso a adquirir, fijando una horquilla de mínimos y máximos a respetar por todos los concurrentes a las ofertas públicas.

3. EL OBJETO DE LOS BANCOS DEL AGUA. LA NECESARIA INCORPORACIÓN DE LA EXIGENCIA DEL USO EFECTIVO DE LOS CAUDALES CEDIDOS Y LA OPORTUNIDAD DE AMPLIAR LOS MEDIOS DEL INTERCAMBIO

El elemento objetivo de los centros lo constituyen los derechos al uso privativo de las aguas que puedan ser objeto de intercambio porque reúnan los requisitos determinados en las ofertas públicas de adquisición y posterior cesión. En efecto, en aquéllas se determinarán no sólo las características de los aprovechamientos que puedan ceder o adquirir derechos sino también los requisitos técnicos de los recursos, en especial, los referentes a la calidad y al retorno de las aguas objeto de cesión. De igual modo, las ofertas públicas concretarán los criterios en cuya virtud el Organismo de cuenca seleccionará los derechos objeto de adquisición y aquéllos que resulten adjudicatarios de los mismos en la posterior cesión. Ahora bien, es importante reseñar un extremo de relevancia y es la necesidad de revisar la regulación tanto del elemento objetivo de los bancos como de los extremos que se han de incorporar en las ofertas públicas de cesión. Concretamente se echa en falta la exigencia de que los cedentes acrediten que hacen un uso efectivo de los caudales que van a ceder para evitar así la adquisición de «derechos de papel». Esto sí se exige en el contrato de cesión y se encuentra regulado en detalle en el artículo 345 del RDPH que, además de impedir que se cedan más caudales de los efectivamente utilizados por el cedente, tomando como referencia los últimos cinco años, autoriza que el valor resultante sea corregido atendiendo una serie de extremos que pueden afectarlo seriamente (dotación objetivo del plan de cuenca, los retornos, las circunstancias hidrológicas extremas, el respeto a los caudales ambientales o al buen uso del agua o el volumen que se fije por el Organismo de cuenca en función de la situación hidrológica de cada año). Pese a esta minuciosa regulación del contrato de cesión, en la última reforma del RDPH operada en virtud del Real Decreto 670/2013, de 6 de septiembre, se da un paso más y se añade la letra *i)* al artículo 344 para exigir que en la formalización del contrato de cesión se incluya la acreditación de que los contratantes no están incursos en ninguna causa de extinción de las concesiones, en particular, del uso efectivo del agua en algún momento de los tres años anteriores a la fecha de la cesión de derechos. Una referencia que sin duda habría de exigirse igualmente a quienes acudan a los bancos del agua para ceder sus derechos, máxime cuando se ha constatado algún abuso en este sentido en experiencias recientes de bancos de aguas[19].

De otro lado, uno de los principales argumentos que se esgrimen ante la falta de constitución de los bancos es la falta de dotación presupuestaria de los organismos de cuenca para tales fines. Tal vez, esto podría obviarse articulando otras formas de financiación y contemplando otras formas de pago como la permuta o el pago en especie (lo que permitiría al organismo de cuenca adquirir recursos para destinarlos a fines ambientales, por ejemplo). Aún más, para facilitar su constitución y desbloquear la paralización por la inexistencia de presupuesto ad hoc y liberar a la Administración de afrontar el pago de los recursos que vaya a adquirir se podría aplazar el pago a los cedentes al momento en que se haga efectiva la adquisición y pago por los destinatarios de los caudales. Desarrollando con agilidad y de la forma más simultánea posible las ofertas públicas de adquisición y cesión de los caudales no tendría que verse retrasado en exceso el pago al cedente. Sobre este extremo se volverá más adelante.

4. LA FALTA DE REGULACIÓN DE LA OFERTA PÚBLICA DE CESIÓN

El intercambio de los derechos se articula en dos fases yuxtapuestas. En primer lugar, el Organismo de cuenca procede a la adquisición de derechos de uso del agua a través de las ofertas públicas de adquisición de derechos, dirigidas a los concesionarios que reúnan las características detalladas en las mismas. En segundo término, se efectuará la posterior cesión de los derechos adquiridos a aquellos usuarios que acepten las condiciones y precios ofertados por el Organismo de cuenca. Además, tanto las adquisiciones como las enajenaciones (cesiones) posteriores del derecho al uso del agua

---

19. Véase el Informe WWF 2012 «El fiasco del agua en el Alto Guadiana», disponible en el sitio web de WWF España.

deberán respetar los principios de publicidad y libre concurrencia, así como llevarse a cabo conforme al procedimiento y criterios de selección que se determinen reglamentariamente.

De la regulación legal y reglamentaria de los centros de intercambio consagrada en los artículos 71 del TRLA y 354-355 del RDPH se desprende que el legislador sólo ha tomado en consideración la primera parte del proceso, esto es, la oferta pública de adquisición de caudales, dejando carente de regulación la segunda parte del mismo, la posterior cesión de los caudales adquiridos. De hecho, sólo en el TRLA puede encontrarse una referencia al procedimiento de cesión de los derechos adquiridos en virtud de la oferta pública, no así en el Reglamento del Dominio Público Hidráulico. En efecto, el artículo 71.3 del TRLA establece la exigencia de que las adquisiciones y *enajenaciones* del derecho al uso del agua que se realicen en los centros de intercambio habrán de respetar los principios de publicidad y libre concurrencia y llevarse a cabo conforme al procedimiento y los criterios de selección que reglamentariamente se determinen.

De esta forma, lo único que queda claro es que el procedimiento de cesión habrá de ser público y concurrente y, en consecuencia, el Organismo de cuenca deberá publicar una oferta, esta vez de cesión de derechos al uso del agua, en la que concretará, al menos, los siguientes extremos:

a) El volumen de cesión ofertado.

b) Las características de los aprovechamientos que pueden adquirir los caudales ofertados.

c) Los importes máximos y mínimos de la cesión.

d) La contraprestación, esto es, las condiciones y formas de pago.

e) El plazo por el que se efectúa la misma.

f) Los criterios en virtud de los cuales el Organismo de cuenca seleccionará a los adjudicatarios de la cesión.

g) El plazo para la presentación de solicitudes por parte de los interesados en la oferta pública, quienes habrán de tener inscritos sus derechos.

Además, los interesados en la oferta pública de cesión de caudales habrán de presentar al Organismo de cuenca una solicitud de adquisición en la que tendrán que determinar, cuanto menos, los siguientes extremos:

1. Las características del aprovechamiento en que amparan su solicitud.

2. El volumen de recurso que pretende adquirir.
3. El destino que dará a los caudales que se solicitan.
4. El tiempo por el que precisa los recursos requeridos.

Como ya se ha puesto de manifiesto, esta segunda fase de cesión de los caudales adquiridos puede convertirse en un instrumento fundamental para la puesta en marcha de los bancos de agua pese a la falta de expresa cobertura presupuestaria para ellos.

5. LA NECESIDAD DE PREVER EL DESTINO AMBIENTAL DE LOS RECURSOS ADQUIRIDOS

La práctica de los centros constituidos hasta ahora ha demostrado que la segunda fase de cesión de los caudales adquiridos no se ha puesto en práctica y los recursos adquiridos en ellos se han destinado básicamente a fines ambientales o de interés para la Comunidad Autónoma (NAVARRO 2010). Sin duda, las situaciones de sequía extraordinarias que atravesaba España en el momento en que se pusieron en marcha determinaron firmemente tal destino. En efecto, el Real Decreto-Ley 9/2006, de 15 de septiembre, por el que se adoptan medidas urgentes para paliar los efectos de la sequía en las poblaciones y explotaciones agrarias de regadío de determinadas cuencas hidrográficas reforzó la eficacia de estos centros de intercambio con la finalidad de que este instrumento sirviera para dar respuesta a objetivos medioambientales o de interés de la Comunidad Autónoma, al permitir destinar los recursos adquiridos a la consecución del buen estado de las masas de agua subterránea o a constituir reservas con finalidad puramente ambiental, tanto de manera temporal como definitiva y a la cesión a las Comunidades Autónomas, celebrando antes un convenio que regulara la finalidad de la cesión y posterior utilización de las aguas[20]. El posterior Real Decreto-Ley 14/2009, de 4 de diciembre, por el que se adoptan medidas urgentes para paliar los efectos producidos por la sequía en determinadas cuencas hidrográficas, siguió en esta dirección.

Al amparo de los Acuerdos del Consejo de Ministros de 15 de octubre de 2004 se aprobó su constitución en las cuencas del Segura, Júcar y Guadiana y por Acuerdo de 4 de abril de 2008 en la del Guadalquivir. Todos ellos se constituyeron con la declarada intención de acometer una explotación más racional de los recursos hídricos y obtener así una mayor disponibilidad de los mismos, al tiempo de introducir nuevas formas de gestión del agua y una amplia concienciación de la sociedad en relación con las necesidades

---

20. Véase la Disposición Adicional Tercera del citado Real Decreto-Ley 9/2006.

reales de agua y la mejor utilización de estos recursos. En todos los casos eran objetivos declarados de los centros de intercambio la reordenación de una parte importante de los recursos hídricos para aplicar los criterios de equidad, eficiencia y sostenibilidad así como corregir el déficit hídrico en estas cuencas, facilitando la consecución de un estado ecológico adecuado de sus aguas tanto superficiales como subterráneas. Se procuraba pues una mejor gobernanza del agua en las cuencas deficitarias a través de los bancos del agua (NAVARRO 2010).

Sin embargo, las anteriores disposiciones que daban cobertura al destino ambiental de los recursos perdieron su vigencia el 10 de noviembre de 2010, en el caso del Real Decreto-Ley 14/2009 o en otro caso tienen un ámbito de aplicación limitado, aun estando en vigor, como en el caso del Real Decreto-Ley 9/2006. Siendo de gran relevancia y efectividad tales destinos sería recomendable que se incorpore al régimen jurídico general de los centros de intercambio una previsión expresa que permita destinar los caudales adquiridos a fines ambientales al modo que lo hicieron las disposiciones citadas.

6. EL RESPETO A LOS PRINCIPIOS DE PUBLICIDAD Y CONCURRENCIA JUNTO CON LA INTERVENCIÓN PLENA DE LA ADMINISTRACIÓN CONVIERTEN A LOS BANCOS DEL AGUA EN INSTRUMENTOS ÚTILES PARA UNA MEJOR GOBERNANZA DEL AGUA. ¿CABRÍA UN BANCO DEL AGUA NACIONAL LLEVADO POR UNA AUTORIDAD O ENTE REGULATORIO DEL AGUA?

La intervención administrativa en los centros de intercambio de derechos al uso del agua puede decirse que es plena. En efecto, la Administración se erige en la verdadera artífice de todo el procedimiento del intercambio. Pues, en primer lugar, la autoridad medioambiental solicita la constitución del centro de intercambio y, una vez aprobada por el Gobierno, será la Administración hidráulica la que incoará y dirigirá todo el proceso. Su intervención es total al concretar en todos sus extremos la oferta pública de adquisición de derechos y, en su caso, hacer lo propio con la oferta pública de cesión de los mismos. Como consecuencia de esta participación pública, éstos se admiten abiertamente por quienes muestran reticencias al contrato de cesión de derechos al uso privativo de las aguas. En efecto, en este caso la Administración hídrica tiene un papel mucho más significativo que el de la mera intermediación entre las partes interesadas en adquirir o ceder caudales, pues en los centros de intercambio actúa como algo más que un intermediario por ser ella misma quien determina la posibilidad de transacciones y su última finalidad. A todo ello hay que añadir la imposición de la transparencia y participación en el proceso de adquisición de los caudales, ya que uno de los extremos que se han de concretar en las ofertas públicas son los criterios en virtud de los cuales el Organismo de cuenca seleccionará los derechos que se van a adquirir, respetando en todo caso los principios de publicidad y concurrencia. Así, se han concebido los centros como un mecanismo de intercambio de caudales en el espacio y en el tiempo que están gestionados, supervisados y ordenados por la propia Administración, por lo se ha dicho que ningún otro mecanismo de mercado podría contar con más garantías de equidad, información pública y de respeto a la Ley (GARRIDO 2000, p. 521).

Los aspectos positivos que en la gestión de los recursos escasos podría aportar un instrumento como los centros de intercambio ha llevado incluso a plantear la posibilidad de crear un Banco de Aguas con funcionamiento a nivel nacional. Desde otros ámbitos, particularmente en el ámbito del ciclo integral del agua urbana, se viene reclamando la necesidad de que España se dote de una autoridad independiente –se habla de una Agencia del Agua o ente regulador de ámbito nacional–, que asuma competencias de armonización de los niveles de prestación de los servicios, el establecimiento de estructuras tarifarias o la definición de criterios claros para las colaboraciones público-privadas. Esto es, un ente nacional que asuma competencias de homogenización y armonización para regular particularmente el servicio público de abastecimiento y saneamiento aunque no tiene porqué centrarse únicamente en estas. Si se ahonda en la idea el ente o autoridad única podría acometer otras tareas como la reasignación y distribución de recursos a nivel nacional. Las ventajas o inconvenientes de esta propuesta merece un estudio detallado y particular que rebasa el objeto del presente trabajo.

IV. EL PAPEL QUE LOS MERCADOS DEL AGUA ESTÁN LLAMA-DOS A DESARROLLAR COMO INSTRUMENTO DE GOBER-NANZA A NIVEL NACIONAL

Parecía que nos encontrábamos en un momento de claro impulso y re-activación de los mercados del agua, que como instrumentos para una mejor gobernanza pretenden la reasignación de recursos hídricos para optimizar socialmente su uso. Dicha reactivación se desprendía de las diversas reformas de su régimen jurídico, particularmente de la última, que amplía sus límites territoriales como modo de hacer frente a la peculiar hidrología peninsular, caracterizada por la irregular distribución geográfica y crono-lógica de sus recursos. En nuestro país, el carácter cíclico de la sequía que los climatólogos sitúan en 10 años, se ha manifestado en las últimas que hemos sufrido a principios de la década de los noventa del siglo pasado y en el primer decenio del siglo XXI, especialmente el período 2004-2008 y que han llevado al legislador a acometer diversas actuaciones y reformas legislativas en un intento de afrontar la realidad hídrica descrita. Particularmente, la región climática del sureste es la más expuesta de la península ibérica al riesgo natural de las sequías por múltiples y diversos motivos (su carácter de sotavento frente a la circulación general del oeste, por la cercanía a la subsidencia subtropical, la vecindad de África, la posición retraída de la cuenca Mediterráneo occidental y la amplia incidencia del relieve que determina el efecto *fohen* sobre el flujo del oeste y el abrigo, con disimetría pluviométrica, respecto de las borrascas atlánticas) (GIL 2004). A esta particular característica de la España «seca» se ha de sumar el carácter vulnerable a la desertificación que esta zona peninsular tiene, como consecuencia de su marco físico que integra variables de tipo climatológico, edafológico, de las características de la vegetación y, cómo no, del factor antrópico. El aumento de las situaciones de escasez de agua hace que se desencadenen y exacerben los efectos de la desertificación a través de los impactos directos, lo que a largo plazo afecta también a la calidad del suelo.

En este contexto, los mercados del agua estaban llamados a jugar un destacado papel como instrumento de gobernanza al contribuir a la gestión integrada de los recursos hídricos en las cuencas deficitarias. Su impulso certero puede convertirlos en un complemento destacado de los instrumentos de gestión tradicionales como la revisión, modificación, transmisión o expropiación de las concesiones... por constituir nuevas formas de gestión abriendo nuevas posibilidades como los mercados de recursos no convencionales, o convirtiéndose en un medio más con el que ayudar a recuperar las masas de agua en riesgo de no alcanzar el buen estado cuantitativo o químico.

Sin duda su potencial será mayor si el mercado de recursos convencionales y no convencionales se diseñara y proyectara a nivel nacional. En el caso del contrato de cesión se ha dado un paso significativo al desbloquear el uso de las instalaciones e infraestructuras de conexión intercuencas imprescindibles para ello. Tratándose de los bancos del agua se requiere, entre otros extremos ya referidos, revisar su restrictivo régimen jurídico ampliando los supuestos en que se pueden poner en marcha así como dotar a los Organismos de cuenca de medios económicos suficientes con los que afrontar las ofertas públicas de adquisición, a lo que podría contribuir la reactivación de las ofertas públicas de cesión, por los motivos expuestos.

Sin embargo, estas expectativas se han truncado ante la tibieza con que se han autorizado el contrato de cesión a nivel intercuencas y la falta de impulso de los centros de intercambio en una época de grave escasez como la que viene sufriendo de nuevo el sur peninsular en los últimos años, máxime si se pone en parangón con la decidida actuación del Ministerio de Medio Ambiente en la sequía padecida en la década del 2000.

V. REFERENCIAS

EMBID IRUJO, A.: «La crisis del sistema concesional y la aparición de fórmulas complementarias para la asignación de recursos hídricos. Algunas reflexiones sobre los mercados de de derechos de uso de agua», *Usos del agua (concesiones, autorizaciones y mercados del agua)*, EMBID IRUJO (dir.), Aranzadi, Navarra, 2013.

GARRIDO COLMENERO, A.: «Consideraciones económicas sobre los mercados de aguas», en *La reforma de la Ley de Aguas*, EMBID IRUJO (dir.), Civitas, Madrid, 2000.

GIL OLCINA, A.: *La propiedad de aguas perennes en el sureste ibérico*, Universidad de Alicante, 1993.

MELLADO RUIZ, L.: «Las aguas bajan revueltas... en la política hídrica española», *Revista Española de Derecho Administrativo*, núm. 165.

MOLINA GIMÉNEZ, A., y MELGAREJO MORENO, J.: «Water policy in Spain: seeking a peaceful balance between transfers, desalination and wastewater reuse», *International Journal of Water Resources Development*, 2015.

NAVARRO CABALLERO, T. M.: «Las transacciones de derechos al uso de las aguas y su transferencia a las cuencas receptoras del Tajo-Segura», *Revista Aranzadi de Derecho Ambiental*, núm. 14, 2008.

– «Experiencias actuales de los bancos del agua en España», *Revista Andaluza de Administración pública*, núm. 76, 2010.

– «Cuestiones jurídico-ambientales de la reutilización de las aguas regeneradas», *Agua y ciudades*, EMBID IRUJO (dir.), Civitas, Navarra, 2012.

– «La utilización de los recursos hídricos no convencionales. Carencias y disonancias de un régimen jurídico inconcluso», *Usos del agua (concesiones, autorizaciones y mercados del agua)*, EMBID IRUJO (dir.), Civitas, Navarra, 2013.

– «El nuevo régimen de utilización de las infraestructuras de conexión intercuencas para la cesión de recursos hídricos. Su conexión con la reforma de las reglas de explotación del trasvase Tajo-Segura y el impacto de la STC 13/2015». *Revista Aranzadi de Derecho Ambiental*, núm. 30, 2015.

CAPÍTULO II

EL ESTADO DE LA PLANIFICACIÓN HIDROLÓGICA EN ESPAÑA Y SU PROCESO DE REVISIÓN. UNA VISIÓN EN PERSPECTIVA[*]

Antonio Embid Irujo

Catedrático de Derecho Administrativo. Universidad de Zaragoza

SUMARIO: I. INTRODUCCIÓN. II. LA PLANIFICACIÓN HIDROLÓGICA COMO CONSOLIDACIÓN DEL MODELO INICIADO CON LA LEY DE AGUAS DE 1985. LA PLANIFICACIÓN EN EL CENTRO DE LA PO-LÍTICA HÍDRICA. ALGUNAS EXCEPCIONES. III. LOS CAMBIOS SOCIALES, ECONÓMICOS, AMBIENTALES Y POLÍTICOS EN RE-LACIÓN A LA SITUACIÓN PRESIDIDA POR LA LEY DE AGUAS DE 1985. IV. UNA PLANIFICACIÓN HIDROLÓGICA SIN PLAN HIDRO-LÓGICO NACIONAL. V. ALGUNAS CUESTIONES FORMALES EN RELACIÓN AL SEGUNDO CICLO DE PLANIFICACIÓN HIDROLÓ-GICA. VI. LA RELACIÓN ENTRE PLANIFICACIÓN HIDROLÓGICA Y MERCADO DE DERECHOS DE USO DE AGUA.

I. INTRODUCCIÓN

1. Es absolutamente necesario que en un estudio cuyo objeto pretende ser la consideración de la planificación hidrológica me remita a mi traba-jo «Valoración global del nuevo ciclo de la Planificación Hidrológica, con atención especial al Plan Hidrológico de la parte española de la Demarca-ción Hidrográfica del Ebro. (Apuntes, pespuntes e hilvanes)», redactado en febrero de 2015, puesto al día en abril, y publicado en los comienzos del verano de 2015, junto con las ponencias de las XIX Jornadas de Derecho de

[*] Este trabajo se enmarca dentro de las actividades del Grupo de Investigación AGU-DEMA (Agua, Derecho y Medio Ambiente), integrado en el IUCA (Instituto de Ciencias Ambientales de Aragón) de la Universidad de Zaragoza y su realización ha sido apoyada por el Gobierno de Aragón/Fondo Social Europeo.

Aguas celebradas en febrero de ese año[1]. El trabajo tenía la pretensión de ser un estudio integral sobre el anterior ciclo de planificación que es muy parecido al siguiente, el que ahora se debería haber iniciado con fecha 1 de enero de 2016, (cosa que va a ser cierta con unos días de retraso pues es en el BOE núm. 16 de 19 de enero de 2016, en el que se ha publicado el Real Decreto 1/2016, de 8 de enero, por el que se aprueba la revisión de los Planes Hidrológicos de las demarcaciones hidrográficas del Cantábrico Occidental, Guadalquivir, Ceuta, Melilla, Segura y Júcar y de la parte española de las demarcaciones hidrográficas del Cantábrico Oriental, Miño-Sil, Duero, Tajo. Guadiana y Ebro); eso quiere decir que la mayor parte de las cuestiones que fueron estudiadas en el trabajo mencionado son reproducidas por la nueva normativa. Por lo tanto, parto necesariamente de lo allí dicho sin tener que repetirlo, trabajo ocioso y por tanto necesariamente a evitar, pero sumo nuevas reflexiones surgidas de lo sucedido hasta el momento presente.

2. Conocido es que el anterior ciclo de planificación (al que llamé segundo por razones que se explican en el trabajo mencionado y que luego mencionaré brevemente, aunque en realidad y en relación a la Directiva Marco de Aguas –DMA– era el primero) se retrasó enormemente en relación a las fechas en que según la DMA los planes debían haber estado en vigor lo que, incluso, mereció condena formal por parte del Tribunal de Justicia de la Unión Europea (se trata de la Sentencia de 4 de octubre de 2012, asunto C-403/11). Como ya se ha indicado en el punto anterior, ahora el retraso es nimio por lo que comparativamente estaríamos ante un éxito formal[2]. Cuestión distinta es el juicio que se pueda tener sobre contenidos materiales de la planificación, aspecto que dependerá mucho de las opciones personales de quien observe esa planificación y de la contemplación de la multitud de temas que son objeto de tratamiento en la misma. Y ese juicio también podrá versar sobre la forma de adoptarse la planificación en cuanto a los necesarios acuerdos de los órganos competentes y que deben precederla. En particular me produce pesar, y reflexión, saber que cuatro Comunidades Autónomas (CCAA en adelante) y de tanto peso como Cataluña, el País Vasco, Valen-

---

1. Está integrado en el libro de mi dirección *El segundo ciclo de planificación hidrológica en España (2010-2014). Con atención especial al Plan Hidrológico de la parte española de la Demarcación Hidrográfica del Ebro*, Thomson Reuters Aranzadi, Cizur Menor, 2015, 527 pp. Mi trabajo abarca las pp. 33-120. Obviamente también remito aquí al resto de las ponencias integradas en ese libro.

2. En realidad el nuevo ciclo de planificación ya habría empezado con la aprobación del Real Decreto 701/2015, de 17 de julio, por el que se aprueba el Plan Hidrológico de la Demarcación Hidrográfica de las Illes Balears (BOE núm. 171, de 18 de julio de 2015), Plan de una cuenca intracomunitaria en la terminología usada por el ordenamiento jurídico vigente.

cia y Navarra, votaron contra del Plan Hidrológico de la Demarcación del Ebro con ocasión de la adopción del correspondiente acuerdo por el Consejo del Agua de la Demarcación Hidrográfica del Ebro. No es la mejor forma, ni mucho menos, de iniciarse un nuevo ciclo de planificación en relación, además, a un plan de tan importante significación, tanto desde un punto de vista cuantitativo –superficie y volumen de agua al que se refiere– como cualitativo (obsérvense cuáles son las CCAA que he enumerado) como el que estoy mencionando.

3. En todo caso y para tratar sobre el nuevo ciclo de planificación también es necesario tener una visión global del ciclo de planificación 2010-2015. Comenzó con la aprobación del Plan Hidrológico del Distrito de Cuenca Fluvial de Cataluña (2010) inmediatamente impugnado por la Comunidad Autónoma de Aragón y alguna entidad privada y anulado por los tribunales, llegando el asunto hasta el Tribunal Supremo que confirmó la anulación[3]. Y concluyó con la aprobación del mismo en diciembre de 2014 por el órgano de gobierno catalán y posteriormente por el Gobierno de la Nación (Real Decreto 1008/2015, de 6 de noviembre, por el que se aprueba el Plan de gestión del distrito de cuenca fluvial de Cataluña). En el ínterin, se aprobaron también todos los planes de las demarcaciones hidrográficas de competencia del Estado y los de las CCAA[4].

4. Esa referencia a la impugnación judicial del Plan Hidrológico del Distrito de Cuenca Fluvial de Cataluña de 2010 y su anulación, es una muestra de lo que ha sido una característica de este proceso: la judicialización de muchos conflictos. Lo he estudiado detenidamente en el trabajo mencionado anteriormente y sigo haciendo consideraciones sobre el particular en mis sucesivos comentarios jurisprudenciales en materia de aguas que se publican periódicamente en la Revista Española de Derecho Administrativo (REDA) dado que siguen apareciendo sentencias que resuelven conflictos sobre la planificación y todo ello hasta el punto de que creo, sin la más mínima duda, que esta judicialización del conflicto es una característica ínsita al proceso de planificación que hemos vivido y que en principio no debe considerarse de una forma negativa o peyorativa, sino como una manera de plasmación

---

3.   Para las fechas y circunstancias de tan complejo proceso como lo fue, remito al trabajo citado en la nota 1.

4.   Restaría para concluir el ciclo, la aprobación de los planes de las distintas islas que componen la Comunidad Autónoma de Canarias con la excepción de Tenerife, que vio aprobado su plan por el Decreto 49/2015, de 9 de abril, por el que se aprueba definitivamente el Plan Hidrológico de la Demarcación Hidrográfica de Tenerife (BOE núm. 85, de 6 de mayo de 2015).

(y resolución) natural del conflicto que en relación a instrumentos jurídicos de la importancia de los que tratamos puede surgir y surge efectivamente[5].

La última sentencia aparecida en esta larga saga es la del Tribunal Supremo de 20 de noviembre de 2015 (rec. 455/2014) que desestima en su integridad el recurso interpuesto por la Comunidad de Cataluña contra el Plan Hidrológico de la parte española de la Demarcación del Ebro aprobado por Real Decreto 129/2014, de 28 de febrero.

5. Concluyo finalmente este punto introductorio indicando que en el trabajo referido anteriormente he utilizado la expresión «segundo ciclo» para designar al conjunto de planes aprobados entre 2010-2014 (en realidad y teniendo en cuenta la aprobación final por parte del Gobierno del Plan de gestión del distrito de cuenca fluvial de Cataluña por RD 1008/2015, habría que hablar entre 2010-2015), pero que la dicción oficial española habitual y, desde luego, la europea (la de las instituciones europeas y la usualmente utilizada por la doctrina y las Administraciones de los Estados miembros de la Unión) habla de «primer ciclo» para dichos planes.

Es obvio que desde la perspectiva de la DMA, los planes españoles de ese período 2010-2015 deberían ser integrados dentro del «primer ciclo» de aplicación de la DMA. Lo que con la referencia al «segundo ciclo» quería trasmitir (como así indiqué en dicho trabajo) es que creo que España no debe renunciar, en modo alguno, a su tradición de planificación hidrológica global que al contrario de lo que ha sucedido en el resto de los países que ahora forman la Unión Europea, ha existido, y ha existido, además, con unas características cualitativamente positivas y, desde luego, significativas, puesto que los planes hidrológicos elaborados a partir de lo previsto en la Ley 29/1985, de 2 de agosto, de Aguas, no han sido los planes hidrológicos clásicos consistentes en la enumeración y agrupación más o menos ordenada, de un conjunto de obras hidráulicas a realizar cuando haya dotación presupuestaria, sino que, al contrario, nos hemos encontrado ante normas jurídicas que expresaban la singularidad de las distintas cuencas hidrográficas españolas adoptando decisiones jurídicamente vinculantes para cada una de ellas. Ni más ni menos que eso.

En esos términos creo que España debe afirmar positiva y orgullosamente su historia pues hubo una planificación hidrológica efectiva, primero con los planes de cuenca (con la referencia temporal básica de 1998) y luego con el Plan Hidrológico Nacional aprobado por Ley en 2001. Por cierto que

---

5. Y en ese ámbito debe resaltarse cómo la relativa celeridad con que estos conflictos judiciales se están resolviendo, está ayudando mucho a la comprensión del conjunto de las características del ciclo de planificación que ahora concluye y será pieza imprescindible para la mejor configuración de los planes del siguiente ciclo.

esa ley fue derogada en 2004 en lo que hace referencia a la transferencia de aguas desde la cuenca del Ebro a diversas cuencas del arco mediterráneo (con confirmación de la licitud constitucional de dicha derogación por diversas Sentencias del Tribunal Constitucional comenzando por la STC 237/2012, de 13 de diciembre), con la apuesta sustitutiva por la desalación y la reutilización todo ello con mayor o menor acierto (en cuestión tan problemática debe respetarse, obviamente, lo que las distintas sensibilidades puedan pensar sobre el particular) pero con concreciones específicas y singulares de política hídrica que es lo que resulta esperable y exigible de un sistema de planificación hidrológica.

II. LA PLANIFICACIÓN HIDROLÓGICA COMO CONSOLIDACIÓN DEL MODELO INICIADO CON LA LEY DE AGUAS DE 1985. LA PLANIFICACIÓN EN EL CENTRO DE LA POLÍTICA HÍDRICA. ALGUNAS EXCEPCIONES

6. La aprobación en 2015 de los planes del primer ciclo y la elaboración y tramitación prácticamente total de los del segundo ciclo representa, sin duda, la consolidación del modelo iniciado con la Ley 29/1985, de 2 de agosto, de Aguas. Modelo en el que lo más notable desde el punto de vista español es la naturaleza jurídica normativa de la planificación, o sea, vinculante (para la Administración y también de alguna forma para los ciudadanos y usuarios), lo que conduce a la «territorialización del derecho de aguas» (MENÉNDEZ REXACH). A partir de la aprobación de esta planificación, el derecho de aguas consiste para cada cuenca hidrográfica objeto de planificación, en la Ley de Aguas, primero, en sus reglamentos desarrolladores, después, y en el correspondiente Plan, en una unión inescindible y que debe, además, funcionar con coherencia[6].

7. Por otra parte esa consolidación del modelo significa también una reafirmación de que la planificación hidrológica se sitúa en el centro de la política hídrica, es la concreción misma de la política hídrica nacional, acierto del artículo 1.3 de la Ley de Aguas de 1985, y ahora del Texto Refundido de la Ley de Aguas (TRLA), aprobado por Real Decreto Legislativo 1/2001, de 20 de julio, con múltiples modificaciones posteriores que, sin embargo, no han afectado a este precepto, que refiere que toda la actuación administrativa sobre el dominio público hidráulico se somete a la planificación hidrológica.

---

6. Incluso y teniendo en cuenta las distintas referencias que en la Ley se contienen para remitirse a la planificación, puede en determinados temas el Plan ser la primera norma a tener en cuenta. Tómese como ejemplo el orden de utilizaciones, por ejemplo, en el que todo está remitido a la planificación que solo debe observar la preferencia en esa utilización del abastecimiento a poblaciones.

Y creo que en buena medida también las aguas privadas, no solo las públicas, al menos desde la perspectiva de la calidad, de la prosecución de los objetivos ambientales, se sitúan bajo la órbita de la planificación hidrológica; por eso no distingue la DMA entre aguas públicas y privadas y a todas ellas (si existen, y de la forma que existan en los distintos Estados de la Unión Europea) las sitúa como objeto de la planificación.

8. No obstante y con el correr del tiempo han ido surgiendo algunas excepciones más que significativas a ese situar en el centro de todo a la planificación hidrológica. Ello es advertible en relación:

– al llamado «principio de recuperación de costes». Si eran las excepciones al principio de recuperación de costes, lo que debían ser objeto de tratamiento por la correspondiente planificación hidrológica, desde una modificación del TRLA habida en 2012 ello ha pasado a ser una decisión que se aprobará administrativamente, por la Administración Central del Estado teniendo en cuenta lo que digan los correspondientes Organismos de cuenca. Del plan (norma) al acto administrativo, podríamos resumir este camino puramente teórico, aclaro, pues los planes no profundizaron en gran medida en la aclaración acerca de lo que debían entenderse como excepciones motivadas al principio.

– y a la utilización de infraestructuras de trasvase para los contratos de cesión de derecho de uso de aguas, que es posible aun cuando ello no estuviera previsto en el Plan Hidrológico Nacional (PHN en adelante) o en las leyes reguladoras de cada trasvase. (Ello procede de una disposición contenida en la Ley de evaluación ambiental de 2013, de vida más que accidentada).

9. Si los dos ejemplos anteriores constituirían excepciones –más que notables– a esa característica de la planificación hidrológica de situarse en el centro de la política hídrica, sí que podríamos citar como nuevas manifestaciones de ese principio a lo que he denominado «Planes hidrológicos sectoriales» en el trabajo citado en la nota 1. Estos planes hidrológicos sectoriales estarían constituidos por los de sequía, inundaciones[7] y otros más como, singularmente, el Plan Especial del Alto Guadiana con origen en la Ley del PHN de 2001. Algunos de estos Planes han sido llamados a integrarse en la planificación hidrológica de cuenca y otros mantienen su singularidad pero, sin duda, deben estar conectados con dicha planificación hidrológica

---

7. Por cierto que la referencia del Consejo de Ministros celebrado el 15 de enero de 2016 hace constar la aprobación de diversos Reales Decretos que contienen planes de gestión de inundación relativos a variadas cuencas. En el momento de concluir este trabajo, dichos RRDD no han sido todavía objeto de publicación en el BOE.

de cuenca (que estaría constituida por los «planes hidrológicos generales») como estudio detenidamente en el trabajo citado. Esto es otra prueba –más– de que la planificación hidrológica se constituye en el centro de la política hídrica en cuanto surgen nuevas manifestaciones de esa planificación.

III. LOS CAMBIOS SOCIALES, ECONÓMICOS, AMBIENTALES Y POLÍTICOS EN RELACIÓN A LA SITUACIÓN PRESIDIDA POR LA LEY DE AGUAS DE 1985

10. De lo anterior es dable deducir una continuidad del modelo de planificación hidrológica en cuanto a sus líneas generales pero también hay que señalar cómo estos nuevos planes del «segundo ciclo» (ahora con la terminología referible a la DMA) se sitúan en un contexto de cambios evidentes que hay que tener en cuenta.

El primer cambio a considerar es el que marca la DMA de 2000 y su transposición al derecho español realizada a finales de 2003 mediante la correspondiente modificación del TRLA de 2001. Este es un cambio fundamental pero, hasta cierto punto, «natural» en cuanto se deriva de una evolución europea en la política de aguas que lleva consigo un distinto marco que, obviamente, se impone a los Estados y que España no discute en absoluto, buena muestra de lo cuál es la transposición mencionada. Obviamente este marco jurídico distinto, lleva consigo también diversa configuración de aspectos fundamentales de la planificación hidrológica del «primer ciclo» en relación a los planes hidrológicos de 1998, con su única referencia a las prescripciones del derecho español (Ley de 1985 y el Reglamento de la Administración Pública del Agua y de la Planificación Hidrológica de 1988). Y sucede lo mismo en relación a los del segundo ciclo.

Pero no es en este aspecto solamente en el que quería fijarme sino más bien lo que pretendo es prestar atención a un hecho evidente que trasciende lo jurídico y es que la planificación elaborada en este año 2015 hay que comprenderla en un contexto social, económico, ambiental y político muy distinto del de 1985 y también del existente en años posteriores, incluso del que se da en el momento de la aprobación en 1998 de los Planes Hidrológicos de cuenca o en 2001 del PHN.

Creo que esto es muy importante y merece la pena alguna reflexión en cuanto que de ese cambio deberían derivarse necesariamente modificaciones en la forma de concebir el contenido de la planificación hidrológica dentro del amplio marco de discrecionalidad que permite el ordenamiento jurídico aplicable. Y si no se derivaran, es que algo estaría fallando y la contradicción acabaría apareciendo, más pronto o más tarde, con las consecuencias imaginables.

Veamos algunas manifestaciones de esos cambios, su contenido, y las consecuencias presumibles de los mismos distinguiendo sucesivamente todos los que he referido con anterioridad:

– Social: Llamo cambio social a la evidente modificación que de las concepciones sobre el agua ha tenido lugar en buena parte de la sociedad española y que, sobre todo, se centran en su percepción ahora predominante como recurso natural. En realidad el cambio se ha producido sobre el conjunto de la cuestión ambiental dentro de la que el agua cobra una importancia decisiva como es fácilmente constatable. Multitud de estudios se refieren a esto y no es necesario proporcionar pruebas de lo que se observa en los medios de comunicación, en las encuestas que de cuando en cuando se realizan entre los ciudadanos y en las mismas actitudes de las Administraciones Públicas competentes sobre el particular. El cambio tiene una veste especial en lo que podríamos denominar como «desmitificación de la obra hidráulica» y la necesidad de llevar a cabo medidas fundamentalmente de gestión y de organización como núcleo esencial de la política hídrica con independencia de que, obviamente, siempre seguirá siendo necesario realizar obras hidráulicas, si bien no al modo unívoco de las «clásicas» de regulación (que durante un tiempo fueron el paradigma de la obra hidráulica) sino, más bien, de las vinculadas a la desalación, depuración o regeneración de las aguas residuales.

Y en línea de correspondencia con ello, afirmación creciente, muy clara, de la comprensión del agua como un bien ambiental (el recurso natural por excelencia), que hay que conservar, mejorar y trasmitir a las siguientes generaciones sin deterioro (porque así lo dice la DMA, artículo 4, pudiendo citarse en su línea a la importante STJUE de 1 de julio de 2015) y, si es posible, con mejora. Cambios que se corresponden claramente con las orientaciones clarísimas del derecho europeo de aguas desde 2000 (DMA).

Una de las consecuencias de todo lo que se dice es perceptible en los numerosos proyectos de obras hidráulicas que se han debido abandonar, en algunos casos mediante sentencia judicial incluso, en otras simplemente porque la Administración se ha echado atrás por motivos económicos[8], técnicos o ambientales, o por todos ellos.

---

8.   No puede despreciarse, ni mucho menos, la incidencia de la crisis económica en el abandono o ralentización de determinados proyectos de obras hidráulicas. Ello es evidente para cualquier observador de la realidad y es una realidad que se va a mantener todavía durante un tiempo indeterminado. La combinación del aspecto económico con el ambiental que refiero en el texto, tiene una trascendencia muy

Ello no supone, como acabo de indicar, poner el punto final a la realización de obras hidráulicas, ni mucho menos. Seguirán existiendo –cómo no–, solo que su justificación deberá ser previa y evidente desde distintas perspectivas, como ya recoge el actual ordenamiento jurídico (artículo 46 TRLA) y, como indico, se orientarán más allá, en otros sentidos, que las clásicas de regulación sin olvidar a éstas cuando sea necesario realizarlas.

— Económico: La crisis económica iniciada en España en 2008 es el suceso central a tener en cuenta a esos efectos, lo que no quiere decir que antes no se estuvieran ya desarrollando movimientos en el mismo sentido que la crisis ahora ha acentuado exponencialmente: la necesidad de justificación estricta de la sostenibilidad económica de muchos proyectos en función de lo limitado –siempre– de los recursos económicos disponibles y del mandato constitucional de eficiencia (artículo 31 de la Constitución de 1978) en el uso de estos recursos económicos.

Esta crisis ha hecho replantear muchas cosas, entre ellas el papel del Estado en la realización de las infraestructuras (no solo hídricas) y, desde luego, su ritmo de ejecución. Sobre eso hay que tener plena conciencia.

Pero siguiendo en el desarrollo de lo que estamos indicando lo que puede advertirse –y creo que para siempre– es la afirmación (que no surgimiento) de una disciplina presupuestaria estricta, presidida por el Tratado de Estabilidad, Coordinación y Gobernanza en la Unión Económica y Monetaria, de 2 de marzo de 2012 cuyo significado creo que es mucho más importante que la misma reforma de la Constitución española de septiembre de 2011 (artículo 135) que no es otra cosa, en realidad, que una anticipación en el plano estricto español del Tratado, cuyo contenido ya se había anunciado en ese momento[9].

Las consecuencias de lo que indico son variadísimas, y en todos los frentes de la actividad económica, máxime los de tradicional intervención del Estado. Eso lo estamos advirtiendo todos los días y lo vamos a seguir advirtiendo.

Eso tiene también consecuencias en el ámbito de la planificación hidrológica. El planificador debería jugar con una cierta restricción en cuanto

---

clara. En el texto sigo discurriendo sobre esta idea.

9. Sobre el particular remito a mi libro *La constitucionalización de la crisis económica*, Iustel, Madrid, 2012, y posteriormente a mi artículo «Norma, economía y lenguaje en el derecho de la crisis económica. El control judicial de la actividad administrativa en la economía. Algunas reflexiones», *en Documentación administrativa* 1, 2014. En ambos insisto sobre la incidencia de este Tratado por encima y más allá de lo previsto en la Constitución.

a la previsión realista de la ejecución de obras hidráulicas. Para que no se pueda seguir hablando, como en los comienzos del siglo XX, de las «carreteras parlamentarias» (las que solo existen y van a existir porque así lo ha decidido el Parlamento, para dar satisfacción a los orígenes territoriales de distintos diputados) o de las obras hidráulicas vinculadas a la planificación cuando ésta opera como si fuera ciencia ficción.

Eso es más que advertible si se observan algunos programas de medidas de determinados planes que ahora se han aprobado; es fácil apostar (y más que probablemente ganar tal apuesta) a que no se realizarán completamente –ni aproximadamente en algún caso– en el período 2016-2021.

– Ambiental: Ya he indicado antes cómo la sociedad española contemplaba cada vez de manera prioritaria al agua como un bien ambiental. Pero ello no se limita sólo a un cierto estado de percepción social; también se relaciona con transformaciones generales que suceden en el plano físico y que alcanzan compromisos de tipo político-jurídico en el plano internacional. Esto tiene su plasmación en la lucha contra el cambio climático de producción humana.

Eso solo comienza a apuntar en la actual planificación hidrológica (con las reducciones porcentuales conocidas de disponibilidad de recursos hídricos según las distintas cuencas que anunciaba la Instrucción de Planificación Hidrológica), pero parece bastante claro que será el tema central de la ejecución de esta planificación y, sobre todo, de las futuras revisiones de la planificación (2021, 2027,...) sobre todo ahora que la cumbre de París celebrada en los primeros días de diciembre de 2015 ha alcanzado unos resultados que habrá que implementar[10].

En todo caso para que la incidencia del cambio climático llegue a la planificación hidrológica, debe existir una política decidida de afrontar el cambio climático a nivel general y eso creo que queda también para la siguiente legislatura[11].

– Político: el cambio político tiene su importancia aunque estamos acostumbrados a relativizar el significado de los cambios políticos, porque en

---

10. Vid. una cierta anticipación de los resultados de la cumbre en el trabajo de S. Salinas «Hacia un nuevo acuerdo climático: estado de la cuestión tras la COP 21 de Lima. "Siempre nos quedará París"», en las pp. 253 y ss. de A. Embid Irujo (coordinador) *Agua, energía, cambio climático y otros estudios de Derecho Ambiental. En recuerdo de Ramón Martín Mateo*, Thomson-Reuters Aranzadi, Cizur Menor, 2015.
11. En algunos programas políticos de las recientes elecciones generales se prometía una ley de cambio climático.

la historia postconstitucional española siempre se han manifestado bastante menos profundos de lo que parecían inicialmente ser.

En todo caso sí que debe repararse en los cambios políticos (que se corresponden con evidentes cambios sociales y llegan un poco más tarde de ellos) que se han producido en los últimos años y en el resultado de la ausencia de mayorías al modo tradicional en las recientes elecciones generales, resultados congruentes con lo que ya se había podido observar en las elecciones municipales y autonómicas también celebradas en 2015.

Ello permite plantear, como consecuencia, la lógica pregunta acerca de la forma en la que se ejecutará la planificación hidrológica que llegará al BOE en próximas fechas. Una planificación hidrológica elaborada bajo la égida de un Gobierno (me refiero ahora solamente a la planificación de las cuencas que extienden su superficie por el territorio de varias CCAA, o sea las que gestiona el Estado) en las mismas vísperas de unas elecciones generales de las que no ha resultado un grupo parlamentario que tenga mayoría absoluta y predetermine sin más, con ello, la formación de un Gobierno.

IV. **UNA PLANIFICACIÓN HIDROLÓGICA SIN PLAN HIDROLÓGICO NACIONAL**

11. Llegados a este punto parece necesario plantearse una pregunta: ¿Es posible tener una visión de conjunto del contenido del segundo ciclo de la planificación hidrológica? Solo apuntes, pespuntes e hilvanes dije que era el sentido de la tarea que una persona podía realizar científicamente (que yo realicé) en torno a lo que usualmente se llama primer ciclo (referencia al título de mi trabajo citado en la nota 1).

Y creo que esos apuntes, pespuntes e hilvanes siguen siendo el sentido de la tarea para afrontar en solitario el estudio conjunto de este segundo ciclo.

En ese sentido apunto una serie de ideas sobre este nuevo ciclo de planificación que ahora se inicia con las limitaciones lógicas de lo que significa un trabajo con espacio naturalmente limitado.

12. La primera consiste en realizar una simple constatación: estamos ante un segundo ciclo de planificación hidrológica pero que solo cuenta con Planes hidrológicos de cuenca, sin Plan Hidrológico Nacional, al menos en principio.

Eso no es un defecto ni mucho menos un desdoro. Si nos situamos bajo la órbita del Derecho europeo (recuerdo que hablamos del «segundo» ciclo de planificación) ya sabemos que la DMA no contiene la previsión de existencia de un Plan Hidrológico Nacional y solo se refiere como necesidad, como elemento imprescindible, a los planes hidrológicos de cuenca con ámbito de demarcación hidrográfica[12].

Pero la legislación interna española, sí. Y lo mismo sucede en otros países (no europeos) que se inclinan por una planificación como sustento de la política hídrica nacional, como comienza a ser bastante común en Latinoamérica pudiendo citarse a esos efectos los ejemplos de Brasil, Perú o Ecuador[13].

Obviamente esta exigencia de la normativa interna española solo tiene lugar si se deciden abordar los contenidos propios del PHN tal y como los regula el artículo 45 del TRLA. Por ello es claro que si la discrecionalidad política –completamente legítima– no desea introducirse en ese camino, no hay porqué elaborar un PHN y el estado de la planificación hidrológica sería completo contando solamente con los Planes hidrológicos de cuenca con ámbito de demarcación.

13. Esta ausencia constatable en la actualidad del PHN (el primer ciclo de planificación ha transcurrido sin el mismo) es muy importante y permite plantear una sencilla pregunta: ¿Lo habrá? Pregunta que nadie, obviamente, puede responder, al menos con seguridad, en este momento[14].

Como ya he indicado en el punto anterior, según la DMA la realización de un Plan Hidrológico Nacional no forma parte de su contenido. Según el derecho español, debe existir un PHN... si se desean regular los aspectos que el artículo 45 TRLA reserva al PHN, entre ellos y fundamentalmente, las transferencias de aguas entre distintos ámbitos de planificación hidrológica de cuenca, que es el único contenido real, sustantivo, que justifica que la Ley de Aguas española mencione la existencia del PHN junto a los planes hidrológicos de cuenca y que –desde otro tipo de perspectiva– nos ofrece la constatación de que la tipología de las clases de planificación sea doble en nuestro país. El resto de contenidos del PHN según el TRLA, si bien teóri-

---

12. Planes que rodea de bastantes contenidos pero sin que se pueda desprender de la DMA respuesta a cuestión tan básica como la de la naturaleza jurídica –normativa o no– de esa planificación. No es cuestión de profundizar aquí más sobre ello sino, solamente, de constatarlo.

13. *Vid.* referencias sobre el particular en el trabajo de A. Embid y L. Martín, *La experiencia legislativa del decenio 2005-2015 en materia de aguas en América Latina*, Cepal, Santiago de Chile, 2015.

14. Algunos partidos políticos han prometido en sus programas electorales realizar ese PHN. Pero eso también sucedió en las elecciones generales de noviembre de 2011, y la legislatura ha transcurrido sin su realización, y eso que uno de los que lo prometió fue quien ha gobernado y con mayoría absoluta.

camente importantes, no creo que haya excesivas dudas en calificarlos como anecdóticos en relación al mencionado aspecto de las transferencias.

Al margen de las referencias de los programas políticos a la realización (o al silencio sobre el tema) de un PHN lo que es evidente es que algunos Planes hidrológicos de cuenca del segundo ciclo de planificación según el texto hasta ahora conocido, son incompletos sin el PHN al que apelan expresamente para que se aporten recursos externos, procedentes de otras cuencas hidrográficas, al ámbito territorial de planificación[15].

Todo ello permite plantear la pregunta y la autorreflexión acerca de qué sucede o sucederá –en el plano jurídico, obviamente– en relación a esos planes si no hay PHN o aun con él no se aportan realmente porque el PHN, como ha sucedido en el pasado, no se ejecuta.

Una primera consecuencia parece clara y es de simple prospectiva, de consideración de futuro: en algunos lugares podría decirse que la planificación hidrológica no puede cumplir los objetivos que la misma fórmula, lo que abrirá, sin duda, una gran polémica sobre la responsabilidad en ese particular.

Parece claro que entonces y dentro de unos años podrá plantearse una pregunta como ésta: ¿Habrán cumplido sus objetivos ambientales esos planes hidrológicos de cuenca que apelaban expresamente al PHN si no existe tal PHN?

La cuestión tiene su importancia, puesto que la realización de los objetivos ambientales es materia que en su examen corresponde a las autoridades europeas (la Comisión), como todo el cumplimiento del derecho europeo, y es allí donde está la fuente de legitimación de la actual planificación hidrológica.

Es perfectamente posible, pues, que se pueda proclamar un incumplimiento de los objetivos de los planes de cuenca por haberse realizado sobre supuestos que no se han dado[16], o que los mismos planes no están en disposición de cumplir. Obviamente esto es una mera especulación acerca de un resultado posible de una situación que –habrá de reconocerse– resultaría atípica: unos planes hidrológicos de cuenca con contenidos que solo pueden

---

15. Si tenemos en cuenta los planes del ciclo 2010-2015, en el supuesto de los del Júcar, Segura y Guadalquivir, se hacía referencia expresa a la necesidad de un PHN (con transferencias de agua entre cuencas) para la realización de sus premisas. Exigencias fundamentales en el caso del Júcar y del Segura y muy limitadas en el del Guadalquivir. Todo ello lo estudio detenidamente en el trabajo mencionado en la nota 1.

16. Ni era obligatorio, desde la perspectiva del derecho europeo, que se dieran.

ser realizables previa existencia de un PHN pero sin que esto suceda. Pero esa ha sido la situación a la que se ha abocado en el también atípico (por lo «corto» de su recorrido) primer ciclo de planificación.

V. ALGUNAS CUESTIONES FORMALES EN RELACIÓN AL SEGUNDO CICLO DE PLANIFICACIÓN HIDROLÓGICA

14. Pero además de ello, que tiene una importancia que no se le puede escapar a nadie y por eso lo he destacado, pueden señalarse algunas otras notas y problemas:

a) Aparece un segundo ciclo de planificación sin que tengamos respuesta definitiva al ámbito territorial de algunos Planes hidrológicos de cuenca y de algunas demarcaciones hidrográficas también. Un problema permanente que hace referencia fundamental a las demarcaciones hidrográficas del Júcar y del Segura y que algún día se resolverá. (O no).

b) Todos los planes correspondientes a las demarcaciones de competencia del Estado del segundo ciclo han sido aprobados por un mismo Real Decreto, el 1/2016, de 8 de enero[17]. Es una novedad que sugiere una idea de tratamiento homogéneo, semejante, que espero que vaya acompañada en la realidad de una mayor homogeneidad en algunos aspectos de la planificación hidrológica que no tendría por qué variar, o variar en demasía[18].

Esto es simplemente una constatación. Se ha optado por un único Real Decreto, opción que puede ser tan buena –o tan mala– como la de la existencia –como hasta ahora– de múltiples Reales Decretos. Lo que importa no es el envoltorio, la forma, sino el contenido del traje, su textura, su calidad, su funcionalidad.

c) Razono, precisamente, en relación a esta cuestión de la homogeneidad y de la particularidad. La planificación hidrológica, es obvio, se fundamenta en la idea básica de adaptación del derecho a las condiciones singulares (físicas, sociales, hidrológicas) de cada cuenca. Pero una vez dicho esto, ¿hasta dónde debe llegar la adaptación? O dicho de otra forma: ¿es posible justificar cualquier contenido en ese presupuesto básico de la adaptación?

---

17. La referencia del Consejo de Ministros de 8 de enero de 2016 anuncia otro Real Decreto que procede a la aprobación de los Planes de las cuencas internas andaluzas.
18. Concluido este trabajo se ha publicado el Real Decreto 1/2016, de 8 de enero. La publicación tiene casi 1.400 pp. de BOE y creo que es disculpable que no haya podido proceder todavía a una consulta pormenorizada de las determinaciones de los distintos planes.

El ejemplo que quería poner a estos efectos es el de los plazos de las concesiones de aguas. Lo he estudiado en mi trabajo citado en la nota 1 donde he constatado las múltiples diferencias que ante los mismos tipos de uso de aguas existen en los Planes hidrológicos del «primer ciclo». Y creo que no hay razón de ser para que haya tanta discrepancia sobre una misma realidad en los distintos planes; insisto en que me parece excesiva la particularización que en este tema se ha producido. Es legítima la diferencia, por supuesto, y entra dentro de las justificaciones de la existencia de la planificación hidrológica, pero en los casos concretos no queda explicitado el porqué de determinadas opciones e, incluso, se pueden ver incoherencias si se examina la cuestión con detalle.

VI. LA RELACIÓN ENTRE PLANIFICACIÓN HIDROLÓGICA Y MERCADO DE DERECHOS DE USO DE AGUA

15. Y voy a concluir el trabajo con una pequeña reflexión sobre la relación entre la planificación hidrológica y el mercado de derechos de uso de agua.

Esta es una relación que podría desarrollarse perfectamente en el ámbito de un puro estudio teórico, en abstracto[19], pero que también se ve animada por el conocimiento de la existencia de distintas experiencias de mercado de derechos de uso de agua más allá de las que sucedieron durante la sequía 2005-2009[20].

---

19. En general la relación entre planificación y mercado es uno de los temas clásicos en cualquier consideración económica o jurídica que se enfrente a problemas de intervención pública en la economía. No es el objeto de este trabajo volver a realizar reflexiones o intentar aportaciones, en general, sobre un tema bien manido, sino solo tratar de la cuestión en el ámbito del agua y dada la importancia creciente de los mercados en este ámbito en lo relativo al llamado «contrato de cesión de derechos de uso de agua».

20. Creo que es de obligada lectura el trabajo de N. Hernández-Mora y de L. Del Moral, «Developing markets for water reallocation: revisiting the experience of Spanish water *mercantilización*», en *Geoforum* 62 (2015) pp. 143-155, sobre estos ejemplos de nuevos contratos de cesión de derechos de uso de agua, algunos difícilmente encajables –en mi opinión– dentro del actual ordenamiento jurídico. También muy interesante el trabajo de N. Hernández-Mora y L. De Stefano «Los mercados informales de aguas en España: una primera aproximación», en las pp. 375-406 de A. Embid Irujo (dir.), *Usos del agua. (Concesiones, autorizaciones y mercados del agua)*, Thomson Reuters Aranzadi, Cizur Menor, 2013, todo ello en el intento de describir la realidad actual de esta forma de asignación «indirecta» del agua que son los mercados.

En esta cuestión hay que comenzar por una simple constatación: primero llegó la planificación al ordenamiento jurídico (1985) y luego vino el mercado (1999, con la Ley 46/1999, de 13 de diciembre, modificadora de la Ley 29/1985, de 2 de agosto, de Aguas).

En esos términos podría plantearse una pregunta fácilmente adivinable en su formulación: ¿Son compatibles ambas técnicas? Y la respuesta es igual de previsible: Obviamente las dos técnicas son compatibles dado que ambas figuran en el mismo texto legal; efectivamente es el TRLA quien regula ambas cuestiones y en ningún momento esa compatibilidad se ha sometido al juicio del Tribunal Constitucional, único órgano con capacidad de resolver ese tipo de presuntas contradicciones[21].

Pero con eso no se acaba de solucionar el problema sino que hay que plantear nuevas cuestiones relacionadas con la estabilidad de las situaciones y con los objetivos que con planificación y mercado se quieren cumplir.

La planificación pretende ordenar una realidad, dirigirla hacia unos objetivos que aspira a que sean cumplidos, que lo planificado se corresponda con lo existente al final del período temporal de planificación. Refleja un estado de cosas actuales y lo que se quiere sea un estado de cosas futuras para lo que, además, se regulan técnicas instrumentales o se imparten directrices de comportamiento a la Administración o a los usuarios para conseguir ese resultado.

Cosas futuras en relación a distintas variables, tanto cuantitativas como cualitativas. Utilizaciones o protecciones del agua que tienen una directa relación con el territorio en donde opera la utilización o la protección.

El mercado (tanto bajo la forma de contratos de cesión –iniciativa social– como de Bancos de Agua –iniciativa pública, me estoy refiriendo a los Centros de Intercambio de Derechos de Uso de Agua, que son la denominación correcta de lo que en otros lares se denomina Bancos de Agua–) modifica esa realidad y crea una nueva, distinta. Lo hace con agilidad, rapidez; atendiendo al caso concreto y olvidándose –en principio– de problemas generales. Mediante los instrumentos de mercado, el agua se traslada, se utiliza en otros lugares, se protege en un acuífero, se cortan determinadas utilizaciones, se abren otras...

---

21. La STC 149/2011, trató sobre la adecuación a la Constitución del mercado de derechos de uso de agua pero no desde la perspectiva que indico. Un comentario sobre la misma en EMBID IRUJO, «La crisis del sistema concesional y la aparición de fórmulas complementarias para la asignación de recursos hídricos. Algunas reflexiones sobre los mercados de derechos de uso de agua», pp. 43 y ss., trabajo incluido en *Usos del agua..., op. cit.*

Pero esa realidad que se crea por la celebración y ejecución de un contrato de cesión de derechos de uso de agua o por la aceptación de una oferta pública de adquisición de derechos, crea una realidad no existente con anterioridad. Una realidad no contemplada por la planificación.

Llegados a este punto es cuando se puede plantear la pregunta: ¿se crea una realidad querida por la planificación? O justamente lo contrario: ¿esa realidad es indiferente o, incluso, contradictoria con la planificación existente? En general y simplificando: ¿la realidad construida por el mercado de un plumazo es compatible por la realidad querida por la planificación formada a lo largo de un amplio período de tiempo y a ejecutar también durante un período de tiempo siempre más que amplio en relación a los plazos en los que opera el contrato?

Obviamente si la contradicción fuera palmaria, la consecuencia sería que la Administración no debería autorizar el contrato. Nuestro mercado de derecho de aguas –al contrario de los existentes en otros países– es un mercado fuertemente intervenido administrativamente, según el ordenamiento jurídico aplicable. (Yo apuntaría que en algunos casos, incluso, es un mercado *creado* administrativamente, como sucedió con la regulación de 2005 para atender una situación de extrema sequía y obviando mediante la nueva regulación determinados principios procedentes de la Ley 46/1999 y que extendió sus efectos hasta 2009)[22].

Pero si eso no sucede, si en realidad simplemente hay silencio sobre la nueva relación, si el contrato se aprueba (recuérdese la realidad del silencio administrativo positivo existente en esta cuestión y los plazos tan reducidos que se conceden a la Administración hídrica para dar una respuesta a partir de cuyo transcurso ya opera dicho silencio), surge una realidad no contemplada por la planificación y se plantea, entonces, la cuestión de la compatibilidad.

Si el contrato es de breve duración (un año hidrológico) como sucede con la mayor parte de los contratos hasta ahora celebrados, no se origina un problema insoluble, una solución contraria e incompatible radicalmente con el derecho. El mero transcurso del tiempo solucionará la cuestión volviendo las «aguas a su cauce».

---

22. Sobre la cuestión *vid*. T. NAVARRO CABALLERO «Las transacciones de derechos al uso del agua y su transferencia a las cuencas receptoras del Tajo-Segura», *Revista Aranzadi de Derecho Ambiental*, 2, 2008, pp. 103-121. También EMBID IRUJO, «La crisis...», pp. 51 y ss.

Pero si el contrato es de mucha más larga duración (puede llegar hasta el período que reste para el transcurso de la concesión de que trae causa, o sea, decenas de años), la cuestión es muy distinta.

Y la dificultad se incrementa, además, si el contrato (o la aceptación de la oferta pública de adquisición de derechos) se refiere a cantidades importantes de agua, importancia que no depende de dar una cifra, sino de la incidencia singular que un determinado traslado de agua supone dados los datos previos físicos sobre la realidad hídrica (climática, ambiental, social, económica) del lugar donde va a operar (o del lugar donde se va a extraer el agua).

Esa nueva situación que estoy describiendo debería conducir a la revisión anticipada de la planificación. Para hacerla coherente con la realidad. Si es que puede ser coherente, compatible.

Con el problema de que no existe en el ordenamiento jurídico regulación de la revisión que llamo «anticipada» de la planificación, sino que la revisión opera solamente cada seis años. (Lo que significa que un contrato celebrado en el primer año de la vigencia de una planificación puede estar perturbando el diseño global de la misma durante cinco.)

Problema que se incrementa si el contrato se refiere al traslado de agua entre dos ámbitos territoriales distintos de planificación hidrológica, con lo que son dos Planes hidrológicos de cuenca los que ven una contradicción entre lo que regularon y la realidad objetiva que ya no tiene nada que ver –en lo que afecta al contrato– en relación a lo que se dijo.

Obsérvese, además, que no hay evaluación de impacto ambiental que preceda a la celebración de un contrato. Y sí que se evalúa ambientalmente la planificación (evaluación estratégica).

Esto plantea problemas evidentes que aun cuando desarrollados en estas páginas solamente en el plano de la especulación teórica, podrían, en un momento dado, ser objeto de confrontación con una realidad práctica y la necesidad, consiguiente, de sacar consecuencias jurídicas.

Creo que no es necesario profundizar ahora en esta cuestión y que ya están proporcionados suficientes materiales para desarrollar la cuestión en su momento; si es que esto fuese preciso.

CAPÍTULO III

EL DERECHO DE AGUAS ANTE LAS SITUACIONES HIDROLÓGICAS EXTREMAS: INUNDACIONES Y SEQUÍAS

Ángel MENÉNDEZ REXACH

Universidad Autónoma de Madrid

SUMARIO: I. INTRODUCCIÓN. II. DELIMITACIÓN DE ZONAS INUNDABLES: EVOLUCIÓN LEGISLATIVA. 1. *Legislación de aguas.* 2. *Legislación de protección civil.* 3. *Legislación de urbanismo.* III. EVALUACIÓN Y GESTIÓN DE LOS RIESGOS DE INUNDACIÓN. 1. *Evaluación preliminar del riesgo.* 2. *Sistema Nacional de Cartografía de Zonas Inundables.* 3. *Planes de gestión del riesgo de inundación.* 4. *Naturaleza de estos planes.* 5. *Apunte sobre el Plan de gestión del riesgo de inundación del Segura.* 6. *Coordinación entre planes.* 7. *Recapitulación.* IV. SEQUÍAS. 1. *Peculiaridades de la sequía como situación de crisis.* 2. *Medidas previstas en la legislación estatal de aguas.* 2.1. Medidas excepcionales. 2.2. Centros de intercambio de derechos. 2.3. Flexibilización del régimen de los caudales ecológicos y de los objetivos medioambientales. 3. *Planes especiales de sequía.* V. RÉGIMEN DE AYUDAS PÚBLICAS. VI. COMENTARIO FINAL. VII. NOTA BIBLIOGRÁFICA.

I. INTRODUCCIÓN

Las situaciones hidrológicas extremas, inundaciones y sequías, son una prioridad no sólo para la política de gestión del agua, sino también para la ordenación del territorio y el urbanismo. Ambas líneas de actuación deben estar estrechamente vinculadas. La Estrategia Territorial Europea (ETE), acordada en Potsdam en 1999, considera que la gestión de los recursos hídricos es un «*reto particular para el desarrollo territorial*». Afirma que la política relativa a la gestión de las aguas, superficiales y subterráneas, «*debe coordinarse con la política de desarrollo territorial*» (párrafo 145), que «*la planificación territorial, en particular a escala transnacional, puede contribuir a la protección del hombre y a la disminución de los riesgos de inundación»*, que *«las medidas de prevención de las inundaciones pueden combinarse con medidas de desarrollo o de recuperación de la naturaleza»* (párrafo 146), que los programas de lucha contra la sequía *«deben tener como finalidad más prioritaria limitar la demanda de agua y mejorar la eficacia de los sistemas de suministro»* y que *«en relación con actividades que suponen una elevada demanda de agua, la ordenación del territorio puede contribuir desde el inicio del proceso de planificación a favorecer los usos que consumen menos agua»* (párrafo 147).

La Estrategia Española de Desarrollo Sostenible (2007) vincula también la gestión de los recursos hídricos a la ocupación del territorio[1]. Destaca que, debido a la gran diversidad del régimen de precipitaciones, la aportación anual a los ríos *«se concentra en un 70% de los casos durante pocos meses, dando lugar a episodios de avenidas. Estas inundaciones repentinas o súbitas, tan frecuentes en la vertiente mediterránea, producen graves daños humanos y económicos, difícilmente predecibles y con escaso margen de actuación»* (3.3, p. 75). En cuanto a la gestión de los riesgos de inundación, la Estrategia hace referencia a las actuaciones y el calendario previstos en la por entonces proyectada Directiva, que se aprobaría poco después (Directiva 2007/60/CE, del Parlamento Europeo y del Consejo, de 23 de octubre de 2007, relativa a la evaluación y gestión de los riesgos de inundación, abreviadamente «Directiva de inundaciones»). En ella se marcan los hitos de las políticas públicas en la materia[2]. En síntesis: a) evaluación preliminar del

---

1. La EEDS subraya que «España es especialmente vulnerable a sequías, inundaciones y el cambio climático, por lo que se deben poner en marcha actuaciones en el marco de la gestión de estos riesgos» y recuerda que «para gestionar de forma planificada las sequías, frente a la gestión de crisis realizada hasta la fecha, se han aprobado en marzo de 2007 los Planes Especiales de Alerta y Actuación ante una Eventual Sequía, enmarcados en la planificación hidrológica de la demarcación y obligatorios para las cuencas intercomunitarias, que tienen el objetivo de minimizar los impactos ambientales, económicos y sociales de sequías y establecer un sistema de indicadores para prever situaciones de sequía y valorar su gravedad» (p. 84). Para una visión general pueden consultarse los trabajos incluidos en el libro colectivo *El cambio climático en España y sus consecuencias en el sector del agua*, Universidad Rey Juan Carlos-Aqualia, Madrid, 2008. Asimismo, GONZÁLEZ RÍOS, I., 2009. Para una visión histórica, especialmente en la región mediterránea, pueden leerse los trabajos incluidos en *Revista de Historia Moderna*, núm. 23, Anales de la Universidad de Alicante, monográfico sobre «Agricultura, riesgos naturales y crisis en la España Moderna», Alicante, 2005.

2. Para facilitar la aplicación de la directiva, la Comisión elaboró un documento titulado «Guidance Document No.29 Guidance for Reporting under the Floods Directive». Sobre el tema, véase NAVARRO CABALLERO T. M. 2009, pp. 391 y ss.

riesgo de inundación (2011); b) mapas de peligrosidad y riesgo de inundaciones (2013) y planes de gestión del riesgo de inundación (2015), que en España se acaban de aprobar el 15 de enero de 2016. En un documento de la UNESCO que citan los planes recién aprobados se sintetizan una serie de reglas básicas para la gestión de los riesgos de inundación, entre ellas, la imposibilidad de una protección absoluta y la consiguiente necesidad de planificar, así como los efectos benéficos de algunas inundaciones para el suelo agrícola[3].

En los escenarios de cambio climático que actualmente se manejan se prevé una acentuación de los fenómenos hidrológicos extremos. Disminuirán las precipitaciones, pero se producirán con más frecuencia con carácter torrencial dando lugar a avenidas de carácter catastrófico. La «Estrategia española de cambio climático y energía limpia», aprobada por el Consejo de Ministros de 2 de noviembre de 2007, no dedica mucha atención a estas situaciones, pese a señalar desde el principio que la disminución de los recursos hídricos es uno de *los graves problemas ambientales que se ven reforzados por efecto del cambio climático*» (p. 1). La estrategia hace alguna referencia a la ordenación del territorio[4], pero no a la gestión de los recursos hídricos, que no figura entre las áreas de actuación[5], quizá porque está

---

3. P. SAYERS, Y. L.I, G. GALLOWAY, E. PENNING-ROWSELL, F. SHEN, K. WEN, Y. CHEN, and T. LE QUESNE. 2013, *Flood Risk Management: A Strategic Approach,* Paris, UNESCO. El trabajo recoge nueve reglas de oro (*Golden rules*) para la gestión estratégica del riesgo de inundación. Las dos primeras son las mencionadas en el texto: «1. **Accept that absolute protection is not possible and plan for accidents**. Design standards, however high they are set, will be exceeded. Structures may fail (breach, fail to close and so on), and early warning systems or evacuation plans may not work as expected. Accepting that some degree of failure is almost inevitable, and this places a focus on enhancing resilience. 2. **Promote some flooding as desirable**. Floods and floodplains provide fertile agricultural land and promote a variety of ecosystem services. Making room for water maintains vital ecosystems and reduces the chance of flooding elsewhere» (p. 9, negrita original).

4. «El consumo energético y la emisión de gases de efecto invernadero están altamente relacionados con los modelos de desarrollo territorial. Estos modelos influyen en elementos tales como la generación de desplazamientos, el tipo de transporte urbano e interurbano que se utiliza, las tipologías urbanas de consumo de energía, la densidad urbana, etc. El tratamiento preventivo debe ser el elemento prioritario en la selección de las alternativas posibles. La adecuada valoración de las necesidades de infraestructuras, la definición de criterios de ordenación territorial, la evaluación precisa de los impactos y la previsión de las partidas presupuestarias necesarias para afrontar soluciones menos agresivas con el entorno y la financiación de los sobre-costes derivados de las medidas correctoras han de servir para diseñar una correcta estructuración sostenible del territorio» (pp. 40-41).

5. Salvo error, las únicas referencias son la inclusión, entre las medidas propuestas, de

prevista en el Plan Nacional de Adaptación al Cambio Climático (PNACC), aprobado en 2006, cuyo desarrollo y aplicación es uno de los objetivos básicos de la estrategia que comentamos. Según el citado Plan «*los recursos hídricos sufrirán en España disminuciones importantes como consecuencia del cambio climático*»[6]. La mayor irregularidad del régimen de precipitaciones «*ocasionará un aumento en la irregularidad del régimen de crecidas y de crecidas relámpago*». Entre las líneas de actuación del Plan se incluye la «*evaluación de las posibilidades del sistema de gestión hidrológica bajo los escenarios hidrológicos generados para el siglo XXI*» (p. 27).

Las inundaciones son la catástrofe natural que mayor daño genera en España[7]. Pero hasta hace pocos años se ha prestado muy poca atención a la delimitación de las zonas inundables, lo que ha propiciado la tolerancia (cuando no la permisividad) de asentamientos humanos en esas zonas, con consecuencias catastróficas, que en muchas ocasiones podrían haberse evitado. Afortunadamente, tras la incorporación al derecho interno de la Directiva de inundaciones, la situación normativa es satisfactoria, como se verá en su momento. Los planes de gestión del riesgo de inundación son los instrumentos específicos para afrontar estas situaciones, aunque las determinaciones normativas no están en ellos sino en los Planes Hidrológicos de Demarcación.

El término «sequía» tiene un carácter relativo, en cuanto supone un volumen de precipitaciones inferior al «normal» (sequía meteorológica) lo que deriva en una insuficiencia de recursos hídricos (sequía hidrológica) necesa-

---

«reforzar programas de disminución de consumo de agua» para el sector residencial, comercial e institucional (3.3.7.2, p. 31) y, para el sector agrario, «mejorar la eficiencia energética del regadío, tanto en el aprovisionamiento de recursos hídricos como en los sistemas de riego (gravedad-presión)» (3.3.7.3, p. 32).

6. «Para el horizonte de 2030, simulaciones con aumentos de temperatura de 1 ºC y disminuciones medias de precipitación de un 5% ocasionarían disminuciones medias de aportaciones hídricas en régimen natural de entre un 5 y un 14%. Para 2060, simulaciones con aumentos de temperatura de 2,5 ºC y disminuciones de precipitación de un 8% producirían una reducción global media de los recursos hídricos de un 17%. Estas cifras pueden superar el 20 a 22% para los escenarios previstos para final de siglo» (p. 26). Véase al respecto P. ARROJO, «Estrategias de sequía en perspectivas de cambio climático» y M. GONZÁLEZ, «Inundaciones y cambio climático», en el libro colectivo *El cambio climático en España y sus consecuencias en el sector del agua*, Universidad Rey Juan Carlos y Aqualia, Madrid, 2008.

7. «En términos globales, la principal causa de daños en 2014 fueron las inundaciones, registrándose por este concepto 23.936 expedientes. El coste total estimado ascendió a 106,1 millones de euros» (Consorcio de Compensación de Seguros, Informe anual 2014, p. 139).

rios para abastecer la demanda existente. De ahí la importancia de la regulación mediante embalses, para disponer de recursos en situaciones de sequía meteorológica. La sequía es una situación coyuntural y, por tanto, temporal, en contraste con la «aridez», que es una situación estructural o permanente, aunque también tenga sus oscilaciones. La Instrucción de Planificación Hidrológica la define como «un fenómeno natural no predecible que se produce principalmente por una falta de precipitación que da lugar a un descenso temporal significativo en los recursos hídricos disponibles» (1.2.63)[8]. La Ley del Plan Hidrológico Nacional de 2001 dispuso la aprobación de planes especiales de sequía en el marco de la planificación hidrológica de cada cuenca. Esos planes se aprobaron en 2007.

En el marco normativo vigente, las situaciones hidrológicas extremas, como todas las situaciones de emergencia, se deben afrontar en un doble momento: a) mediante la prevención, a través de la planificación; b) con las medidas de reacción adecuadas a la situación de emergencia surgida, que incluyen obras y actuaciones de reparación en el caso de las inundaciones, medidas de ahorro en las sequías y ayudas públicas en ambas situaciones. Entre ellas hay una diferencia sustancial: la inundación es un fenómeno catastrófico, tan repentino como efímero, mientras que la sequía es un proceso que se desarrolla gradualmente y que puede ser de larga duración. Ambas situaciones están previstas en la legislación de aguas, pero, en cuanto pueden dar lugar a la adopción de medidas de emergencia, se sitúan también en el marco de la legislación de protección civil, con aplicación de las técnicas reguladas en ella (planes, ayudas públicas), lo que suscita también el proble-

---

8. El Libro Blanco del Agua, publicado en 1998 por el entonces Ministerio de Medio Ambiente, afirmaba que: «La sequía constituye un fenómeno hidrológico extremo para cuya definición no existe un acuerdo generalizado entre los diversos especialistas. Suele caracterizarse en términos de precipitación o de aportación fluvial en determinados periodos de tiempo, o en función de las reservas almacenadas en embalses y las demandas asociadas a las mismas, con las evidentes limitaciones de todas estas interpretaciones». Reconocía que, «a pesar de los problemas de sequía que se sufren en España, su estudio no ha sido abordado con la profundidad necesaria y, por ejemplo, no se dispone de una caracterización suficientemente precisa de las principales sequías históricas acaecidas». Teniendo en cuenta que «la elevada capacidad de embalse existente en España permite superar secuencias secas inferiores al año sin que se produzcan problemas hídricos (...) habitualmente se entiende como una situación de sequía la debida a una persistencia de valores bajos de precipitación de varios años consecutivos» Proponía «el establecimiento de un sistema eficaz de detección de situaciones de sequía que permita activar, con suficiente antelación, los planes de explotación prefijados para estas situaciones de emergencia».

ma de la articulación entre ambas legislaciones y los instrumentos regulados en ellas.

Para mayor claridad, aquí las estudiaremos por separado, poniendo de relieve los puntos de conexión y las diferencias existentes. Los planes de gestión del riesgo de inundación y los de sequía son los instrumentos específicos para afrontar estas situaciones, que hasta ahora han merecido poca atención desde el punto de vista jurídico. Su estudio es el núcleo de esta ponencia, pero en ella se pretende dar una visión más amplia de la regulación vigente con incidencia en estas situaciones, con arreglo al siguiente esquema: delimitación de zonas inundables (2), gestión del riesgo de inundación (3), sequías (4), ayudas públicas (5).

II. DELIMITACIÓN DE ZONAS INUNDABLES: EVOLUCIÓN LEGISLATIVA[9]

1. LEGISLACIÓN DE AGUAS

La expresión «zonas inundables» aparece en la Ley de Aguas de 1985 (artículo 11.2 del Texto Refundido vigente de 2001, en adelante TRLA), que faculta al Gobierno de la Nación y a los Gobiernos de las Comunidades Autónomas para imponer limitaciones en el uso de dichas zonas. El mismo artículo puntualiza que «*los terrenos que puedan resultar inundados durante las crecidas no ordinarias de los lagos, lagunas, embalses, ríos y arroyos, conservarán la calificación jurídica y la titularidad dominical que tuvieran*». En consecuencia, los terrenos inundables no pertenecen al dominio público hidráulico (no forman parte del cauce o fondo). De ahí que su delimitación no pueda hacerse a través del deslinde, cuyo objeto es marcar los límites del cauce (terreno cubierto por las aguas en las máximas crecidas ordinarias), de dominio público, mientras que los terrenos inundables contiguos ya no tienen esa condición jurídica o, al menos, no la tienen en virtud de la legislación de aguas.

---

9. Este epígrafe y el siguiente están basados en dos trabajos previos del autor, «Delimitación de zonas inundables y planes de gestión del riesgo de inundación», Ambienta núm. 110, marzo 2015, p. 36– 45 e «Implicaciones urbanísticas de los planes hidrológicos del Tajo y del Guadiana. En particular, la delimitación de zonas inundables», en el libro colectivo *Gestión de recursos hídricos en España e Iberoamérica*, dirigido por J. MORA ALISEDA, Thomson Reuters Aranzadi, Cizur Menor (Navarra), 2015, pp. 117-138.

El Reglamento del Dominio Público Hidráulico (RDPH) aclaró que «*se consideran zonas inundables las delimitadas por los niveles teóricos que alcanzarían las aguas en las avenidas cuyo período estadístico de retorno sea de quinientos años, a menos que el Ministerio de Medio Ambiente* (hoy el MAGRAMA), *a propuesta del Organismo de cuenca fije la delimitación que en cada caso resulte más adecuada al comportamiento de la corriente*» (artículo 14.3).

La Ley de Aguas, en su redacción originaria, incluía en el contenido obligatorio de los Planes Hidrológicos de Cuenca (PHC) «*los criterios sobre estudios, actuaciones y obras para prevenir y evitar los daños debidos a inundaciones, avenidas y otros fenómenos hidráulicos*» (artículo 40. l). La misma obligación se mantiene para los actuales Planes de Demarcación. Estos planes no delimitan las zonas inundables, pero establecen limitaciones al uso del uso de conformidad con lo previsto en la legislación de aguas. La Ley del Plan Hidrológico Nacional de 2001 dispuso que «*las Administraciones competentes delimitarán las zonas inundables teniendo en cuenta los estudios y datos disponibles que los Organismos de cuenca deben trasladar a las mismas, de acuerdo con lo previsto en el artículo 11.2 de la Ley de Aguas. Para ello contarán con el apoyo técnico de estos Organismos y, en particular, con la información relativa a caudales máximos en la red fluvial, que la Administración hidráulica deberá facilitar*» (artículo 28.2). Resultaba así que la delimitación de las zonas inundables era función de las Administraciones competentes en materia de ordenación territorial y urbanística, a las que los organismos de cuenca darán traslado de los datos y estudios que posean sobre estas materias para que los tengan en cuenta en la planificación del suelo y, en particular, en las autorizaciones de usos que se acuerden en las zonas inundables (artículos 11.2 TRLA y 59.3 RPH)

Era bastante discutible que la delimitación de las zonas inundables debiera corresponder a la Administración urbanística y no a la gestora del agua, que es quien tiene más datos y mayor especialización. La cuestión tiene enorme trascendencia práctica, por los riesgos inherentes a la construcción de viviendas y la implantación de otras actividades en zonas susceptibles de inundación. Pero eso no significa que la delimitación de estas zonas deba corresponder a la Administración urbanística. Esta tiene que apoyarse en la información que le proporcione la Administración hidráulica para excluir estas zonas del proceso urbanizador.

Afortunadamente, la normativa posterior ha puesto las cosas en su sitio. Aunque la delimitación de las zonas inundables siga siendo competencia de la Administración urbanística, su labor quedará muy facilitada por los trabajos realizados por la Administración hidráulica, en particular por los *mapas de riesgo de inundación*, a los que nos referiremos después. En la modificación del RDPH aprobada por RD 9/2008, de 11 de enero, se estableció que «*El conjunto de estudios de inundabilidad realizados por el Ministerio de Medio Ambiente y sus organismos de cuenca configurarán el Sistema Nacional de Cartografía de Zonas Inundables, que deberá desarrollarse en colaboración con las correspondientes comunidades autónomas, y, en su caso, con las administraciones locales afectadas. En esta cartografía, además de la zona inundable, se incluirá de forma preceptiva la delimitación de los cauces públicos y de las zonas de servidumbre y policía, incluyendo las vías de flujo preferente*» (artículo 14.3)[10]. Estas vías deben estar comprendidas necesariamente en la zona inundable, cuya anchura será mayor, puesto que se delimita con la avenida de 500 años, frente a la de 100 años de la zona de flujo preferente. Esta modificación reglamentaria se basó en la reconsideración del significado de la zona de policía, para centrarlo en la protección del régimen de corrientes[11], de modo que se puede ampliar para incluir las vías o

---

10. «La zona de flujo preferente es aquella zona constituida por la unión de la zona o zonas donde se concentra preferentemente el flujo durante las avenidas, o vía de intenso desagüe, y de la zona donde, para la avenida de 100 años de periodo de retorno, se puedan producir graves daños sobre las personas y los bienes, quedando delimitado su límite exterior mediante la envolvente de ambas zonas» (artículo 9.2, párrafo segundo, del RDPH, en la redacción introducida por el propio RD 9/2008, de 11 de enero). El párrafo 4º del mismo artículo aclara que «Se entiende por vía de intenso desagüe la zona por la que pasaría la avenida de 100 años de periodo de retorno sin producir una sobreelevación mayor que 0,3 m, respecto a la cota de la lámina de agua que se produciría con esa misma avenida considerando toda la llanura de inundación existente. La sobreelevación anterior podrá, a criterio del organismo de cuenca, reducirse hasta 0,1 m cuando el incremento de la inundación pueda producir graves perjuicios o aumentarse hasta 0,5 m en zonas rurales o cuando el incremento de la inundación produzca daños reducidos».

11. El preámbulo del RD 9/2008 explica que «La zona de policía adquiere su auténtica relevancia en la protección del régimen de corrientes, fijándose criterios técnicos para que esa protección del régimen de corrientes sea eficaz, y se pone un énfasis especial en la posibilidad de ampliar los 100 metros de anchura de dicha zona, cuando sea necesario para la seguridad de las personas y bienes, estableciéndose, asimismo, criterios técnicos precisos para evaluar tal posibilidad. Las zonas que cumplen los dos requisitos anteriores –proteger el régimen de corrientes en avenidas y reducir el riesgo de producción de daños en personas y bienes– se denominan zonas de flujo preferente, y en ellas el Organismo de cuenca solo podrá autorizar actividades no vulnerables frente a las avenidas. De esta manera, se da cumplimiento a las exigencias de la Directiva 2007/60/CE del Parlamento Europeo y del Consejo, de 23 de octubre de 2007, que determina que los Estados miembros deben incorporar políticas sobre gestión del riesgo de inundaciones que garanticen al máximo la seguridad de los ciudadanos, adoptando criterios adecuados de usos del suelo, y que permitan la laminación de caudales y de carga sólida transportada ampliando, en la medida de lo posible, el espacio fluvial disponible».

zonas de flujo preferente (artículo 9.2 RDPH), estableciendo así criterios de gestión del riesgo de inundaciones que garanticen al máximo la seguridad de los ciudadanos, en coherencia con la Directiva de inundaciones[12], incorporada al derecho interno por el Real Decreto 903/2010, de 9 de julio, de evaluación y gestión de riesgos de inundación, del que nos ocuparemos después.

En los últimos meses se ha tramitado un proyecto de RD de modificación del RDPH, que regula con bastante detalle las limitaciones a los usos del suelo en las zonas inundables, pero no parece que vaya a ser aprobado por el actual Gobierno en funciones[13]. En síntesis, el propósito sería establecer una prohibición general, con reserva de autorización en los casos y con las condiciones que se determinan, de las actividades de nueva edificación o ampliación del volumen u ocupación de las existentes, cambios de uso que incrementen la vulnerabilidad frente a las avenidas, zonas destinadas al alojamiento en los campings y edificios de usos vinculados, nuevas depuradoras de aguas residuales urbanas, cerramientos no permeables, rellenos que modifiquen la rasante del terreno y supongan una reducción significativa de la capacidad de desagüe, acopios de materiales que puedan ser arrastrados e infraestructuras lineales diseñadas de modo tendente al paralelismo con el cauce (nuevo artículo 9 bis, con el rótulo «limitaciones a los usos en la zona de flujo preferente»). Las edificaciones residenciales que puedan autorizarse deberán situarse a una cota que impida que se vean afectadas por la avenida de 500 años.

---

12. En ella que se define la «inundación» como «anegamiento temporal de terrenos que no están normalmente cubiertos por agua. Incluye las inundaciones ocasionadas por ríos, torrentes de montaña, corrientes de agua intermitentes del Mediterráneo y las inundaciones causadas por el mar en las zonas costeras, y puede excluir las inundaciones de las redes de alcantarillado» y el «riesgo de inundación» como «combinación de la probabilidad de que se produzca una inundación y de las posibles consecuencias negativas para la salud humana, el medio ambiente, el patrimonio cultural y la actividad económica, asociadas a una inundación». Las definiciones de vía de flujo preferente y zona de intenso desagüe no están en la Directiva.

13. Proyecto de Real Decreto por el que se modifica el Reglamento del Dominio Público Hidráulico aprobado por el Real Decreto 849/1986, de 11 de abril, en materia de gestión de riesgos de inundación, caudales ecológicos, reservas hidrológicas y vertidos de aguas residuales. He manejado el texto que figura en la web del MAGRAMA y que fue objeto de consulta pública en julio de 2015. Al cierre de este trabajo (finales de enero 2016), el proyecto no ha sido aprobado ni parece que vaya a serlo. No obstante, en los nuevos planes hidrológicos de demarcación, aprobados por RD 1/2016, de 8 de enero, se establecen criterios para la ordenación de los usos del suelo en las zonas inundables, conforme al artículo 11.3 TRLA. El de la Demarcación del Segura los incluye en sus artículos 54 y 55.

El proyecto establece también unos «criterios de diseño para obras de protección, modificaciones en los cauces, obras de paso y nuevas áreas a urbanizar» (aunque sobre estas últimas, nada se dice: nuevo artículo 126 ter RDPH). En síntesis, se trata de prohibir con carácter general la realización de cubrimientos de los cauces y la alteración de su trazado, así como la ocupación de la vía de intenso desagüe con terraplenes o estribos de la estructura de paso, en el caso de puentes, pasarelas y obras de drenaje transversal de las carreteras y ferrocarriles.

2. LEGISLACIÓN DE PROTECCIÓN CIVIL

La frondosa normativa estatal y autonómica dictada en materia de protección civil aborda un conjunto de cuestiones mucho más amplio que las inundaciones, pero éste es, desde luego, uno de los riesgos naturales que se trata de prevenir y afrontar a través de aquélla. La «Directriz Básica de Planificación de Protección Civil ante el Riesgo de Inundaciones» fue aprobada por el Consejo de Ministros, en 9 de diciembre de 1994[14]. Define como *avenida* el «aumento inusual del caudal de agua en un cauce que puede o no producir desbordamientos o inundaciones» (1.3). Las *inundaciones* se definen como «sumersión temporal de terrenos normalmente secos, como consecuencia de la aportación inusual y más o menos repentina de una cantidad de agua superior a la que es habitual en una zona determinada». En esta definición destaca el carácter temporal y ocasional de la inundación, consecuencia de la avenida, aunque esta no siempre produzca inundaciones.

Al enumerar los «elementos básicos para la planificación de protección civil ante el riesgo de inundaciones», se incluye el «análisis de las zonas inundables», cuya finalidad es «la identificación y clasificación de las áreas inundables del territorio a que cada Plan se refiera», con arreglo a los criterios que se indican (zonas de inundación frecuente, de inundación ocasional y de inundación excepcional). La «zonificación territorial» así realizada «se revisará teniendo en cuenta la delimitación de zonas que, al objeto de la aplicación del artículo 14 del Reglamento del Dominio Público Hidráulico, se derive del desarrollo de los Planes Hidrológicos de Cuenca» (2.2.1). Como puede apreciarse, aquí hay un punto de conexión importante con la legislación de aguas. La zonificación que deben contener los Planes de Protección Civil no es necesariamente coincidente con la «delimitación» que resulte del

---

14. BOE 14 de febrero de 1995. El trabajo de referencia sobre el tema es L. LÓPEZ DE CASTRO GARCÍA-MORATO, «La protección civil ante la prevención y gestión del riesgo de inundaciones», en el libro colectivo *Protección civil y emergencias: régimen jurídico*, dirigido por A. MENÉNDEZ REXACH, La Ley, 2011, p. 249 y ss.

desarrollo de los PHC, pero debe «tenerla en cuenta», revisándose aquélla a la vista de ésta.

La clasificación de las zonas se hace, lógicamente, en función del riesgo (alto, significativo y bajo), identificando también las áreas de posibles evacuaciones, las que puedan quedar aisladas y los posibles núcleos de recepción y albergue de las personas evacuadas (2.2.2). Esta zonificación debe ser objeto de los Planes de las Comunidades Autónomas (3.4.2), que habrán de precisar los datos relevantes de cada zona, incluyendo su localización y superficie, lo que implica una identificación precisa de sus contornos.

En resumen, la normativa de protección civil exige la identificación de las áreas inundables, mediante una zonificación que no es necesariamente coincidente con la delimitación que de ellas se realice conforme a la legislación de aguas, pero que debe «tenerla en cuenta». Como después veremos, hay puntos de conexión entre los planes de protección civil y los de gestión del riesgo de inundación.

La nueva Ley 17/2015, de 9 de julio, del Sistema Nacional de Protección Civil, prevé que las actuales Directrices Básicas se incluyan en la Norma Básica de Protección Civil (artículo 13). El sistema de planificación está integrado por el Plan Estatal General, los Planes Territoriales, de ámbito autonómico[15] o local, los Planes Especiales y los Planes de Autoprotección (artículo 14.2). Son planes especiales, entre otros, los que tienen por finalidad hacer frente a riesgos de inundaciones y «fenómenos meteorológicos adversos» (artículo 15.3), entre los que podrán incluirse las sequías. Lógicamente, esa función debería corresponder a los planes de gestión del riesgo de inundación y los especiales de sequía de que trataremos después, para no duplicar innecesariamente los instrumentos de planificación, salvo que se delimite con gran precisión su contenido respectivo, empeño nada fácil y, seguramente, digno de mejor causa.

3. LEGISLACIÓN DE URBANISMO

La legislación estatal de suelo dispone que estarán en la situación básica de suelo rural los terrenos «*con riesgos naturales o tecnológicos, incluidos los de inundación o de otros accidentes graves*» (artículo 21.2.a del Texto Refundido de la Ley de Suelo y Rehabilitación Urbana de 2015, TRLSRU). Por con-

---

15. Por ejemplo, Plan Especial de Protección Civil ante el Riesgo de Inundaciones en la Región de Murcia (INUNMUR) aprobado por el Consejo de Gobierno el 3 de agosto de 2007. En el Plan de gestión del riesgo de inundación de la Demarcación del Segura se hace un resumen de su contenido (pp. 84 y ss.), como se dirá después en el texto.

siguiente, las zonas inundables, al estar en esa situación básica, se deberán clasificar como suelo no urbanizable (o rústico), salvo que se adopten las medidas necesarias para prevenir el riesgo de inundación, en cuyo caso podrían clasificarse como urbanizables. La legislación autonómica de urbanismo, con mayor o menor intensidad, toma en consideración ese riesgo al establecer los criterios de clasificación del suelo. Así, por ejemplo, la de Ordenación Urbanística de Andalucía (Ley 7/2002, de 17 de diciembre) dispone que se deben clasificar como no urbanizables los terrenos que presenten «*riesgos ciertos de erosión, desprendimientos, corrimientos, inundaciones u otros riesgos naturales*» (artículo 46.1.i).

Una de las regulaciones más completas es la contenida en el Reglamento de la Ley de Urbanismo de Cataluña, aprobado en 2006. Distingue tres franjas de terreno dentro de la zona inundable (la zona fluvial, la zona de sistema hídrico y la zona inundable por episodios extraordinarios) y establece el régimen aplicable a cada una (artículo 6). En la zona fluvial el planeamiento urbanístico debe calificar los terrenos como sistema hidráulico y no puede admitir ningún uso, excepto los previstos en la legislación aplicable en materia de dominio público hidráulico. En la zona de sistema hídrico el planeamiento urbanístico no puede admitir ninguna nueva edificación o construcción ni ningún uso o actividad que suponga una modificación sensible del perfil natural del terreno, que pueda representar un obstáculo al flujo del agua o la alteración del régimen de corrientes en caso de avenida. Esta zona y la inundable por episodios extraordinarios puede ser objeto de transformación «*si el planeamiento urbanístico, con el informe favorable de la administración hidráulica, prevé la ejecución de las obras necesarias para que las cotas definitivas resultantes de la urbanización cumplan las condiciones de grado de riesgo de inundación adecuadas para la implantación de la ordenación y usos establecidos por el indicado planeamiento*». La ejecución de estas obras, que no tienen que generar problemas de inundabilidad en terrenos externos al sector, debe constituir una carga de urbanización de los ámbitos de actuación urbanística en los cuales estén incluidos los terrenos.

La reciente Ley 13/2015, de 30 de marzo, de ordenación del territorio y urbanismo de la Región de Murcia ordena clasificar como suelo no urbanizable de protección específica «el que debe preservarse del proceso urbanizador, por estar sujeto a algún régimen específico de protección incompatible con su transformación urbanística, de conformidad con los instrumentos de ordenación territorial, de ordenación de recursos naturales y la legislación sectorial específica, en razón de sus valores paisajísticos, históricos, arqueológicos, científicos, ambientales o culturales, para la prevención de riesgos naturales o tecnológicos acreditados, o en función de su sujeción a limitaciones o servidumbres para la protección del dominio público» (artículo 83.1.a). En esta categoría de suelo «solo podrán admitirse los usos, instalaciones o edificaciones que resulten conformes con los instrumentos de ordenación territorial, instrumentos específicos de protección y con su legislación sectorial específica» (artículo 94.1).

Como se verá en el epígrafe siguiente, el Real Decreto 903/2010, de 9 de julio, de evaluación y gestión de riesgos de inundación, dispone que los planes de gestión correspondientes «reconocerán el carácter rural de los suelos en los que concurran dichos riesgos de inundación».

III. EVALUACIÓN Y GESTIÓN DE LOS RIESGOS DE INUNDACIÓN

La Directiva de inundaciones fue incorporada al derecho interno por el Real Decreto 903/2010, de 9 de julio, que acabamos de mencionar. Esta disposición regula los procedimientos para realizar la evaluación preliminar del riesgo de inundación, los mapas de peligrosidad y riesgo y los planes de gestión de los riesgos de inundación (artículo 1). Son los tres instrumentos que articulan las políticas públicas en la materia. La *avenida* se define en los mismos términos que emplea la Directriz Básica de Protección Civil, antes comentada («*aumento inusual del caudal de agua en un cauce que puede o no producir desbordamientos e inundaciones*») y la *inundación* como «*anegamiento temporal de terrenos que no están normalmente cubiertos de agua ocasionadas por desbordamiento de ríos, torrentes de montaña y demás corrientes de agua continuas o intermitentes, así como las inundaciones causadas por el mar en las zonas costeras y las producidas por la acción conjunta de ríos y mar en las zonas de transición*». Esta definición difiere algo de la contenida en la Directriz Básica de Protección Civil pero coincide en lo sustancial: el carácter temporal y su origen en el desbordamiento de cursos de agua o la acción del mar (o la conjunta de ambos).

1. EVALUACIÓN PRELIMINAR DEL RIESGO

En cada demarcación hidrográfica se realizará una *evaluación preliminar del riesgo de inundación* (EPRI) con objeto de identificar las áreas de riesgo potencial significativo de inundación (ARPSIs) (artículo 5). El resultado de la evaluación preliminar se someterá a consulta pública durante un plazo mínimo de tres meses.

2. SISTEMA NACIONAL DE CARTOGRAFÍA DE ZONAS INUNDABLES

El siguiente paso es la elaboración de *mapas de peligrosidad por inundación* para las ARPSIs. Estos mapas considerarán, al menos, los escenarios siguientes (artículo 8): a) alta probabilidad de inundación; b) probabilidad media de inundación (periodo de retorno mayor o igual a 100 años); c) baja probabilidad de inundación o escenario de eventos extremos (periodo de retorno igual a 500 años). En cada demarcación hidrográfica se elaborarán *mapas de riesgo de inundación* para las zonas identificadas en la evaluación preliminar del riesgo[16]. Estos mapas incluirán, como mínimo, para cada uno de los escenarios mencionados, la información relativa al número indicativo de habitantes y tipo de actividad económica que pueden verse afectados; instalaciones industriales que puedan ocasionar contaminación accidental en caso de inundación así como las estaciones depuradoras de aguas residuales; zonas protegidas para la captación de aguas destinadas al consumo humano, masas de agua de uso recreativo y zonas para la protección de hábitats o especies que pueden resultar afectadas (artículo 9). La información recogida en los mapas se integrará en el Sistema Nacional de Cartografía de Zonas Inundables (SNCZI) y, con el fin de que tenga la condición de cartografía oficial, se inscribirá en el Registro Central de Cartografía de conformidad con lo establecido en el Real Decreto 1545/2007, de 23 de noviembre, por el que se regula el Sistema Cartográfico Nacional. Estos mapas constituirán la información fundamental en que se basarán los Planes de gestión del riesgo de inundación[17].

3. PLANES DE GESTIÓN DEL RIESGO DE INUNDACIÓN

La tercera y última fase es, precisamente, la elaboración de *planes de gestión del riesgo de inundación* (PGRI). Su ámbito es el de la demarcación hi-

---

16. La memoria del Plan de gestión del riesgo de inundación de la Demarcación del Segura explica (p. 29) que «para la identificación de las ARPSIs se siguieron los siguientes pasos:
a) Delimitación de zonas inundables por oleaje y zonas inundables por marea para tres períodos de retorno (10, 100 y 500 años).
b) Valoración de las áreas potencialmente inundables, cruzando la información de las zonas inundables con los usos del suelo y se obtuvo el valor del daño potencial por unidad de longitud de costa o daño potencial unitario (...).
c) Selección de las áreas con riesgo potencial significativo de inundación (...)». Más adelante (p. 41) explica que «La cuenca del río Segura es la demarcación hidrográfica de la Unión Europea con menor pluviometría media anual estando por debajo de los 400 mm/año. Esto contrasta con las grandes avenidas sufridas a lo largo de su historia provocadas por el régimen torrencial de sus lluvias quedando constancia de 215 avenidas en los últimos 500 años».
17. El SNCZI es accesible desde la web del MAGRAMA, a través de un visor que permite examinar los estudios de delimitación del Dominio Público Hidráulico y los de cartografía de zonas inundables, elaborados por el Ministerio o aportados por las Comunidades Autónomas.

drográfica, pero se centrarán, lógicamente, en las zonas inundables conforme a las cartografías de peligrosidad y riesgo elaboradas. Los planes están sometidos a evaluación ambiental estratégica (EAE)[18] y se someterán a información pública durante un plazo mínimo de tres meses, así como a informe del Consejo Nacional del Agua y de la Comisión Nacional de Protección Civil. Se aprueban por el Gobierno de la Nación, a propuesta del organismo de cuenca en las intercomunitarias y de la Administración hidráulica competente en las intracomunitarias, si bien la elevación al Consejo de Ministros se hace a propuesta conjunta del MAGRAMA y del Ministerio del Interior (artículo 13.4), este último para asegurar la coordinación con los planes de protección civil. Se aprobarán y publicarán antes del 22 de diciembre de 2015, es decir, en la misma fecha en que deberían haberse aprobado los Planes Hidrológicos de Demarcación correspondientes al segundo ciclo de planificación (2015-2021). Unos y otros se han aprobado ya en 2016. Los PHD el 8 de enero (RD 1/2016, de la misma fecha) y los PGRI el 15 de enero, mediante cuatro RRDD[19].

En las Demarcaciones Hidrográficas internacionales se establecerá la necesaria coordinación en la elaboración y ejecución de los planes respectivos. En relación con Portugal se utilizarán las estructuras existentes derivadas del Convenio de Albufeira de 1998. Con los demás países (Francia, Andorra, Marruecos) «se establecerá la adecuada cooperación» (artículo 20).

Los PGRI contienen, en síntesis: a) las conclusiones de la evaluación preliminar del riesgo de inundación; b) los mapas de peligrosidad y los mapas de riesgo de inundación; c) una descripción de los objetivos de la gestión del riesgo de inundación en la zona concreta a que afectan; d) un resumen de los criterios especificados por el plan hidrológico de cuenca sobre el estado de

---

18. La EAE de estos planes fue aprobada por diversas Resoluciones de la Secretaría de Estado de Medio Ambiente de 7 de septiembre de 2015 (BOE de 18, 21 y 22 de septiembre) y se ha hecho conjuntamente con la de los PHD, lo que parece indicar que aquéllos forman parte de éstos, aunque formalmente se aprueben como planes diferenciados. Esa evaluación conjunta dificulta la identificación de las consideraciones específicas sobre los riesgos de inundación. Por otra parte, parece haber una diferencia importante entre ambos tipos de planes en cuanto a su naturaleza, como se explica después en el texto.

19. El primero, los PGRI de las demarcaciones hidrográficas del Guadalquivir, Segura, Júcar y de la parte española de las demarcaciones hidrográficas del Miño-Sil, Duero, Tajo, Guadiana, Ebro, Ceuta y Melilla (RD 18/2016, de 15 de enero). El segundo, el de la Demarcación Hidrográfica de Galicia-Costa (RD 19/2016, de 15 de enero). El tercero los de la Demarcación Hidrográfica del Cantábrico Occidental y de la parte española de la Demarcación Hidrográfica del Cantábrico Oriental (RD 20/2016, de 15 de enero). El cuarto, los de las cuencas internas de Andalucía: Demarcaciones Hidrográficas del Tinto, Odiel y Piedras; Guadalete y Barbate; y Cuencas Mediterráneas Andaluzas (RD 21/2016, de 15 de enero).

las masas de agua y los objetivos ambientales fijados para ellas en los tramos con riesgo potencial significativo por inundación; e) un resumen del contenido de los planes de protección civil existentes; f) una descripción de los sistemas y medios disponibles en la cuenca para la obtención de información hidrológica en tiempo real durante los episodios de avenida, así como de los sistemas de predicción y ayuda a las decisiones disponibles; g) un resumen de los programas de medidas, con indicación de las prioridades entre ellos, que cada Administración Pública, en el ámbito de sus competencias, ha aprobado para alcanzar los objetivos previstos; h) el conjunto de programas de medidas (preventivas y paliativas, estructurales o no estructurales) y, en concreto, las de restauración fluvial, conducentes a la recuperación del comportamiento natural de la zona inundable, las de mejora del drenaje de infraestructuras lineales, las de predicción de avenidas, las de protección civil, las de ordenación territorial y urbanismo, las de promoción de seguros frente a inundaciones (en especial, los agrarios) y, finalmente, las medidas estructurales planteadas y los estudios coste-beneficio que las justifican, así como las posibles medidas de inundación controlada de terrenos.

Los instrumentos de ordenación territorial y urbanística, en la ordenación que hagan de los usos del suelo, no podrán incluir determinaciones que no sean compatibles con el contenido de los planes de gestión del riesgo de inundación, y reconocerán el carácter rural de los suelos en los que concurran dichos riesgos de inundación o de otros accidentes graves (artículo 15.1).

Las limitaciones al uso del suelo en las zonas inundables se establecen en los PHD[20], no en los PGRI, que se ciñen a reproducir las establecidas en aquéllos o en la legislación de aguas. Ya hemos mencionado la iniciativa de establecer una regulación general de esas limitaciones mediante un proyecto de modificación del RDPH, pero no parece que vaya a aprobarse en la actual situación de gobierno en funciones.

Para garantizar su viabilidad, el PGRI deberá incluir la estimación del coste de cada una de las medidas previstas en él y las Administraciones responsables de ejecutar los distintos programas de medidas, así como de su financiación.

La actualización de los planes es, lógicamente, mucho más sencilla que su primera elaboración. Las reglas básicas son las siguientes:

1. La evaluación preliminar de riesgo de inundaciones se actualizará a más tardar el 22 de diciembre de 2018, y a continuación cada seis años.

---

20. En el nuevo PH de la Demarcación del Segura, aprobado por RD 1/2016, de 8 de enero (BOE 19 de enero) la regulación de las limitaciones al uso del uso se establece en los artículos 54 y 55 de su normativa.

2. Los mapas de peligrosidad por inundaciones y los mapas de riesgo de inundación se revisarán, y si fuese necesario, se actualizarán a más tardar el 22 de diciembre de 2019 y, a continuación cada seis años.

3. Los planes de gestión del riesgo de inundación se revisarán y se actualizarán a más tardar el 22 de diciembre de 2021 y, a continuación, cada seis años.

Las actualizaciones incluirán: a) un resumen de las revisiones realizadas; b) una evaluación de los avances en la consecución de los objetivos; c) una descripción de las medidas previstas, pero no ejecutadas, con explicación del porqué; d) una descripción de cualquier medida adicional adoptada desde la publicación de la versión anterior del plan.

4. NATURALEZA DE ESTOS PLANES

En mi opinión, el contenido de los PGRI no tiene carácter normativo. Se trata de una recopilación de datos (incluidos los relativos a la normativa aplicable) e informaciones, así como de una definición de objetivos, programas y pautas de actuación, que no pasan de ser recomendaciones, recordatorios de las disposiciones de la legislación aplicable (de aguas, de protección civil o urbanística), y una lista de actuaciones a llevar a cabo, que constituyen el núcleo del programa de medidas. Así, por ejemplo, la mejora de la coordinación interadministrativa a través de los informes previstos en el artículo 25.4 TRLA es una medida prevista en el plan, pero su fuerza vinculante no deriva de éste sino de la propia Ley de Aguas. Lo mismo ocurre con las medidas de ordenación territorial y urbanismo a que ya hemos hecho referencia. Las limitaciones al uso del suelo en las zonas inundables son las previstas en la legislación de aguas y en los PHD, así como, en su caso, en la normativa de ordenación territorial, urbanística o medioambiental. El PGRI las reitera pero no innova. Tampoco incluye medidas propias para adaptar el planeamiento urbanístico vigente, sino que se limita a señalar que la adaptación se hará «cuando proceda». Finalmente, los programas de actuación (mantenimiento y conservación de cauces, establecimiento o mejora de los sistemas de medida y alerta hidrológica, etc.) que se incluyen como «medidas» del plan, no son «creados» por este, sino que constituyen aplicación en su ámbito de decisiones o regulaciones preexistentes, cuyo valor jurídico será diverso. Tampoco tiene carácter normativo el establecimiento de prioridades, puesto que sólo es una recomendación y no hay consecuencias si no se observa. Otro tanto puede decirse de las medidas de financiación previstas para las actuaciones y del programa de seguimiento.

Es obvio que los PGRI podrían tener carácter normativo, como lo tienen los PHD, pero a los recién aprobados no se les atribuido ese carácter, quizá porque son planes de «gestión», no de «ordenación». Cumplen una función de coordinación interadministrativa para prevenir y afrontar las inundaciones, recordando a todos los organismos implicados las pautas de actuación que deben seguir tanto en la fase de prevención como en la de reacción ante la situación de emergencia una vez producida.

La diferencia entre ambos tipos de planes se refleja en su documentación. Los PHD se estructuran en memoria, normativa del plan y anexos, mientras que la documentación de los PGRI consta de memoria y anexos, sin normativa. Por eso, en el Real Decreto de aprobación sólo se hace referencia a su estructura, remitiendo la publicidad de la memoria y anexos a la sede electrónica del organismo de cuenca respectivo, así como a la web del MAGRAMA y del Ministerio del Interior[21]. Ahora bien, el carácter no normativo de los planes de inundación no impediría la integración de su contenido en el del PHD, como parte de él, si se considerase conveniente. Así lo prevé el RD 903/2010. No hay obstáculo alguno para ello, ya que no todo el contenido de los PHD es normativo.

5. APUNTE SOBRE EL PLAN DE GESTIÓN DEL RIESGO DE INUNDACIÓN DEL SEGURA[22]

Como se acaba de señalar, consta de memoria y anejos. No tiene normativa. Su contenido esencial es el programa de medidas, orientado, conforme a lo previsto en el artículo 11.5 del RD 903/2010, a lograr los objetivos de la

---

21. Artículo 2.2 del RD 18/2016, de 15 de enero: «La estructura de todos estos planes, de acuerdo con el Real Decreto 903/2010, consiste en una memoria con 10 capítulos y, en general, cinco anexos con los siguientes títulos: Anexo I: Caracterización de las ARPSIs. Anexo II: Descripción del programa de medidas. Anexo III: Resumen de los procesos de información pública y consulta y sus resultados. Anexo IV: Medidas específicas de coordinación con la parte internacional de la Demarcación Hidrográfica. Anexo V: Listado de autoridades competentes».

22. He manejado la versión final de noviembre de 2015 que figura en la web de la Confederación del Segura (última visita 28 de enero de 2016). La memoria se estructura en los siguientes epígrafes: 1. Introducción y objetivos. 2. Proceso de coordinación y participación pública en la elaboración y aprobación del plan. 3. Conclusiones de la evaluación preliminar del riesgo. 4. Mapas de peligrosidad y de riesgo de inundación. 5. Objetivos de la gestión del riesgo de inundación. 6. Criterios y objetivos ambientales especificados en el Plan Hidrológico. 7. Planes de protección civil existentes. 8. Sistemas de predicción, información y alerta hidrológica. 9. Resumen del programa de medidas. 10. Descripción de la ejecución del Plan. Programa de seguimiento.

gestión del riesgo de inundación para cada zona identificada en la evaluación preliminar del riesgo de la Demarcación (p. 105). De conformidad con la Directiva de inundaciones y con el citado Real Decreto, las medidas requeridas por los PGRI deberán resultar coherentes con el logro de los objetivos ambientales establecidos por la Directiva Marco del Agua. Por ello, estos planes priorizan las medidas no estructurales de protección frente a las inundaciones, como son las medidas de retención natural, frente a las medidas estructurales. En la misma línea, la EAE del proyecto de PGRI formulada en septiembre de 2015, establece que «En todo caso, el proyecto, construcción y explotación de actuaciones estructurales que afecten al estado de las masas de agua en Red Natura 2000 y espacios protegidos deberá atenerse a las siguientes determinaciones: i. En actuaciones de defensa frente a inundaciones, deberá tenderse al empleo de infraestructuras verdes, y dentro de ellas, a las de retención natural de agua, como fórmula de reducción del riesgo de inundación de forma compatible con la gestión de los espacios protegidos».

El contenido esencial del PGRI son los programas de medidas que cada administración competente ha elaborado, cuyo resumen se recoge en una tabla que las ordena según los aspectos de la gestión del riesgo: Prevención (código de medidas 13 y representadas en color naranja), Protección (código de medidas 14 y representadas en color verde), Preparación (código de medidas 15 y representadas en color rojo) y Recuperación y evaluación (código de medidas 16 y representadas en color azul) (p. 110 y ss.). También se integran los planes de protección civil existentes en el ámbito estatal, autonómico y local. Se describe con detalle (pp. 84 y ss.) el contenido del Plan Especial de Protección Civil ante el Riesgo de Inundaciones en la Región de Murcia (INUNMUR) de 2007, Comunidad Valenciana (1999), Andalucía (1999) y Castilla-La Mancha (2010). Los problemas de articulación entre planes se examinan a continuación.

6. COORDINACIÓN ENTRE PLANES

El RD 903/2010 presta gran atención a la coordinación entre los planes de gestión del riesgo de inundación y otros planes, en particular, el PHD, los de ordenación territorial y urbanística y los de protección civil. En síntesis:

a) Los PHD incorporarán los criterios sobre estudios, actuaciones y obras para prevenir y evitar los daños debidos a inundaciones, avenidas y otros fenómenos hidráulicos a partir de lo establecido en los PGRI. La elaboración de estos últimos y sus revisiones posteriores se realizarán en coordinación con las revisiones de los PHD y podrán integrarse en ellas (artículo 14.3). La estrecha relación entre ambos planes justifica su posible integración, de modo que el PGRI podría constituir una parte del PHD, como ya hemos señalado.

b) Los instrumentos de ordenación territorial y urbanística no podrán incluir determinaciones incompatibles con el contenido de los PGRI y reconocerán el carácter rural de los suelos en los que concurran dichos riesgos (artículo 15.1).

c) Los planes de protección civil *existentes* se adaptarán de forma coordinada para considerar la inclusión en los mismos de los mapas de peligrosidad y riesgo, así como el contenido de los planes de gestión del riesgo de inundación. Los planes de protección civil *a elaborar* en el futuro se redactarán de forma coordinada y mutuamente integrada a los mapas de peligrosidad y riesgo y al contenido de los planes de gestión del riesgo de inundación (artículo 15.2). Esto significa, en mi opinión, que ambos tipos de planes deberían elaborarse conjuntamente.

d) Los planes de desarrollo agrario, de política forestal, de infraestructuras del transporte y otros con incidencia sobre las zonas inundables, deberán también ser compatibles con los PGRI (artículo 15.3).

El nuevo PHD del Segura establece el régimen de usos en las zonas inundables, si bien prevé su inaplicación cuando el planeamiento urbanístico, con informe favorable de la Administración hidráulica, prevea la ejecución de las obras necesarias para que las cotas resultantes de la urbanización cumplan las condiciones adecuadas para la implantación de los usos previstos en la urbanización. En todo caso, las citadas obras deberán ser autorizadas por la Confederación (artículo 55.4).

7. RECAPITULACIÓN

A la vista de la regulación vigente sobre la delimitación de zonas inundables y la gestión del riesgo de inundación, se pueden formular las siguientes tesis:

a) El mandato de la Ley de Aguas de incluir en los PHD «*los criterios sobre estudios, actuaciones y obras para prevenir y evitar los daños debidos a inundaciones, avenidas y otros fenómenos hidráulicos*» se cumple a través de los PGRI, que pueden integrarse en el PHD o aprobarse por separado, ya que la competencia para la aprobación corresponde al mismo órgano (el Gobierno de la

Nación). En la práctica se han tramitado y aprobado por separado, pero la EAE ha sido conjunta.

b) La delimitación de las zonas inundables, aunque formalmente sea competencia de la Administración urbanística, se tendrá que adecuar a las previsiones de los mapas de peligrosidad y de riesgo de inundación, que forman parte del contenido de los PGRI y que integran el Sistema Nacional de Cartografía de Zonas Inundables.

c) Desde el punto de vista urbanístico, las zonas inundables están en la situación básica de suelo rural y se deberán clasificar como suelo no urbanizable (o rústico), salvo que se adopten las medidas necesarias para prevenir el riesgo de inundación.

d) Los PGRI pueden imponer limitaciones al uso del suelo, que habrán de justificarse precisamente por el carácter inundable de la zona, para la protección de personas y bienes. Sin embargo, los planes actualmente en tramitación no han hecho uso de esa posibilidad. Las limitaciones al uso del suelo se establecen en los PHD, de acuerdo con lo dispuesto en el RDPH.

e) Los instrumentos de ordenación territorial y urbanística no podrán incluir determinaciones incompatibles con el contenido de los PGRI. Sin embargo, habida cuenta de que éstos no tienen contenido normativo, sino que se remiten a los PHD y a la legislación de aguas, habrá que referir a aquéllos y a ésta el contraste para determinar la posible incompatibilidad.

IV. SEQUÍAS[23]

1. PECULIARIDADES DE LA SEQUÍA COMO SITUACIÓN DE CRISIS

La sequía no es una situación que se presente de improviso, como ocurre con las inundaciones o los seísmos, pero sus efectos pueden ser igual de catastróficos y mucho más duraderos. La escasez de agua se produce de forma paulatina, lo que facilita la adopción de medidas preventivas. La Norma Básica de Protección Civil de 1992 no menciona las sequías entre

---

23. La redacción de este epígrafe está basada en A. MENÉNDEZ REXACH, «Planificación y gestión de las sequías. La situación en la Comunidad de Madrid», en el libro colectivo dirigido por el mismo *Planificación y gestión del agua ante el cambio climático. Experiencias comparadas y el caso de Madrid*, La Ley, Madrid, 2012, pp. 1205-1240.

los riesgos que deben ser objeto de planes especiales (artículo 6), pero eso no excluye que puedan serlo, ya que la enumeración de riesgos que se hace en ese artículo tiene carácter mínimo. Tampoco hay una Directriz Básica de sequía, en desarrollo de la citada Norma Básica, a diferencia de lo que ocurre con las inundaciones. La impresión que produce esta normativa es que las sequías no constituyen un riesgo que deba tomarse en consideración en el marco del sistema público de protección civil, quizá porque no requieren una respuesta inmediata. Sin embargo, el Derecho positivo vigente, como el histórico, considera rotundamente estas situaciones como «de emergencia» y faculta a los poderes públicos para adoptar las medidas pertinentes para paliar sus efectos. Así, el Real Decreto 307/2005, de 18 de marzo, por el que se regulan las subvenciones en atención a determinadas necesidades derivadas de situaciones de emergencia o de naturaleza catastrófica y se establece el procedimiento para su concesión, dispone que podrán concederse ayudas a las corporaciones locales en situaciones de emergencia por sequía, para garantizar la atención de las necesidades básicas de la población, como se verá más adelante.

La Comunicación de la Comisión al Parlamento Europeo y al Consejo «*Afrontar el desafío de la escasez de agua y la sequía en la Unión Europea*»[24], señala que «*la escasez de agua y la sequía constituyen hoy un desafío considerable y el cambio climático previsiblemente empeorará las cosas*» y que «*durante los últimos treinta años, la sequía en la Unión Europea ha aumentado de forma espectacular en frecuencia e intensidad*» (p. 2). Para luchar contra la escasez de agua y la sequía, «*la prioridad absoluta es ir hacia una economía que haga un uso eficiente y ahorrativo del agua*» (p. 3). Entre los desafíos pendientes destaca la necesidad de « **avanzar hacia la plena aplicación de la Directiva Marco del Agua**», puntualizando que «*l a gestión inadecuada de los recursos hídricos es a menudo el resultado de **políticas ineficaces de tarifación del agua**», pues «r aramente se aplica el principio de " el usuario paga " fuera del abastecimiento de agua potable y del tratamiento de aguas residuales». «Introducir este principio a nivel de la Unión Europea pondría fin a las pérdidas innecesarias y al derroche y garantizaría que siga habiendo agua para usos esenciales en toda Europa*» (p. 3, negrita original).

La Comunicación subraya que la planificación de los usos del suelo es otro de los principales factores de utilización del agua. La asignación inadecuada del agua entre sectores económicos produce un desequilibrio entre las necesidades y los recursos hídricos existentes. Es preciso un giro pragmático para cambiar las pautas de elaboración de políticas y pasar a una planifica-

---

24. Bruselas, 18.7.2007 COM (2007) 414 final.

ción de los usos del suelo eficaz en los niveles adecuados. El potencial de ahorro de agua en toda Europa es enorme (p. 4). Para ello, la Comunicación propone las siguientes orientaciones: a) cobrar el agua a su justo precio; b) asignar con más eficiencia el agua y su financiación, mejorando la planificación de los usos del suelo (p. 6)[25]; c) elaborar, para 2009, planes específicos de gestión de la sequía que complementen los planes hidrológicos de cuenca de la DMA, si procede, de conformidad con las disposiciones de esa Directiva (artículo 13, apartado 5)[26]; d) considerar infraestructuras adicionales de suministro de agua; e) fomentar tecnologías y prácticas de eficiencia hídrica; f) fomentar una cultura de ahorro del agua; g) mejorar los conocimientos y la recogida de datos, mediante un sistema de información sobre la escasez de agua y la sequía en toda Europa. También se plantea la aplicación del Mecanismo de Protección Civil a las situaciones de sequía[27].

La conclusión es que *«el desafío de la escasez de agua y la sequía debe afrontarse como una cuestión medioambiental esencial y como una condición previa para el crecimiento económico sostenible en Europa. Dado que la UE desea revitalizar y fortalecer su economía y seguir yendo a la cabeza en la lucha contra el cambio climático, diseñar una estrategia efectiva encaminada a la eficiencia hídrica puede ser una contribución sustancial»* (p. 15).

En España, la previsible acentuación de los períodos de sequía en los escenarios de cambio climático que se manejan[28] acentúa la importancia de

---

25. «El gran desarrollo de centros turísticos en cuencas hidrográficas sensibles, por ejemplo, ha tenido un impacto significativo sobre los recursos hídricos locales. La agricultura tiene también un impacto importante, especialmente por lo que se refiere al regadío» (p. 6)
26. Cita a España y los Países Bajos como ejemplo de buenas prácticas, porque ya han implantado planes nacionales para abordar los riesgos de sequía (p. 9).
27. «El **Mecanismo de Protección Civil** considerará todas las oportunidades de incorporar el problema de la sequía en futuros programas anuales de trabajo. Un objetivo será identificar todas las posibilidades de ayuda en casos de sequía grave, con consecuencias tales como incendios forestales, e intentar utilizar y complementar los escasos recursos disponibles de la mejor manera posible» (p. 10, negrita original)
28. Según datos del Plan de gestión del riesgo de inundación de la Demarcación del Segura (p. 4):
«Las proyecciones pronostican una reducción generalizada de la precipitación conforme avanza el siglo XXI, El conjunto de proyecciones en el escenario de emisiones más desfavorable supone decrementos de precipitación media en España en el entorno del –5%, –9% y –17% durante los periodos 2011-2040, 2041-2070 y 2071-2100 respectivamente. En el caso de la Demarcación Hidrográfica del Segura las reducciones medias para dichos períodos en el mismo escenario son de 0%, –6% y –14%.

la previsión, fundamentalmente mediante políticas de ahorro y «*el estable-cimiento de un sistema eficaz de detección de situaciones de sequía que permita activar, con suficiente antelación, los planes de explotación prefijados para estas situaciones de emergencia*», como propuso en 1998 el Libro Blanco del Agua[29].

El seguimiento de sequías se realiza con periodicidad semanal desde la Dirección General del Agua (del MAGRAMA), con información procedente de los Organismos de cuenca. También, con periodicidad trimestral, el citado Ministerio publica en su página web los informes sobre el estado hidrológico de las cuencas en España, cuyo objetivo es mostrar al ciudadano la situación hidrológica de aquéllas y de los sistemas de explotación de recursos, así como los problemas existentes y las medidas adoptadas. Anualmente, se publican informes con el balance del año hidrológico.

Se encuadra en el mismo Ministerio, el Observatorio Nacional de la Sequía (ONS), del que forman parte los organismos de cuenca intercomunitarios, las administraciones hidráulicas intracomunitarias, las ciudades autónomas de Ceuta y Melilla, las comunidades autónomas y las entidades locales. Como es notorio, en España los ámbitos más afectados por las situaciones de sequía son los de las Confederaciones hidrográficas del Júcar y Segura. En ellos la declaración de sequía ha sido prorrogada hasta el 30 de septiembre de 2016[30].

La Ley de Aguas prevé la adopción de medidas excepcionales en situaciones de sequía y la Ley del Plan Hidrológico Nacional de 2001 (LPHN) dispuso la aprobación, en el ámbito de cada cuenca, de planes especiales de sequía. A continuación, expondremos las medidas previstas en la legislación estatal de aguas, para centrarnos después en los citados planes con una referencia específica al de la Demarcación del Segura.

– Esto deriva en una disminución de la escorrentía acorde a las tendencias de temperatura y precipitación. Las proyecciones del mismo escenario anterior dan lugar a unas reducciones de escorrentía en España del −8% para el periodo 2011-2040, −16% para el 2041-2070 y −28% para el 2071-2100».

29. Añadía que «Esta identificación anticipada de las sequías lleva consigo la necesidad de desarrollar indicadores de alerta basados en la información habitualmente disponible (precipitación de los últimos periodos, reservas almacenadas en los embalses, niveles piezométricos en los acuíferos, etc.) de forma que pudieran ser periódicamente calculados con el fin de señalar el posible comienzo de una sequía o identificar su fase de desarrollo» (Documento de síntesis, p. 25).

30. Disposición adicional tercera del RD 817/2015, de 11 de septiembre, por el que se establecen los criterios de seguimiento y evaluación del estado de las aguas superficiales y las normas de calidad ambiental (BOE 12 septiembre).

2. MEDIDAS PREVISTAS EN LA LEGISLACIÓN ESTATAL DE AGUAS

La Ley de Aguas faculta al Consejo de Ministros para la adopción de medidas excepcionales en situaciones de emergencia, tales como inundaciones, sequías y otros estados de necesidad. En estas situaciones se podrán constituir centros de intercambio de derechos de uso del agua mediante Acuerdo del propio Consejo de Ministros. Pero se trata de medidas de reacción para paliar los efectos del problema. No hay en esta Ley un tratamiento preventivo de las sequías mediante planes específicos, aunque sí un mandato de incluir en los planes hidrológicos de cuenca «los criterios sobre estudios, actuaciones y obras para prevenir y evitar los daños debidos a inundaciones, avenidas y otros fenómenos hidráulicos»[31]. Entre los fenómenos hidráulicos a que hace referencia el precepto legal deben entenderse comprendidas las sequías[32]. Fue la Ley del PHN de 2001 la que, como ya hemos señalado, estableció la obligación de elaborar planes de gestión de sequías. En su virtud, se aprobaron en 2007 para las cuencas gestionadas por la Administración General del Estado.

2.1. Medidas excepcionales

En circunstancias de sequías extraordinarias, de sobreexplotación grave de acuíferos, o en similares estados de necesidad el Gobierno, oído el organismo de cuenca, podrá adoptar las medidas que sean precisas en relación con la utilización del dominio público hidráulico, aun cuando hubiese sido objeto de concesión. La aprobación de dichas medidas llevará implícita la legitimación expropiatoria y la declaración de urgente ocupación (artículo 58)[33]. En virtud de este artículo se han aprobado numerosos Reales Decretos

---

31. Artículo 40.l en su redacción originaria y actualmente artículo 42.1.g. n' del TRLA y artículo 4.g.n' del Reglamento de Planificación Hidrológica.
32. El artículo 46.1.b) de la propia Ley confirma esta interpretación, al considerar de interés general «[l]as obras necesarias para el control, defensa y protección del dominio público hidráulico, sin perjuicio de las competencias de las Comunidades Autónomas, especialmente las que tengan por objeto hacer frente a fenómenos catastróficos como las inundaciones, **sequías** y otras situaciones excepcionales, así como la prevención de avenidas vinculadas a obras de regulación que afecten al aprovechamiento, protección e integridad de los bienes del dominio público hidráulico» (negrita no original). En la misma línea, el artículo 59.2 del RPH dispone que el PHC «establecerá las medidas que deben adoptarse en circunstancias excepcionales correspondientes a situaciones hidrológicas extremas, incluyendo la realización de planes o programas específicos como los indicados en el artículo 62». Este artículo hace referencia a los planes especiales de actuación en situaciones de alerta y eventual sequía, previstos en la Ley del PHN, y a los planes de protección frente a inundaciones.
33. La STC 227/1988 declaró que «la determinación legal de los supuestos de hecho

declarativos de situaciones de sequía, que incluyen las medidas que pueden adoptarse para hacer frente a esa situación[34].

Las medidas suelen consistir en la atribución de facultades específicas a los órganos de gobierno de las Confederaciones (por ejemplo, para reducir las dotaciones de suministro), la regulación de los procedimientos de modificación de las concesiones afectadas por las medidas excepcionales, la puesta en servicio de sondeos y la consideración como actuaciones de emergencia a efectos de la legislación de contratos públicos, la utilización de aguas desaladas y el régimen excepcional de los contratos de cesión. Su vigencia es temporal, incluso limitada a unos meses[35], sin perjuicio de que se prorrogue. En ocasiones las medidas se han adoptado por Decreto-Ley[36], por incluir,

---

excepcionales y de las medidas que hayan de adoptarse en tales casos debe considerarse básica y aplicable directamente en todo el territorio del Estado», puntualizando que «al Gobierno corresponde aprobar las referidas medidas cuando afecte la situación de emergencia a cuencas intercomunitarias, así como en los casos en que la citada situación excepcional y las medidas que hayan de adoptarse para combatirla afecten de manera conjunta o interdependiente a esas cuencas hidrográficas y a las aguas continentales que discurran íntegramente por el territorio del País Vasco. En cambio, si la situación de necesidad o de emergencia no excediera de los límites de las aguas intracomunitarias, la competencia para adoptar las medidas tendentes a superarlas corresponde a los órganos de la Comunidad Autónoma del País Vasco. Así interpretado, el artículo 56 de la Ley de Aguas no es inconstitucional» (FJ 23.h).

34. Entre los más recientes, los RRDD 355 y 356/2015, de 8 de mayo, por los que se declara la situación de sequía en el ámbito territorial de la Confederación Hidrográfica del Júcar y del Segura, respectivamente y se adoptan medidas excepcionales para la gestión de los recursos hídricos (BOE 9 mayo).

35. En ocasiones inferior a un año. Así, el RD 233/2008, de 15 de febrero, por el que se adoptan medidas administrativas excepcionales para la gestión de los recursos hidráulicos y para corregir los efectos de la sequía en la cuenca hidrográfica del río Ebro, tenía vigencia hasta el 30 de noviembre.

36. Así, el RD-Ley 9/2007, de 5 de octubre, por el que se adoptan medidas urgentes para paliar los efectos de la sequía en determinadas cuencas hidrográficas, el RD-Ley 3/2008, de 21 de abril, de medidas excepcionales y urgentes para garantizar el abastecimiento de poblaciones afectadas por la sequía en la provincia de Barcelona, el RD-Ley 8/2008, de 24 de octubre, por el que se adoptan medidas urgentes para paliar los efectos producidos por la sequía en determinados ámbitos de las cuencas hidrográficas, que prorroga la vigencia del RD Ley 15/2005, de 16 de diciembre y de varios RRDD y el RD-Ley 14/2009, de 4 de diciembre, por el que se adoptan medidas urgentes para paliar los efectos producidos por la sequía en determinadas cuencas hidrográficas. Para una visión detallada de los Decretos leyes dictados en la materia véase BRUFAO CURIEL, ob. cit. en nota 2, pp. 229 y ss. Este autor es muy crítico con la utilización del Decreto-Ley para adoptar este tipo de medidas, por considerar que la sequía es un fenómeno normal, que no debe abordarse mediante una técnica normativa excepcional.

además de las citadas, exenciones tributarias o facultar al Ministro competente para autorizar cesiones de derecho de usos de agua que no respeten el orden de preferencia de los PHC o en el artículo 60.3 de la Ley de Aguas, incluyendo una regulación complementaria de estos contratos de cesión, así como permitir la utilización de las infraestructuras del trasvase en virtud de los citados contratos, con autorización de la Administración hidráulica (DG del Agua: artículo 72 TRLA)[37]. Es una paradoja que las iniciativas de trasvase se adopten por particulares y que la Administración hidráulica las autorice caso por caso, sin visión de conjunto, mientras que en el PHN no quedan transferencias formalmente previstas. En el régimen especial del Tajo-Segura la competencia para adoptar esa decisión corresponde, «en situaciones hidrológicas excepcionales», al Ministro que tenga atribuidas las competencias en materia de agua, previo informe de la Comisión Central de Explotación del Acueducto Tajo-Segura[38]. Mientras dure esa situación excepcional, el trasvase se autoriza mensualmente. En otras ocasiones, las medidas excepcionales se han incluido en la Ley de Presupuestos[39].

El TS ha declarado en algunas sentencias que las medidas adoptadas en virtud del artículo 58 de la Ley de Aguas no tienen carácter normativo[40],

---

37. Nueva redacción introducida por la Ley21/2013, de 9 de diciembre. La redacción anterior de este artículo 72 establecía que las infraestructuras de conexión sólo se podrían utilizar para transferencias previstas en la Ley del PHN o las leyes singulares de cada trasvase. Sin embargo, en ocasiones, los Decretos Leyes de sequía dejaban sin efecto la aplicación de esa disposición durante su vigencia Véase el RD-Ley 14/2009, de 4 de diciembre, citado en la nota anterior, en particular su artículo 4 y la Disposición Final 2ª.

38. Disposición adicional quinta («Reglas de explotación del Trasvase Tajo-Segura») de la Ley 21/2015, de 20 de julio, por la que se modifica la Ley 43/2003, de 21 de noviembre, de Montes. Su disposición derogatoria mantiene en vigor el Real Decreto 773/2014, de 12 de septiembre, por el que se aprueban diversas normas reguladoras del trasvase por el acueducto Tajo-Segura.

39. Así, la Ley 48/2015, de 29 de octubre, de Presupuestos Generales del Estado para 2016, en su Disposición Adicional 96ª, bajo el rótulo «Medidas extraordinarias en relación con la situación de sequía», modifica el Convenio de Gestión Directa entre el MAGRAMA y ACUAMED para la ejecución de las obras que se mencionan y, de acuerdo con el artículo 111 bis.3 del TRLA, exceptúa de la aplicación del principio de recuperación de costes las actuaciones que desarrolle dicha Sociedad Estatal de modernización de los regadíos tradicionales de la Ribera del Júcar y en la segunda fase de la sustitución de bombeos de la Mancha Oriental.

40. STS de 18 septiembre 1996, recurso núm. 1286/1990: «Los defectos formales que en relación con la elaboración del Real Decreto impugnado se denuncian no pueden tener acogida, pues no nos encontramos en presencia de una norma de desarrollo de la Ley de Aguas 29/1985, de 2 agosto, dictada en virtud de las facultades que al Gobierno otorga su disposición final segunda –respecto de las cuales evidentemen-

mientras que en otras ha afirmado rotundamente que se trata de un reglamento ejecutivo, por lo que es preceptivo el dictamen del Consejo de Estado[41].

A mi juicio, ni una ni otra tesis pueden afirmarse con carácter abstracto y general, pues la naturaleza de las medidas dependerá de su contenido, por lo que habrá que estar al de las que se adopten en cada caso. También ha declarado el Alto Tribunal que estas medidas no son, en principio, indemnizables tanto si afectan a derechos concesionales (porque la concesión no garantiza la disponibilidad del recurso) como si afectan a aguas privadas, porque su régimen de utilización es el mismo que el de las públicas y, por ello, están sujetas a las medidas excepcionales, que delimitan el contenido de los derechos sobre aguas privadas. Una posible salvedad es que las medidas tengan claramente un beneficiario, en cuyo caso éste tendrá que indemnizar al perjudicado[42].

---

te sería necesario seguir los trámites procedimentales que para la elaboración de reglamentos se exige en la Ley de Procedimiento Administrativo, sino que se trata del ejercicio de una potestad excepcional, que la propia Ley concede al Gobierno para supuestos extraordinarios, en su artículo 56, en el que se establecen los presupuestos materiales y formales que han de cumplirse para adoptar las medidas en él previstas. Y esto sin que la forma de Real Decreto que debe adoptar la resolución, imponga por sí misma el sometimiento a aquellos procedimientos, pues, según el artículo 24.1 de la Ley de Estado de 26 julio 1957, no sólo las disposiciones generales emanadas del Consejo de Ministros revestirán este carácter, sino también otras resoluciones de dicho órgano, cuando así lo exija, como en el caso presente, alguna disposición legal (...)». A la vista de esta sentencia, no está nada clara la naturaleza jurídica de estas medidas.

41. STS de 24 de noviembre de 2009, Sala 3ª, Sección 5ª, recurso núm. 11/2006, FD 5°.
42. STS de 15 diciembre 2008, recurso de casación núm. 7874/2004, que confirma la tesis de la sentencia recurrida, según la cual, «En definitiva, de acuerdo con la tesis jurisprudencial, que recogen también las Sentencias de 19 de septiembre (casación 3255/1996) y 15 de noviembre de 2000 (casación 4388/1996), y de 18 de diciembre de 2001 (casación 6567/1997), la adopción de tales medidas, ya se trate de aguas públicas como privadas, constituyen simples delimitaciones de los derechos o facultades existentes sobre las aguas en atención a la función social que debe cumplir, dando lugar a establecimiento de meras cargas generales que, a tenor también de lo hoy establecido por el artículo 141 de la Ley 30/1992, los afectados tienen el deber de soportar por consecuencia de las circunstancias extraordinarias concurrentes y de acuerdo con lo establecido por la Ley, y ello salvo que, claro está, resulten beneficiados particularmente otros usuarios, supuesto en el que la generalidad de la carga y del perjuicio desaparece, surgiendo así la obligación de indemnización a cargo del beneficiado y el consiguiente derecho a aquélla del prejuiciado (...)» (FD 6). «La misma conclusión, en fin, se obtiene desde la perspectiva del título concesional, que queda en cualquier caso sometido a lo que resulte de la política de desembalse, de acuerdo además con lo que también decía el artículo 57.2 de la propia Ley 29/1985 (artículo 59.2 del Texto Refundido 1/2001), al establecer que la

El carácter no indemnizable es aplicable a la prohibición de regar con aguas subterráneas de acuíferos sobreexplotados en situaciones de sequía extraordinaria. En este punto se ha producido un cambio sustancial en la jurisprudencia, que anteriormente lo consideraba un supuesto expropiatorio[43]. El TS ha

concesión no garantiza la disponibilidad de los caudales concedidos ni, por lo tanto, asegura al concesionario que circunstancias extremas de sequía, como la que ahora se trata, lleven consigo actuaciones como la examinada que, en realidad, como se dijo más arriba, únicamente sirve de complemento a las restricciones de derivaciones establecidas en virtud del grado de disponibilidad que excepcionalmente se presenta» (FD 7º). El TS reitera la doctrina de la sentencia de 18 de diciembre de 2001: «(...) Dijimos entonces y repetimos ahora que tales medidas no son expropiatorias o limitativas de derechos adquiridos sino que constituyen meras limitaciones de uso, que definen el contenido de la propiedad privada de las aguas subterráneas y configuran su peculiar estatuto jurídico, como lo entendió el Tribunal Constitucional en su Sentencia de 29 de noviembre de 1988. El que se trate de un aprovechamiento de aguas privadas, contemplado en las Disposiciones Transitorias Primera y Tercera de la citada Ley de Aguas, no altera el carácter de la limitación de su uso por causa de la sequía (...) la Ley de Aguas equipara, a efectos de las limitaciones de uso de las aguas, las de propiedad privada y las de dominio público, (...) y, por consiguiente, sólo podría obtenerse indemnización cuando, como consecuencia de tales medidas, tuviesen derecho a ella los usuarios de las aguas públicas, pues la propiedad privada de las aguas nada añade al régimen de responsabilidad derivado de la adopción de las medidas previstas en el apartado cuarto de la mencionada Disposición Transitoria Tercera. En la misma línea de negar el derecho a la indemnización se expresa la sentencia de 2 de noviembre de 2004 (casación 5158/2000), que cita como antecedente otra de 18 de febrero de 2003. Y si ello es así incluso tratándose de aguas privadas, con mayor motivo habrá de excluirse la indemnización cuando quien la pretende es titular de un aprovechamiento en régimen de concesión» (FD 3º).

43. La STS de 19 de noviembre de 2004, Sección 6ª, que se remite a otra de 30 de junio del mismo año, es exponente de ese cambio de criterio: «(...) La sentencia recurrida razona que las pretensiones de la actora (de declaración de lesividad y nulidad de las citadas disposiciones e indemnización de daños y perjuicios) están basadas en la tesis mantenida en las sentencias del Tribunal Supremo de 30 de enero y 14 de mayo de 1996, que declararon que "la suspensión de las extracciones de aguas subterráneas de titularidad privada con destino a regadíos, dentro del perímetro definido en el anexo del Real Decreto 393/1988, tiene un claro significado expropiatorio y, por consiguiente, ha de ser adecuadamente indemnizada, según establece el artículo 120 de la Ley de Expropiación Forzosa para otros supuestos equivalentes", *criterio que es abandonado por completo con posterioridad*, desde la sentencia de 18 de marzo de 1999, optando por el criterio mantenido en el voto particular de la de 14 de mayo de 1996, que considera el agua como un recurso único, cuya escasez o abundancia perjudica o beneficia a todos por igual, precisándose para su correcta administración y explotación medidas uniformes para todos los aprovechamientos, sean públicos o privados, *medidas que son meras limitaciones del uso que definen*

declarado, asimismo, que el artículo 56 (actual 58) de la Ley de Aguas permite riegos de socorro que no generan un derecho al uso privativo, porque se trata de una dispensación graciable y excepcional[44]. El carácter no indemnizable de las medidas excepcionales adoptadas en virtud del artículo 58 de la Ley de Aguas, salvo perjuicios que deberán ser indemnizados por el beneficiario, se recoge en casi todos los Reales Decretos (o Decretos-leyes) dictados a su amparo[45]. La jurisprudencia no ha abordado el concepto de sequía extraordinaria. Se limita a analizar las consecuencias (indemnizatorias o no) de las medidas adoptadas por el Gobierno en virtud del precepto legal que comentamos.

---

el contenido de la propiedad privada de las aguas subterráneas, citando a su favor la sentencia precedente de 12 de junio de 1993, según la cual las medidas de carácter temporal adoptadas por Consejo de Ministros al amparo del artículo 56 de la Ley de Aguas 29/1985, de 2 de agosto, con el fin de afrontar una situación de sequía extraordinaria, no son expropiatorias o limitativas de derechos adquiridos» (cursiva no original).

44. STS 23 noviembre 2001, Recurso de Casación núm. 3465/1995. FD 3: «(...) La amplitud con que la Ley permite a la autoridad gubernativa la adopción de medidas excepcionales –cuantas "sean precisas" para superar la emergencia– legitima sin duda una actuación como la acordada en este caso, con el fin de suministrar un riego de socorro a una determinada zona del Levante español especialmente requerida, por padecer durante el verano de 1992 una sequía que se califica de extraordinaria, auxilio que, en palabras del organismo de cuenca, respondía a una "apremiante necesidad".

    FD 7: (...) El artículo 57 debe interpretarse en el sentido de que los "usos" privativos a los que alude son aquellos dotados igualmente de una cierta estabilidad jurídica, esto es, los usos que derivan de la atribución hecha con carácter regular.

    En el caso que nos ocupa ya hemos afirmado que no existió propiamente la atribución o reconocimiento de un "derecho" al uso privativo, que pudiera ser exigible por sus destinatarios en cualquier momento y circunstancia. Se trató, por el contrario, de una dispensación graciable y excepcional, por una sola vez, de un suministro de aguas públicas cuantificado de modo expreso y con destino a unos terrenos determinados. La situación jurídica de sus destinatarios no era la de acreedores al aprovechamiento ni tenían, antes o después, propiamente hablando, "derecho" al agua que para el riego extraordinario se les hizo llegar».

45. Así, el RD 233/2008, de 15 de febrero, por el que se adoptan medidas administrativas excepcionales para la gestión de los recursos hidráulicos y para corregir los efectos de la sequía en la cuenca hidrográfica del río Ebro, dispone que «De conformidad con lo dispuesto en los artículos 55.2, primer inciso, y 58 del Texto Refundido de la Ley de Aguas, las limitaciones en el uso del dominio público hidráulico no tendrán carácter indemnizable, salvo que se ocasione una modificación de caudales que genere perjuicios a unos aprovechamientos en favor de otros; en tal caso, los titulares beneficiados deberán satisfacer la oportuna indemnización y corresponderá al organismo de cuenca, en defecto de acuerdo entre las partes, la determinación de su cuantía».

2.2. Centros de intercambio de derechos

La Ley de Aguas (artículo 71.1) autoriza la constitución de estos centros, por Acuerdo del Consejo de Ministros, a propuesta del Ministro de Medio Ambiente, en las situaciones previstas en sus artículos 55, 56 y 58, entre las que figuran las sequías extraordinarias. En tal caso, los Organismos de cuenca quedarán autorizados para realizar, de oficio o a instancia de las Comunidades Autónomas, ofertas públicas de adquisición de derechos de uso del agua para posteriormente cederlos a otros usuarios mediante el precio que el propio Organismo oferte. La contabilidad y registro de estas operaciones se llevarán separadamente respecto al resto de actos en que puedan intervenir los Organismos de cuenca. Las adquisiciones y enajenaciones del derecho al uso del agua que se realicen conforme a este artículo deberán respetar los principios de publicidad y libre concurrencia y se llevarán a cabo conforme al procedimiento y los criterios de selección que se determinan reglamentariamente (artículo 71.3) y que consisten en la concreción del contenido de la oferta pública de adquisición y los datos que deben figurar en las solicitudes[46].

Como puede apreciarse, en esta regulación la Administración hidráulica actúa como un puro intermediario, ya que no se queda con el agua adquirida, sino que la cede (por un precio) a otros usuarios. Sin embargo, el Real Decreto-ley 9/2006, de 15 de septiembre, permite destinar también los recursos adquiridos por el Centro de Intercambio a la consecución del buen estado de las masas de agua subterránea o a constituir reservas con finalidad puramente ambiental, tanto de manera temporal como definitiva. Asimismo, puede cederlos a las Comunidades Autónomas, previo convenio que regule la finalidad de la cesión y posterior utilización de las aguas [47].

2.3. Flexibilización del régimen de los caudales ecológicos y de los objetivos medioambientales

Los caudales ecológicos se fijan en los PHD [artículo 59.7 en relación al 42.1.b).c') TRLA] La Instrucción de Planificación Hidrológica (IPH) regula con detalle su régimen en los ríos y aguas de transición, pero, conforme a lo previsto en el Reglamento de Planificación Hidrológica (artículo 18), permite su flexibilización en caso de sequías prolongadas («podrá aplicarse un régimen de caudales menos exigente»), siempre que se cumplan las condiciones

---

46. Artículos 354 y 355 del Reglamento del Dominio Público Hidráulico añadidos por el RD 606/2003, de 23 de mayo.
47. Real Decreto-ley 9/2006, de 15 de septiembre, por el que se adoptan medidas urgentes para paliar los efectos producidos por la sequía en las poblaciones y en las explotaciones agrarias de regadío en determinadas cuencas hidrográficas (Disposición Adicional Tercera).

que establece el artículo 38 del propio Reglamento[48] sobre deterioro temporal del estado de las masas de agua, y de conformidad con lo determinado en el correspondiente Plan especial de sequía. Esta excepción no se aplicará en las zonas incluidas en la red Natura 2000 o en la lista de humedales de importancia internacional de acuerdo con el Convenio de Ramsar. La implantación de este régimen de caudales menos exigente deberá ser realizada de forma progresiva (IPH 3.4.3).

En la misma línea, la IPH prevé la posibilidad de relajar temporalmente los objetivos medioambientales, al disponer que «se podrá admitir el deterioro temporal del estado de las masas de agua si se debe a causas naturales o de fuerza mayor que sean excepcionales o no hayan podido preverse razonablemente, en particular graves inundaciones y sequías prolongadas, o al resultado de circunstancias derivadas de accidentes que tampoco hayan podido preverse razonablemente». Para admitir dicho deterioro deberán cumplirse todas las condiciones que se establecen. En aquellas masas en las que se prevea que puede producirse un deterioro temporal, el plan hidrológico recogerá las posibles causas y los criterios para definir el inicio y final de dichas situaciones (IPH 6.4).

Estas previsiones se desarrollan en los nuevos PHD para su ámbito respectivo.

3. PLANES ESPECIALES DE SEQUÍA

La Ley del Plan Hidrológico Nacional de 2001 dispuso que «el Ministerio de Medio Ambiente, para las cuencas intercomunitarias, con el fin de minimizar los impactos ambientales, económicos y sociales de eventuales situa-

---

48. Esas condiciones son las siguientes: a) Que se adopten todas las medidas factibles para impedir que siga deteriorándose el estado y para no poner en peligro el logro de los objetivos medioambientales en otras masas de agua no afectadas por esas circunstancias; b) Que en el plan hidrológico se especifiquen las condiciones en virtud de las cuales pueden declararse dichas circunstancias como racionalmente imprevistas o excepcionales, incluyendo la adopción de los indicadores adecuados (...); c) Que las medidas que deban adoptarse en dichas circunstancias excepcionales se incluyan en el programa de medidas y no pongan en peligro la recuperación de la calidad de la masa de agua una vez que hayan cesado las circunstancias; d) Que los efectos de las circunstancias que sean excepcionales o que no hayan podido preverse razonablemente se revisen anualmente y se adopten, tan pronto como sea razonablemente posible, todas las medidas factibles para devolver la masa de agua a su estado anterior (...); e) Que en la siguiente actualización del plan hidrológico se incluya un resumen de los efectos producidos por esas circunstancias y de las medidas que se hayan adoptado o se hayan de adoptar.

ciones de sequía, establecerá un sistema global de indicadores hidrológicos que permita prever estas situaciones y que sirva de referencia general a los Organismos de cuenca para la declaración formal de situaciones de alerta y eventual sequía». Dicha declaración «implicará la entrada en vigor del Plan especial a que se refiere el apartado siguiente» (artículo 27.1). El apartado siguiente prevé la elaboración, por los Organismos de cuenca, de planes especiales de actuación en situaciones de alerta y eventual sequía, incluyendo las reglas de explotación de los sistemas y las medidas a aplicar en relación con el uso del dominio público hidráulico (artículo 27.2). El ámbito de estos planes coincide con el que en ese momento tenían los PHC y su aprobación corresponde en la actualidad al MAGRAMA. La Ley impuso también a las Administraciones responsables de sistemas de abastecimiento urbano que atiendan, singular o mancomunadamente, a una población igual o superior a 20.000 habitantes la obligación de dotarse de un Plan de Emergencia ante situaciones de sequía[49]. Estos Planes, que serán informados por el Organismo de cuenca o la Administración hidráulica correspondiente, deberán tener en cuenta las reglas y medidas previstas en los Planes especiales de sequía (artículo 27.3). Lo mismo pueden hacer en las cuencas intracomunitarias las Administraciones hidráulicas autonómicas (artículo 27.4). Algunas lo han hecho en virtud de su legislación propia[50].

---

49. Para la elaboración de estos planes de emergencia se ha editado una «Guía» por la Asociación Española de Abastecimientos de Agua y Saneamiento, en colaboración con la Federación Española de Municipios y Provincias y el Ministerio de Medio Ambiente. Su objetivo principal es asegurar que todos los planes respondan a un criterio unificado y homogéneo.

50. Así, la Ley de Aguas de Andalucía (Ley 4/2010, de 8 de junio) regula los «planes de sequía» en conexión con la normativa estatal «poniéndose el acento en el mantenimiento, en todo caso, de los abastecimientos urbanos y de los servicios de interés general como decisión fundamental para el contenido de dichos planes» (E. de M. VI). Estos planes se articulan en dos niveles, autonómico y municipal (artículo 66), siguiendo la pauta marcada por la Ley del PHN. Los primeros se denominan *Planes especiales de actuación en situaciones de alerta y eventual sequía*. Su aprobación compete al Consejo de Gobierno. Establecerán para las demarcaciones hidrográficas andaluzas la gestión planificada en dichas situaciones, con delimitación de sus fases, medidas aplicables en cada una de ellas a los sistemas de explotación y limitaciones de usos, con el objetivo de reducir el consumo de agua. En particular, preverán las actuaciones necesarias para asegurar el abastecimiento a la población y a las instalaciones que presten servicios de interés general así como, en la medida de lo posible, a los restantes usuarios de acuerdo con el orden de prioridad que se establezca. Los planes municipales serán obligatorios en los municipios, por sí solos o agrupados en sistemas supramunicipales de agua, con más de diez mil habitantes. Para su elaboración contarán con el asesoramiento técnico de la Agencia Andaluza del Agua. En caso de que el municipio no exija su cumplimiento, la Agencia Anda-

Los planes especiales de sequía (PES) se aprobaron en 2007 para todas las demarcaciones hidrográficas de competencia estatal[51]. Su objetivo es anticiparse a las sequías, previendo soluciones para satisfacer las demandas y cumplir con los requerimientos medioambientales. Sin embargo, habida cuenta de que el plan se activa una vez declarada formalmente la situación de sequía, se ha criticado su carácter contingente y, por tanto, con un margen limitado para integrar medidas preventivas[52]. No tienen carácter normativo, lo mismo que los planes de gestión del riesgo de inundación, siendo también muy semejante la estructura de ambos tipos de planes[53]. Los planes especiales de sequía deberán ser revisados antes del 31 de diciembre de 2017[54].

luza del Agua podrá imponerlos subsidiariamente y a costa del municipio (artículo 66.2). Estos planes deberán estar aprobados antes del 31 de diciembre de 2012 (Disposición Adicional Sexta).

51. La aprobación se hizo por Orden MARM 698/2007, de 21 de marzo. La Orden se limita a consignar la aprobación de los planes (sin publicar aspecto alguno de su contenido) y a señalar la posibilidad de su consulta en las direcciones y páginas web de los Organismos de cuenca, que, a tal efecto, se facilitan en el artículo 2 de la Orden. Asimismo, se prevé que el Ministerio competente adopte las medidas necesarias para la puesta a disposición del público del contenido íntegro de estos planes, promoviendo, a tal efecto, una edición oficial de los mismos. En la actualidad, estos planes se pueden consultar en la web de la Confederación respectiva. Al no tener carácter normativo, no es obligatoria la publicación de su contenido. El RD 1/2016, de 8 de enero, por el que se aprueba la revisión de los Planes Hidrológicos para el ciclo 2015-2021, ha modificado los planes de sequía de las demarcaciones del Duero, Tajo y Guadiana en algunos aspectos para garantizar la coherencia entre los objetivos ambientales establecidos en el correspondiente plan hidrológico, el Sistema Global de Indicadores Hidrológicos y las medidas de prevención y mitigación de las sequías establecidas en cada Plan Especial (Disposición final 1ª).

52. BRUFAO CURIEL (2012), p. 222.

53. El Plan Especial de Actuación en Situaciones de Alerta y Eventual Sequía en la Cuenca del Segura se estructura en los siguientes capítulos:
    1. Introducción.
    2. Características físicas de la cuenca y elementos para el diagnóstico ambiental.
    3. Recursos y demandas. Balances hídricos.
    4. La experiencia de la cuenca sobre sequías históricas.
    5. Caracterización de sequías en la cuenca.
    6. Los indicadores de sequía.
    7. Gestión de las sequías y actuaciones de carácter administrativo.
    8. Actuaciones de aplicación en cada fase de la sequía.
    9. Conexión con los planes de emergencia para los sistemas de abastecimiento urbano de más de 20 000 habitantes.
    10. Evaluación ambiental.

54. Disposición final 1ª.2 del RD 1/2016, de 8 de enero, por el que se aprueba la revisión de los Planes Hidrológicos para el ciclo 2015-2021.

Lo más interesante son las medidas de aplicación en cada fase de la sequía en las diferentes unidades de gestión[55]. Se distinguen tres niveles de medidas coincidentes con los tres estados de escasez caracterizados mediante los indicadores, es decir: a) medidas Estratégicas, a realizar durante la fase de prealerta; b) medidas Tácticas, a realizar en la fase de alerta y c) medidas de Emergencia, a realizar en la fase de emergencia. Por otra parte, se distingue, en atención a la naturaleza de las actuaciones, entre medidas administrativas, medidas de divulgación y concienciación, actuaciones sobre la oferta (aumento de recursos hídricos) y actuaciones sobre la demanda (disminución de las demandas a servir). Las medidas concretas a realizar en cada fase serán las que decida la Comisión de Desembalses, asesorada por el Comité de Evaluación de la Sequía. Por tanto, las contenidas en el plan tienen sólo carácter indicativo o de recomendación.

Los planes hidrológicos tendrán en cuenta en su elaboración los PES aprobados y, en su caso, los Planes de emergencia, de los que incorporarán un resumen, incluyendo el sistema de indicadores y umbrales de funcionamiento utilizados y las principales medidas de prevención y mitigación propuestas (IPH, 9.1). En particular, las medidas más relevantes previstas en los PES deben incorporarse, como medidas complementarias, al programa de medidas (que incluirá además la información disponible sobre su eficacia y su coste) y formará parte del PHD (IPH, 8.2.1.2).

El nuevo PHD del Segura de 2016, dispone, como ya lo hacía el anterior de 2014, que «la autorización de actuaciones para superar situaciones extraordinarias de sequía, de acuerdo con lo establecido en el artículo 58 del TRLA, requerirá con carácter general el oportuno Decreto del Consejo de Ministros» (artículo 56). Asimismo, durante dichas situaciones se fomentará el funcionamiento del Centro de Intercambio de Derechos al uso de agua constituido en 2004 (artículo 58). En situaciones de sequía prolongada se prevé un régimen especial de caudales ecológicos (artículo 10)[56].

En caso de contradicción entre las previsiones del PHD y las contenidas en los Reales Decretos declarativos de situaciones de sequía aprobados al amparo del artículo 58 de la Ley de Aguas, prevalecen aquéllas en términos generales[57].

---

55. Se toma también como referencia el Plan de sequía del Segura.
56. En el nuevo Plan no figura, salvo error, un artículo como el 48 del Plan de 2014 sobre «actuaciones para la superación de situaciones de sequía», en el que, además de algunas referencias a la Ley de Aguas, se establecían las medidas que podrán adoptarse en esas situaciones.
57. Así lo establece la Disposición adicional segunda del RD 356/2015, de 8 de mayo, por el que se declara la situación de sequía en el ámbito territorial de la Confedera-

En resumen, los PES establecen una serie de indicadores para identificar los escenarios de sequía, proceder a la declaración de esa situación y adoptar las medidas correspondientes, dando así respuesta, en definitiva, a las tres cuestiones claves que debe abordar la planificación de estas situaciones: ¿cuándo actuar?, ¿cómo actuar? y ¿quiénes son los responsables de la gestión? Pero no tienen contenido normativo, limitándose a recopilar y ordenar las medidas previstas en la legislación de aguas y de protección civil y en la planificación de ambos ramos.

V. RÉGIMEN DE AYUDAS PÚBLICAS

En situaciones de inundación y de sequía extraordinaria se pueden otorgar ayudas, en el marco de la legislación de subvenciones y de protección civil. Estas ayudas se otorgan directamente a los afectados, sin necesidad de concurso. Hay una regulación general y otras específicas para determinadas situaciones. La primera se contiene en el Real Decreto 307/2005, de 18 de marzo, por el que se regulan las subvenciones en atención a determinadas necesidades derivadas de situaciones de emergencia o de naturaleza catastrófica, y se establece el procedimiento para su concesión[58]. El procedimiento a seguir será el establecido en la legislación general de subvenciones, con las especialidades establecidas en el propio Real Decreto.

Las ayudas específicas, para supuestos determinados[59] se aprueban normalmente (no siempre) por Decreto-Ley[60], lo que resulta plenamente

---

ción Hidrográfica del Segura y se adoptan medidas excepcionales para la gestión de los recursos hídricos, si bien con referencia al PHD del Segura de 2014.

58. La Orden INT/277/2008, de 31 de enero (BOE 12 de febrero), desarrolla el Real Decreto en cuanto a los modelos de solicitud y la documentación que debe acompañarlas. Para una visión general del contenido de este Real Decreto, véase Menéndez Rexach (2011), pp. 95 y ss.

59. Así, el Real Decreto 598/2007, de 4 de mayo, por el que se regula la concesión directa de ayudas para paliar las consecuencias de daños excepcionales por condiciones climáticas adversas, ocurridas en el año 2006, que han afectado a la producción de uva de mesa en la Comunidad Autónoma de la Región de Murcia, y al aprovechamiento de pastos en distintas comunidades autónomas (BOE de 5 de mayo de 2007).

60. Entre los recientes, Real Decreto-ley 2/2014, de 21 de febrero, por el que se adoptan medidas urgentes para reparar los daños causados en los dos primeros meses de 2014 por las tormentas de viento y mar en la fachada atlántica y la costa cantábrica y Real Decreto-ley 2/2015, de 6 de marzo, por el que se adoptan medidas urgentes para reparar los daños causados por las inundaciones y otros efectos de los temporales de lluvia, nieve y viento acaecidos en los meses de enero, febrero y marzo de 2015.

correcto, pues, en la medida en que se establezca un régimen distinto del general para un caso concreto, se estará ante una norma singular, que debe tener rango legal, pues, de lo contrario, se infringiría el principio de inderogabilidad singular de los reglamentos y, en definitiva, el principio de igualdad. Los regímenes específicos para situaciones concretas suelen remitirse a la regulación general, a la que complementan o mejoran en determinados aspectos.

Las ayudas previstas en la regulación general son aplicables a todas las situaciones de emergencia o catastróficas, ya que se otorgan por el daño sufrido, con independencia de su causa, siempre que sea una situación de emergencia o fenómeno catastrófico. No obstante, hay una que se refiere específicamente a las sequías. Según el artículo 21 del Real Decreto 307/2005, podrán concederse ayudas a las corporaciones locales en situaciones de emergencia por sequía, para garantizar la atención de las necesidades básicas de la población, estimadas a tales efectos en 50 litros por habitante y día, computándose, a estos efectos, la población de derecho censada en el municipio afectado. La ayuda por gastos de suministro de agua para consumo de la población en situación de emergencia por sequía no se prolongará más allá de tres meses desde el comienzo de dicha situación. Quedará a criterio de la Dirección General de Protección Civil y Emergencias, previo informe de la Delegación o Subdelegación del Gobierno correspondiente, ampliar dicho plazo, así como la duración de la eventual prórroga[61]. La cuantía de la ayuda podrá ascender hasta el 50% del coste total del suministro de agua potable en caso de sequía o de los gastos que puedan calificarse de emergencia. No obstante, cuando los gastos susceptibles de subvención superen el 20% del capítulo presupuestario relativo a gastos corrientes en bienes y servicios del ejercicio en que se haya producido el hecho causante, podrá extenderse la ayuda hasta el 100 por cien de los gastos de emergencia. El porcentaje de ayuda aplicable en cada caso se determinará en atención a la naturaleza de los gastos y a la situación económica de la entidad local (artículo 23).

No hay reglas especiales para las inundaciones, por lo que se aplica el régimen general, sin perjuicio de las contenidas en la normativa específica para determinadas situaciones, como el Real Decreto-ley 2/2015, de 6 de marzo, por el que se adoptan medidas urgentes para reparar los danos causa-

---

61. A los efectos de acreditación de escasez de recursos económicos, únicamente se podrá obtener la condición de beneficiario cuando el importe de los gastos considerados de emergencia en aplicación de las disposiciones de este Real Decreto, y efectivamente realizados por la Corporación Local solicitante, supere el tres por ciento de la cuantía consignada en su capítulo presupuestario relativo a gastos corrientes en bienes y servicios del ejercicio en que se hayan producido los hechos causantes de los gastos (artículo 22).

dos por las inundaciones y otros efectos de los temporales de lluvia, nieve y viento acaecidos en los meses de enero, febrero y marzo de 2015.

Las ayudas previstas en el RD 307/2005 tienen carácter subsidiario respecto de cualquier otro sistema de cobertura de daños, público o privado, nacional o internacional, del que puedan ser beneficiarios los afectados (artículo 2.1). «No obstante, cuando los mencionados sistemas no cubran la totalidad de los daños producidos, las subvenciones previstas en este real decreto se concederán con carácter complementario y serán compatibles en concurrencia con otras subvenciones, indemnizaciones, ayudas, ingresos o recursos, procedentes de sistemas públicos o privados, nacionales o internacionales, hasta el límite del valor del daño producido» (artículo 2.2).

VI. COMENTARIO FINAL

Las situaciones hidrológicas extremas tienen que afrontarse mediante una actuación preventiva, que se concreta fundamentalmente en la planificación y una actuación reactiva destinada paliar los efectos de esas situaciones cuando se producen. Ambas líneas de actuación se regulan, al menos, en tres conjuntos normativos: a) legislación de aguas (planificación hidrológica, planes de gestión del riesgo de inundación y planes especiales de sequía); b) protección civil (planes territoriales y especiales), y c) ordenación del territorio y urbanismo, a través de la legislación y el planeamiento respectivo. La coordinación entre esas legislaciones y los instrumentos previstos en ellas es clave para la efectividad, tanto de las medidas preventivas como de las de reparación y restauración que proceda adoptar.

La Estrategia Europea de Desarrollo Territorial y la Estrategia Española de Desarrollo Sostenible, citadas al principio de este trabajo, ponen de relieve la necesidad de coordinar las políticas territoriales y la gestión de los recursos hídricos, con carácter general y, específicamente, para hacer frente a las situaciones hidrológicas extremas. En cuanto a las inundaciones, la clave es identificar de la manera más precisa posible las zonas inundables y clasificar como no urbanizables los suelos correspondientes, para evitar que se localicen en ellos asentamientos humanos. A este respecto, después de un período de vacilaciones, se ha avanzado mucho con la elaboración del Sistema Nacional de Cartografía de Zonas Inundables, que permitirá a las Administraciones competentes en materia de ordenación del territorio y urbanismo excluir esos suelos del proceso urbanizador, salvo que se adopten las medidas necesarias para evitar el riesgo de inundación. Para las sequías no es necesaria una identificación similar, pero es imprescindible conocer las zonas más afectadas de modo que se pueda garantizar el suministro de la población y controlar los nuevos desarrollos urbanos en esas zonas, ya que la insuficiencia de agua debe ser un criterio decisivo para evitar su promoción y, en los que se autoricen, se deben priorizar los usos que supongan menor consumo de este recurso. Los informes de las Confederaciones Hidrográficas sobre el planeamiento urbanístico previstos en la legislación de aguas son un instrumento eficaz de control que los Tribunales han avalado sin reservas, atribuyéndoles un carácter vinculante, que no estaba claro en la Ley.

La planificación es clave para afrontar las situaciones hidrológicas extremas. La legislación vigente prevé, como hemos visto, dos figuras específicas: los PGRI y los PES. Los primeros se acaban de aprobar en enero de 2016. Los segundos lo fueron en 2007. No hace falta decir que ambos planes están estrechamente ligados a los PHD, hasta el punto de que podrían formar parte de ellos. Así lo entendió el MAGRAMA, al realizar la evaluación ambiental de los PGRI conjuntamente con la de los nuevos PHD. A mi juicio, no hay obstáculo alguno para esa consideración integrada de estos planes, pero hay una diferencia importante en cuanto a su naturaleza jurídica: los PHD tienen, en parte, un contenido normativo, ausente en los PGRI y en los PES, que son meros planes de «gestión», en los que se recopilan y sistematizan las pautas de actuación en las situaciones a que se refieren, de conformidad con la legislación y los planes vigentes (incluidos, por supuesto, los PHD) pero no innovan el ordenamiento. Podrían hacerlo y en tal caso deberían publicarse (al menos, en su parte normativa), pero no se ha seguido esta opción, quizá por considerar que ya era suficiente con la normativa de los planes hidrológicos. Los nuevos PHD que acaban de aprobarse incluyen medidas a adoptar en caso de inundación o de sequía, así como criterios para la ordenación de los usos del suelo en las zonas inundables (RD 1/2016, de 8 de enero). Por razones obvias, no hemos podido entrar aquí en el detalle de esa novísima regulación.

Entre las medidas para hacer frente a estas situaciones destacan las ayudas a otorgar a los damnificados. Hay una regulación general contenida en el RD 307/2005, pero tiene carácter subsidiario, porque cada situación reviste peculiaridades y las medidas que adopten los poderes públicos competentes deberán adaptarse a ellas. De ahí la frecuencia con que se establece un régimen específico para situaciones concretas. Cuando se modifique el régimen general para un caso concreto, ese régimen específico debe establecerse siempre por norma con rango de ley (incluido, por supuesto el Decreto-Ley), ya que su establecimiento por norma de rango inferior podría infringir el principio de inderogabilidad singular de los reglamentos, es decir, en definitiva, el principio de igualdad.

VII. NOTA BIBLIOGRÁFICA

A.A.V.V.: *Riegos de inundación y régimen urbanístico del suelo,* Consorcio de Compensación de Seguros y Colegio de Ingenieros de Caminos, canales y Puertos, Madrid 2000.

AGUDO GONZÁLEZ, J.: *Urbanismo y gestión del agua,* Iustel, Madrid 2007, pp. 165 y ss.

BRUFAO CURIEL, P.: «El régimen jurídico de las sequías: crítica a la regulación extraordinaria y urgente de un fenómeno natural y cíclico propio del clima», *RAP* 187, enero-abril 2012, pp. 199-239.

GONZÁLEZ RÍOS, I.: «Incidencia del cambio climático en los recursos hídricos. Medidas de mitigación y adaptación», en *Agua, territorio, cambio climático y Derecho administrativo,* XVII Congreso Ítalo-español de profesores de Derecho administrativo, Monografías de la Revista Aragonesa de Administración Pública, XI, Zaragoza 2009, pp. 307-333.

LÓPEZ DE CASTRO GARCÍA-MORATO, L.: «La protección frente a las inundaciones en el nuevo Plan Hidrológico de la Demarcación Hidrográfica del Tajo, y en particular en la Comunidad de Madrid», en el libro colectivo *Planificación y gestión del agua ante el cambio climático: experiencias comparadas y el caso de Madrid,* dirigido por A. MENÉNDEZ REXACH, La Ley, Madrid 2013, pp. 1129 y ss.

– «La protección civil ante la prevención y gestión del riesgo de inundaciones», en el libro colectivo *Protección civil y emergencias: régimen jurídico,* dirigido por A. MENÉNDEZ REXACH, La Ley, 2011, pp. 249 y ss.

MENÉNDEZ REXACH, A. (Director): *Protección civil y emergencias: régimen jurídico,* La Ley-El Consultor de los Ayuntamientos, Madrid 2011.

– «Planificación y gestión de las sequías. La situación en la Comunidad de Madrid», en el libro colectivo dirigido por él mismo *Planificación y gestión del agua ante el cambio climático. Experiencias comparadas y el caso de Madrid,* La Ley, Madrid 2012, pp. 1205-1240.

– «Delimitación de zonas inundables y planes de gestión del riesgo de inundación», *Ambiental,* núm. 110, marzo 2015, pp. 36– 45.

NAVARRO CABALLERO, T. M.: «La protección contra las catástrofes naturales a nivel europeo: consideración especial del riesgo de inundaciones», *Revista Aragonesa de Administración Pública,* núm. 35, 2009, pp. 391-420.

CAPÍTULO IV

LA SITUACIÓN ACTUAL DE LAS AGUAS SUBTERRÁNEAS EN ESPAÑA

Silvia del Saz Cordero

Catedrática de Derecho Administrativo. UNED.

El tiempo transcurrido desde la aprobación de la Ley de Aguas de 1985 otorga suficiente perspectiva para hacer balance de la situación de las aguas subterráneas. Y me permitirán que en este caso me despegue de un análisis puramente positivista, basado en el análisis de las modificaciones legislativas y reglamentarias, para abordar las cuestiones que, en mi opinión, han fallado.

De los dos aspectos esenciales de las aguas, cantidad y calidad, sólo el segundo ha sido abordado plenamente por la Unión europea, existiendo una nítida diferencia entre el aspecto medioambiental de las aguas y su gestión cuantitativa,esto es, la que afecta directa o indirectamente a su disponibilidad (artículo 175.2 Tratado Niza). Así, la Directiva 2000\60 (DMA) a partir de la competencia de la Unión en materia de medioambiente sólo hizo referencia al aspecto cuantitativo de las aguas en cuanto pudiera afectar a la calidad: el control cuantitativo, dirá su considerando 19, es un factor de garantía de una buena calidad de las aguas y, por consiguiente, deben establecerse medidas cuantitativas subordinadas al objetivo de garantizar una buena calidad. El mismo enfoque medioambiental que ha presidido el Plan para salvaguardar los recursos hídricos de Europa de la Comunicación de la Comisión de 2012, que contiene una referencia expresa al aspecto cuantitativo en el marco del uso sostenible de los recursos hídricos, habida cuenta de que el cambio climático y la evolución demográfica permiten pronosticar que la extensión de la escasez de agua y del estrés hídrico afectarán en 2030 a aproximadamente la mitad de las cuencas hidrográficas de la UE. Para responder a esta situación, además de mejorar la asignación del agua sobre la base del caudal ecológico, deben adoptarse medidas de eficiencia hídrica para ahorrar agua y, en muchos casos, también energía, así como llevarse a efecto las ya anticipadas de tarificación, medición y recuperación de costes.

Es por ello que, rigiendo el principio de subsidiariedad, el aspecto cuantitativo consustancial a la gestión ordinaria de los recursos hídricos queda hoy esencialmente en manos de los Estados miembros.

Y es sin duda el aspecto cuantitativo de las aguas subterráneas el que deja más que desear, cuando todo indica que la exigencia de los caudales ecológicos así como la evolución climática conducen a un panorama de recursos hídricos menores y una demanda en continuo aumento por factores que no es necesario recordar ahora. Por decirlo de forma sencilla, se trata de repartir un recurso en cantidad variable e insuficiente no sólo para dar satisfacción a las nuevas demandas sino, de forma recurrente, para cubrir los aprovechamientos ya existentes. Y ello sólo puede solucionarse con el incremento de las aportación de recursos hídricos al sistema; manteniendo o incluso disminuyendo los usos consuntivos, y optimizando su aprovechamiento a la vista de las condiciones físicas concretas y teniendo en cuenta los avances técnicos. Pero todo ello requiere medidas de coordinación de los aprovechamientos ya existentes y limitaciones temporales más o menos extendidas en el tiempo, que son por definición desiguales, pues afectan a usuarios concretos, bien que en su propio beneficio a medio y largo plazo si están bien adoptadas, pero también, a corto plazo, en beneficio de terceros.

Cuando se trata de distribuir recursos necesarios, pero limitados e insuficientes para cubrir las necesidades es necesaria la intervención de los poderes públicos. Dado que el agua es soporte de actividades económicas, su distribución es, a la vez, un instrumento de política económica, territorial, social, y medioambiental, de manera que en función de los objetivos que se pretendan conseguir, se fijarán los criterios de asignación de recursos. Si además resulta que los aprovechamientos de las aguas de un determinado acuífero inciden en los que pueden realizarse en otros acuíferos relacionados o en los recursos superficiales y viceversa es obvio que la facultad de aprovechamiento de aguas no puede ejercerse por los particulares sin sujeción a una planificación imperativa, pero tampoco como si de cualquier otra facultad del derecho de propiedad se tratara. Esto es, precisamente, lo que permite la declaración de dominio público: que el derecho al aprovechamiento quede excluido del derecho de propiedad y por tanto de su libre apropiación. Siendo esto así, el contenido del derecho de aprovechamiento vendrá determinado por los límites con que el legislador decida que debe ser otorgado, sometido a plazo y susceptible de ser revisado.

Cierto es que la Constitución dejó libertad para establecer el régimen de las aguas continentales ya que, a diferencia del dominio público marítimo terrestre que tuvo su consagración en el artículo 132 CE, nada dijo en relación con estas aguas más allá de precisar a quien correspondía la competencia sobre ellas. Sin embargo, la decisión de la Ley de aguas de 1985 de incorporación de las aguas subterráneas al dominio público no podía ser otra, habida cuenta de los conocimientos hidrogeológicos con que ya entonces se contaba y el reconocimiento sin matices del principio físico de unidad del ciclo. Y si bien es verdad que el paso de un sistema de apropiación por los titulares de los predios bajo los que se emplaza el acuífero subterráneo a la asignación pública de los mismos conforme a criterios de política legislativa y supeditados a la existencia de recursos constituyó un cambio trascendental, pues se eliminó una de las facultades –el alumbramiento y aprovechamiento de las aguas subterráneas– que hasta este momento comprendía la propiedad fundiaria, la delimitación de los derechos y la determinación de las facultades que comprende forma parte de la concepción moderna del derecho de propiedad y de su configuración constitucional como derecho condicionado a su función social cuyo contenido viene delimitado, para cada tipo de propiedad, por el legislador (artículo 33.2 CE).

Reemplazado en el derecho moderno el concepto unitario e ilimitado de la propiedad por el estatutario, nada tiene que objetar una operación de publificación de los recursos naturales que viene amparada aunque no exigida por el artículo 132 CE, aunque si por la naturaleza de las cosas.

Así lo afirmó la STC 228/1988, al dirimir la alegación sobre el carácter desproporcionado de la demanialización que se alegaba en los recursos de inconstitucionalidad presentados, si bien es verdad que esta afirmación se relacionó no tanto con el sacrificio excesivo del derecho de propiedad por haber sido despojado de una de sus facultades, sino con el respeto a los derechos adquiridos y ya ejercitados y la posibilidad de que estos mantuvieran sus aprovechamientos privados. En efecto, el pronunciamiento del Tribunal no versó sobre los límites del poder demanializador y el contenido mínimo de la propiedad privada pues lo despachó con la afirmación de que ya prácticamente todas las aguas menos las subterráneas era de dominio público, sino sobre el respeto de los derechos adquiridos, que se argumentó a partir del carácter optativo de la alternativa seleccionada que excluía la expropiación, y la idea de que el propietario podía mantener el derecho con la misma utilidad que hasta entonces no rechazando, sin embargo, la posibilidad de imponer nuevos límites generales iguales para todos los aprovechamientos públicos o privados: *la Ley de Aguas no impone tal sacrificio excesivo, si se tiene en cuenta, por un lado, que la mayor parte de dichos recursos son ya del dominio público, conforme una tradición ininterrumpida de nuestro Derecho histórico, y por otro, que la propia Ley 29/1985 permite, aunque con ciertas limitaciones dirigidas en su conjunto a la realización de los objetivos que los recurrentes parecen compartir o al menos no combaten, que los titulares de derechos sobre aguas privadas mantengan su titularidad « en la misma forma que hasta ahora»* .

Entonces, lo realmente importante era cómo podía compatibilizarse este cambio de régimen jurídico con los derechos adquiridos por los propietarios fundiarios sobre las aguas subterráneas, esto es, sobre las aguas alumbradas, cuya privación habría requerido una indemnización que hubiera hecho inviable el cambio legislativo. La ley fue prudente, sin duda, al no obligar sino permitir a los propietarios que se incorporaran al régimen de dominio público. Pero no nos confundamos, la ley no era neutra.

Sólo por coherencia con la declaración de dominio público de las aguas subterráneas, la idea era que los aprovechamientos privados quedaran como puramente residuales y que los propietarios de aprovechamientos optaran en bloque por convertir sus derechos privados en futuros derechos concesionales ya que sólo de esta forma la administración mantendría una facultad de intervención de la misma intensidad derivada, por otra parte, de la unidad del ciclo. Ello implicaba una suerte de borrón y cuenta nueva en 2035, pues en modo alguno se garantizaba la concesión por el mismo caudal inscrito en el registro, sólo se reconocía un derecho preferente frente a los nuevos solicitantes pero subordinado a los recursos entonces existentes y al orden de prioridad de usos que entonces estableciera la planificación hidrológica.

Pero en honor a la verdad, pocos fueron los incentivos ofrecidos para la consecución del resultado perseguido. Algunos directos. Es el caso de la incorporación diferida al dominio público o del mantenimiento de la propiedad privada durante cincuenta años para quienes optaran por la conversión, o de la protección del registro administrativo. Otro indirecto: el establecimiento de un plazo máximo transcurrido el cual no se podría ejercitar la opción. Y para ambos la amenaza consistente en la congelación de los aprovechamientos ya que cualquier incremento de los caudales acreditados o la modificación de las características del aprovechamiento les obligarían a incorporarse al sistema concesional, obteniendo un título que amparase la totalidad del aprovechamiento.

Ciertamente el plazo de tres años era un aliciente para que para que los titulares de aprovechamientos se apresuraran a ejercitar dicha opción. Pero para que hubiera producido efectos, habría sido necesario que, desde un principio, las ventajas de la opción hubieran estado perfectamente determinadas en la Ley. Aparentemente, la ventaja que reportaba la inscripción en el registro es la protección que este brindaba, ventaja que perdía entidad cuando los aprovechamientos que no fueran a convertirse en el futuro en títulos concesionales gozaban a su vez de las garantías que implicaba su inscripción en el Catálogo. Siendo el registro, como el Catálogo, instrumentos públicos de información administrativa, los datos acreditados ante cualquiera de ellos, y comprobados por la administración, le impedían desconocerlos, con lo que la protección frente a terceros a la hora de otorgar nuevos títulos concesionales así como frente a conductas infractoras que pudieran afectar a los derechos inscritos en el Catálogo no podía ser muy diferente.

En otras palabras, si bien la coherencia de la declaración de dominio público avalaba cualquier solución que permitiera que todos los aprovechamientos a corto o largo plazo se vieran amparados por un título concesional, la Ley de aguas fue tributaria del respeto a unos derechos adquiridos cuya entidad ni conocía ni era capaz de precisar. De ahí que en lugar de optar por una postura claramente demanializadora, como tres años después lo hizo la ley de Costas (convirtiendo la propiedad privada en concesión por tiempo limitado), estableciendo un plazo más o menos largo para la incorporación al demanio de las aguas privadas y una suerte de garantía de un título concesional posterior, postuló la convivencia *ad eternum* de aprovechamientos privados y concesiones, en la confianza de que la congelación fáctica de los derechos adquiridos, ayudada por la evolución física de los acuíferos fuera terminando con los derechos tradicionales de aprovechamiento privado de aguas subterráneas. Se permitió, así, la pervivencia de los aprovechamientos privados preexistentes con la «misma utilidad que hasta entonces», situación en que quedarían todos aquellos que no optaran antes de 1988 por la conversión.

Un planteamiento legislativo que me atrevo de tildar de ingenuo pues el mantenimiento de los derechos privados a perpetuidad, tal es el carácter de la propiedad, se hizo en primer lugar, sin saber a ciencia cierta de qué derechos se trataba y sin establecer mecanismos que le permitieran conocerlos, aún cuando este dato es esencial para realizar una correcta planificación y, en segundo lugar, que la opción por la conversión sería la más extendida. Si bien la declaración a la administración de los aprovechamientos era una condición necesaria para la conversión solicitada voluntariamente por el propietario, se debió pensar que la exigencia de inscripción en el catálogo como condición preceptiva para el ejercicio de los derechos privados que se iban a mantener como tales podría lesionarlos, de manera que el legislador se limitó a configurar una carga que quedaba en manos de los propietarios fundiarios, sin contemplar la inscripción de oficio una vez constatada por la Administración su existencia y comprobado en el procedimiento los datos del aprovechamiento histórico y menos aún establecer sanciones por su incumplimiento más allá de la correspondiente multa coercitiva.

No plantea, entiendo, reparo jurídico alguno la imposición de una *conditio iuris* para el ejercicio de un derecho, aunque sea de propiedad. No es desproporcionada, pues la acreditación por los propietarios es necesaria para que la administración pueda tener un conocimiento exacto de los aprovechamientos existentes (no se olvide que la administración a menudo parte de estimaciones indirectas, a ello volveremos posteriormente) y verificar que se cumplen el resto de condiciones que limitan a los aprovechamientos de aguas privadas. No tiene contenido expropiatorio en cuanto no priva a los titulares de derecho alguno, sencillamente les impide su ejercicio en tanto en cuanto no la cumplan. Esta es sin embargo es una de las cuestiones a día de hoy no aparece resuelta. Es al contrario una tremenda fuente de problemas, de hecho, todavía hoy la inscripción en el catálogo viene siendo objeto de pronunciamiento por los tribunales.

Y en segundo lugar, se rodeó de una tremenda inseguridad jurídica que derivaba de los términos en que estaba redactada. Aunque el alumbramiento y aprovechamiento de las aguas alumbradas era una facultad que se reconocía a la propiedad, el reconocimiento de los derechos adquiridos debía pasar por distinguir las expectativas de los derechos incorporados al patrimonio y susceptibles de indemnización. A tal efecto, era fácil distinguir entre propietarios con pozos abiertos y los que no, pues en este último caso la facultad no se había materializado. Pero existiendo pozos, más difícil resultaba deslindar los derechos ya incorporados al patrimonio, esto es, los aprovechamientos ya materializados, de aquellos que aun siendo posibles dado el aforo del pozo construido, no se habían llegado a consumar o los que habiéndose materializado anteriormente, no lo estaban en el momento de entrada en vigor de la Ley. Muchas y muy diferentes fueron las opiniones doctrinales, pero debía haber sido la ley la que lo determinase. Basta con comprobar los distintos términos utilizados para definir los derechos preexistentes según que los aprovechamientos fueran a incorporarse al dominio público mediante su transformación en derechos temporales de aguas privadas, o fueran a mantenerse al margen del mismo. Si lo que se pretendía era en ambos casos el respeto a los derechos adquiridos –en un caso temporal en el otro indefinido– la definición de los derechos preexistentes debía haber sido la misma. No fue así pues mientras que el respeto de los derechos adquiridos mediante su mantenimiento como privados se definió por el legislador como «mantendrán su titularidad como hasta ahora», la definición de los derechos adquiridos destinados a convertirse en derechos concesionales utilizó la expresión «los caudales realmente utilizados».

Todo ello conllevó la frustración del propósito inicial del legislador ya que el ejercicio de la opción fue desigual pero mayoritariamente favorable al mantenimiento de la propiedad privada. Pero con ser ello uno de los principales problemas, no puede decirse que fuera el punto final, sino el punto de partida de los que se iban a generar y mantener durante décadas.

Un cambio del calado previsto en las aguas subterráneas debía haber venido acompañado por una previsión de los medios personales y materiales que eran necesarios para llevarlo a cabo pero también, qué duda cabe, de una interpretación uniforme de la norma, primero por la Administración, y después por los Tribunales.

A pesar de los dos programas que se pusieron en marcha el primero en 1995 (ARYCA) y el segundo en 2001 (ALBERCA) para la tramitación de las inscripciones con informatización de los datos, información espacial y una base de datos común para todas las Confederaciones, la tramitación de los expedientes se ha dilatado demasiados años y ha ocasionado centenares de pleitos. Esta es la razón por la que, aún después de 2012, el Tribunal Supremo ha seguido aún dictando sentencias en las que todavía se dirime la negativa a la inscripción en términos distintos de lo solicitado sobre todo en el Catálogo de Aguas, pero también alguna en el Registro, cuando la opción de conversión en aprovechamientos temporales debió de ejercerse necesariamente en los tres años inmediatamente posteriores a la entrada en vigor de la Ley de Aguas de 1985 mediante la acreditación de los aprovechamientos sobre los que versan estas sentencias.

La tardanza en tramitar los expedientes sólo vino a complicar la dificultad inicial de la prueba de la situación existente en 1985, pues sobre ello versaba la declaración a la administración de los derechos preexistentes. Teniendo en cuenta que antes de la ley el alumbramiento y aprovechamiento de las aguas subterráneas era una facultad incorporada al derecho de propiedad fundiaria y que bastaba con la autorización de Minas, no existía prueba preconstituida de las características del aprovechamiento a inscribir. Si a ello se añade el especial rigor en la prueba que se exigió por la mayoría de las Confederaciones y confirmaron en un principio los tribunales, se entenderá la alta conflictividad y los numerosísimos problemas planteados a la hora de tener por probados los derechos preexistentes. De ellos me limitaré a señalar el papel que han jugado las actas de comprobación de datos y los métodos indirectos o estimativos.

Uno de los instrumentos de prueba a los que la Jurisprudencia ha otorgado mayor valor es, sin duda, a las actas de comprobación que tras la inscripción provisional de los derechos acreditados por los titulares era necesario realizar antes de elevar la inscripción a definitiva. No es necesario decir que el valor del reconocimiento realizado por la administración lo es de lo existente en el momento en que se realiza la comprobación, de manera que si lo que se pretendía con él era acreditar la situación existente en 1985, cuanto más tiempo discurre entre la entrada en vigor de la ley y la citada comprobación, el valor probatorio resulta escaso. Sin embargo, la jurisprudencia ha dado valor a estas actas aunque hubieran transcurrido muchos años entre la acreditación de las condiciones del aprovechamiento y la inspección. Así, entre otras muchas, la STS de 20 de octubre de 2004 señalaba que «*el acta de comprobación de datos por la administración no puede limitarse a una acrítica consignación de los datos del aprovechamiento en la fecha en que se lleva a cabo el reconocimiento sino que tiene que extenderse a la constatación de los datos del aprovechamiento declarado por el solicitante teniendo en cuenta los datos en poder de la administración».* Late en el fondo de esta jurisprudencia la idea de que no puede hacerse recaer sobre el solicitante las consecuencias de la falta de medios de la administración, pero lo cierto es que el valor de reconocimiento lo era de la situación existente en el momento de la comprobación y de ello iba a depender el alcance de los derechos a reconocer.

En segundo lugar, cabe destacar el papel que han jugado los métodos estimativos a falta de prueba directa del aforo o características del aprovechamiento declarado. Buen ejemplo de ello es la STS 4 de diciembre de 2013, que ante un supuesto de prueba de la existencia del aprovechamiento pero no de sus características dio por válido el aforo establecido por la administración en función de las estadísticas obrantes sobre aquellos años o la STS 31 de mayo de 2012 en la que no pudiéndose acreditar las características que tenía el aprovechamiento en 1985, la administración puede autorizar la inscripción en el catálogo por el promedio de consumo necesario para regar la superficie a que las aguas venían afectadas.

El estudio de la jurisprudencia pone de manifiesto, en cualquier caso, los problemas derivados de la inseguridad jurídica que arrojaba la regulación legal, pero también la inseguridad jurídica derivada de la propia interpretación de los tribunales. En efecto, llama la atención comprobar que si bien la idea del legislador era propiciar la conversión de los derechos privados en aprovechamientos temporales, la interpretación que se ha hecho por la jurisprudencia ha sido, precisamente, distinguir entre ambos regímenes, entendiendo que la ley era más respetuosa con los derechos adquiridos de quienes optaban por mantener sus derechos preexistentes en la propiedad privada, que quienes optaron por su conversión en derechos temporales de aguas privadas.

Como ya se anticipo, al definir el contenido de los derechos preexistentes la ley se refirió a unos, los que iban a permanecer como propiedad privada, señalando que mantendrían su titularidad como hasta entonces debiendo acreditarse sus características y aforo ante la administración para su inscripción en el Catálogo. Para los aprovechamientos temporales la ley se refirió, sin embargo, a los caudales realmente aprovechados, lo que posteriormente desarrolló el Reglamento del dominio público al regular los requisitos para la inscripción. También lo hizo para los aprovechamientos que debían inscribirse en el Catálogo aunque esta vez de forma menos clara pues se limitó a establecer que debía acompañarse el título que acredite su derecho al aprovechamiento y haciendo constar sus características y destino de las aguas.

Ello sirvió a la jurisprudencia, en contra de la actuación de las Confederaciones que vinieron de facto a equiparar los requisitos para la inscripción en el registro y el catálogo, partiendo de la idea de que los derechos preexistentes que la ley iba a respetar debían ser los mismos con independencia de la opción que se ejercitase, para establecer un régimen dual, amparándose en que las consecuencias de la inscripción en uno u otro instrumento iban a ser diferentes, aunque sin precisar de cuáles consecuencias en concreto se trataba.

Así, la STS 8 de marzo de 2012 resumiendo la jurisprudencia anterior establecía que el solicitante debía acreditar, correspondiéndole a él la carga de la prueba, «*su derecho a la utilización del recurso; la no afección a otros aprovechamientos legales preexistentes; los caudales realmente utilizados y el régimen de explotación. Por lo demás, puede verse en nuestra sentencia de 27 de abril de 2009 (casación 11.340/04), y en los demás pronunciamientos que en ella se citan, que, como se deduce claramente de lo establecido en las disposiciones transitorias tercera y cuarta de la Ley de Aguas 29/1985, de 2 de agosto, y artículos 189 a 197 del Reglamento del Dominio Público Hidráulico (RCL 1986, 1338), el régimen jurídico del Registro de Aguas es diferente al del Catálogo, siendo distintos tanto los requisitos necesarios para el acceso como las consecuencias derivadas de la inscripción en uno u otro*».

Por el contrario, al menos desde la STS de 21 de septiembre de 2001, éste órgano judicial ha declarado que entre los requisitos para la inscripción en el Catálogo no estaba el de acreditar los caudales que se vinieran realmente utilizando pues bastaba *con que hubieran sido aforados con las autorizaciones administrativas pertinentes y que hubieran podido utilizarlos antes de la entrada en vigor de la Ley*, pues *si el legislador al redactar la Disposición Transitoria Cuarta hubiera querido limitarla a los aprovechamientos que estuvieran en explotación o utilizados antes de la entrada en vigor de la Ley lo hubiera establecido así expresamente, como lo hace en las Disposiciones Transitorias Tercera y Segunda.*

Ello, sin embargo, no se compadece bien con la inclusión entre las características que deben ser declaradas del destino de las aguas y la superficie regable, pues como se viene de señalar los derechos preexistentes que la ley mantenía –según la jurisprudencia– no eran los caudales realmente utilizados sino la posibilidad de hacerlo en función del aforo del pozo, ¿cómo entonces se entiende la necesidad de justificar el destino de las aguas y la superficie regada con ellas?. Tampoco se explica bien la distinción entre derechos y situaciones de hecho a la que se refiere entre otras la STS 27 de abril de 2009, cuando señala, para reforzar la idea de que basta con acreditar las características y aforo incluyendo entre aquellas el destino de las aguas y la superficie regable que, *lo que la Administración hace constar en el Catálogo no son derechos sino situaciones de hecho, y ello justifica, según lo declarado por el Tribunal Constitucional que no se otorgue a los aprovechamientos incluidos obligatoriamente en el Catálogo la protección administrativa que se deriva de la inscripción en el Registro.*

Incluso, la STS de 18 de enero de 2013 llega a confundir aforo y caudales realmente utilizados *«el razonamiento de la Sala de instancia resulta contrario a la naturaleza y régimen legal del Catálogo de Aguas Privadas cuya función informativa y de control exige la justificación de una situación de hecho –existencia y titularidad del aprovechamiento, características y aforo–; y esa función no puede cumplirse si no constan inscritas las características del aprovechamiento, entre las que se encuentra, como es lógico, el " volumen máximo anual " que venía siendo utilizado. Es cierto que la inscripción en el Catálogo no otorga a los aprovechamientos en él incluidos la protección administrativa que se deriva de la inscripción en el Registro de Aguas, pero ello no significa que no deban constar en el Catálogo las características y aforo del aprovechamiento inscrito en el mismo».*

Constatado que los resultados perseguidos por la Ley no se habían conseguido, se aprobaron algunas reformas parciales. Conviene referir ahora la que se produjo con el cierre del Catálogo en 2001 (disposición transitoria segunda Ley 10/2001, del Plan Hidrológico Nacional), una vez comprobado que aprovechamientos privados anteriores a la Ley de aguas de 1985 seguían sin haber sido declarados a la administración, lo que venía a agravar aún más la denominada insumisión hidrológica o perforación de nuevos pozos sin el título administrativo que los amparase. Era necesaria, sin duda, una modificación legislativa pues nada hacía indicar que transcurridos tantos años y dada las dificultades de prueba de los aprovechamientos preexistentes la situación fuera a cambiar por sí sola.

Lejos de replantear de una vez por todas la situación de los titulares de aprovechamientos privados no declarados e imponer la condición de la inscripción en el catálogo cuyo incumplimiento conllevaría la caducidad del derecho, el legislador vino, sencilla y llanamente, a cerrar el Catálogo otorgando a los titulares de aprovechamientos de aguas privadas afectados por lo regulado en la disposición transitoria cuarta de la Ley de 1985, un plazo improrrogable de tres meses contado a partir de la entrada en vigor de esta Ley para solicitar su inclusión en el catálogo de aguas de la cuenca. Transcurrido este plazo no se reconocería ningún aprovechamiento de aguas calificadas como privadas salvo en virtud de resolución judicial firme. La interpretación de esta norma no resulta fácil. De un lado la disposición utiliza el término reconocer y no inscribir, de manera que el cierre no sólo afecta a la imposibilidad de proceder a una posterior inscripción sino sobre todo al ejercicio del derecho o del aprovechamiento. Cerrado el catálogo, los aprovechamientos privados, los que debe respetar la administración y permiten el ejercicio legítimo del derecho, de manera que solo podrán ser reconocidos por la administración una vez se obtuviera la correspondiente sentencia. Pero de otro, como quiera que la inscripción no había sido configurada por la ley de 1985 como determinante de la pervivencia de los derechos, si se pretendía modificar el régimen de ejercicio de los aprovechamientos privados, debería haberlo hecho y no haberse limitado a cerrar el catálogo. Por su parte la disposición transitoria cuarta del Texto refundido aprobado unos meses después, y aun hoy todavía, seguía contemplando que los titulares de aprovechamientos de aguas continentales de cualquier tipo que no los tuvieran inscritos en el registro de aguas o en el catálogo podrán ser objeto de multas coercitivas de manera que si no era posible el acceso al catálogo por estar cerrado, pero tampoco a la sección C del registro de aprovechamientos temporales de aguas privadas, de manera que la única forma de cumplir esta obligación era la de solicitar y obtener la correspondiente concesión.

La jurisprudencia se ha encargado de interpretarlo y lo hecho de forma que ha consagrado de por vida las situaciones alegales sin posibilidad de que se acrediten ante la administración y sin posibilidad, hoy por hoy, de prohibir un aprovechamiento histórico. La cuestión ha llegado al Tribunal Supremo o bien a partir de recursos planteados contra la denegación por la Confederación de la inscripción en el Catálogo intentada una vez se había cerrado, denegación que iba acompañada por la prohibición de aprovechamiento, o bien como consecuencia de la sanción impuesta por alumbramiento de aguas sin autorización.

Entiende este Tribunal que cuando la disposición transitoria segunda establece que no se reconocerá ningún aprovechamiento de aguas privadas si no es virtud de resolución judicial firme, se refiere a las resoluciones judiciales firmes anteriores al cierre del catálogo, sin que sea posible, recurriendo la denegación de inscripción, que la sentencia sea la dictada en ese procedimiento. En ese caso se estaría reabriendo artificialmente un plazo que no solo vincula a la administración sino a los tribunales de lo contencioso administrativo y se estarían atribuyendo a los tribunales funciones que corresponden a la administración lo que se refuerza con el siguiente argumento: la opción establecida por el legislador para optar por el aprovechamiento temporal y posterior conversión es lo que ha venido a cerrar el cierre del catálogo (plazo que la jurisprudencia había ampliado). Y como quiera que la inscripción en el catálogo no supone la caducidad del derecho según la Ley de 1985, la desestimación de la petición de inscripción no puede ir acompañada por la prohibición de las derivaciones (STS 22 de marzo de 2011).

Tampoco resulta de aplicación la infracción «alumbramiento de aguas sin autorización» [artículo 116.3.b) TRLA] que se impone en 2008 por un pozo construido y en funcionamiento desde 1984 (registro de industria) y que se ha venido utilizando desde entonces si bien en 1998 se produjo la instalación de contador e inclusión en la red general y desde entonces el Canal de Isabel II viene girando los recibos correspondientes al consumo de agua. El pozo no se había inscrito en el catálogo. La finalidad de la norma transitoria del cierre del Catálogo (tres meses desde la aprobación de la Ley 10/2001) no es la derogación del régimen de las aguas privadas de las Disposiciones transitorias de la Ley de aguas y el Texto refundido de la Ley de Aguas que a pesar de su no inclusión en el catálogo siguen siendo tales. No estamos, pues, ante la conducta tipificada en el precepto indicado (STS 16 de marzo de 2012).

Urge pues un replanteamiento de la obligación de inscripción en el Catálogo. Esta obligación es a fecha de hoy inexistente una vez cerrado el Catálogo. Tampoco se puede acceder al mismo a través de la inscripción de los derechos reconocidos en sentencia pues estas deben ser anteriores a la fecha de cierre. Pero tampoco es posible desconocer los títulos históricos que hoy por hoy permiten el aprovechamiento en condiciones inciertas y que impiden considerar que los aprovechamientos privados no inscritos en el Catálogo solo pueden ejercerse legítimamente mediante la solicitud y obtención de la correspondiente concesión. Si esto es así, este replanteamiento debería pasar por reabrirlo configurando la inscripción en el mismo como condición para su ejercicio legítimo, o yendo más allá como condición cuyo incumplimiento en un determinado plazo conlleve la caducidad de los derechos. La solución actual es de un lado discriminatoria pues permite un tratamiento desigual de situaciones iguales, esto es de los aprovechamientos anteriores que no optaron por su conversión en aprovechamientos temporales, mas favorable para quienes incumplieron la obligación de declarar el aprovechamiento y que no está justificada por valor alguno susceptible de protección. Pero, además, permite consagrar a perpetuidad situaciones cuyos datos a 1985 son totalmente desconocidos.

Otra de las cuestiones que han planteado numerosos problemas ha sido la interpretación y aplicación de las limitaciones establecidas en las disposiciones transitorias en lo que atañe al incremento de caudales utilizados y la modificación de las condiciones o régimen del aprovechamiento con las que el legislador pretendía hacer efectiva la congelación de los derechos preexistentes y su incorporación, incluso antes de los cincuenta años en el caso de los aprovechamientos temporales, al demanio público sin reconocer en este caso el derecho preferente a obtener la concesión que amparara la totalidad del aprovechamiento. Opción legislativa que fue declarada constitucional al considerar que la exigencia de un título concesional no afectaba a los derechos ya adquiridos sino a las expectativas de caudales superiores que eventualmente podrían obtenerse, aunque el Tribunal no entró a analizar aquellos cambios de las condiciones que permitían el mantenimiento del aprovechamiento con la misma utilidad que tenía en 1985.

Las disposiciones transitorias establecían una prohibición clara de incremento de caudales, pero la indeterminación estaba sembrada en lo relativo a las condiciones y el régimen de aprovechamiento. Fueron las Confederaciones las que interpretaron estos límites, estableciendo en muchos casos un diferente rasero según que los aprovechamientos privados estuvieran inscritos en el Catálogo y en el Registro a efectos de propiciar la conversión en títulos concesionales. Así, la STS de 4 de junio de 2008 vino a confirmar la resolución por la que se deniega la sustitución del pozo para mantener el caudal de agua en aplicación de la norma del Plan hidrológico que solo lo permite para los aprovechamientos temporales de aguas privadas y ello a pesar de que la determinación de la ley según la cual el incremento de los caudales aprovechados o la modificación de las características esenciales obliga por igual a todos los titulares de aguas privadas a obtener la correspondiente concesión.

Cierto que por la vía legislativa la distinción entre derechos temporales y derechos privados se ahondó con la introducción del mercado del agua operada por la Ley 46/1999, que dejaba al margen los aprovechamientos inscritos en el catálogo de aguas, salvo que previamente transformaran su derecho en una concesión, los intercambios de agua cuando se canalizan privadamente, pero permitiéndoselo cuando entran en juego los centros de intercambio de agua y por tanto en situaciones excepcionales de escasez de recursos. Y realmente, esto no tenía más sentido que el de constituir un nuevo aliciente para la conversión de los derechos privados en concesionales, pues no deja de constituir una paradoja que se introduzcan reglas de mercado para la reasignación de los aprovechamientos inicialmente otorgados por la administración en función de la existencia de determinadas características que no necesariamente deben mantenerse y se excluya, con carácter general de esas reglas de mercado los aprovechamientos que se consideran privados. Si era posible que los concesionarios pudieran transmitir los derechos otorgados en un procedimiento con publicidad y concurrencia, aun cambiando el lugar de utilización o incluso el destino para el que los caudales fueron otorgados, no hay otra razón que la anteriormente expuesta para excluir los aprovechamientos privados de estas transacciones lo que ciertamente resulta contrario al propio funcionamiento del sistema, tanto más cuanto fruto de la regulación en los episodios de sequía se ha permitido la transmisión de los derechos de aprovechamiento privados.

En todo caso, la determinación de los supuestos en los que era necesario obtener la correspondiente concesión variaba de acuerdo con la administración que lo interpretaba, y de la mayor o menor escasez de los recursos existentes, y en igual medida de cuál fuera el criterio de los órganos judiciales. Pueden así encontrarse sentencias que han tenido en cuenta la disminución de los caudales aprovechados mediante la instalación de sistemas de ahorro de agua para entender que el incremento de la superficie regada estaba amparada por el título privado (STSJ de Murcia de 4 de diciembre de 2004 y STS de 29 de noviembre de 2000) con el argumento que en otro caso se disuadirían las actuaciones de los regantes tendentes, como ocurre en este caso, a disminuir el aprovechamiento del recurso natural escaso y el incremento de la productividad de la explotación agraria, idea ésta que no resulta ajena a la jurisprudencia más reciente. Así la STS 19 de febrero de 2013 al revisar la denegación de la inscripción en el Catálogo solicitada en 1988 y resuelta por la Confederación en 2008, afirma que la alteración de la profundidad del pozo es una modificación esencial del régimen de aprovechamiento pero sigue teniendo en cuenta para ello que a pesar de la implantación de un sistema de optimización del riego este no conlleva una disminución del caudal inicialmente declarado y cuya modificación no se había instado.

Los problemas que venían presentado las situaciones generadas por las transitorias, buena parte de los cuales han sido aquí descritos, no fueron objeto de un tratamiento global hasta 2012, y ello a pesar de que, desde 2006, se sucedieron los borradores de proyectos que pretendían su revisión con mayor o menor alcance. Como ha señalado la doctrina, no existía entonces consenso y yo me atrevería a añadir que sigue aún hoy sin haberlo, sobre si el estado de la cuestión era o no un obstáculo insalvable para la gestión de las Confederaciones y la causa frecuente de abusos, aunque era un lugar común que en situaciones masivas de alegalidad o ilegalidad, que coincidían con supuestos de escasez de agua, era necesario adoptar alguna medida pues las transitorias no habían llevado a buen puerto.

Como ha ocurrido en tantas y tantas ocasiones, la inaplicación que no modificación de las disposiciones transitorias se llevó a efecto por primera vez, y sólo para los aprovechamientos del Alto Guadiana, por el Real Decreto ley 9/2006, de medidas urgentes para paliar los efectos producidos por la sequía en las poblaciones y explotaciones agrarias en determinadas cuencas hidrográficas.

De acuerdo con esta disposición, las actuaciones que suponen un aumento de la profundidad o el diámetro del pozo, así como cualquier cambio en su ubicación, se considerarán modificación de las condiciones o del régimen de aprovechamiento, requiriendo, además, autorización de la Confederación las actuaciones de limpieza de pozos zanjando así la discusión existente entre la garantía del mantenimiento de los aprovechamientos privados con la utilidad que tenían en el momento de entrar en vigor la ley y el alcance de la congelación que ésta misma imponía. Se establecía a estos efectos el procedimiento para obtener la correspondiente concesión que amparase la totalidad del aprovechamiento, y las características de la concesión hasta el 31 de diciembre de 2035, que en principio respetarían los caudales y condiciones con que los aprovechamientos se encuentran inscritos en el Catálogo y Registro aunque supeditadas al informe de idoneidad del volumen de la Confederación y la previsión de dotaciones del plan, así como al informe de la comunidad de usuarios en caso de estar constituida.

En el caso de acuíferos declarados sobreexplotados con plan de ordenación de extracciones la concesión no podía ser superior al volumen establecido en el mismo sin perjuicio de que una vez superada la situación de sobreexplotación las concesiones podían ser revisadas en aras de un incremento proporcional y equitativo de los caudales concedidos.

Lejos quedaba, pues, la regulación de las transitorias con las que se pretendía compatibilizar la intervención de la administración en los aprovechamientos de aguas subterráneas para dar satisfacción a los derechos adquiridos, al establecer una versión propia de las citadas transitorias aunque solo para los aprovechamientos del Alto Guadiana. No deja de llamar la atención que la precisión de las condiciones que suponen la modificación del aprovechamiento, las que vienen a desarrollar la definición de los derechos de aprovechamiento y sus límites, venga limitada a los aprovechamientos de una determinada zona, aunque esta regulación se realice so pretexto de la situación de sequía y siempre sin derecho a la indemnización. Salvo que se entienda, claro está, que de la definición y el contenido mismo de los aprovechamientos de aguas privadas debe quedar a expensas de la situación hidrológica de los lugares en los que se ubican los aprovechamientos, lo cual con ser perfectamente justificable, se compadece mal con unos derechos que por definición deberían ser iguales al formar parte de un derecho de propiedad definido para todo el territorio nacional.

La modificación de las transitorias se llevó a efecto, finalmente, por el Real Decreto Ley 17/2012, que luego fue tramitado por ley ordinaria. Aparentemente no modificó el texto de las transitorias segunda y tercera que siguieron manteniendo la misma dicción literal, esto es, que los aprovechamientos temporales serían respetados por la administración en cuanto al régimen de explotación de caudales, y que los que no hubieran optado por esta posibilidad mantendrían su titularidad como hasta ahora. Pero vino a añadir una nueva disposición transitoria tercera bis, que determinaba, en primer lugar, qué debía entenderse por modificación de las condiciones o régimen de aprovechamiento, para a continuación regular los términos en que puede otorgarse la concesión que ampare la totalidad del aprovechamiento.

Así, debe entenderse por modificación de las condiciones o del régimen de aprovechamiento, entre otras, las actuaciones que supongan la variación de la profundidad, diámetro o localización del pozo, así como cualquier cambio en el uso, ubicación o variación de superficie sobre la que se aplica el recurso en el caso de aprovechamientos de regadío. Sin duda, una apuesta por la uniformidad del régimen jurídico de los aprovechamientos de aguas privadas que deja a un lado la posibilidad de distinguir en función del estado real de las masas de agua, a la que se añade la intención de uniformar los criterios técnicos a aplicar por la administración mediante el dictado de unas instrucciones comunes para todas ellas. Pero también, por la extinción paulatina de los derechos privados que aún perviven.

A cambio establece un guiño destinado a que los usuarios de aguas privadas pongan en conocimiento de la administración las variaciones así definidas, pues el otorgamiento de la concesión ser realizará con información pública pero sin competencia de proyectos, aún cuando se exija, como antes el Decreto ley de sequía hacía, el informe de compatibilidad con el Plan hidrológico, el de la administración competente de acuerdo con el uso al que se destine y de la Comunidad de usuarios en el caso de que exista.

Pues bien, si estas son condiciones comunes a los aprovechamientos temporales y a los derechos sobre aguas privadas, el apartado tercero de la citada transitoria se limita a regular única y exclusivamente las características de la concesión a obtener por los titulares de aprovechamientos temporales inscritos en la Sección C del Registro como consecuencia de la modificación de sus características, sin hacer mención alguna a los titulares de aprovechamientos inscritos en el Catálogo. En efecto, lo que se prevé es la sustitución del aprovechamiento temporal por una concesión que tendrá un plazo no inferior al establecido para el derecho de aprovechamiento temporal transcurrido el cual el ahora concesionario mantendrá el derecho preferente a obtener una nueva concesión. La concesión tendrá las mismas características que ya estuvieran acreditadas en el registro a excepción de las que son objeto de modificación y previa comprobación por el Organismo de cuenca, salvo en el caso de la concesión se refiera a acuíferos sobreexplotados, esto es, a masas de agua declaradas en riesgo de no alcanzar los objetivos de buen estado, en cuyo caso la concesión estará sometida a las limitaciones establecidas en el programa de actuación o a las medidas cautelares relativas a la extracción, sin que se prevea en este caso, posibilidad alguna de revisión una vez recuperado el buen estado o a medida de que se vayan minorando las limitaciones de los aprovechamientos.

Habría que entender que los términos en que se otorgarán las nuevas concesiones a los titulares de aprovechamientos de aguas privadas inscritas en el catálogo a falta de regulación expresa, serán los establecidos para el régimen general de las concesiones, sin garantía de las condiciones con que los aprovechamientos figuren inscritos en el catálogo de aguas, aunque, en todo caso, obtenida en un procedimiento sin competencia de proyectos. Este diferente trato entre aprovechamientos privados no repugna al principio de igualdad, pues como tantas y tantas veces ha señalado la Jurisprudencia, y en su día afirmó el Tribunal Constitucional, los regímenes jurídicos de aprovechamientos temporales y aprovechamientos privados son distintos pero no sé si tiene mucho sentido cuando, como se expondrá a continuación, la reforma de 2012 otorga una nueva oportunidad de convertir voluntariamente los aprovechamientos privados inscritos en el Catálogo en concesiones. Si esto es así ¿porqué distinguir según que la conversión en concesión se realice voluntariamente o venga determinada por la modificación de las características o régimen de aprovechamiento?

En efecto, la regulación de la modificación de las características y régimen jurídico de las concesiones fue completada, además, con la llamada a la transformación en cualquier momento de los derechos privados inscritos en el Catálogo en títulos concesionales, tal y como había propuesto la doctrina. Para ello se establece el mismo procedimiento antes analizado para las concesiones tramitadas por modificación de las características de los aprovechamientos, estableciéndose para ellas un plazo hasta el 31 de diciembre de 2035, fecha en la que vencen los aprovechamientos temporales de aguas privadas y las concesiones otorgadas a estos titulares por la modificación de la concesión, garantizándose las mismas características con que el aprovechamiento este incluido en el Catálogo de aguas salvo en el caso en que la masa de agua o acuífero este declarado en riesgo de no alcanzar un buen estado en cuyo caso la concesión se otorgará con las limitaciones establecidas en el programa de actuación, sin contemplarse la posibilidad de que sean revisados cuando la situación mejore o desaparezca la declaración.

Escaso aliciente se ofrece, en consecuencia, para la conversión de los derechos privados en concesionales en el caso de los acuíferos declarados en riesgo de no alcanzar el buen estado. No cabe duda de que las limitaciones impuestas a los aprovechamientos de aguas privadas, incluso la suspensión de extracciones no son indemnizables desde que la STS de 18 de marzo de 1999 cambió la doctrina anterior, pero dado que las limitaciones solo habrán de perdurar en tanto en cuanto se mantengan las condiciones que determinaron la declaración de sobreexplotación, la esperanza de recuperar los anteriores aprovechamientos va a jugar necesariamente en contra, dicho esto sin perjuicio de que, una vez declarado por la administración el riesgo de no alcanzar el buen estado de las aguas y el plan de ordenación permite mejorar no solo la situación de la masa de agua afectada sino de la de otras masas interrelacionadas o incluso de los aprovechamientos superficiales, la administración demuestre una cierta tendencia a mantener las cosas como están, haciendo descansar sobre unos usuarios las limitaciones que en la mayoría de los casos resultan en provecho de todos. Frente a este comportamiento las perspectivas de éxito son escasas, pues estando en juego la discrecionalidad técnica de la administración, es difícil que los tribunales entren a revisar los datos que ha servido para la adopción de estas decisiones salvo que existan defectos formales fácilmente constatables.

En el resto de los casos la oferta es muy similar a la que en su día realizó la ley de aguas aunque la incorporación al dominio público se producirá antes del 2035, desde el momento mismo en que obtenga la concesión, aunque se han despejado muchas de las incertidumbres que entonces existían sobre el régimen jurídico de estos aprovechamientos privados. Y es que el régimen jurídico de aguas privadas y públicas se ha aproximado del tal forma que su regulación apenas difiere salvo en el carácter a perpetuidad de los aprovechamientos privados y la congelación que han sufrido como consecuencia de las disposiciones transitorias y su posterior exclusión del mercado de agua que no parece muy compatible con la evolución, tanto de la realidad física como de las necesidades que van surgiendo.

Cierto es que tampoco el régimen concesional es la panacea, si de lo que se trata es de revisar los aprovechamientos en una situación de recursos hídricos escasos. Como ha señalado la doctrina, a pesar de que el ordenamiento jurídico permite la revisión de las concesiones no siempre con coste económico para la administración, esta suele mostrarse reacia por temor a la resistencia que muestran los afectados. La misma razón que ha llevado a la administración a la no aplicación de las medidas de explotación conjunta de aguas superficiales y subterráneas a las que deben adaptarse los aprovechamientos existentes aunque en estos casos el coste económico no sea para la administración sino que debe correr a cargo de quienes se ven por ellas beneficiados. La misma razón que impide o demora la declaración de masas de agua en riesgo de no alcanzar el buen estado o su revisión una vez se han modificado las circunstancias que la motivaron.

En cualquier caso, debe corregirse la situación de ilegalidad a pequeña y gran escala que fomentan las situaciones de sequía, a lo que también ha venido a contribuir el reconocimiento del aprovechamiento legal de 7000 m^3 en los términos del artículo 54.2 del Texto refundido que no ha sido modificado por la reforma operada en 2012. Este derecho tal y como ha sido configurado por la ley asiste al propietario del predio sea cual sea la situación del acuífero, aunque se sujeta a autorización en el caso de que el acuífero haya sido declarado sobreexplotado. Ello implica que en el resto de supuestos bastará con la comunicación tal y como establece el artículo 85 de reglamento, lo que no parece un instrumento de control suficiente, aunque la exigencia de autorización pueda suponer un mayor colapso, dados los medios con que cuenta la administración hidrológica que nunca crecen al nivel exigido por las reformas legislativas.

En relación con esto último y para terminar mi intervención, me voy a referir a una serie de sentencias del Tribunal Supremo que culminan con la STS 13 de diciembre de 2013. Todas ellas anulan las sanciones impuestas por el Consejo de Ministros porque se habían alterado la descripción de los hechos en el curso de los procedimientos sancionadores, procedimientos que se llegan a calificar de erráticos por este órgano judicial: «*La secuencia de los hechos que hemos relacionado en el fundamento anterior revela que la errática tramitación del expediente administrativo, que no olvidemos es de naturaleza sancionadora, ha alterado la descripción de los hechos en el curso de la sustanciación del procedimiento. Dicho de otro modo, el expediente sancionador se ha iniciado y sustanciado por unos hechos que no son los posteriormente sancionados. Téngase en cuenta que la imputación que se contiene en la propuesta de resolución –distinta, insistimos, de los hechos contenidos en el acuerdo de incoación y en el pliego de cargos– no tiene el grado de concreción suficiente, ni permite, por tanto, la realización de alegaciones específicas al respecto, para la salvaguarda del derecho de defensa, ni de la práctica de la correspondiente prueba en su descargo*».

I. RESUMEN BIBLIOGRÁFICO

Son numerosísimos los trabajos que se han publicado en relación con el régimen jurídico de las aguas subterráneas. Por ello me limitaré a mencionar aquellos que guardan una especial relación con la conferencia y de los que he extraído muchos de los datos e ideas relatados.

ALCAÍN MARTÍNEZ: «Aguas subterráneas», *Diccionario de Derecho de Aguas*, EMBID IRUJO (dir.), Iustel, 2007.

EMBID IRUJO, A.: «A vueltas con la propiedad de las aguas. La situación de las aguas subterráneas veinte años después de la Ley de Aguas de 1985. Algunas propuestas de reforma normativa», *Propiedades Públicas Justicia administrativa*, 2007.

– «La crisis del sistema concesional y la aparición de fórmulas complementarias para la asignación de recursos hídricos. Algunas reflexiones sobre mercados de derecho de uso de agua», *Usos del agua*, Thomson Reuters Aranzadi, 2013.

DELGADO PIQUERAS, F. y GALLEGO CÓRCOLES, I.: *Aguas subterráneas privadas, teledetección y riego*, ed. Bomarzo, 2007.

CAPÍTULO V

LA ECONOMÍA DEL CICLO URBANO DEL AGUA EN ESPAÑA[*]

Joaquín Melgarejo Moreno
Instituto del Agua y de las Ciencias Ambientales

Mª Inmaculada López Ortiz
Universidad de Alicante.

I. INTRODUCCIÓN

La creciente escasez de agua está forzando un cambio en la concepción sobre este recurso, y también de los modelos existentes para gestionarlo. El nuevo paradigma concibe el agua como un recurso básico para la vida humana, de valor estratégico para el desarrollo económico, que debe ser gestionado como un bien económico escaso de creciente valor. Tanto el crecimiento económico como el bienestar individual y colectivo de las personas están íntimamente ligados a la satisfacción de las distintas demandas de agua, entendiendo que la satisfacción de estas demandas condiciona la capacidad que tienen los ecosistemas hídricos para soportar nuevas presiones o para garantizar los suministros de una manera sostenida en el tiempo,

[*] Este trabajo ha sido financiado en parte por la Fundación Séneca Agencia de la Ciencia y la Tecnología, con cargo al Proyecto: El papel de los mercados del agua en la gestión integrada de los recursos hídricos en las cuencas deficitarias. (Ref. 19325/PI/15).

145

al tiempo que determina la disponibilidad de servicios ambientales que, al contrario de los usos económicos, no están asociados a la modificación de la naturaleza sino a su buen estado de conservación (Maestu y Gómez, 2008). Entre las demandas actuales, se incluye la que está destinada a satisfacer las necesidades del consumo humano, una demanda esencial que debe proveerse en condiciones de seguridad para la salud y con una elevada garantía de provisión cualesquiera que sean las condiciones climáticas y económicas. También debe tenerse en cuenta que los recursos hídricos son indispensables para el normal funcionamiento de los procesos de creación de riqueza en actividades tales como la agricultura de regadío, la generación de energía, la fabricación de bienes en la industria y la oferta de servicios turísticos y de oportunidades de recreo. Además, el medio hídrico es el receptor final de una variedad de residuos, que son objeto de dilución, transformación química o acumulación en la naturaleza.

Desde estas consideraciones, la política de gestión del agua debe jugar un papel instrumental, orientado a la provisión de un conjunto de servicios que bien son esenciales para la vida o bien tienen un carácter estratégico para la economía. En términos generales, el objetivo de la gestión hídrica debe consistir en hacer compatible el crecimiento económico y la mejora del bienestar de la sociedad con la reducción de la escasez y, en consecuencia, con la protección del medio hídrico. Este objetivo obliga a quiénes se enfrentan a la gestión de este recurso natural a considerarlo como un activo económico, con profundas implicaciones sociales y ambientales.

Desde esta perspectiva, evaluar en términos económicos y financieros un proyecto o actuación implica poder identificar, cuantificar y valorar el flujo de costes y beneficios atribuibles al mismo (Del Villar, 2010). El análisis de la gestión óptima del agua, en tanto que recurso renovable no biológico, puede desarrollarse en el marco general del estudio sobre la senda adecuada de producción de los servicios derivados de un recurso natural cuyos derechos de propiedad, en general, no son asignados por el mercado (Brown, 2000). Dentro de estos servicios, asociados a la conservación de las fuentes de agua, se encuentran: los usos recreativos y paisajísticos de cualquier ecosistema fluvial, su capacidad para soportar la vida y la biodiversidad, la oferta de servicios de autodepuración y regeneración de los contaminantes que recibe, la preservación de la salud pública y la prevención natural de avenidas e inundaciones, entre otros (Millenium Ecosystem Assessment, 2005; Bergstrom et al., 2001).

Una política hídrica eficiente debe ser capaz de elegir un punto de equilibrio entre la conservación y el uso del recurso[1]. No se trata este, sin embar-

---

1. Las políticas de precios deben basarse en la evaluación de los costes y beneficios

go, de un objetivo fácil de definir en términos prácticos, ya que, si bien los beneficios de permitir mayores usos del agua son apropiables y valorables a través de los precios del mercado (YOUNG, 2005), los costes de oportunidad asociados al deterioro ambiental conllevan la reducción simultánea de un conjunto de bienes y servicios colectivos e intangibles de difícil valoración. Por este motivo, reconociendo el papel del análisis económico en la gestión del agua, la legislación europea da prioridad a las metodologías de análisis coste-eficacia, consistentes en buscar la combinación de medidas que permitan obtener un estado de conservación predeterminado al menor coste posible (Comisión Europea, 2000 y WATECO, 2002), sobre las metodologías de análisis coste-beneficio, que consisten en elegir un objetivo de conservación ambiental, comparando los costes económicos y los beneficios ambientales de reducir las presiones de la economía sobre las masas de agua[2].

Si se admite que existe un flujo finito de servicios del agua compatible con un estado de conservación de los recursos hídricos y que tal flujo no es suficiente para satisfacer todas las demandas de todos los agentes económicos en todos los lugares y momentos del tiempo, debemos concluir que el agua tiene entonces un coste de oportunidad en cada uno de sus usos posibles, consistente en el beneficio perdido en la mejor utilización alternativa. Para distinguir este coste de oportunidad del coste ambiental, distintos autores proponen denominarlo coste del recurso (WARD et al., 2008). La gestión eficiente del agua exige la coordinación de las políticas agrícola, urbanística, industrial, energética..., de modo que la política del agua debería ser un eje transversal de coordinación de todas las actividades económicas que tengan un impacto potencial sobre la calidad del recurso. Por ello, además de resolver de una manera sostenible el dilema entre conservación y uso del recurso hídrico, la gestión del agua, antes o después, deberá tener como objetivo añadido la coordinación sectorial y territorial, asignando la oferta disponible a los diversos usos en conflicto.

---

del uso del agua y tener en cuenta tanto los costes financieros que supone la prestación de servicios como los costes ambientales y de recursos.

2. Existe una diferencia conceptual entre análisis financiero y análisis económico. El análisis financiero busca identificar la viabilidad de una actuación y su adecuación a una estructura de financiación determinada. Los parámetros que identifican esa viabilidad son aquellos que proporcionan las distintas herramientas de evaluación financiera, basadas en equilibrios dinámicos entre las corrientes de inversión y financiación. Esto se consigue por medio de la valoración de un conjunto de indicadores que orientan en el proceso de toma de decisiones acerca de la viabilidad o factibilidad del proyecto. Por su parte, el análisis económico también pretende evaluar la viabilidad de cierto proyecto o actuación, pero desde el punto de vista del bienestar social y la eficiencia en la utilización de los recursos productivos escasos.

El Principio número 4 de la Declaración de Dublín recoge la importancia económica del agua. Un principio que posteriormente quedó plasmado en la Directiva Marco del Agua (2000/60/CE, DMA) a través del «principio de recuperación de costes»[3]. Resulta muy esclarecedor al respecto el siguiente texto:

«El agua tiene un valor económico en todos sus diversos usos en competencia a los que se destina y debería reconocérsele como un bien económico... La ignorancia en el pasado del valor económico del agua ha conducido al derroche y a la utilización de este recurso con efectos perjudiciales para el medio ambiente. La gestión del agua, en su condición de bien económico, es un medio importante para conseguir un aprovechamiento eficaz y equitativo y para favorecer la conservación y la protección de los recursos» (Declaración de Dublín sobre el agua y el desarrollo sostenible. Conferencia Internacional sobre el Agua y el Medio Ambiente. Dublín, 1992[4]).

En el ámbito legislativo también se han producido cambios significativos. A medida que el agua se ha percibido como un recurso cada vez más escaso tanto cuantitativa como cualitativamente, y vulnerable a amenazas como la contaminación, la sequía, la sobreexplotación o la ineficiente gestión de los recursos, los poderes públicos han ido estableciendo nuevos mecanismos de intervención con la finalidad de que su uso resulte más sostenible. En el año 2000, la Unión Europea dio un gran paso adelante con la adopción de la Directiva Marco sobre Aguas (DMA), que establece un marco de acción comunitario en el ámbito de la política de aguas[5]. Un aspecto relevante y novedoso de la DMA es la referencia que realiza a la política de tarificación, al establecer en su artículo 9 que «Los Estados miembros tendrán en cuenta el principio de la *recuperación de los costes* de los servicios relacionados con

---

3. Resulta de especial interés consultar la Sentencia del Tribunal de Justicia de 11 de septiembre de 2014, asunto C-525/12, http://curia.europa.eu/juris/liste.jsf?language="es&jur=C,T,F&num=C-525/12&td=ALL " y los comentarios efectuados por RUIZ DE APOCADA, 2014.
    http://www.actualidadjuridicaambiental.com/jurisprudencia-al-dia-union-europea-alemania-aguas/
4. No obstante, el reconocimiento del valor del agua no se inició, como se cree popularmente, con los llamados Principios de Dublín. Esta preocupación ha estado presente desde la Carta del Agua de Estrasburgo en 1968, la Declaración de Estocolmo en 1972, y el Plan de Acción de Mar del Plata en 1977. Mientras que el cuarto principio de la Declaración de Dublín establece que el agua, en sus múltiples usos, tiene un valor económico, y debería ser reconocida como un bien económico; el Plan de Acción de Mar del Plata, 15 años antes, establecía que el agua tenía un valor tanto social como económico (TORTAJADA, 2008).
5. Directiva 2000/60/CE.

el agua, incluidos los costes medioambientales y los relativos a los recursos (...) y en particular de conformidad con el principio de que quien *contamina paga* y el de «*contribución adecuada*» que fomenta la eficiencia del uso del recurso»[6]. El principio de recuperación de costes supone *de facto* el fin de una política de subsidios en el ciclo integral del agua que se ha venido aplicando en numerosas ocasiones.

La Directiva establece asimismo que los Estados miembros deben proveer medidas que aseguren que los precios del agua incorporen incentivos económicos para promover un uso eficiente y que los diferentes usos contribuyan de manera adecuada a la recuperación del coste de los servicios[7]. La Directiva, sin embargo, no establece la obligatoriedad de la recuperación total de los costes de los servicios, pero insiste especialmente en que haya transparencia en los costes e ingresos, que la información sea clara y esté disponible públicamente, de modo que exista un incentivo económico claro que prevenga la contaminación y estimule un uso eficiente del recurso. En la figura 1 pueden verse los países europeos que ya aplican el principio de la recuperación de costes.

---

6. El citado artículo 9 de la DMA también especifica que el principio de recuperación de costes ha de considerar no solo el coste financiero de los servicios sino también los costes ambientales y los del recurso (valor de escasez). Los costes ambientales están relacionados con las externalidades generadas que fundamentalmente se dan en el proceso de extracción y vertido, y siempre y cuando estas afecten a otros usuarios o a los ecosistemas hídricos. El coste de las medidas para reducir, eliminar o mitigar los impactos ambientales se considera una fórmula para analizar los costes ambientales, que deben ser internalizados (BROUWER *et al.*, 2004).

7. El artículo 9 señala que a la hora de tener en cuenta el principio de recuperación de costes hay que considerar al menos los servicios de agua a los usos industriales, a los hogares y a la agricultura. Para ello fija un horizonte temporal (2010) en los que los Estados miembros garantizarán que la política de precios del agua proporcione incentivos adecuados para que los usuarios utilicen de forma eficiente los recursos hídricos y, por tanto, contribuyan a los objetivos medioambientales de la presente Directiva (MMA, 2007:26).

Figura 1. Mapa de los países europeos que ya cuentan con marcos regulatorios que permiten la recuperación total de los costes incurridos para suministrar agua.

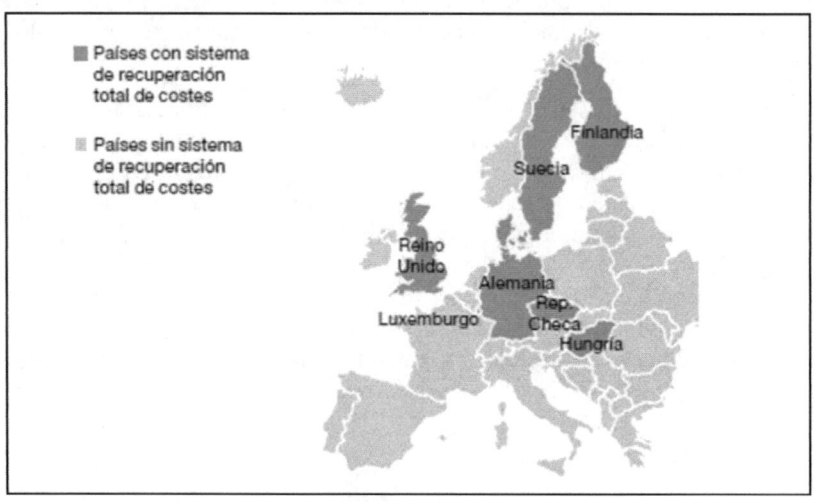

Fuente: OCDE: Water Governance in OECD Countries, 2011.

La DMA constituye, por consiguiente, el marco para la política de aguas de la Unión Europea, aunque está completada por otras disposiciones legislativas que regulan aspectos concretos del uso del agua: la Directiva sobre aguas residuales urbanas (1991), la Directiva sobre nitratos (1991), la Directiva sobre agua potable (1998), la Directiva sobre las aguas de baño (2006), la Directiva sobre aguas subterráneas (2006) y la Directiva sobre normas de calidad ambiental (2008).

En el caso de España, el ordenamiento prevé, con carácter general, que los derechos de agua se asignen mediante concesiones de carácter administrativo y no puedan ser objeto de intercambios voluntarios entre particulares sin la aprobación expresa de la Administración. La asignación administrativa, sin embargo, no implica la ausencia de competencia por el recurso. Dicha competencia se organiza mediante la acción de grupos de presión de carácter local y, en un ámbito territorial más amplio, a través de la interacción política entre las distintas jurisdicciones administrativas, en las que están representados los diferentes intereses sectoriales, locales o regionales.

En la actualidad, existe un amplio consenso mundial que evidencia una creciente concienciación sobre la escasez de recursos hídricos y la importancia de la gestión integral del ciclo del agua. La problemática hídrica está presente de manera muy particular en el caso de España. La «crisis del agua», las polémicas interregionales en torno a la asignación del recurso, las dificultades del abastecimiento y las restricciones que periódicamente padecen determinadas poblaciones, junto con la existencia de una fragmentada regulación del territorio nacional, provocan que el agua se nos presente, cada día más, como un verdadero problema nacional, que enfrenta a sectores de la economía del país y determina las condiciones esenciales de vida de la población. Así, qué duda cabe de que el sector del agua se enfrenta a un conjunto de importantes y urgentes retos medioambientales (escasez de agua e incumplimiento de la normativa europea) y económicos (déficit de inversiones y tarifas insuficientes para recuperar los costes incurridos en los servicios de agua y acometer las nuevas inversiones). A estos retos hay que añadir las deficiencias que presenta el marco regulatorio actual (elevado número de Administraciones Públicas con competencias, y ausencia de una regulación lo suficientemente estable y predecible) (MELGAREJO et al., 2015).

España es uno de los países de la Unión Europea con mayor superficie bajo estrés hídrico. El consumo de agua supera el 40% del total disponible en un 72% de la superficie nacional, dato que contrasta con el 26% de la superficie italiana o el 1% de la alemana. El país requiere inversiones específicas que ayuden a paliar los problemas que se derivan de la actual situación[8]. El estrés hídrico exige una mayor eficiencia en la utilización de los recursos disponibles. Este hecho conlleva, entre otras implicaciones, una mayor necesidad en la dotación de embalses y presas, así como una mayor inversión en mantenimiento y renovación para garantizar su correcto funcionamiento. También deben priorizarse las inversiones en la reducción y eliminación de las pérdidas en las redes de abastecimiento, que permitan el máximo aprovechamiento de los recursos disponibles. Para evitar el desperdicio de agua debe fomentarse su reutilización en aplicaciones alternativas y la implantación de sistemas que permitan un uso más eficiente de los recursos subterráneos. Por otra parte, se debe hacer un esfuerzo de reducción de la demanda y para ello deben implantarse sistemas de riego y de otros consumos que optimicen el uso de los caudales disponibles.

II.   CICLO URBANO DEL AGUA. LOS ABASTECIMIENTOS

El ciclo integral del agua tiene por objeto garantizar el suministro del agua y su sostenibilidad, y está constituido por una cadena de actividades que comprende el abastecimiento de agua potable, el saneamiento y la depuración de las aguas residuales. Analizando el indicador de esfuerzo del usuario para el pago del servicio

---

8.   Históricamente, España es el país de la UE donde las inversiones (CAPEX) en agua tienen menor peso en comparación con los costes de explotación (OPEX) (OCDE, 2010). Es asimismo el país donde las inversiones en infraestructuras hídricas en porcentaje del PIB adquieren un valor más bajo: 0,11%, mientras que la media de inversión de Francia, Alemania, Reino Unido e Italia más que duplica esta cifra con un 0,25% (AT Kearney, 2015).

del agua por países, se observa que Dinamarca, Eslovaquia y Alemania superan notablemente a los demás países de la UE con el 192%, 129% y 124% respecto al promedio europeo, respectivamente[9]. Los países que se sitúan por encima de la media destacan por realizar un esfuerzo en saneamiento elevado (cuadro 1). El esfuerzo relativo efectuado por los usuarios españoles es significativamente inferior a la mayoría de países europeos, situándose en un 63% del nivel de esfuerzo europeo respecto al ciclo del agua (Albiol *et al.*, 2013).

Cuadro 1. Precios unitarios del ciclo integral del agua para usos doméstico en la UE, 2012.

País	Precio unitario Abastecimiento (€/m³)	Precio unitario Alcantarillado y Depuración (€/m³)	Precio unitario IVA y otras tasas (€/m³)	Precio unitario Ciclo integral (€/m³)
Dinamarca	2.04	2.55	1.15	5.74
Alemania	1.80	2.66	0.00	4.46
Bélgica	1.46	2.15	0.22	3.83
Austria	1.29	1.86	0.32	3.46
Finlandia	1.22	1.34	0.83	3.40
Reino Unido	1.73	1.58	0.00	3.31
Noruega	1.19	1.41	0.65	3.24
Holanda	1.28	1.56	0.24	3.08
Chipre	1.05	1.41	0.23	2.69
Eslovaquia	1.02	1.09	0.44	2.55
Suecia	0.82	1.14	0.49	2.45
Hungría	0.79	0.74	0.38	1.92
Polonia	0.81	0.95	0.00	1.76
España	0.85	0.70	0.16	1.72
Portugal	0.96	0.63	0.12	1.71
Lituania	0.62	0.70	0.28	1.59
Italia	0.55	0.52	0.11	1.18

Fuente. IWA, 2014

---

9. El indicador de esfuerzo del usuario para el pago del servicio del agua mide qué parte de la renta disponible per cápita se destina a la adquisición de un metro cúbico de agua.

El ciclo urbano del agua se inicia con la captación del recurso para su posterior distribución y consumo, concluyendo con la recogida y depuración de las aguas residuales para su vertido al dominio público. Las exigencias derivadas de la adaptación a nuevas normativas, la mejora de la eficiencia en la gestión de los servicios que integran el ciclo integral del agua, la escasez relativa de los recursos hídricos y los mayores requerimientos de calidad del agua y del servicio implican la necesidad de acometer importantes inversiones en la transformación y renovación de las infraestructuras existentes, así como un aumento de los gastos de los servicios del agua. La distribución competencial del ciclo integral del agua en España implica a numerosos agentes públicos y privados, así como a los diferentes órdenes de la Administración del Estado.

El consumo medio de agua para uso doméstico de los europeos durante 2013 ha fluctuado en términos medios entre los 100 y los 320 litros. El consumo doméstico representa aproximadamente el 15% del uso total que se hace del agua en Europa. De esta cantidad, sólo se utiliza para beber entorno al 3%, mientras que el resto se gasta en el inodoro, lavar, fregar, duchas, jardín y otros consumos domésticos. En España, en 2013, el consumo medio de agua de los hogares se situó en 130 litros por habitante y día, con un descenso del 3,7% respecto a los 135 litros registrados el año anterior (INE, 2015). En cuanto al origen de los caudales que se destinan al abastecimiento urbano, el 77% corresponde a aguas superficiales, el 18% son aguas subterráneas y el 5% procede de aguas desaladas (AEAS, 2014)[10].

Existe una amplia evidencia empírica sobre el descenso del consumo del agua durante las últimas décadas en ciudades de países desarrollados. Sin embargo, el consumo es mayor que la media europea en los países donde el agua es gratis, o en aquellos países donde la red hidrográfica de distribución sufre elevadas pérdidas. En el gráfico 1 se recoge el precio del agua en algunas ciudades europeas. Las ciudades españolas se cuentan entre las que menores precios registran, mientras que Glasgow se sitúa en el extremo opuesto.

---

10. Según el INE, en 2013, el 66,4% del volumen captado por las empresas y los entes públicos suministradores de agua procedió de aguas superficiales, mientras que el 30,1% tuvo su origen en aguas subterráneas. El 3,5% restante provino de otro tipo de aguas (desaladas del mar o salobres) (INE, 2015).

Gráfico 1. Precio (€/m³) del agua en algunas ciudades de la UE en 2012.

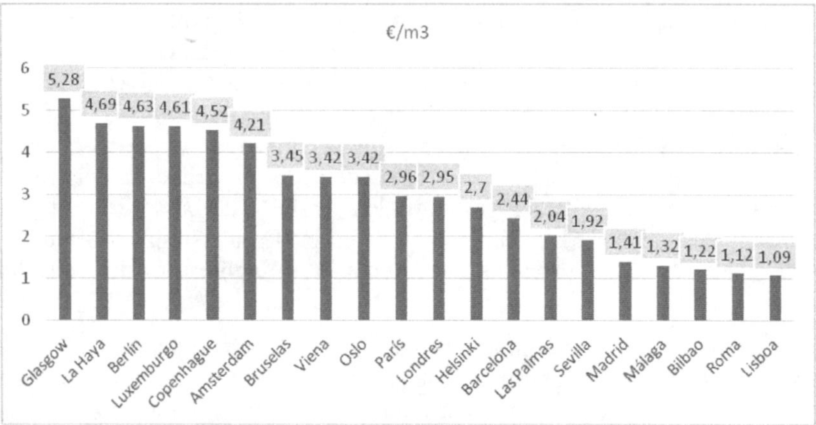

Fuente: AEAS-AGA, 2013.

Son muchos los factores que explican la tendencia al descenso del consumo de agua en los países desarrollados: una mayor conciencia ciudadana con relación al ahorro de agua, episodios de sequía más recurrentes, cambios sociales y demográficos, una tarificación progresiva con precios crecientes para los consumos más elevados, tecnologías más eficientes o, simplemente, los efectos de las crisis económicas y los procesos de reestructuración de las economías urbanas sobre el consumo doméstico, industrial y comercial del agua. En el gráfico 2 puede observarse esta tendencia decreciente del consumo doméstico de agua en Alicante, un descenso que se evidencia sobre todo a partir de 2004; y que, en el transcurso del período 2000-2013, ha supuesto una reducción de un tercio.

Gráfico 2. Evolución anual del consumo doméstico (litros/habitante/día) en Alicante, 2000-2013.

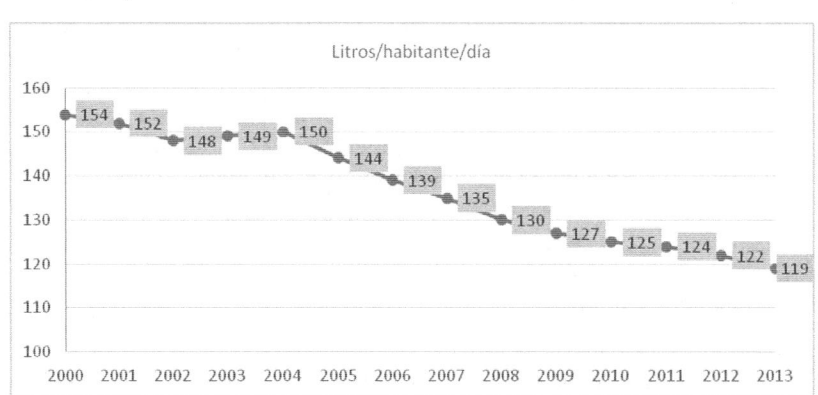

Fuente: Albiol *et al.,* 2014:13

La Comisión Europea establece que la política de tarificación del agua tiene que reflejar los siguientes parámetros: los costes financieros de la prestación de los servicios del agua (costes de explotación, mantenimiento y de capital); los costes ambientales que suponen los daños al ecosistema y al medio ambiente por los usos del agua; y los costes del recurso, representados por el coste de oportunidad para otros usuarios por el agotamiento de los recursos superior al índice de re-novación o recarga natural. No obstante, este principio de recuperación de costes no es absoluto. La Directiva Marco del Agua no lo impone. Al tiempo que establece este principio, formula restricciones a los Estados miembros instándoles a tener en consideración los efectos sociales, ambientales y económicos a la hora de aplicarlo. Lo que resulta evidente es que las tarifas pueden utilizarse de una manera eficaz para aplicar incentivos que permitan reducir la contaminación, disminuir la presión sobre los recursos hídricos y el medio ambiente, y lograr una mayor eficiencia en la asignación de los recursos, además de inducir al uso sostenible de los recursos.

La gestión del ciclo integral del agua incluye el abastecimiento (desde la captación hasta que llega a las acometidas y contadores), y el saneamiento (que se encarga del agua residual utilizada y de depurarla y devolverla a su cauce natural respetando el medio ambiente). Según el estudio de AEAS-AGA (2013), el precio medio del agua para uso doméstico fue de 1,59 €/m³, del que 0,92 € corresponde al servicio de abastecimiento y 0,67 euros al de saneamiento, sin incluir IVA; siendo el consumo doméstico de 122 litros habitante/día, cantidad por la que se paga unos 0,20 euros[11]. El usuario doméstico tiende, como se ha visto, a un consumo cada vez más razonable – una necesidad asumida socialmente–, y paga por un servicio, más que por un producto. Así, aunque se incrementa ligeramente el precio del m³, el gasto por familia se compensa en la factura por la disminución paulatina del consumo (gráfico 3). El descenso constante de litros consumidos por habitante y día es resultado de la mayor eficiencia de los servicios, la mayor concienciación ciudadana que viene siendo apoyada por las campañas divulgativas de los operadores, el mejor equipamiento doméstico, la facturación por usos segmentados y la generalización de las tarifas progresivas, crecientes según bloques de mayor consumo. Todo ello ha hecho que el incremento de la factura real de agua para un usuario tipo, en los últimos 10 años, esté por debajo del IPC, como puede apreciarse en el gráfico 4.

Gráfico 3. Evolución del consumo (por persona y día) y del precio (m³) del agua en España, 2002-2012.

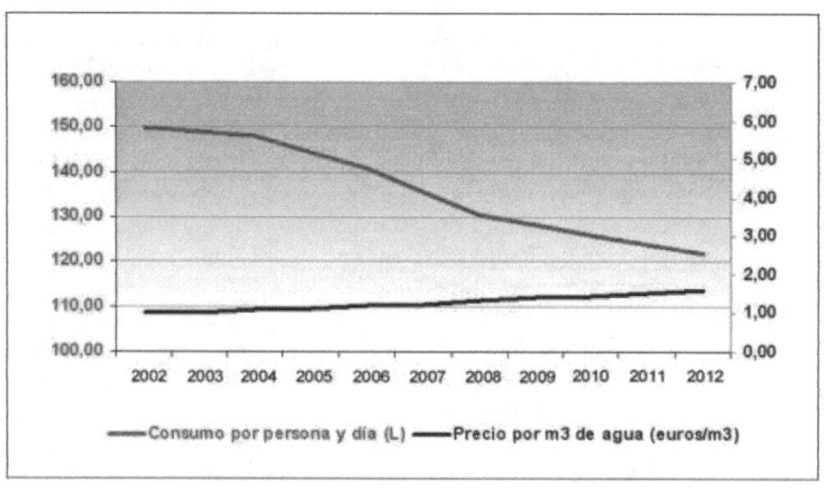

Fuente: AEAS-AGA, 2013.

---

11. A pesar de ser un país con escasez de recursos hídricos, la tarifa de agua en España es de las más bajas de la Unión Europea. Tradicionalmente, las tarifas se han venido calculando para cubrir únicamente y, en ocasiones parcialmente, los costes operativos del servicio, mientras que la repercusión de las inversiones corría a cargo de los Presupuestos Generales del Estado o de las Comunidades Autónomas o de las Entidades Locales. Por su parte, desde 2004 el consumo doméstico ha ido disminuyendo progresivamente, hasta situarse en 2014 en 112 litros por habitante y día, lo que implicó una reducción respecto al año anterior de un 10%. Uno de los más bajos de Europa. (AEAS-AGA, 2014).

Gráfico 4. Variación de la factura mensual de agua per cápita y del IPC en España, 2003-2012.

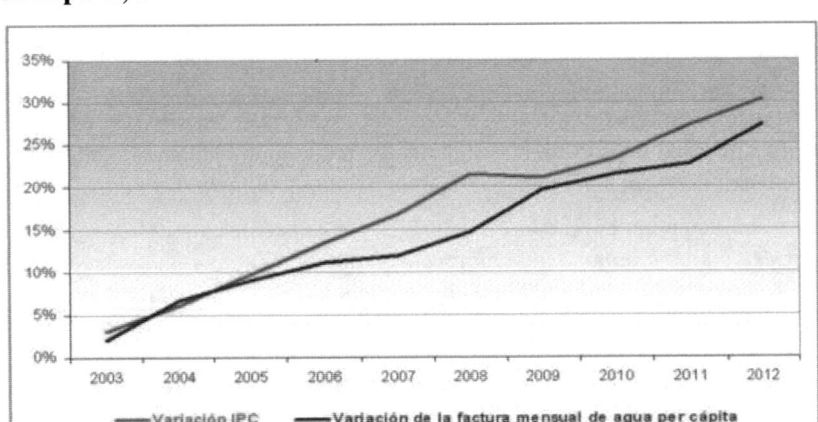

Fuente: AEAS-AGA, 2013.

En España las tarifas que pagan los usuarios no cubren todos los costes de los servicios de agua urbana, lo que impide que con los ingresos se puedan realizar las necesarias inversiones en el patrimonio hídrico. Ello está repercutiendo en el deterioro de las infraestructuras, aunque el carácter potente y complejo de estas instalaciones les concede cierta inercia. Para una buena gestión, resulta imprescindible el buen mantenimiento y la actualización de las infraestructuras, lo que debe acompañarse de una inteligente explotación de las mismas para que sigan prestando con eficiencia sus funciones[12]. Para lograr un desarrollo sostenible, resulta fundamental llevar a cabo una gestión eficiente del agua en los ámbitos urbano, agrícola, industrial y medioambiental. La sociedad demanda mejora del servicio, se requiere una cobertura total de la depuración de las aguas residuales y crecen las exigencias europeas en materia ambiental y sanitaria (BARBERÁN *et al.*, 2008). La política europea se orienta a la cobertura total de los costes de los servicios y a que cada usuario asuma el cargo que le corresponde para atender esos costes en un reparto racional que se

---

12. Las tarifas actuales solo cubren, y no siempre, los gastos operativos del servicio, pero no los relativos a las infraestructuras: amortización, renovación y nuevas actuaciones que mejoren las prestaciones y las calidades del agua. Entre los costes operativos que se aplican en las tarifas destacan los cánones de saneamiento o depuración de carácter finalista, destinados a cubrir los gastos de la explotación de las depuradoras, que son administrados por las Comunidades Autónomas. Estos se recaudan a través de la factura y se destinan a satisfacer los costes de operación de la depuración de aguas residuales y al cumplimiento de los objetivos de la Directiva Marco del Agua de recuperación de costes.

fundamente en el principio básico de «el que contamina paga». En definitiva, los servicios del ciclo del agua demandan tecnología tanto para los procesos de tratamiento como para garantizar el recurso, lo que conlleva unos costes asociados crecientes; y como quiera que la principal fuente de financiación del ciclo integral del agua es, o debería ser, la tarifa que se aplica a los usuarios, el diseño de la estructura tarifaria, debiera hacerse de manera que proporcione incentivos al uso eficiente y racional del recurso, al tiempo que garantice una recuperación de los costes sostenible (ALBIOL *et al.*, 2013).

Si bien el precio medio en España del agua para uso doméstico está en 1,59 €/m^3, existen importantes diferencias entre provincias y Comunidades Autónomas, como queda reflejado en los gráficos 5 y 6. Entre las provincias que mayor precio pagan los usuarios por el agua destacan Murcia (2,31), Barcelona (2,24), Baleares (2,1), Alicante (1,94), Ceuta (1,93) y Sevilla (1,93); mientras que los precios más baratos en general los abonan los usuarios de las provincias castellanas, correspondiéndole el menor a Palencia (0,72). Por Comunidades Autónomas, el agua de uso doméstico es más cara en Murcia, Cataluña y Baleares. Por debajo de la media española están los precios de la mayoría de las Comunidades Autónomas: Castilla-León, Galicia, Navarra, Aragón, Castilla-La Mancha, País Vasco, La Rioja, Madrid, Cantabria, Asturias y Andalucía (casi en la media), además de la Ciudad Autónoma de Melilla, donde se registra el valor más bajo (0,8). Estas diferencias entre áreas geográficas obedecen a factores de disponibilidad y proximidad de los recursos; calidad; procesos, técnicas y costes necesarios para la potabilización y depuración; pero también se deben a la incorporación de los diferentes cánones autonómicos. La mayor o menor cobertura de los costes (gastos de operación y de mejora y renovación de infraestructuras) en cada sistema contribuye a generar, asimismo, importantes diferencias en las tarifas que paga el usuario final.

Debe tenerse en cuenta, por lo demás, que en España los servicios urbanos de agua han sido tradicionalmente una competencia municipal[13]. La Ley 7/1985 de 2 de abril, reguladora de las Bases del Régimen Local, así lo declara en su artículo 25, correspondiendo esta atribución a todos los municipios con independencia de su población. La competencia es indisponible, por lo que la Ley determina aquí una vinculación positiva, de modo que los Ayuntamientos no sólo pueden, sino que deben prestar este servicio (ÁLVAREZ FERNÁNDEZ, 2004). El marco regulatorio posibilita que los municipios gocen de una elevada autonomía en este sentido, dada la inexistencia de una legislación básica estatal que regule el régimen económico del servicio de agua, dando como resultado una alta dispersión en las tarifas urbanas. Cada entidad local puede

---

13. Las razones históricas de la atribución de esta competencia a las autoridades municipales puede verse en Calvo Miranda, 2010.

tener precios y estructuras tarifarias distintas (GONZÁLEZ GÓMEZ, 2005). Además, dependiendo de la Comunidad Autónoma donde se resida los conceptos por los que se cobra a los ciudadanos en su factura del agua cambian, de este modo, existen CCAA donde no hay cánones y otras con más de tres. Del mismo modo, el mercado muestra falta de homogeneidad y cierta arbitrariedad en los criterios empleados para fijar las tarifas pagadas por los consumidores, existiendo significativas diferencias en el valor de las tarifas de municipios similares en términos de ubicación, situación medioambiental o estructura hídrica. Esta alta variabilidad indica la falta de coherencia existente en la fijación de las tarifas por parte de los municipios.

Gráfico 5. Precio del agua (€/m³) de uso doméstico en España por provincias.

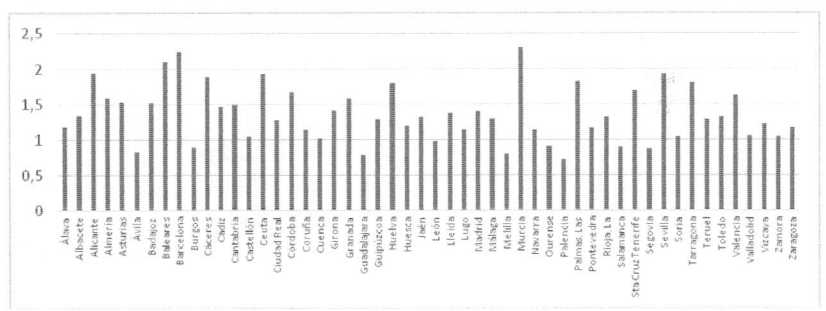

Fuente: AEAS-AGA, 2013.

Gráfico 6. Precio del agua (€/m³) de uso doméstico en España por Comunidades Autónomas.

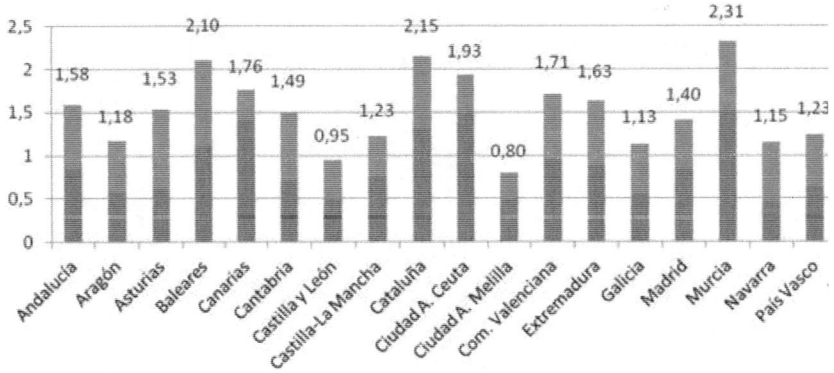

Fuente: AEAS-AGA, 2013.

En el territorio nacional se observan, pues, importantes diferencias tarifarias que son debidas a diversas razones entre las que se incluyen el origen del recurso, la calidad del servicio prestado, el nivel de inversiones ejecutadas y el desigual grado de subsidio por parte de la administración o, lo que es lo mismo, la mayor o menor aplicación del principio de recuperación de costes del servicio. Un elemento que incide en la percepción que tiene el usuario del coste del agua es la frecuencia de facturación (predomina la bimestral para los usos domésticos, aunque también hay muchos municipios que aplican facturaciones trimestrales). Esta diversidad de situaciones favorece que el abonado considere la factura del agua como un documento con conceptos heterogéneos, complejo y confuso, y propicia en el consumidor una falta de conocimiento real del precio y, por tanto, del valor real del agua. Hay que añadir a todo ello que la factura del agua se utiliza en ocasiones como instrumento para recaudar otros conceptos ajenos al ciclo integral del agua, siendo el más común la cuota por recogida de residuos sólidos urbanos. En el gráfico 7 se recogen los componentes que figuraban en la factura del agua en las 15 ciudades españolas de mayor población en 2012. En él se observa que el precio relativo al ciclo integral del agua (abastecimiento y saneamiento) se halla, de media, en torno al 79% del precio total de la factura satisfecha por el abonado, integrando el resto del importe de la factura conceptos no relativos directamente al servicio del agua, como tasas de residuos, mantenimiento de contadores e IVA[14], que son recaudados por el operador pero por cuenta de la administración pública correspondiente.

---

14. En el recibo de agua se pueden encontrar varios tipos de IVA. Al abastecimiento de agua se le aplica el tipo reducido (el 10% desde el 1 de septiembre de 2012), mientras que a otros conceptos, como la cuota de conservación del contador, se les aplica el gravamen general (el 21%). Las tasas autonómicas y municipales están exentas de IVA al tratarse de tributos.

Gráfico 7. Composición de la factura del agua en las 15 ciudades españolas de mayor población en 2012.

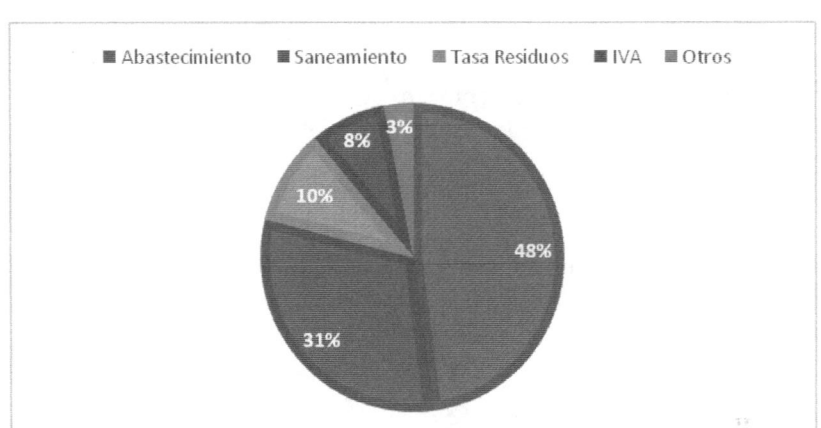

Fuente. PwC, 2014.

Como ya se ha señalado, los servicios y suministros públicos requieren de una fuerte inversión en infraestructura y generalmente se factura por dos conceptos, el primero (fijo) refleja los costes fijos de los servicios (incluyendo las amortización de las inversiones), y el segundo (variable) en función del número de unidades consumidas. El componente relativo al abastecimiento constituye la remuneración de los costes por los servicios de captación y embalse, potabilización y distribución de agua a través de las redes de distribución (GARCÍA VALIÑAS, 2005). En general, la estructura tarifaria predominante para el agua potable es binomial, es decir, con una parte fija y una parte variable[15]. La parte fija es la denominada cuota de servicio y garantiza la disponibilidad inmediata y el acceso permanente al servicio del agua. Tiene un importe fijo que, en general, se calcula tomando como referencia el calibre del contador instalado. La parte variable se calcula en función del consumo de agua y generalmente se aplica por tramos de consumo de precios crecientes para incentivar el uso responsable del agua, encareciendo el precio del metro cúbico de manera escalonada y progresiva a medida que aumenta el consumo. Habitualmente hay un primer tramo de consumo, con-

---

15. Tomando como base una muestra representativa de las grandes ciudades españolas, se puede establecer que para el servicio del ciclo integral del agua, la componente fija de la tarifa representa un 30% y la componente variable un 70%. En concreto, para el servicio de abastecimiento la componente fija de la tarifa representa un 38% y la componente variable un 62%, y para el servicio de saneamiento, la parte fija representa un 18% y la variable un 82% (AEAS-AGA, 2014).

siderado vital, con precio bonificado, para garantizar que sea asequible a los colectivos menos favorecidos[16].

Como el precio del agua varía en función del consumo, se considera un usuario tipo para consumo doméstico y para consumo industrial. La XIII Edición de la encuesta de suministro de agua potable y saneamiento en España (AEAS-AGA, 2014) muestra que el 64% del agua urbana consumida es de uso doméstico, el 15% se dedica al consumo industrial y comercial y el 21% restante se asigna a otros usos, como pueden ser los municipales o institucionales (gráfico 8).

Gráfico 8. Porcentaje de los usos del agua urbana en España

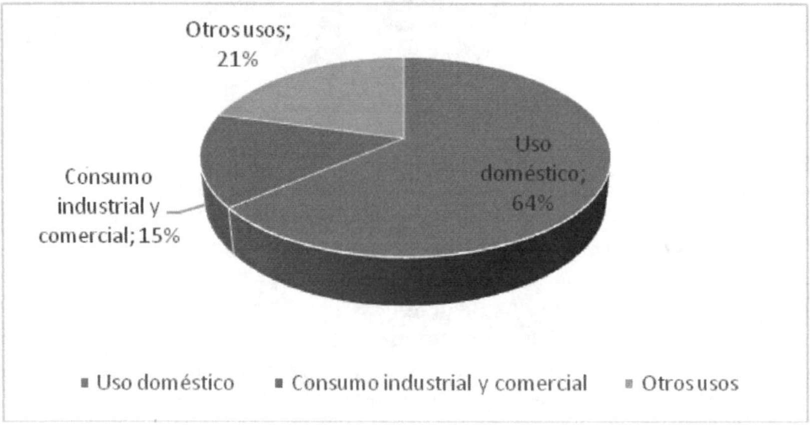

Fuente: AEAS, 2014

El sector español del agua urbana manifiesta una patente falta de inversión, ello ha sido consecuencia tanto de la adversa coyuntura económica que ha atravesado el país como consecuencia de la última crisis como de la falta de consenso entre las diferentes administraciones que tienen responsabilidades competenciales. España ha sufrido un recorte de inversiones en este ámbito mayor que el que han experimentado otros países europeos, y la consecuencia más inmediata de esta reducción ha sido el deterioro de las instalaciones y del servicio (PwC, 2014). El déficit de inversión en renovación de infraestructuras ha provocado el envejecimiento de las mismas y la

---

16. En algunos casos existen bonificaciones o descuentos en la factura del agua por distintos conceptos, siendo los más habituales las bonificaciones a las familias numerosas, a jubilados y pensionistas, a personas con rentas bajas y a desempleados. La bonificación puede ser aplicando una tarifa especial o bien alargando los límites de los tramos.

pérdida de prestaciones (GONZÁLEZ GÓMEZ *et al.,* 2008). Tras veinte años de tendencia decreciente (1990-2010), gracias a las tareas de renovación de las redes, a las campañas de detección de fugas y a la lucha contra el fraude, entre 2010 y 2012 se aprecia un aumento del índice de agua no registrada (ANR), que es consecuencia directa de la fuerte reducción de la inversión experimentada desde 2006 y 2007, con el consiguiente envejecimiento de las redes de distribución.

Gráfico 9. Evolución del coeficiente de agua no registrada en España, 1990-2012.

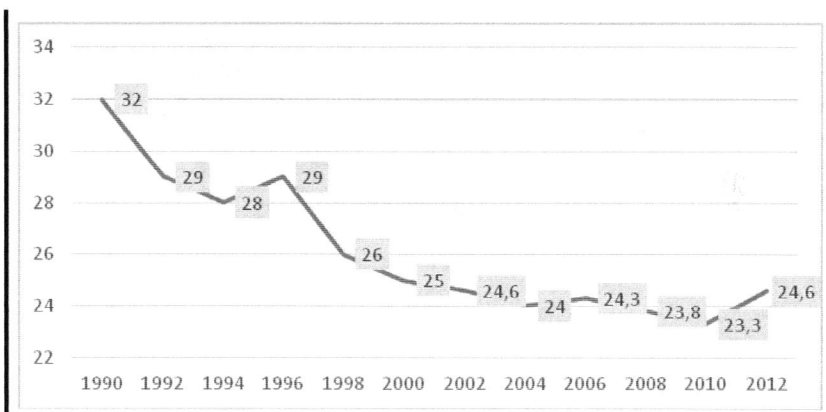

Fuente AEAS-AGA, 2014

Las fugas en la red de distribución y las pérdidas por roturas en conducción, denominadas pérdidas reales, representan entre el 10% y el 15%[17]. El modelo actual no está permitiendo corregir el problema de eficiencia operativa de la red. Paradójicamente, a pesar de contar con unas pérdidas de agua crecientes y superiores a la media europea, la inversión en el mantenimiento de la red de distribución ha decrecido en los últimos años (PwC, 2014:26). En nuevas infraestructuras, el déficit se focaliza en el saneamiento y, concretamente, en la falta de instalaciones para la depuración de aguas residuales, fundamentalmente en municipios de pequeño y mediano tamaño, lo que

---

17. La menor inversión en infraestructuras y en su mantenimiento ha provocado un deterioro de la red existente, haciéndola menos eficiente y ocasionando mayores pérdidas. Estas pérdidas implican una mayor demanda de capacidad potabilizadora, al tener que potabilizar agua no productiva, con el consiguiente gasto energético. Además, se han producido retiradas innecesarias de agua de los cauces naturales con el consiguiente impacto medioambiental. En 2012 las pérdidas se situaban en el 26% de los recursos dispuestos, una cifra superior al 24% del año 2008 (AT Kearney, 2015).

provoca que España incumpla la Directiva 271/91 sobre el tratamiento de las aguas residuales urbanas. La antigüedad de la red de distribución se puede ver en el gráfico 10, donde queda evidenciado que el 35% de las infraestructuras tiene menos de 15 años, el 27% entre 15 y 30 años y el 38% más de 30 años, siendo aconsejable intensificar su renovación lo antes posible.

Gráfico 10. Edad de la red de distribución de agua en España.

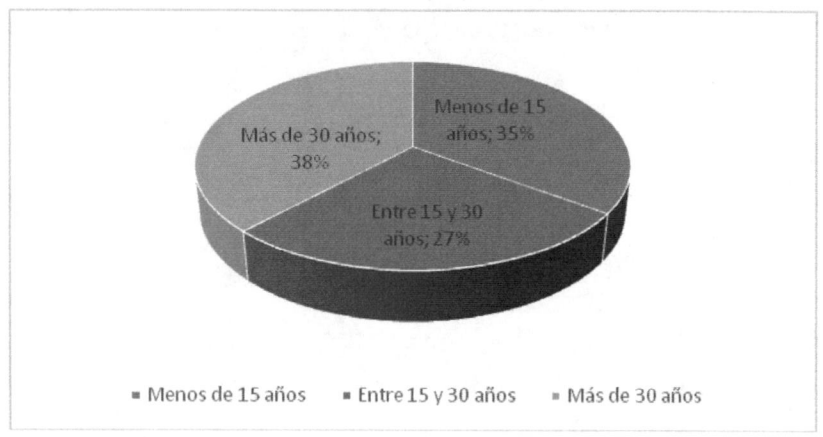

Fuente: AEAS-AGA, 2014.

Aunque España es uno de los países de la UE en el que la incidencia de la factura del agua en los presupuestos familiares es más baja, del 0,8%, muy por debajo del coste de otros servicios como la telefonía y la electricidad (PwC, 2014); la actual crisis económica ha hecho que algunos clientes de los sectores más desfavorecidos no puedan hacer frente al gasto. El sector ya contaba con mecanismos de acción social aplicables a la tarifa de agua mediante bonificaciones, pero ante las nuevas dificultades se han ampliado los mecanismos de ayuda. Un 88% de la población tiene posibilidad de acceso a bonificaciones en las tarifas. La mitad de las ayudas corresponden a familias numerosas u hogares formados por muchos miembros, y una cuarta parte se aplican atendiendo a los niveles de renta. El resto de los beneficios responden a otro tipo de bonificaciones, como por ejemplo los premios a la reducción del consumo.

En cuanto a la forma que adquiere la gestión del servicio urbano de agua, debemos partir de la consideración de que en España el agua es pública y el regulador es la Administración Pública[18]. Se trata, no obstante, de un

18. La Ley de Contratos del Sector público prevé como modalidades de gestión de los recursos que tienen naturaleza pública, como es el servicio urbano de agua, la Con-

modelo descentralizado, en el que intervienen miles de reguladores municipales independientes, lo que se traduce en una regulación heterogénea y muy variable. Hecho al que hay que añadir que las competencias en el ciclo del agua urbana se encuentran muy fragmentadas y sin que exista una coordinación evidente, lo que da lugar a una casuística enorme, de naturaleza muy desigual. En otro orden de cosas, cabe destacar que la ola de privatizaciones de finales de la década de los setenta y comienzos de los ochenta incluyó a determinados servicios públicos locales, tales como la recogida y tratamiento de residuos sólidos urbanos, el transporte urbano y los servicios públicos de agua. En Europa, países como Inglaterra y Gales, Francia, España, Italia y Portugal fueron estableciendo marcos jurídicos que abrieron la puerta a la participación del sector privado en la industria del agua urbana[19]. El argumento tradicional radicó en señalar que la gestión privada era más eficiente que la pública, pero en el transcurso de los años no ha habido ninguna prueba concluyente de esta supuesta ventaja.

El servicio público de abastecimiento de agua puede prestarse de formas diversas. Gestión directa por la Administración pública, ya tenga encomendada su gestión el ayuntamiento del municipio o consorcio de municipios, o una empresa de capital público (normalmente, municipal)[20]. Gestión indirecta mediante un operador privado, es decir, una sociedad mercantil de capital privado a la que el ente público competente le otorga la concesión administrativa para prestar el servicio público durante un periodo concesional determinado, o bien mediante una sociedad de economía mixta, en la que participan el ayuntamiento y un operador privado o socio industrial, que aporta sus conocimientos técnicos y su experiencia en el sector. Se puede afirmar que la gestión del agua, sea pública o privada, es una cuestión de Gobernanza, en la que deben ponderarse los valores del interés general y la seguridad jurídica mediante la regulación (MARTÍNEZ LACAMBRA et al., 2010). Los porcentajes que cada una de las figuras gestionaba en 2002, según los datos de la AEAS (2004), pueden verse en el gráfico 11.

---

cesión, la Sociedad de Economía Mixta, el Concierto y la Gestión Interesada.

19. En RUIZ-VILLAVERDE et al., 2015, se describen las principales características del proceso de privatización del servicio urbano de agua en España desde 1985, así como las recientes tendencias hacia la remunicipalización.

20. Cuando es la Administración pública la que presta el servicio de forma directa, lo realiza, de forma habitual, a través de instrumentos de gestión, tales como sociedades mercantiles públicas o entes públicos empresariales. En ese caso la Administración también somete a regulación al prestador del servicio, de manera que establezca con claridad cuáles son los objetivos y niveles de servicio que deben conseguirse.

Gráfico 11. Régimen de gestión del servicio de suministro urbano de agua en España, 2002.

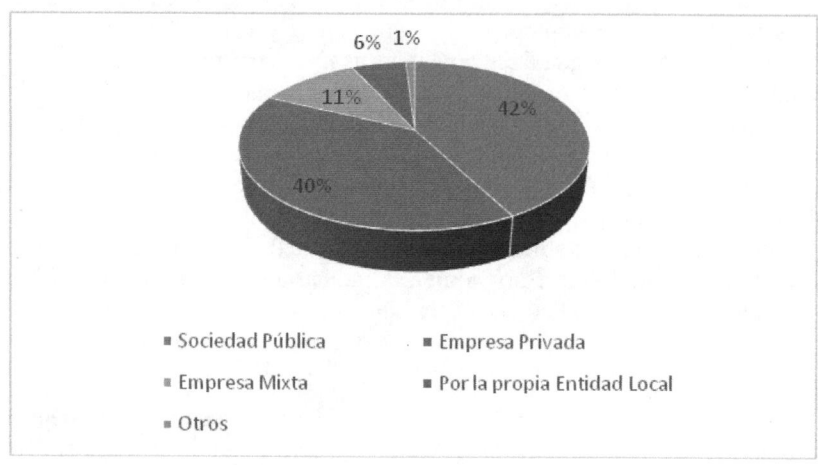

Fuente: AEAS, 2004

Según la AEAS (2004), los servicios de distribución de agua urbana en España facturaban, en 2002, unos 3.250 hm³ para usos urbanos (70% usos domésticos, 20% usos industriales conectados a las redes de distribución urbana, 5% servicios municipales y 5% otros usos). El origen del agua distribuida en las redes urbanas era, en su mayor parte, superficial (74%), seguida del subterráneo (19%), manantiales y desaladas (3% y 4%, respectivamente). Sin embargo, en algunas cuencas, los aportes de origen subterráneo eran más importantes (Cuencas Mediterráneas Andaluzas, 51%; Canarias, 49%; Júcar, 43%; y Baleares, 30%) y lo mismo ocurría en algunos casos con las desaladas (Canarias, 51%; y Baleares, 25%), que adquieren una especial relevancia en los territorios insulares. La distribución de la población abastecida por empresas públicas, privadas o mixtas, en 2014, se mantiene con pequeñas diferencias respecto a otras encuestas anteriores realizadas por AEAS, tal como puede apreciarse en el gráfico 12. En 2014, el 40% de la población fue abastecida por empresas públicas, el 35% por privadas, el 15% por mixtas y el 10% por la administración local.

Gráfico 12. Régimen de gestión del servicio urbano de agua en España, en 2014.

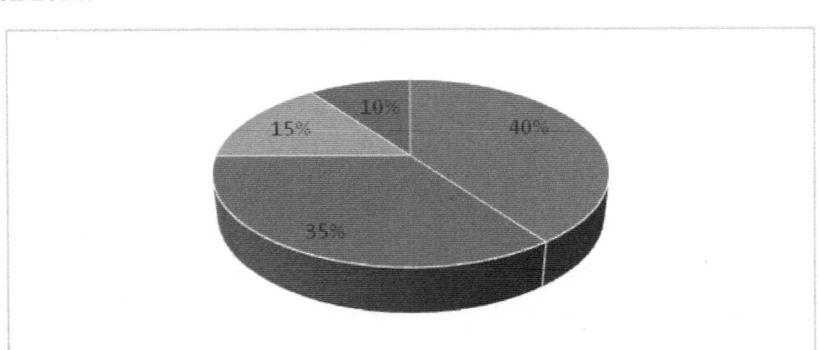

Fuente: AEAS, 2014

Existe cierta controversia acerca de las ventajas e inconvenientes que presentan las diferentes formas de gestión del agua. Independientemente de la fórmula elegida, la cuestión debería estar centrada en la eficiencia[21]. Con frecuencia se afirma que la participación del sector privado en la gestión del agua encarece el servicio (BEL I QUERALT, 2008). Sin embargo, esta afirmación debe ser cuestionada, habida cuenta de que en los países donde el agua es más cara predomina la gestión pública, como se pone de manifiesto en el cuadro 2, en el que se recogen los precios del agua urbana y el régimen de gestión en algunos países de la UE. La investigación aplicada sugiere que la propiedad (privada o pública) del operador es irrelevante cuando se trata de promover la eficiencia, mientras que la regulación y el marco institucional en el que opera es un factor determinante (GONZÁLEZ-GÓMEZ et al., 2008).

---

21. Recientemente se ha publicado un trabajo que introduce un nuevo matiz a la controversia centrado en la percepción de los consumidores (GARCÍA-RUBIO et al., 2015). En este artículo los autores analizan el grado de satisfacción del usuario con la calidad del agua del grifo, según sea suministrada por los operadores públicos o por los operadores del sector privado. El análisis de los datos utilizando un modelo de regresión *logit* ordenado muestra que los usuarios perciben un deterioro de la calidad cuando los servicios están en manos de una empresa privada.

Cuadro 2. Precios del agua urbana y formas de gestión en algunos países de la UE.

	Precio (1)	% Gestión directa (Pública) (2)	
		Agua potable	Saneamiento
Dinamarca	4,96	60	100
Alemania	4,63	55	95
Holanda	3,61	100	99
Luxemburgo	3,34	100	100
Finlandia	3,27	95	99
Francia	2,78	27	44
Reino Unido	2,15	11	11
España	1,42	48	72

Pricing Water Resources and Water, OECD, 2010.

(1) *Statistics Overview on Wastewater in Europe*, EUREAU, 2009.

III. LA MANCOMUNIDAD DE LOS CANALES DEL TAIBILLA. UN EJEMPLO DE DISTRIBUCIÓN EN ALTA

La Mancomunidad de los Canales del Taibilla (MCT) es un organismo autónomo estatal, aunque en sus orígenes tuvo una configuración diferente. Se creó mediante la Ley de 27 de Abril de 1946, para contribuir a la garantía del abastecimiento de agua de la *«Base Naval y Puerto de Cartagena, así como de las poblaciones próximas y entidades de carácter estatal situadas en la misma región»* (Morales, 2002). En la actualidad, la MCT es un organismo que gestiona una compleja red de distribución de agua potable, de naturaleza pública. Su implantación ha ido creciendo hasta cubrir hoy una extensión superior a 11.000 km², y abastecer a 79 municipios del sureste peninsular de España (fundamentalmente concentrados en las provincias de Murcia y Alicante, y testimonialmente, en Albacete). Distribuye agua a municipios que engloban una población cercana a los 2.500.000 de habitantes, sin tener en cuenta el contingente de turistas y veraneantes. Los usuarios de la MCT consumen de media, anualmente, 179 hm³, de los que 118 hm³ provienen de los trasvases del río Tajo (MELGAREJO *et al.*, 2015).

La eficiencia de la MCT ha permitido garantizar los suministros de agua potable a una región de las de mayor crecimiento tanto demográfico como económico de España, superando, para ello, la escasez endémica de recursos disponibles, el aumento del consumo e incluso las incidencias negativas de los ciclos de sequía. La MCT ha apostado por la tecnificación de la gestión de la red, así como por la sensibilización de los usuarios con campañas de educación para fomentar una cultura de uso eficiente de los recursos hídricos. La última información disponible, obtenida de la Memoria de 2013, confirma la tendencia iniciada en el año 2005 de reducción de la demanda de agua por parte de los Ayuntamientos y Entidades asociadas de la Mancomunidad, lo que ha supuesto una indudable mejora de la eficiencia del sistema. La demanda global durante 2013 fue de 201 hm³.

Desde el año 2003, la MCT incorpora junto a los recursos del Trasvase Tajo-Segura, las aguas superficiales y subterráneas propias de la cuenca, y el agua de mar desalinizada. Ese año se puso en funcionamiento la desalinizadora del Canal (Alicante I), cuyas aguas se mezclan con el resto del sistema para diluir en parte su elevado coste de producción. En los años siguientes, otras desalinizadoras se han incorporado a la red (Alicante II, San Pedro del Pinatar). El total de los aportes procedentes de desalinizadoras utilizados por la MCT puede verse en el gráfico 13. En él queda reflejado el máximo de los caudales desalinizados registrado en los ejercicios 2007-2009. El cuadro 3 recoge, por su parte, las tarifas desglosadas de las desalinizadoras gestionadas por la MCT aplicadas en 2015, destacando entre todos los componentes el coste energético. El consumo en cada uno de los procesos que conlleva la desalinización en el área de influencia de la MCT puede verse en el cuadro 4, en él puede apreciarse el mayor consumo de la planta Alicante I sobre todo en los bombeos.

Gráfico 13. Caudales desalinizados utilizados por la MCT, 2003-2013.

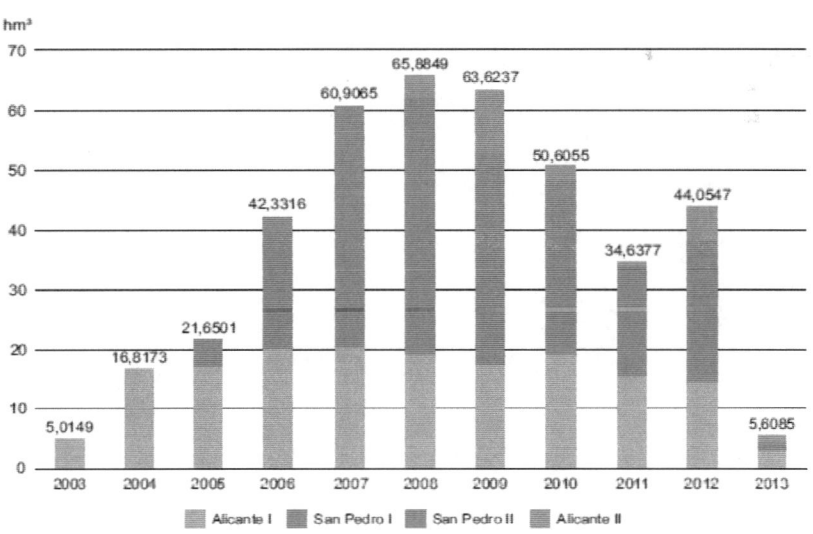

Fuente: Memoria MCT, 2013.

Cuadro 3. Tarifas de las desalinizadoras gestionadas por la MCT, 2015.

| | AMORTIZACIÓN (€/m³) | EXPLOTACIÓN (€/m³) | | | | | PRODUCCIÓN NOMINAL (m³) | IMPORTES FIJOS — COSTE FIJO ANUAL (€) | |
| | | ENERGÉTICOS | | NO ENERGÉTICOS | | TOTAL EXPLOTACIÓN | | ENERGÉTICO | NO ENERGÉTICOS |
		FIJOS	VARIABLES	FIJOS	VARIABLES				
ALICANTE I	0,1857	0,0950	0,2834	0,0787	0,0749	0,5320	20.987.500	1.994.208,22	1.652.510,91
SAN PEDRO I	0,1000	0,0775	0,2250	0,0542	0,0781	0,4348	22.815.000	1.768.415,86	1.237.208,08
ALICANTE II		0,0580	0,3027	0,0455	0,0277	0,4359	22.815.000	1.323.403,32	1.082.987,10
SAN PEDRO II		0,0327	0,3078	0,0405	0,0296	0,4379	22.815.000	745.981,44	

| | IVA INCLUIDO | | |
	COSTE FIJO EXPLOTACIÓN ANUAL TOTAL (€)	COSTE AMORTIZACIÓN ANUAL (€)	TARIFA VARIABLE TOTAL (€/m³)
ALICANTE I	3.646.719,13	3.897.689,37	0,3583
SAN PEDRO I	3.005.623,94	2.280.945,62	0,3031
ALICANTE II	2.406.390,42		0,3304
SAN PEDRO II	2.222.695,05		0,3374

Fuente: MCT. Elaboración propia.

Cuadro 4. Consumos (kWh/m³) en desalinizadoras del área de influencia MCT.

Planta	Bombeo hasta filtros	Turbo-bombas	Bombeo Producto	Trata-miento y S.A.	Σ Total de Procesos kWh/m³
Alicante I	0,892292	3,482022	0,648673	0,122435	5,145423
San Pedro I	0,4118035	3,09459568	0,39547927	0,041451	3,943629
San Pedro II	0,3797953	3,086668	0,34190166	0,163435	3,971800

Fuente: Melgarejo, 2009.

Las tarifas que ha cobrado la MCT en alta al conjunto de los municipios mancomunados y entidades asociadas durante el período 2011-2013 pueden verse en el cuadro 5.

Cuadro 5. Tarifas de la MCT, 2011-2013.

TARIFAS	2011	Hasta 7/03/2012	Desde 8/03/2012	Hasta 28/11/2013
TRASVASE	0,210786	0,210786	0,186123	0,186123

TARIFAS	2011	2012 (Septiembre)	2012 (Octubre)	ACTUAL
MCT Municipios y entidades	0,5874	0,5874	0,6433	0,6433
IVA	8%	10%	10%	10%
TARIFA MCT IVA incluido	0,634392	0,64614	0,70763	0,70763

Fuente: Memoria MCT, 2013.

Otra importante fuente de recursos para la MCT ha sido la compra de caudales a regantes de la zona del río Tajo, al margen de los cedidos mediante la Regla de explotación del Trasvase Tajo-Segura. Se trata, por lo tanto, de caudales adicionales, adquiridos gracias a que la reforma de la Ley de Aguas de 1985 por Ley 46/1999 autorizó los mercados del agua y permitió que para tal fin pudieran utilizarse infraestructuras de trasvase entre diferentes cuencas hidrográficas[22]. Así, por ejemplo, en 2006, se llevaron a cabo

---

22. Los mercados de agua tienen la doble función de transmitir una señal de escasez

suscripciones de contratos de cesión de derechos de agua (35,5 hm³) del río Tajo con la Comunidad de Regantes del Canal de las Aves (Aranjuez) por un importe de 10,2 millones de euros, así como otro contrato de cesión de derechos de agua del río Segura con regantes de zonas de arrozales de Hellín y Moratalla, para un volumen de agua de 1,2 hm³ (MELGAREJO *et al.*, 2008).

No obstante, el Trasvase Tajo-Segura sigue siendo el pilar básico en el funcionamiento de la MCT, ya que le aporta la mayor cuantía de recursos (gráfico 14). El volumen procedente del Tajo rebasa en todo caso el 50% del total de los aportes gestionados por la MCT; mientras que los caudales de las desalinizadoras se comportan como bienes sustitutivos de carácter complementario para garantizar el abastecimiento en alta.

Gráfico 14. Fuentes de aprovisionamiento de la MCT, 2012 y 2013.

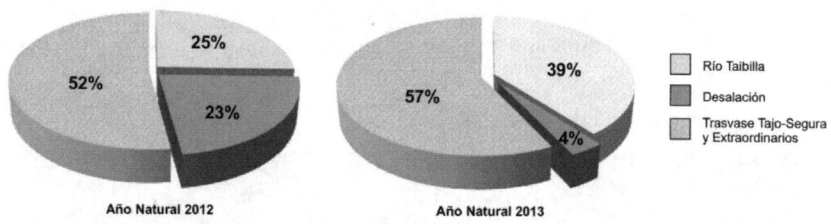

Fuente: Memoria MCT, 2013.

En el gráfico 15 se muestran los volúmenes trasvasados del Tajo a la cuenca del Segura, desde que el ATS entrase en funcionamiento, en 1979, hasta la actualidad, diferenciando el destino de los mismos para el abastecimiento y los riegos. Los abastecimientos, dada su prioridad en el consumo, han recibido en el transcurso de estos años unas aportaciones bastante constantes, en contraste con las grandes variaciones de los aportes destinados a los riegos. Las tarifas que abonan los usuarios de las aguas del trasvase contemplan de manera implícita la recuperación integra de los costes, al englobar los componentes relativos al coste de las obras y los gastos fijos y variables. Además, desde 1986, también incorporan la compensación a la cuenca cedente, que perciben las comunidades autónomas por las que discurre el Tajo[23]. Con todo, el precio que paga la MCT por el agua trasvasada es sustancialmente inferior al que abona por el agua procedente de las des-

---

del recurso y al mismo tiempo de facilitar la reasignación de derechos mediante el intercambio de derechos de agua entre los usuarios, o entre los usuarios y el medio ambiente.

23. Las tarifas vigentes del trasvase Tajo-Segura, aprobadas el 29 de noviembre de 2013, son de 0,09 €/m³ para el regadío y de 0,11 €/m³ para el abastecimiento. Por su parte, la compensación a la cuenca cedente ha ascendido a más de 400 millones de euros constantes entre 1986 y 2014 (MELGAREJO *et al.*, 2014).

alinizadoras de su ámbito (0,11 €/m³ frente a 0,68 €/m³), lo que explica la preferencia por los caudales trasvasados.

Gráfico 15. Destino del agua del Tajo-Segura, 1979-2014.

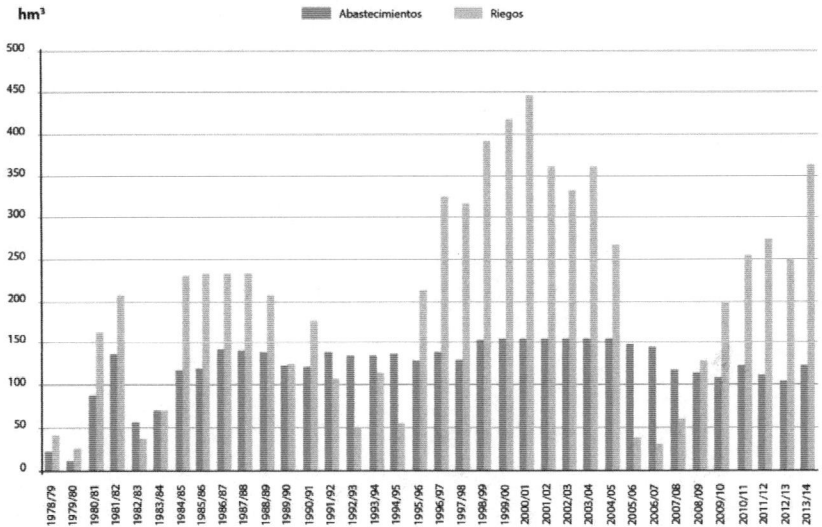

Fuente. SCRATS. Elaboración propia.

IV. ALCANTARILLADO, DEPURACIÓN Y REUTILIZACIÓN

Según el artículo 114 del Texto Refundido de la Ley de Aguas, los beneficiados por obras hidráulicas financiadas total o parcialmente a cargo del Estado satisfarán por la disponibilidad o uso del agua una exacción denominada «tarifa de utilización del agua», destinada a compensar los costes de inversión que soporte la Administración estatal y a atender a los gastos de explotación y conservación de tales instalaciones. La obra hidráulica comprende el conjunto de las obras e instalaciones interrelacionadas que constituyen un sistema capaz de proporcionar un servicio completo de suministro de agua regenerada. Ya se ha señalado que las Administraciones públicas deben guiarse por el principio de recuperación de los costes de los servicios relacionados con la gestión del agua regenerada, tomando en consideración las consecuencias sociales, ambientales y económicas, así como las condiciones geográficas y climáticas de cada territorio. De manera que la aplicación del principio de recuperación de costes incentive el uso eficiente del agua y, por tanto, contribuya a los objetivos medioambientales perseguidos por la normativa (MAGRAMA, 2010:41).

España ha realizado un gran avance en las últimas décadas en el tratamiento de aguas residuales, aunque continúa teniendo un déficit frente al
cumplimiento de la normativa de la Unión Europea[24]. Entre 1995 y 2010,
el porcentaje de población urbana con tratamiento secundario o terciario
experimentó un gran aumento, pasando del 41% al 93% de la población;
sin embargo, no se ha alcanzado el 100% que exige la normativa europea,
lo que le expone a recibir importantes sanciones económicas. El camino que
queda por recorrer en el tratamiento terciario aún es mayor, ya que sólo el
60% de la población dispone de este tipo de tratamientos[25]. También se debe
mencionar el elevado envejecimiento de las redes de alcantarillado, hecho
que es particularmente grave en el caso de las áreas metropolitanas, en que
más del 50% de la red tiene más de 30 años (Gráfico 16).

Gráfico 16. Envejecimiento de las redes de alcantarillado

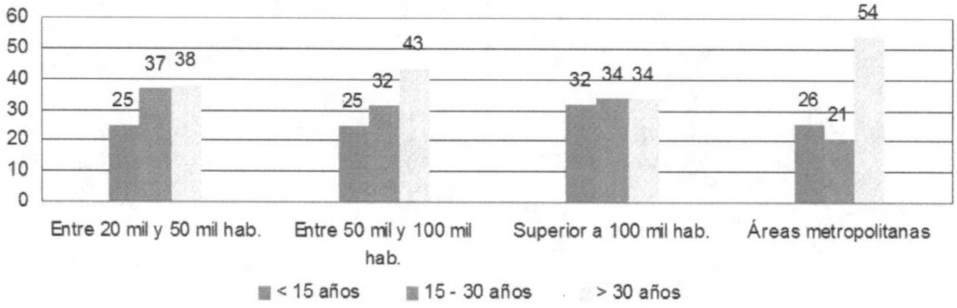

Fuente: AEAS, 2014.

---

24. La aprobación en 1994 de la Directiva Comunitaria 91/271, por la que se regula el
tratamiento de las aguas residuales urbanas antes de su vertido, marca una nueva
etapa en la atención prestada, en España, a la depuración de aguas residuales. Su
transposición al ordenamiento jurídico español se realizó en el Real Decreto-Ley
11/1995, de 28 de diciembre, por el que se establecen las normas aplicables al tratamiento de las aguas residuales urbanas, que posteriormente fue desarrollado en
el Real Decreto 509/1996, de 15 de marzo. Dichas normas se recogen en el Plan
Nacional de Saneamiento y Depuración, aprobado en 1995, y en el Plan Nacional
de Calidad de las Aguas: Saneamiento y Depuración 2007-2015, que han supuesto
un fuerte impulso en la construcción y mejora de estaciones depuradoras y han
relanzado el interés por la reutilización de las aguas regeneradas.
25. En la actualidad, España no cumple con la legislación comunitaria en materia de
depuración del agua urbana. Concretamente, nuestro país está especialmente alejado de cumplir los objetivos que fija la DMA para la depuración en municipios de
más de 10.000 habitantes, ya que solo el 32% de los municipios españoles mayores
de 10.000 habitantes cuenta con los sistemas de depuración terciarios que exige la
legislación comunitaria (PwC, 2014:20).

El servicio de saneamiento se destina a la depuración de las aguas residuales, con la finalidad de que, una vez regeneradas, se reutilicen o se devuelvan al entorno natural con el menor impacto medioambiental posible. La parte de recolección de las aguas residuales, en algunos casos, se financia parcialmente a través de tasas de alcantarillado aprobadas por los municipios, mientras que otros muchos municipios optan por soportar el coste del servicio desde sus propios presupuestos[26]. La tarifa puede ser «monomial», que contemple únicamente una parte variable, en función del consumo de agua registrado, con uno o múltiples tramos; o binomial, con una parte fija, que garantiza el servicio de alcantarillado independientemente de que haya o no consumo, y una parte variable, según el consumo registrado. En general se aplican cánones de saneamiento, con un marcado componente ecológico, que gravan la producción de aguas residuales, así como la carga contaminante vertida por los usuarios del agua.

Las actuales tarifas solo cubren, y no siempre, los gastos operativos. Entre estos costes operativos destacan los cánones de saneamiento o depuración, de carácter finalista, destinados a cubrir los gastos de la explotación de las depuradoras, que son administrados por las Comunidades Autónomas. Se recaudan a través de la factura.

El canon de saneamiento es un instrumento tributario que han adoptado la mayoría de las comunidades autónomas en España con el fin de gestionar la explotación, operación, mejora y construcción de las diferentes infraestructuras hidráulicas destinadas al saneamiento y depuración de las aguas de consumo urbano e industrial, con la finalidad de proteger el patrimonio hidráulico y medioambiental[27]. Cada comunidad autónoma, a través de entidades públicas o de las consejerías de Hacienda, establece un valor y un cálculo del canon de saneamiento y se encarga de su recaudación para su posterior inversión en diferentes infraestructuras hidráulicas[28]. En la mayoría de casos este canon de saneamiento está compuesto por dos cuotas: fija y variable, y además es usual la distinción entre consumo urbano y consumos

---

26 De acuerdo con la Ley 8/1989, de 13 de abril, de Tasas y Precios Públicos; y con la Ley 7/1985, de Bases de Régimen Local, el servicio de alcantarillado es un servicio de competencia municipal, por cuya prestación puede exigirse la satisfacción de una tasa.

27. Las comunidades autónomas tienen competencia para crear sus propios tributos en los términos previstos en el artículo 133.2 de la Constitución española.

28. En algunas cuencas se calcula la exacción por la prestación de los servicios de saneamiento y/o vertidos al medio a través de un cálculo de la carga contaminante que arroja el efluente de las actividades. Es el caso del Canon del Agua de la Agencia Catalana del Agua.

industriales[29]. Existe una clara ausencia de unidad de mercado en cuanto a cánones y tarifas. Actualmente el mapa nacional de cánones relacionados con el agua es muy diverso y variado tanto en el número de cánones aplicados por cada comunidad autónoma como en la tipología de los mismos. Incluso en algunos de estos cánones (por ejemplo el de saneamiento de reciente creación) existe una elevada dispersión entre CCAA, como puede observarse en el gráfico 17 que recoge el valor en cada comunidad; mientras que el gráfico 18 muestra la diferente graduación de la parte variable del canon de saneamiento en las diferentes comunidades en 2014.

Gráfico 17. Valor de los cánones de saneamiento en las diferentes comunidades autónomas.

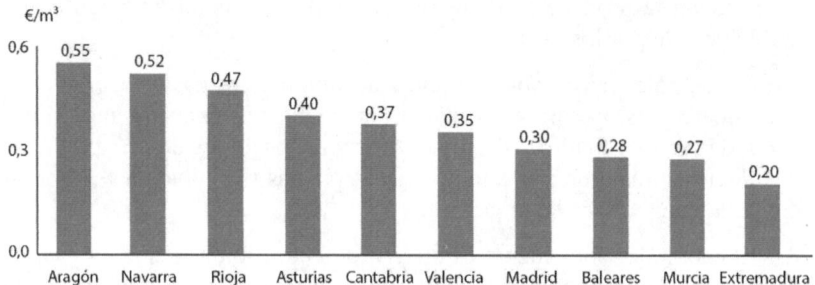

Fuente: PwC, 2014.

29. Donde los gestores son los propios ayuntamientos o empresas concesionarias del servicio de depuración de aguas residuales urbanas no existe un modelo único para el establecimiento y estructura de la figura que recaude por la prestación de este servicio. Es habitual que los municipios que llevan a cabo la gestión de este servicio unifiquen la figura recaudadora por la prestación de los servicios de recogida, tratamiento y depuración de aguas residuales a través de la Tasa de Alcantarillado. En otros casos, las tarifas del servicio de distribución se fijan atendiendo al coste de la prestación de los servicios que integran el ciclo integral del abastecimiento y saneamiento, no diferenciando la parte correspondiente a cada servicio (MMA, 2007:60).

Gráfico 18. Comparativa del canon de saneamiento CCAA (2014), en función del consumo mensual de agua.

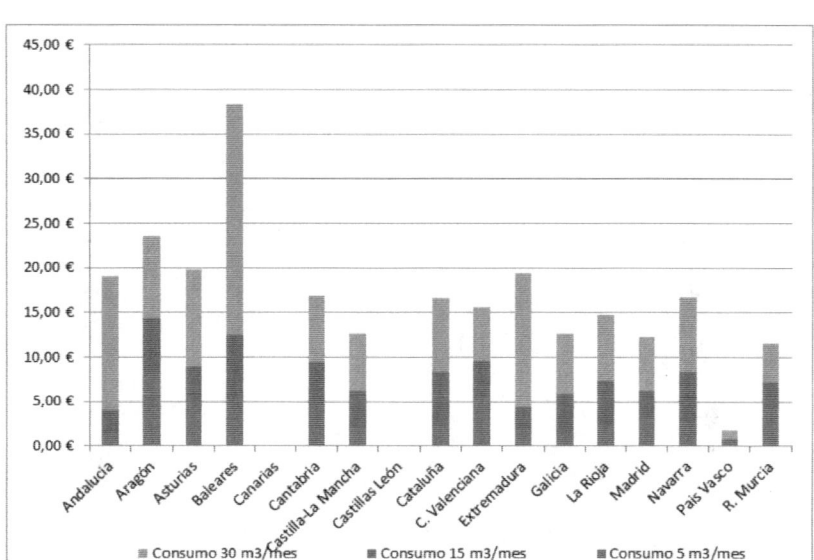

Fuente: Elaboración propia.

En diciembre de 2007 se promulgó el RD 1620/2007, que establece el régimen jurídico de la reutilización de aguas depuradas en España. Esta normativa define el concepto de reutilización e introduce la denominación de aguas regeneradas, determina los requisitos necesarios para llevar a cabo la actividad de utilización de aguas regeneradas, establece los procedimientos para obtener la concesión y recoge los criterios mínimos obligatorios exigibles para la utilización de las aguas regeneradas según los usos (MOLINA *et al.*, 2015). En el gráfico 19 puede verse el sustancial incremento de la reutilización de aguas regeneradas en España desde que se aprobara la normativa en 2007, lo que ha supuesto que entre 2008 y 2015 el volumen se haya más que duplicado, siendo la tendencia prevista también alcista. Según la OCDE, con los valores de las tarifas actuales, España es el único país desarrollado en que éstas no permiten cubrir los costes de O&M de saneamiento y distribución; mientras que ya existe un elevado número de países en los que no solo se cubren los costes de O&M, sino la totalidad de costes incurridos en el servicio (OCDE, 2011). En el gráfico 20 se muestra un ejemplo de la estructura de costes de la depuración y la reutilización, referido a la Comunidad Valenciana.

Gráfico 19. Evolución de la reutilización de agua en España (hm³/año).

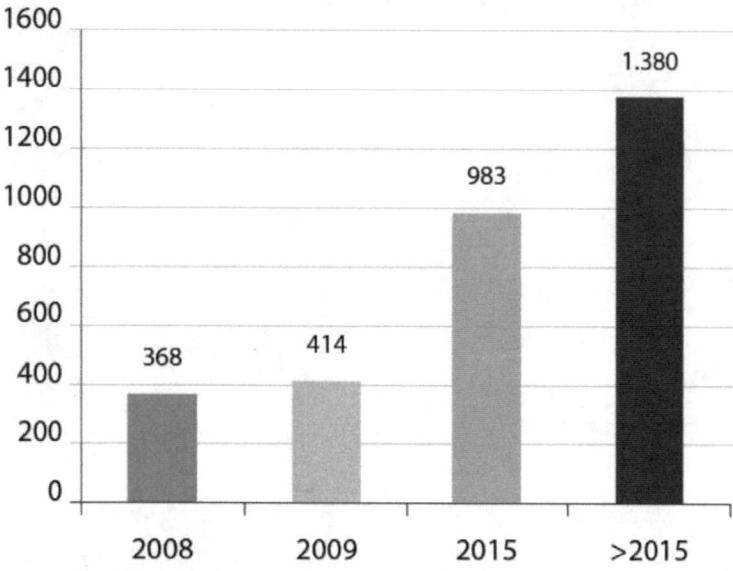

Fuente: Yagüe Córdova, 2014

Gráfico 20. Estructura de costes de la depuración y reutilización en la Comunidad Valenciana.

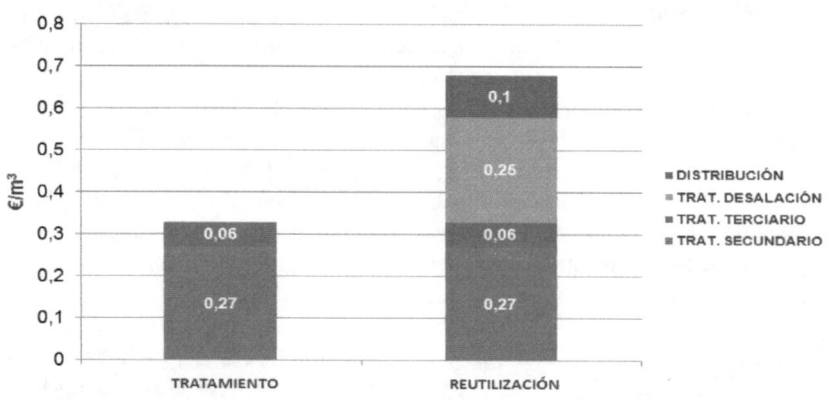

Fuente. EPSAR, 2015. Elaboración propia

V. CONCLUSIONES Y PROPUESTAS

El suministro de agua potable a los hogares y la recogida y depuración de la misma para la devolución al medio natural o su reutilización para otros fines tiene un coste. La necesaria adaptación a las nuevas normativas europeas, junto con la escasez relativa de los recursos hídricos y las exigencias de mayor calidad, imponen una importante transformación de las infraestructuras existentes y la creación de otras nuevas, lo que se traduce en la necesidad de acometer notables inversiones y, consecuentemente, un aumento del gasto de los servicios del agua[30].

Las tarifas que se aplican en España no cubren todos los costes que conllevan los servicios de agua urbana y deberían incrementarse para evitar el deterioro en la calidad del servicio y garantizar su sostenibilidad. En la actualidad, solo se cubren los costes operativos del servicio, pero no los relativos a las infraestructuras –amortización, renovación y nuevas actuaciones para la mejora de prestaciones o calidades del agua y servicio– y al alcantarillado.

El precio del agua en España está por debajo de la media de los países del entorno europeo, por lo que cabría aumentarlo. La alternativa a este incremento, sería seguir subvencionando, en mayor o menor medida, los costes del agua a través de los presupuestos públicos, lo que no sería en absoluto recomendable, dado que mediante las subvenciones se oculta el coste real del recurso y no se traslada al usuario el valor del servicio, lo que dificulta la sensibilización de los usuarios y los estímulos para que se haga un uso sostenible de los recursos, algo que adquiere especial relevancia, en el caso de España, habida cuenta de la escasez y desigual distribución de los recursos hídricos que presenta el país.

El importe total facturado por el agua urbana en España asciende a 5.202 millones de euros. De la factura doméstica de agua que pagamos por los servicios, aproximadamente un 60% corresponde al abastecimiento y un 40% al saneamiento (AEAS, 2014). Una parte importante de los costes que no se recuperan son los ambientales. Es importante introducir modificaciones legales que incidan en la consideración de dichos costes, si bien hay que ser prudentes en su aplicación, porque pagar no puede percibirse como un permiso para contaminar, por lo que hay que procurar evitar que esto pueda resultar rentable.

---

30. En su configuración actual, las diversas tasas exigidas no permiten, en la mayoría de casos, una recuperación adecuada de los costes soportados en la prestación de los servicios del ciclo integral del agua. Por otra parte, no aparecen hasta la fecha ponderaciones encaminadas a integrar determinados costes ecológicos y los derivados de la escasez (MMA, 2007:220).

Por lo demás, el sector del agua en España sufre ciertas disfunciones, como la falta de unidad de mercado: dependiendo de la localidad en que se ubique el consumidor, existen diferencias significativas en las tarifas abonadas por los ciudadanos por servicios similares y también se observan variaciones en los conceptos que incluyen dichas tarifas. Estas diferencias, a su vez, no responden a una lógica económica o de escasez, sino que se derivan de una serie de factores, que en muchos casos son ajenos al propio sector. Los principales retos a los que se enfrenta el sector son dos: garantizar la autosuficiencia financiera de los servicios de abastecimiento y depuración del agua, y mejorar la coordinación entre los distintos entes públicos con competencias en la gestión del agua. La creación de organismos reguladores que aporten transparencia a los mecanismos de fijación de los precios del agua y la adopción de medidas que favorezcan la mancomunación de municipios para obtener economías de escala y lograr una explotación más eficiente son las medidas más comunes que están siendo implementadas por los países desarrollados de la OCDE.

Parece conveniente la creación de un nuevo marco legislativo y regulatorio que aporte estabilidad y «predictibilidad» al sector, y permita tanto atraer las inversiones que se necesitan como, en paralelo, facilitar que el consumo del agua sea económicamente eficiente y medioambientalmente sostenible a largo plazo. Debería, pues, garantizarse la homogeneidad en los criterios de cálculo de las tarifas en toda la geografía nacional, evitando posibles agravios comparativos entre ciudadanos y consumidores. Se debe procurar alcanzar la sostenibilidad económica del sector y la autosuficiencia financiera, garantizando que las tarifas del agua reflejen fielmente los costes reales en los que se incurre para suministrar el servicio a los consumidores. De esta manera, se cumpliría con el principio de recuperación de costes recogido en la Directiva Marco del Agua y con las diversas recomendaciones que ha emitido la OCDE a este respecto. Se hace necesaria, asimismo, la concreción de las competencias hídricas municipales, para evitar duplicidades y propiciar la consecución de economías de escala y de alcance para aquellas actividades en las que sea más eficiente la gestión en instancias supra-municipales. En la medida en que los servicios de gestión del agua sean suministrados a un mayor número de usuarios, los costes unitarios decrecerán debido a las economías de escala; mientras que el propiciar una gestión integral del ciclo del agua para un conjunto de usuarios permite obtener economías de alcance, ya que un único operador gestiona todas las fases del ciclo. En este sentido, en las últimas décadas, inducidos, en gran medida, por la obsolescencia de las infraestructuras y por los requerimientos de capital asociados a las nuevas inversiones, se ha experimentado un crecimiento exponencial del número de usuarios que reciben los servicios de abastecimiento y saneamiento del agua a través de modelos de colaboración pública-privada. Generalmente se potencia esta colaboración en la gestión integral del ciclo del agua, de manera que un mismo operador especializado gestione la totalidad de las actividades en la cadena de valor del sector (captación, potabilización, distribución, alcantarillado y saneamiento).

En definitiva, el sector reclama un órgano regulador y una clarificación y homogeneización de criterios para lograr una mayor transparencia. Las funciones del regulador englobarían el establecimiento de criterios económicos y de servicios. Los criterios económicos incluirían el establecimiento de tarifas, homogenizando las estructuras tarifarias y garantizando la repercusión y recuperación de los costes y la estabilidad a largo plazo; modulando los cánones concesionales, que en caso de ser necesarios, sean limitados y dedicados obligatoriamente a inversiones o mejoras del servicio. Todo ello daría garantía jurídica a largo plazo y favorecería la participación de los fondos de inversión internacionales. La regulación es la garantía de una adecuada prestación del servicio, implica el control y vigilancia del operador, con el objetivo de velar por el cumplimiento de los estándares de servicios acordados. Asimismo, el buen regulador debe preservar los derechos y contraprestaciones acordadas a favor del prestador de servicio. La separación de la figura del regulador y la del prestador del servicio es clave para que los servicios públicos se presten con la garantía debida a favor del ciudadano. El regulador debe ser el garante de los dos elementos esenciales de la Gobernanza: el interés general y la seguridad jurídica.

VI. BIBLIOGRAFÍA

AEAS (2004): VIII Encuesta Nacional de Suministro de Agua Potable y Saneamiento en España (2002).

AEAS-AGA, (2013): La Asociación Española de Abastecimientos de Agua y Saneamiento (AEAS) y la Asociación Española de Empresas Gestoras de los Servicios de Agua a Poblaciones (AGA): ESTUDIO AEAS-AGA 2013.

– (2014): XIII Encuesta de Suministro de Agua Potable y Saneamiento en España.

ALBIOL OMELLA, C., y BRU ANGELATS, A. (2013): Estudio sobre el precio del agua en España, *AQUAE-PAPERS*, núm. 1.

ALBIOL OMELLA, C., y AGULLÓ AMORÓS, F. (2014): «La reducción del consumo de agua en España: causas y tendencias», *AQUAE-PAPERS*, núm. 6.

ÁLVAREZ FERNÁNDEZ, M. (2004): *El abastecimiento de agua en España*, Civitas, Madrid.

AT KEARNEY (2015). Contribución de las infraestructuras al desarrollo económico y social de España y Áreas prioritarias para una inversión sostenida en infraestructuras. Consultora AT Kearney-SEOPAN.

http://www.atkearney.es/documents/3900187/6315418/%C3%81reas+prioritarias+para+una+inversi%C3%B3n+sostenida+en+infraestructuras_SEOPAN.pdf/42038875-30db-4a1e-b6b5-12dfc7005bb0

BARBERÁN, R.; COSTA, A., y ALEGRE, A. (2008): «Los costes de los servicios urbanos del agua. Un análisis necesario para el establecimiento y control de las tarifas», Hacienda Pública Española, *Revista de Economía Pública*, 186– (3/2008).

BEL I QUERALT, G. (2008): «Refuse Collection in Spain: Privatization, Intermunicipal Cooperation, and Concentration», The Waste Market, Institutional Developments in Europe, Chapter 6.

BERGSTROM, J.; BOYLE, K. y POE, G. (2001): *The Economic Value of Water Quality,* Edward Elgar.

BROUWER, R. (2004): «The concept of environmental and resource cost. Lessons learned from ECO2». In Brouwer, R. y P. Strosser (eds.), Environmental and Resource Cost and the Water Framework Directive. An overview of European practices. RIZA Working Paper 2004. 112x. Amsterdam, Holland.

BROWN, G. (2000): «Renewable Natural Resource Management and Use without Markets», *Journal of Economic Literature,* volume 38 (4): 875-914.

CALVO MIRANDA, J. L. (2010): «Abastecimiento de agua potable y saneamiento de las aguas residuales urbanas en España», *Revista Aragonesa de Administración Pública*, núm. 36.

Comisión Europea (2000): Directiva 2000/60/EC. Del Parlamento y el Consejo del 23 de octubre de 2000.

DEL VILLAR, A. (2010): *Análisis de las fórmulas de recuperación de costes de tratamiento de aguas residuales y de su distribución para reutilización,* Ministerio de Economía y Competitividad. Consolider TRAGUA.

EUREAU (2009): EUREAU Statistics Overview on Water and Wastewater in Europe 2008, Country Profiles and European Statistics. European Federation of National Associations of Water & Wastewater Services, EUREAU.

GARCÍA-RUBIO, M. A.; TORTAJADA, C., y GONZÁLEZ-GÓMEZ, F. (2015): «Privatising Water Utilities and User Perception of Tap Water Quality: Evidence from Spanish Urban Water Services», *International Journal of Water Resources Management*, 1-15

GARCÍA VALIÑAS, M. A. (2005): «Fijación de precios para el servicio municipal de suministro de agua: un ejercicio de análisis de bienestar», Hacienda Pública Española, *Revista de Economía Pública*, 172-(1/2005), 119-142.

GONZÁLEZ GÓMEZ, F. (2005): «El precio del agua en las ciudades. Reflexiones y recomendaciones a partir de la Directiva 2000/60/CE», *Ciudad y territorio. Estudios Territoriales*, XXXVII (144), 305-321, Ministerio de Vivienda.

GONZÁLEZ GÓMEZ, F., y GARCÍA RUBIO, M. (2008): «Efficiency in the management of urban water services. What have we learned after four decades of research?», Hacienda Pública Española, *Revista de Economía Pública*, 185-(2/2008), 39-67.

INE (2015): Encuesta sobre el Suministro y Saneamiento del Agua, año 2013.

INTERNATIONAL STATISTICS FOR WATER SERVICES (IWA, 2014):

http://www.vesiyhdistys.fi/pdf/IWA_international_statistics_2014_web.pdf

MAESTU, J., y GÓMEZ, C.M. (2008): *Análisis Económico de los usos del agua en España*. MAGRAMA.

MAGRAMA (2010): Plan Nacional de Reutilización de Aguas. (Versión preliminar).

MARTÍNEZ LACAMBRA, A.; ALBIOL OMELLA, C., y MASANA LLIMONA, J. (2010): «La financiación del ciclo del agua en España. Problemática y retos de futuro», *Presupuesto y Gasto Público*, Instituto de Estudios Fiscales, 57/2009, 51-75.

MELGAREJO, J., y LÓPEZ ORTIZ, Mª.I. (2008): «¿Son los contratos de cesión de derechos y los bancos de agua instrumentos convenientes para mejorar la gestión del agua?», *Tractat de l ' aigua*, núm. 1, 54-62.

MELGAREJO, J.; MOLINA, A., y LÓPEZ, M. I. (2014): «El memorándum sobre el Trasvase Tajo-Segura. Modelo de resolución de conflictos hídricos», *Revista Aranzadi de Derecho Ambiental*, núm. 29.

– (2015): «La Mancomunidad de los Canales del Taibilla (MCT). Garantía del abastecimiento en el Sureste de España», en Armando Ortuño (Eds.), *Cómo se gestiona una ciudad*. Publicaciones Universidad de Alicante.

183

MELGAREJO, J., y MONTAÑO, B. (2009): «La eficiencia energética del trasvase Tajo-Segura», *CUIDES, Cuaderno Interdisciplinar de Desarrollo Sostenible*, núm. 3, 173-195.

Millennium Ecosystem Assessment (2005): Ecosystems and Human Wellbeing: Wetlands and Water. Synthesis, World Resources Institute, Washington, D.C.

Ministerio de Medio Ambiente y Medio Rural y Marino (MMA) (2007). «Precios y Costes de los Servicios de Agua en España. Informe integrado de recuperación de costes de los servicios de agua en España», Madrid: MMA.

http://hispagua.cedex.es/sites/default/files/especiales/Tarifas_agua/precios_costes_servicios_%20agua.pdf

MOLINA, A., y MELGAREJO, J. (2015): «Water policy in Spain: seeking a peaceful balance between transfers, desalination and wastewater reuse», *International Journal of Water Resources Development*.

MORALES GIL, A. (2002): «Un modelo de eficiencia en el abastecimiento urbano de agua: la Mancomunidad de los Canales del Taibilla». En Confederación Hidrográfica del Segura, 1926-2001, 75 Aniversario, Ministerio de Medio Ambiente

OCDE (2009): Managing Water for All. An OECD perspective on pricing and financing.

– (2010): Pricing water resources and water and sanitation services.

– (2011). Water Governance in OECD Countries.

PwC (2014). «La gestión del agua en España, análisis de la situación actual del sector y retos futuros». ACCIONA.

http://www.acciona.es/media/1226705/informe_gestion_agua.pdf

RUIZ-VILLAVERDE, A.; GONZÁLEZ-GÓMEZ, F., y PICAZO-TADEO, A.J. (2015): «The privatization of urban water services: theory and empirical evidence in the case of Spain», *Investigaciones Regionales*, núm. 31, enero-junio, 2015, pp. 157-174.

RUIZ DE APODACA ESPINOSA, A. (2014): «Sentencia del Tribunal de Justicia de la Unión Europea (Sala segunda), de 11 de septiembre de 2014, asunto C-525/12, por la que se desestima el recurso por incumplimiento interpuesto por la Comisión contra Alemania relativo a la Directiva "marco" de aguas y la recuperación de costes por servicios relacionados con el agua. Actualidad Jurídica Ambiental».

http://www.actualidadjuridicaambiental.com/jurisprudencia-al-dia-union-europea-alemania-aguas/

TORTAJADA QUIROZ, H.C. (2008): *El agua y el medio ambiente en las conferencias mundiales de las Naciones Unidas*, Agenda 21, Zaragoza.

WARD, F., y PULIDO-VELÁZQUEZ, M. (2008): «Incentive Pricing and Cost Recovery at the Basin Scale», *Journal of Environmental Management*, XX: 1-21.

WATECO (2002). «Economics and the Environment. The Implementation Challenge of the Water Framework Directive. Guidance Document», Common Implementation Strategy for the Implementation of the Water Framework Directive. European Commission.

WWF/ADENA (2015). Modernización de regadíos: un mal negocio para la naturaleza y la sociedad. Estudio basado en González Cebollada, C. et al. «Efectos ambientales de la modernización de regadíos en España». WWF2013. Disponible en http://www.wwf.es/

YAGÜE CÓRDOVA, J.: 2014. Plan Nacional de Reutilización de Aguas. MAGRAMA.

http://www.lis.edu.es/uploads/12fce39e_4a31_4166_a2e7_888f6ce1259a.pdf

YOUNG, R. (2005): *Determining the Economic Value of Water: Concepts and Methods, Resources for the Future*, Washington.

CAPÍTULO VI

AGUA Y EFICIENCIA EN EL SECTOR AGRARIO DE LA REGIÓN DE MURCIA

José Colino Sueiras
Catedrático de Economía Aplicada. Universidad de Murcia

SUMARIO: I. INTRODUCCIÓN. II. RASGOS Y EVOLUCIÓN RECIENTE DEL SECTOR AGRARIO. III. AGUA, PRODUCCIÓN Y EMPLEO. IV. SALARIOS Y SUBVENCIONES EN EL SECTOR AGRARIO. V. CONCLUSIÓN. VI. REFERENCIAS.

I. INTRODUCCIÓN

Los principios están muy claros: en el tema de los recursos hídricos, las variables económicas pueden contribuir a esclarecer determinadas cuestiones, pero ello no significa que sean las más relevantes (GIBBONS, 1986). Es necesario que los diagnósticos y las políticas sobre recursos hídricos se fundamenten en un sólido sustento económico y jurídico. Pero siendo este tipo de argumentos una condición absolutamente necesaria, están lejos de satisfacer todos los requerimientos necesarios para que el planteamiento sobre una determinada cuestión hídrica sea correcto. Más claro: no se trata de que, como sucede con harta frecuencia, la necesaria perspectiva económica se vea complementada por la introducción de una serie de consideraciones ambientales, como si éstas fuesen el simple condimento de un plato en cuya elaboración deben prevalecer los inputs de corte económico. En absoluto: las variables medioambientales deben primar en el análisis, desempeñando las económicas un papel subsidiario. Y debe tenerse en cuenta que, cuando hablamos de variables económicas, nos referimos no sólo a las que se relacionan con la eficiencia productiva, sino también a aquéllas que tienen un contenido más «social» como, por ejemplo, el empleo.

La posición anterior ha adquirido un rango institucional. En el frontispicio, de la Directiva Marco del Agua (Directiva 2000/60/CE de 23 de octubre de 2000) se puede leer textualmente: «El agua no es una mercancía más sino un patrimonio que deber ser protegido, defendido y considerado como tal». Por tanto, en caso de conflicto entre la conservación de un determinado recurso hídrico y su uso productivo debe primar la perspectiva medioambiental (Perni et al., 2012). Es más, la historia demuestra que el planteamiento productivista de los recursos hídricos conduce inexorablemente a un grave deterioro del correspondiente patrimonio natural. Así pues, los usos del agua que no garanticen la sostenibilidad del recurso deben ser proscritos.

La dura realidad es, asimismo, perfectamente conocida: una importante fracción del producto –y, por tanto, del empleo– de la Región de Murcia dependen de una utilización de un volumen de recursos hídricos que, desde un punto de vista ambiental, es insostenible porque suponen la degradación de un patrimonio natural, sea por la vía de la sobreexplotación de los acuíferos regionales, sea por la creciente presión ejercida sobre las disponibilidades decrecientes de la cabecera del Tajo (Martínez-Fernández y Esteve, 2009). Conjugar los principios con los legítimos intereses económicos y sociales regionales es harto difícil.

Cuadro 1. Relevancia del paro y del medio ambiente como problemas para la sociedad española. Septiembre, 2015.

%	1er. problema	2º problema	3er. problema	Total
Paro	55,4	17,6	5,6	78,6
Problemas ambientales	0,0	0,1	0,2	0,3

Fuente: CIS, *Barómetro de septiembre de 2015 (Avance de resultados).*

Lo que sucede es que, en el corto plazo, los aspectos económicos tienden a primar sobre los ambientales. Buena prueba ello es el cuadro 1, en el que se recogen los resultados del *Barómetro* del CIS de septiembre de 2015. La diferencia entre la importancia que se le da al desempleo como problema[1] y las cuestiones medio-ambientales es abismal. El primero no sólo es el principal problema que cree padecer la sociedad española sino que, además, la fracción de los ciudadanos que lo sitúa en los tres primeros puestos prácticamente dobla al segundo, que es «La corrupción y el fraude» cuyo total respectivo es un 39,5%. Los problemas medio-ambientales se sitúan en el extremo inferior de la escala, puesto que la proporción de ciudadanos que

---

1.   La pregunta del CIS se plantea en los siguientes términos: *¿Cuál es, a su juicio, el principal problema que existe actualmente en España? ¿Y el segundo? ¿Y el tercero?*

considera que forma parte de la sufrida trinidad de males patrios se reduce a un 0,3%, siendo infinitesimal la proporción de los que lo ubican en primer lugar. Por tanto, resulta evidente que la sociedad tiene un planteamiento cortoplacista, lo que puede resultar decepcionante si nos atenemos a las cuestiones ambientales, pero que no debe extrañar si se considera la alta y anómala tasa de paro que sufre la población activa en España.

II. RASGOS Y EVOLUCIÓN RECIENTE DEL SECTOR AGRARIO

Una apretada síntesis sobre el conjunto del sector primario regional – Agricultura, ganadería, silvicultura, pesca y acuicultura– podría estar compuesta por los siguientes comentarios (COLINO *et al.*, 2014):

- La estructura productiva de la Región de Murcia tiene, en el contexto nacional, una elevada especialización agraria, con una aportación del sector al VAB total regional que, en los últimos años, superó levemente el cinco por cien, lo que duplica a la correspondiente cifra española.

- Por otro lado, el peso regional en el VAB agrario nacional se sitúa en torno al 5,5%, que es la séptima cuota más elevada de las 17 CCAA. Desde una perspectiva territorial que garantice una mejor comparabilidad, Murcia es la segunda provincia, después y a muy escasa distancia de Almería.

- El comportamiento del sector agrario se caracteriza, en general, por tres rasgos: a) Una tendencia crónica a la pérdida de posiciones en el output y en el empleo agregados; b) Una baja sensibilidad cíclica; c) Al margen del ciclo, la intensidad de las fluctuaciones interanuales que experimenta la actividad productiva, al estar supeditada a las variables agro-climáticas.

- A lo largo de la fase expansiva (2000-2007), la participación de la agricultura regional en el VAB y la población ocupada sufrió una sensible merma pero, debido a su mayor capacidad de resistencia en las fases contractivas, entre 2008 y 2013 recuperó buena parte de las posiciones perdidas en el septenio anterior.

- El empleo agrario regional ha experimentado un llamativo crecimiento a lo largo de la fase recesiva, de tal forma que en 2013 la cuota ocupacional del sector primario se elevó a un 10.9% frente a un 4,2% en España. La creación de cerca de diez mil empleos resulta sorprendente por diferentes razones: a) La relativa estabilidad a precios constantes del output sectorial; b) El hecho de ser la única provincia española donde se registra un incremento de la ocupación agraria; c) La ausencia de una creciente especialización en las ramas agrarias más intensivas en factor trabajo, como la horticultura, a lo largo del periodo analizado.

– El empleo agrario de la Región de Murcia se caracteriza por una elevada tasa de salarización (81,7% frente a un 57,3% en España), que es la más elevada no sólo de las 17 comunidades autónomas, sino también de las 50 provincias. Hay que dejar constancia de que pese al carácter estacional de las labores agrarias, la carga horaria anual de los asalariados agrarios es muy similar a la media del conjunto formado por los trabajadores por cuenta ajena de las actividades no agrarias.

– La especialización vegetal del sector agrario es muy acusada, al aportar ese tipo de producciones alrededor del 70% del valor del output regional, entre las que sobresalen las hortalizas (40%) y las frutas frescas y los cítricos, con aportaciones que en los dos casos rondan el 10%.

– La cuota productiva de determinados cultivos hortícolas murcianas en el total español alcanza niveles muy elevados: entre el 40 y el 60% en los casos de apio, bróculi, alcachofa y lechuga, situándose en un segundo escalón –entre el 10% y el 30%– en el melón, el clavel, la coliflor, la sandía y el pimiento.

– En los cultivos leñosos, descuellan el albaricoque, el pomelo, la uva de mesa y el limón, producciones en los que nuestro sector genera más de la mitad del output nacional. Melocotón y nectarina, almendro, ciruelo y peral poseen participaciones que se sitúan en el intervalo 10-20%.

– La Industria de alimentos, bebidas y tabaco (IABT) de la Región de Murcia es, como el sector agrario, uno de los pilares del tejido productivo de la Región de Murcia, aportando en torno al 5-6% de la producción y del empleo de la actividad nacional. El sector IABT supone, en la actualidad, la mitad de la producción del conjunto formado por las actividades industriales no energéticas.

– Al igual que la agricultura, el sector regional de IABT ha dado muestras de una positiva resistencia a la actual recesión. Por un lado, el producto ha crecido de forma notable frente al desplome del conjunto de la industria. Por otro, la caída del empleo ha sido mucho más suave, equivaliendo en términos relativos a la tercera parte de la registrada por la totalidad de las actividades industriales.

– Dentro de IABT destacan dos actividades –Conservas vegetales e Industria cárnica– con un peso conjunto en el output sectorial que se aproxima al 60%.

– Las empresas murcianas de IABT poseen un tamaño superior a las nacionales. En efecto, cifrándose la participación regional en un 4,1% de las empresas españolas, esa cifra promedio aumenta sustancialmente a medida que se acrecienta el número de ocupados, alcanzando precisamente un máximo del 13,3% en las empresas que contratan mil o más asalariados.

– En el contexto regional de la UE –con 272 territorios NUTS-2– la Región de Murcia ocupa la primera posición en cuanto a especialización productiva en dos sectores vinculados a la actividad agraria –Servicios agrícolas y ganaderos y Venta al por mayor de alimentos, bebidas y tabaco– y la tercera en Elaboración de conservas de frutas y hortalizas.

– El grado de apertura internacional de la economía murciana es muy elevado, con una cuota del 4,5% en los intercambios españoles con el resto del mundo, disfrutando además de un fuerte impulso en los últimos años. La Región de Murcia ocupa el octavo puesto entre las CCAA en lo que concierne al valor de las transacciones internacionales y la quinta posición si nos atenemos al ámbito provincial.

– El coeficiente de apertura internacional de la Región de Murcia casi duplica al de España en su conjunto, siendo con sustancial diferencia el más elevado de las ocho comunidades[2] con mayor peso en el comercio internacional –exportaciones e importaciones– de España.

– La participación regional en las exportaciones agrarias españolas asciende a un sexto, situándose en un 7% en lo que concierne a las ventas del sector nacional de IABT en los mercados exteriores.

– La propensión internacional media a exportar de la agricultura regional se caracteriza por una intensidad fuera de lo común, alcan-

2. Las siete primeras son, por orden decreciente, las siguientes: Cataluña, Madrid, Andalucía, Comunidad Valenciana, País Vasco, Galicia y Castilla y León. La suma de las importaciones y exportaciones internacionales de la Región de Murcia es, en la actualidad, muy similar a la de la última de las siete comunidades citadas.

zando un nivel que triplica la media nacional y situándose en el segundo puesto entre todas las CCAA, después de la Comunidad Valenciana. Lo mismo se puede decir, aunque no sea tan elevada, de la misma propensión del sector IABT, donde en el contexto autonómico vuelve a emplazarse en idéntica posición, después en este caso de Galicia.

– Por secciones arancelarias, las exportaciones de Productos del reino vegetal ejercen una clara primacía dentro las agro-industriales, al aportar el 60% de su valor. Equivalen a la sexta parte de las nacionales, destacando las partidas siguientes: Cítricos, Lechugas, Col y bróculi, Melones y sandías, Frutales de hueso y Uvas. Murcia es la segunda provincia, después de Valencia y antecediendo a Almería –que sobresalen claramente del resto– en cuanto a valor de las exportaciones hortofrutícolas.

– Las exportaciones de la sección IABT equivalen a la mitad de la anterior. Las partidas más relevantes son Jugos de frutas sin alcohol, Vino de uvas frescas, Aceite de soja, Artículos de confitería sin cacao, Pimentón y similares y Resto de hortalizas preparadas sin congelar.

– Así pues, la Región de Murcia es un pilar básico del patrón de las exportaciones agroalimentarias españolas, decisivo en cuanto a la agricultura se refiere y muy relevante en lo que concierne a la Industria de alimentos y bebidas.

Los datos anteriores reflejan meridianamente la relevancia productiva y ocupacional del sector agrario regional y de las actividades transformadoras y comercializadoras de las producciones agrarias. En efecto, buena parte del PIB y del empleo de la Región de Murcia depende, de forma directa o indirecta, del comportamiento de ese conglomerado de esferas productivas. Obvio es que, sin la aportación de los necesarios recursos hídricos, todo ese complejo agro-industrial quedaría reducido prácticamente a la nada lo que, además, supondría una notable merma de la producción, el empleo y las exportaciones agro-alimentarias españolas.

Por un lado, el complejo agro-industrial constituye no sólo el principal pilar del entramado productivo de la Región de Murcia. Por otro, ha sido un sector que ha permitido suavizar la grave recesión iniciada en 2008. Conviene insistir en este último punto. Entre los primeros trimestres de 2008 y 2015, los sectores no agrarios regionales destruyeron un total de 139.000 empleos, lo que equivalió a la cuarta parte de los existentes en el inicio del septenio. Burlando ciertas tendencias estructurales –como la desagrarización de la estructura económica–, que más de uno no dudaría en calificar de leyes, el sector primario regional creó 9.900 empleos. Asimétrica evolución que ha dado lugar a que en el primer trimestre de 2015 su peso en el empleo agregado se haya elevado a un 14,9%, cuando en el mismo trimestre de 2008 se situaba en un 10,4%. Por tanto, su cuota ocupacional se ha incrementado en 4,5 puntos, lo que es un hecho insólito.

Se comprenderá fácilmente que si la proclamación de los principios enunciada en la introducción, no viene acompañada por sólidas alternativas a la situación actual sea acogida con serias reservas –por no hablar de una hostilidad manifiesta– por parte de los sectores afectados.

Recientemente, a mediados de octubre del presente 2015, se ha aprobado una medida que viene a paliar los efectos de la escasez actual de recursos hídricos[3]. Básicamente, se trata del suministro de 50 Hm^3 de agua desalada, subvencionado con fondos públicos de tal forma que su precio se sitúe en 0,30 €/m^3, que equivale a la mitad del nivel habitual. Se trata de una medida excepcional, que podría justificarse ante Bruselas por la intensa sequía actual y que ha sido acogida favorablemente por los agentes económicos.

III. AGUA, PRODUCCIÓN Y EMPLEO

En los últimos años, el regadío ha supuesto en torno a la tercera parte de las tierras de cultivo de la Región de Murcia; fracción donde se concentra la mayor parte del valor de la producción agraria regional. El agua distribuida por año ronda el medio millón de miles de m^3, lo que viene a representar el 3,15% del total español. Si se considera que nuestra cuota productiva equivale al 5,5%, cabe deducir una primera e importante conclusión: los requerimientos de agua por unidad de producto son sensiblemente más bajos a escala regional que nacional. Esos inferiores requerimientos se deben en buena medida al predominio del riego por goteo, que es una técnica que garantiza un aprovechamiento más eficiente que la aspersión o la gravedad. En la actualidad, el 83,5% del agua distribuida se realiza mediante goteo, cuando la correspondiente cifra nacional se limita a un 32,9%. La aspersión apenas se utiliza y, por consiguiente, la gravedad se aplica a la sexta parte del agua de riego. Esta tradicional técnica es mayoritariamente utilizada en Cataluña, Navarra, Aragón, Extremadura y Comunidad Valenciana. La segunda comunidad con mayor peso del goteo es Andalucía (66,2%), descendiendo por debajo de la mitad del agua regada en los dos puestos siguientes: Comunidad Valenciana (44,5%) y Castilla-La Mancha (38,7%).

---

3. Diarios *La Opinión* y *La Verdad*, 16.10.2015.

La productividad puede referirse a cualquier input, sea primario (trabajo y capital) o corriente, como es el caso del agua de riego (COLINO y MARTÍNEZ-PAZ, 2002). El gráfico 1 recoge la productividad del agua de riego en diez CCAA y a nivel nacional[4], en términos del VAB generado por m³ de agua de riego, que es justamente la inversa de los requerimientos de agua por unidad de producto agrario. Dado que es imposible saber el VAB generado por los cultivos de regadío, el indicador tiene evidentes limitaciones, que aumentan a medida que se incrementa la parte del producto agrario generado en tierras de secano. Esa fracción se desconoce a nivel sectorial, pero presumiblemente es muy inferior en la Región de Murcia que en el conjunto nacional y también, en mayor o en menor medida, que en las diez comunidades consideradas. Es decir, resulta razonable plantear que, frente al resto, la productividad del agua de riego en la Región de Murcia tiene un mayor sesgo a la baja. Pese a lo anterior, los resultados ofrecidos por el gráfico 1 no ofrecen duda alguna: el VAB generado por m³ de agua es de 2.5 euros[5], lo que rebasa claramente a la media nacional de 1.5 y a la de las nueve comunidades con información disponible. Ese diferencial aumenta de forma intensa si las comunidades de referencia son Aragón, Extremadura y, en menor medida, Navarra. Nótese que, en la Región de Murcia, el producto generado por m³ dobla al de Castilla-La Mancha, razón por la cual cabe plantear que el mercado –convenientemente regulado para garantizar la sostenibilidad ambiental– podría desempeñar un mayor papel en una eficiente asignación del agua de riego (GÓMEZ LIMÓN *et al.*, 2009), sobre todo cuando la infraestructura pública que puede viabilizar los libres acuerdos entre posibles oferentes y demandantes está operativa.

---

4. No aparecen datos para las siete comunidades que no figuran en el gráfico 1, que el MAGRAMA integra en un Resto que sólo absorbe el 1.7% del agua de riego utilizada por el sector agrario español.
5. El VAB utilizado es la media del trienio 2009-2011 para evitar las fluctuaciones interanuales de la producción agraria, que pueden afectar de forma muy diferente a los once sectores considerados.

Gráfico 1. Productividad del agua de riego (€/m³). 2009/2011.

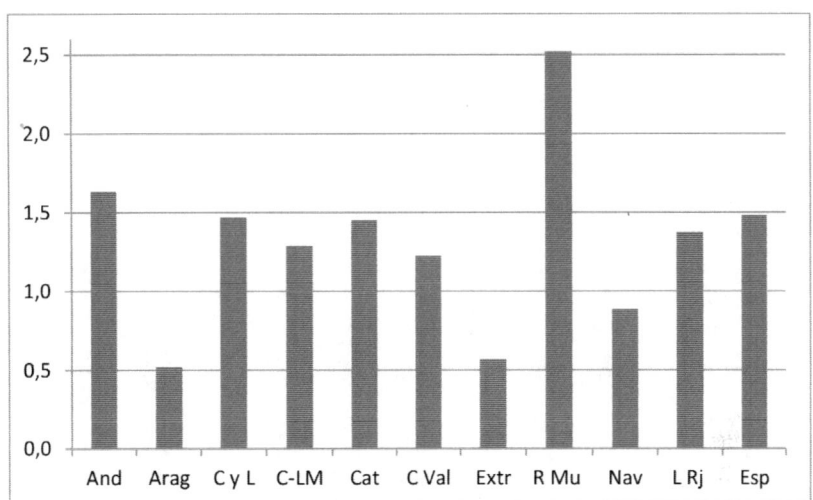

Fuente: MAGRAMA, *Anuario de Estadística Agraria* e INE, *Contabilidad Regional de España.*

Referenciemos los recursos hídricos al empleo, bien que ha escaseado sensiblemente desde 2008. La pregunta que nos hacemos es la siguiente: ¿Cuál es el volumen de recursos hídricos necesarios para generar un empleo agrario? El gráfico 2 suministra la respuesta. La cifra nacional es de 20.800 m³ por persona ocupada, lo que es un elevado requerimiento. Generar el preciado bien del empleo en el sector agrario español exige la utilización de una gran cantidad de agua, recurso cada vez más frágil. Pues bien, la Región de Murcia aporta el mínimo de las diez comunidades consideradas, con un requerimiento que se sitúa por debajo de la mitad media nacional, correspondiendo la segunda cifra más baja a Andalucía, que es levemente inferior a la citada media. En el otro extremo se encuentra Aragón, con unos requerimientos hídricos por ocupado que multiplican por más de tres a la cifra española y por más de seis a la murciana. Extremadura y Navarra son las otras dos regiones con niveles sensiblemente superiores a los del conjunto del sector agrario español.

Gráfico 2. Requerimientos de agua por unidad de trabajo (miles de m³/ empleo). 2009/2011.

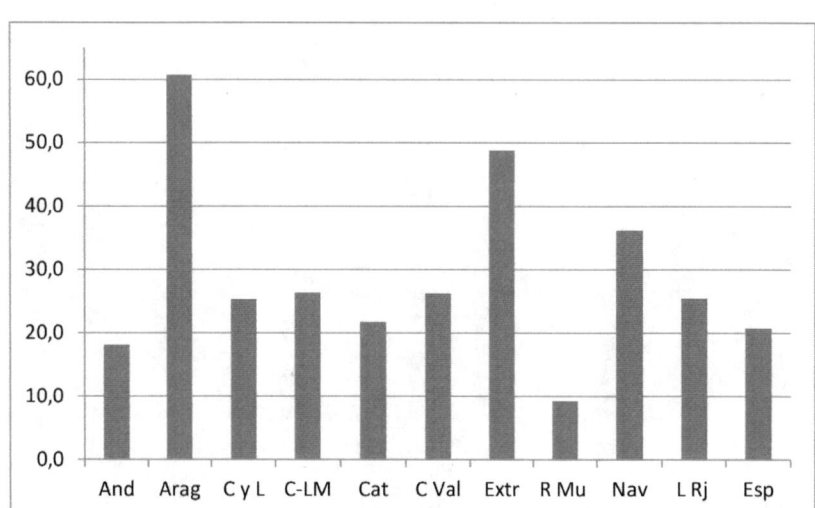

Fuente: MAGRAMA, Anuario de Estadística Agraria e INE, Contabilidad Regional de España.

Así pues, cabe concluir que el sector regional no es agua-intensivo, al menos en el contexto nacional. Cierto es que los requerimientos de agua por unidad de producto son muy elevados en la agricultura respecto al resto de actividades productivas; no lo es menos que, en el caso de la agricultura regional, se alcanza un destacado mínimo en el conjunto de las comunidades en el que este input intermedio cobra cierta relevancia. Y si el análisis se hace en términos de empleo, sucede otro tanto, es decir, los requerimientos de agua de riego por persona ocupada en la Región de Murcia no sólo son sustancialmente inferiores a los nacionales, sino también a los del resto de las regiones. Conviene destacarlo porque, con cierta frecuencia, se transmite la imagen de que el sector agrario murciano tiene, desde el punto de vista del consumo de recursos hídricos, un comportamiento pantagruélico. Nada más lejos de la realidad: en el contexto de la agricultura española, se trata de una actividad que caracteriza por una frugalidad hídrica modélica.

IV. SALARIOS Y SUBVENCIONES EN EL SECTOR AGRARIO

A lo largo del Marco Financiero 2007-2013, los pagos de la PAC por unidad de producto agrario en España fueron muy similares a los de la media de la UE. No sucede lo mismo con la Región de Murcia. Si tomamos como referencia la superficie agraria –que será el elemento determinante del apoyo en el Marco Financiero 2014-2020–, el pago directo por unidad de superficie en el bienio 2011-12, fue de 108 €/Ha de SAU, poco más de la mitad de la cifra correspondiente al conjunto de España. Si rompiendo con la filosofía de la última reforma de la PAC, elegimos el empleo como elemento de referencia –lo que no deja de ser bastante sensato– el diferencial se incrementa de forma injustificable. El pago directo por ocupado agrario regional se cifró, en ese mismo bienio, en 1.188 euros, la sexta parte que el importe alcanzado a nivel nacional y menos, por ejemplo, del 10% de lo que se percibe en Extremadura. La inclusión de los pagos asociados a los programas operativos en el sector hortofrutícola reduciría esos abultados diferenciales existentes en los pagos directos, pero la brecha seguiría siendo muy poco explicable.

Pasemos a examinar la relación entre los pagos de la PAC y los costes del factor trabajo, centrándonos en el derivado de la utilización de mano de obra asalariada que, en el sector agrario regional, es preponderante. Para garantizar un grado aceptable de comparabilidad interrregional restringiremos el análisis a las comunidades autónomas con tasa de salarización > 50%, que son las siguientes por orden decreciente del indicador citado: Región de Murcia, Andalucía, Canarias, Comunidad Valenciana, Extremadura, Castilla-La Mancha y Cataluña. Tres de cada cuatro asalariados agrios en España trabajan en esas siete regiones.

Lo primero que debe constar es que los costes salariales unitarios son bajos y, además, alcanzan un grado de dispersión relativamente reducido. La remuneración –cotizaciones sociales incluidas– por asalariado agrario alcanzó, en 2012, el nivel más elevado en Extremadura (10.855 €), lo que supuso un 15% más que el mínimo, correspondiente a la Comunidad Valenciana (9.427 €). El de la Región de Murcia (10.099 €) se sitúa próximo a la media de los dos niveles anteriores. Como ya se ha apuntado, ello no se debe a una baja carga horaria por ocupado, puesto que en general es levemente superior a la media agregada de los trabajadores por cuenta ajena. Así, por ejemplo, en la Región de Murcia, los asalariados agrarios trabajaron una media de 1.652 horas a lo largo de 2012, ligeramente por encima de la cifra de 1.625 horas relativa a todos los asalariados regionales.

Por consiguiente, el coste salarial por hora de trabajo es muy bajo en la agricultura: 6,20 euros en España y 6,11 euros en la Región de Murcia, sin que haya grandes diferencias dentro del grupo de regiones seleccionadas, puesto que lo único mencionable es que en Castilla-La Mancha su nivel es un 12,6% menor que el nacional. La remuneración salarial media, en el conjunto de las economías española y murciana se elevó, respectivamente, a 19,44 y 16,95 euros por hora de trabajo, razón por la cual la del sector agrario representó tan sólo un 31,9% de la media agregada anterior en España, repuntando hasta el 36,0% en el caso de la Región de Murcia.

Gráfico 3. Cobertura de la Remuneración de asalariados unitaria por el Pago directo por empleo. España. 2012. (%).

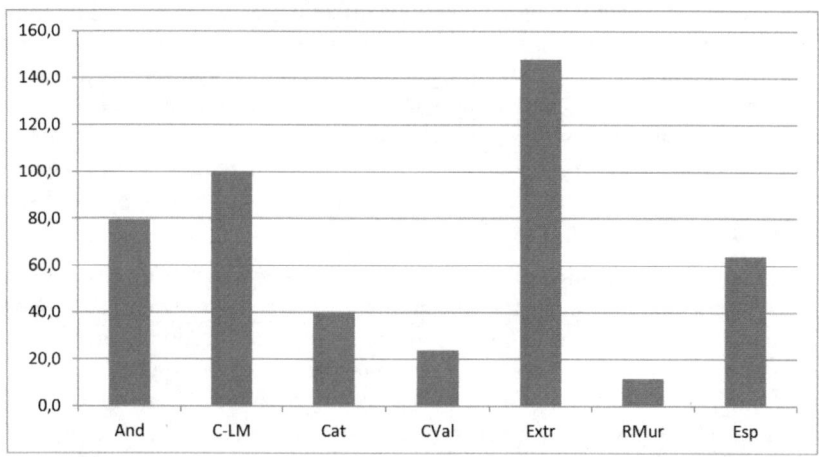

Fuente: FEGA e INE, Contabilidad Regional de España.

Hechas las aclaraciones anteriores sobre el trabajo asalariado en el sector agrario, estamos en condiciones de analizar el gráfico 3, en el que se recoge un nuevo indicador, que da cuenta del grado de cobertura de la Remuneración de Asalariados Unitaria (RAU) por parte del pago directo por empleo agrario en las seis comunidades consideradas. Indicador que carece de funcionalidad cuando el empleo no asalariado es mayoritario, puesto que en este caso el grueso de la remuneración del factor trabajo se incluye en la Renta Mixta Bruta. En España, el pago directo por empleo agrario supuso que un empleador cubriese, en 2012, el 63,9% del coste en el que debió incurrir por contratar mano de obra asalariada, cotizaciones sociales incluidas. El dato demuestra palpablemente que el apoyo público prestado por la PAC no es una fruslería, puesto que estamos en presencia de un sector en el que seis de cada diez ocupados son asalariados. Se trata de un sólido sostén de la producción agraria que, con cargo a recursos públicos, debe reforzar la viabilidad de las explotaciones y propiciar una mayor competitividad internacional. Teniendo en cuenta lo anterior, parece indiscutible que las autoridades públicas, en nombre de todos los contribuyentes europeos, exijan como contrapartida el cumplimiento de determinados requisitos que, al día de hoy, son básicamente ambientales.

Por otro lado, el gráfico 3 demuestra además que el grado de cobertura es muy desigual en las seis comunidades que venimos considerando. En Extremadura, el pago directo recibido por empleo excede en un 50% al coste salarial medio, igualándose ambos indicadores en Castilla-La Mancha. En Andalucía, la cobertura desciende al 80% y en Cataluña queda reducido al 40%. Comunidad Valenciana y, sobre todo, la Región de Murcia son en este terreno las comunidades menos subvencionadas, llegando en este último caso a un mínimo que apenas sobrepasa el 10%. Se pueden aducir, quizá, muchas razones para que ese grado de cobertura de Extremadura multiplique por 12,5 al de la Región de Murcia. En primer lugar, que la especialización hortofrutícola de nuestro sector provoca que el pago directo sea prácticamente inexistente. En segundo término, que en ese tipo de producciones –sobre todo en las hortícolas– los requerimientos de trabajo por unidad de superficie son muy elevados y, por tanto, al reconvertir el pago directo por Ha a términos de empleo, el indicador registre en la Región de Murcia un auténtico desplome. Seguidamente, es indudable que es consistente apoyar en mayor grado a ciertos espacios agrarios que, como la dehesa, combinan un gran interés ambiental con reducidos requerimientos territoriales de empleo. Y, por último, que ese dispar apoyo no desvirtúa la competencia porque se trata de producciones agrarias muy diferentes.

Sin duda, existen firmes argumentos para que el indicador recogido en el gráfico 3 alcance niveles tan diversos en las seis comunidades. Y si restringimos la perspectiva al terreno exclusivo de la PAC, puede ser que la argumentación sea lo suficientemente persuasiva. Sin embargo, si introducimos el necesario ingrediente laboral se pueden plantear relevantes cuestiones: ¿Tiene sentido que los recursos públicos por empleo agrario alcancen una cifra tan elevada en Extremadura? ¿El factor explicativo de ese cuantioso importe estriba en subvenciones de naturaleza ambiental? ¿Es aceptable que en la Región de Murcia sea tan bajo? ¿Tan disímiles sostenes carecen de consecuencias sobre la libre concurrencia en el mercado interior? Interrogantes difíciles de esclarecer pero que son pertinentes desde el punto de vista de los intereses económicos y sociales de la Región de Murcia.

V. CONCLUSIÓN

El complejo agro-alimentario constituye el núcleo más importante de la estructura productiva y ocupacional de la Región de Murcia. Su mantenimiento depende del acceso de las actividades primarias a recursos hídricos procedentes de otras cuencas o de la desalación del agua marina. El recurso al agua trasvasada se encuentra en un momento crítico por razones de todo tipo, desde la sequía actual –que cada vez es más difícil considerarla como un fenómeno coyuntural–, hasta la falta de claridad en lo que concierne a la regulación del agua para riego. La segunda alternativa implica un coste del input que no puede ser afrontado por la mayor parte de las explotaciones agrarias.

Desde un punto de vista ambiental, cabe calificar el volumen actual de recursos hídricos utilizado por el sector agrario regional como insostenible, dado que supone la sobreexplotación de los ya maltratados acuíferos de la cuenca, amén de una dotación insuficiente para una buena parte del regadío. Sin embargo, al mismo tiempo, en lo que concierne a la asignación del recurso agua a los procesos productivos, la Región de Murcia constituye el paradigma de la eficiencia en el contexto español. Esa contradicción puede ser resuelta de diferentes formas, lo que incluye la decisión política de no hacerlo. A largo plazo, deberían primar los principios ambientales pero debe quedar claro que la aplicación pura y dura de determinados principios de la Directiva Marco del Agua, como es el de recuperación integra de costes (MAESTU y DEL VILLAR, 2007), supondría una catástrofe productiva y, por tanto, un brutal desplome del empleo que haría muy soportable la contracción ocupacional sufrida entre 2007 y 2014.

De la misma forma que carece de sentido que la Región de Murcia sea cada vez más dependiente de un recurso que incrementará su actual escasez, no parece razonable guiarse exclusivamente de los grandes principios y arrinconar las condiciones materiales en las que se desenvuelve un conjunto de actividades clave desde muchos puntos de vista: producción, exportaciones, empleo... Pero llegar a un equilibrio que compagine los principios con la realidad constituye un nudo gordiano harto espinoso de solucionar.

A las consideraciones anteriores cabe añadir que el sistema agroalimentario regional se caracteriza por dos rasgos adicionales: a) Producir alimentos que demanda el mercado interior europeo; b) Recibir un apoyo por parte de la PAC que, como se ha visto, es muy reducido en el contexto español y europeo. Teniendo en cuenta lo anterior, una serie de preguntas resultan pertinentes: ¿Cuál es la proporción de recursos hídricos que se esteriliza en la producción de bienes agrarios con una demanda muy débil por parte del mercado? ¿Cuál es el importe qué pagamos los contribuyentes por las subvenciones recibidas por los oferentes de tales bienes? ¿Existiría esa oferta sin las correspondientes subvenciones? ¿Tiene sentido subvencionar producciones con una débil demanda pero muy intensivas en la utilización de agua? ¿Un mercado regulado del agua para riego no pondría un poco de orden en el actual galimatías?

Pues bien, mientras se resuelven esos interrogantes consideramos lícito subvencionar el uso de agua desalada por parte de los agricultores regionales. En el sector agrario europeo se subvenciona casi todo: la producción de bienes públicos no remunerados por el mercado y, a su vez, fracciones de la superficie donde se despilfarra el agua de riego. ¿Repugna que por un modesto importe relativo se subvencione el empleo de una región que, con una renta por habitante inferior al 20% de la media europea, sufre una tasa de paro superior al 25% que, en 2013, fue la séptima más alta de las 272 regiones europeas? Debemos tener una conciencia laxa: nos parece muy razonable.

VI. REFERENCIAS

COLINO, J.; MARTÍNEZ-CARRASCO, F. y MARTÍNEZ-PAZ, J. M. (2014): *El impacto de la PAC renovada sobre el sector agrario de la Región de Murcia.* Consejo Económico y Social de la Región de Murcia. Murcia.

COLINO, J. y MARTÍNEZ-PAZ, J. M. (2002): «El agua en la agricultura del Sureste español: productividad, precio y demanda», *Mediterráneo Económico,* vol. 2, pp. 199-221.

GIBBONS, D.C. (1986): *The economic value of water,* The John Hopkins University Press, Washington.

GÓMEZ-LIMÓN, J., *et al.* (2009): «La economía del agua de riego en España», *Colección Economía,* núm. 13, Fundación Cajamar, Almería.

MAESTU, J. y DEL VILLAR, A. (2007): «El análisis económico en la Directiva Marco del Agua y su papel en el proceso de planificación hidrológica», *Ingeniería y Territorio,* núm. 80, 48-53.

MARTÍNEZ-FERNÁNDEZ, J. y ESTEVE, M. A. (2009): *Sostenibilidad ambiental en la Región de Murcia,* Editum, Murcia.

PERNI, A.; MARTÍNEZ-PAZ, J. M. y MARTÍNEZ-CARRASCO, F. (2012): «Social preferences and economic valuation for water quality and river restoration: the Segura River, Spain», *Water and Environment Journal,* 26 (2), 274-284.

CAPÍTULO VII

LA PROTECCIÓN JURÍDICA DEL ESTADO QUÍMICO DE LAS MASAS DE AGUA SUBTERRÁNEA. PESTICIDAS Y NITRATOS[*]

Andrés MOLINA GIMÉNEZ
Profesor Titular de Derecho Administrativo. Universidad de Alicante.

I. INTRODUCCIÓN

Las aguas subterráneas son un pilar fundamental en la política hidráulica española, por lo que es imprescindible garantizar su buen estado tanto cualitativo como cuantitativo. Se estima que la utilización de aguas subterráneas entre 1960 y 2000 se incrementó de 2000 hm³/año a más de 6500 hm³/año. Con ellas se riegan alrededor de un millón de hectáreas, el 30% de la superficie regada en el país, y contribuyen al abastecimiento del 35% de la población[1].

---

[*]   Este trabajo ha sido financiado por la Fundación Séneca-Agencia de la Ciencia y la Tecnología, con cargo al Proyecto «El papel de los mercados del agua en la gestión integrada de los recursos hídricos en las cuencas deficitarias» (Ref. 19325/PI/15).

[1]. SAHUQUILLO, A., *et al.*: «La gestión de las aguas subterráneas», Panel Científico Técnico de Seguimiento de la Política de Aguas. Fundación Nueva Cultura del Agua, Universidad de Sevilla, pág. 6, disponible en: http://www.unizar.es/fnca/varios/panel/34.pdf.

Los riesgos que afectan a estas masas de agua son numerosos. La sobreexplotación de los acuíferos costeros genera fenómenos de intrusión de aguas de mar en el continente, con la correspondiente salinización de las capas freáticas. La penetración de lixiviados procedentes de vertederos incontrolados, o incluso de vertederos autorizados con deficiente diseño o impermeabilización, introduce en el medio contaminantes particularmente agresivos.

Vertidos industriales, accidentales o incluso autorizados a aguas superficiales, que terminan filtrando en los acuíferos, son también importantes agresiones. El vertido o depósito de lodos de depuradora, la actividad ganadera y el almacenamiento deficiente de estiércoles, o las fosas sépticas en viviendas diseminadas, contribuyen al deterioro. En cierto modo, todos estos impactos tienen algo en común, por cuanto son localizables en un punto concreto o en puntos identificables. Esto facilita las intervenciones dirigidas a su corrección.

Otro tipo de vertidos, sin embargo, tienen un carácter más difuso, lo que complica su caracterización y control. Se trata de la introducción de agentes contaminantes que proceden en gran medida de la actividad agrícola, como resultado de la utilización de fertilizantes nitrogenados y plaguicidas.

El Defensor del Pueblo, en un informe especial de 2009, manifestó su preocupación sobre el estado de las aguas subterráneas en España, con particular referencia a la contaminación agraria. Señalaba esta Alta Magistratura que «*la aplicación rigurosa del principio de prevención en la autorización de fertilizantes, plaguicidas y sustancias peligrosas; el control eficaz de su uso, las buenas prácticas, así como programas de medidas más ambiciosos de reducción o descontaminación en algunos casos*», resultan fundamentales para garantizar el buen estado de estas masas de agua[2].

Los ciudadanos, por su parte, no son ajenos a estas preocupaciones, y con motivo de la presentación de diferentes quejas, el Defensor del Pueblo se encontró con varios casos de contaminación por pesticidas y herbicidas no autorizados, que habían obligado a prohibir el uso de las aguas para consumo humano. En ninguno de esos casos se percibió una voluntad firme y decidida de las administraciones públicas para controlar eficazmente el uso de estos productos, reducir su utilización, y fomentar alternativas menos contaminantes[3].

---

2. Defensor del Pueblo. (2009) Informe especial: «Agua y territorio», disponible en: https://www.defensordelpueblo.es/wp-content/uploads/2015/05/2010-03-Agua-y-ordenaci%C3%B3n-del-territorio.pdf.
3. *Idem*, pp. 225 y ss.

Otro tanto ocurre con la contaminación por nutrientes: nitratos y fosfatos. Las prácticas inadecuadas, tanto en el almacenaje de estiércoles, como en la utilización ineficiente o excesiva de estas sustancias en el riego, produce efectos no deseados en el estado de las masas de agua, y puede generar problemas sanitarios en el consumo de aguas potables. La gran importancia del regadío en España, unida a la extensión territorial que abarca, hace que la fertilización sea en la actualidad la principal causa del deterioro ambiental de las aguas subterráneas[4].

II. LA PROTECCIÓN JURÍDICA DE LAS MASAS DE AGUA SUBTE-RRÁNEA

1. INSTRUMENTOS DERIVADOS DE LA DIRECTIVA MARCO DEL AGUA

La Comunidad Europea comenzó a preocuparse por la protección de las aguas subterráneas a finales de los años 70, proceso que culminó con la aprobación de la primera normativa que atendía, al menos en parte, a la problemática que les afecta: la Directiva 80/68/CE de 26 de enero, sobre la protección de las aguas subterráneas frente a la contaminación causada por ciertas sustancias peligrosas. Esta normativa, que estuvo vigente hasta el 21 de diciembre de 2013, introdujo una lista prioritaria de sustancias que no debían acceder al medio, estableciendo límites y condicionantes para el resto[5].

La Directiva 2000/60/CE del Parlamento Europeo y del Consejo, de 23 de octubre de 2000, por la que se establece un marco comunitario de actuación en el ámbito de la política de aguas, (en adelante DMA), fue sin embargo la primera norma en abordar la protección de las aguas subterráneas de manera integral y bajo una perspectiva ecológica[6]. La protección de

---

4.   En muchas zonas geográficas de nuestro país, la principal causa del mal estado cualitativo de las aguas subterráneas se debe precisamente a la acumulación de nitratos procedentes de la agricultura. En el caso de la Demarcación del Ebro, esta situación se presenta en las 23 masas declaradas en mal estado. La principal causa es la agricultura de regadío situada principalmente en llanuras aluviales. Omedas, M.: «El complejo agroalimentario ante el Plan hidrológico del Ebro», en: Embid Irujo, A. (2011) (dir.), *Agua y Agricultura,* Civitas, Cizur Menor, pp. 372-373.

5.   Esta Directiva fue derogada por la Directiva 2006/118/CE del Parlamento Europeo y del Consejo, de 12 de diciembre de 2006, relativa a la protección de las aguas subterráneas contra la contaminación y el deterioro.

6.   El Real Decreto Legislativo 1/2001, de 20 de julio, por el que se aprueba el Texto

todas masas de agua se fundamenta no tanto en su valor económico, o en la protección de los usos potenciales, sino en su intrínseca función ambiental.

La DMA establece para ello ambiciosos objetivos cualitativos referidos al estado químico de las masas, y remite a la elaboración de normativa específica que permita abordar las especificidades que presentan las aguas subterráneas (artículo 17). Este mandato condujo años después a la aprobación de la Directiva 2006/118/CE relativa a la Protección de las Aguas Subterráneas contra la Contaminación y el Deterioro. El objetivo de ambas disposiciones no es otro que alcanzar el buen estado ecológico a finales de 2015[7]. Conviene puntualizar, por otra parte, que la protección de la calidad química de las masas de agua superficial cuenta a su vez con normativa específica, que no procede analizar en este estudio[8].

Refundido de la Ley de Aguas de (TRLA), el Real Decreto 849/1986, de 11 de abril, por el que se aprueba el Reglamento del Dominio Público Hidráulico (RDPH), y el Real Decreto 907/2007, de 6 de julio, por el que se aprueba el Reglamento de la Planificación Hidrológica (RPH), trasponen a nuestro ordenamiento las determinaciones principales de la DMA.

7. Como destaca Lee, M.: «Law and governance of water protection policy», en Scott, J., (2009) (ed.), *Environmental Protection: European Law and Governance*, p. 30, el término «buen estado ecológico» es complejo y ambiguo. Para el agua superficial el factor determinante sería su «estado químico» y el «estado ecológico», mientras que para el agua subterránea los criterios de referencia serían su «estado cuantitativo» y su «estado químico», de acuerdo con los parámetros del Anexo V de la DMA.

8. El control de la contaminación química de las aguas superficiales se regula en la Directiva 2008/105/CE, de 16 de diciembre, relativa a las normas de calidad ambiental en el ámbito de la política de aguas. La Directiva 2009/90/CE, de 31 de julio, establece, de conformidad con la DMA, las especificaciones técnicas del análisis químico y seguimiento del estado de las aguas. La Directiva 2008/105/CE, fue modificada por la Directiva 2013/39/CE de 12 de agosto, de 12 de agosto de 2013, en cuanto a las sustancias prioritarias en el ámbito de la política de aguas. Es importante señalar que la Comisión Europea aprobó, de conformidad con la Directiva 2008/105/CE, una Decisión de Ejecución UE 2015/495 de 20 de marzo, por la que se establece una lista de observación de sustancias a efectos de su seguimiento a nivel de la Unión. Entre las 10 sustancias incorporadas aparece un plaguicida como el diclofenaco. La obligación de publicar una primera lista de observación con el objeto de que los Estados investiguen la conveniencia de incluir las sustancias contenidas en esa lista en directivas sucesivas, para de esa manera incorporar progresivamente nuevos compuestos como de control obligatorio, fue incluida en la Directiva 2008/105/CE por la Directiva 2013/39/CE, en el artículo 8 ter. Estas Directivas están incorporadas al ordenamiento jurídico interno español a través del Real Decreto 817/2015, de 11 de septiembre, por el que se establecen los criterios de seguimiento y evaluación del estado de las aguas superficiales y las normas de calidad ambiental, que deroga el Real Decreto 60/2011, de 21 de enero, sobre las

Para alcanzar los objetivos que se pretenden, los Estados vienen obligados a definir y caracterizar las aguas subterráneas, identificar los impactos a los que están sujetas, y comunicar periódicamente los resultados a la Comisión Europea. Este es el presupuesto para poder realizar una planificación hidrológica coherente, ya que no se puede organizar y proteger aquello que no se conoce. Es preciso además determinar qué masas de agua están en riesgo de no alcanzar los estándares de calidad exigidos por la DMA, para así articular las medidas de protección y corrección que resulten necesarias.

El carácter difuso de la contaminación generada por la aplicación de fertilizantes y plaguicidas complica las actuaciones administrativas de prevención, control y sanción. Al no tratarse de vertidos localizados, la emisión de estos compuestos queda al margen del control desarrollado a través de la autorización de vertido. La tutela se confía por tanto a actuaciones derivadas de la planificación hidrológica, programas de medidas, tutela sectorial de las áreas protegidas, actuaciones de seguimiento, y delimitación de perímetros de protección.

El artículo 42.1.b.a del Real Decreto Legislativo 1/2001, de 20 de julio, por el que se aprueba el Texto Refundido de la Ley de Aguas (TRLA), contempla la contaminación de fuente difusa como un contenido obligatorio de los planes hidrológicos de demarcación, formando parte de la descripción de usos y presiones antrópicas a que están expuestas las aguas subterráneas.

---

normas de calidad ambiental en el ámbito de la política de aguas. Esta normativa establece las normas de calidad ambiental (NCA) para las sustancias prioritarias y para otros contaminantes con objeto de conseguir un buen estado químico de las aguas superficiales. También fija las NCA para las sustancias preferentes, y el procedimiento para calcular las NCA de los contaminantes específicos con objeto de conseguir un buen estado ecológico de las aguas superficiales o un buen potencial ecológico de dichas aguas, cuando proceda. A su vez, contiene las condiciones de referencia y los límites de clases de estado de los indicadores de los elementos de calidad biológicos, fisicoquímicos e hidromorfológicos, para clasificar el estado o potencial ecológico de las masas de agua superficiales. Su Anexo IV se refiere a diversas sustancias pesticidas, algunas de las cuales se califican como sustancias prioritarias y/o peligrosas. Entre estos compuestos se encuentra el alacloro, la atrazina, simazina, trifluralina, el clorfenvinfós, el clorpirifós, el DDT, el Diurón, entre otros. Cada una de estas sustancias tiene asociado un valor de concentración máxima admisible según el medio en el que esté realizando la medición. Menciona la normativa también los plaguicidas de tipo ciclodieno: aldrina dieldrina endrina isodrina, para los que establece una norma de calidad ambiental (NCA). La suma de estas últimas no puede superar la concentración de 0,01 μg/L en aguas continentales superficiales y 0,005 μg/L en las aguas marinas. No estamos, en este caso, ante sustancias calificadas como prioritarias o peligrosas, sino situadas bajo la categoría «otros contaminantes».

El plan debe fijar para estos compuestos (nitratos, fosfatos, plaguicidas, etc.) objetivos ambientales específicos para cada masa de agua, plazos de consecución de resultados, prórrogas, y condiciones para definir objetivos menos rigurosos o deterioros temporales, así como sus modificaciones[9].

Para cada demarcación hidrográfica se debe elaborar un Registro de áreas protegidas, donde se incluirán todos los espacios que, por diversos motivos, disfrutarán de un régimen de protección especial. Así, el artículo 99 bis del TRLA obliga a incluir en el Registro numerosos espacios, entre los que se encuentran, por su relación más intensa con la contaminación difusa de las masas de agua subterránea, las zonas destinadas a la captación de aguas potables, determinados espacios naturales protegidos, las zonas de captación o uso de aguas minerales y termales, así como las zonas sensibles a la contaminación por nitratos. La DMA obliga por otra parte a instalar redes de seguimiento para tener información y control sobre la evolución ambiental de cada masa de agua, lo que también recoge el TRLA[10].

Para conseguir el buen estado ecológico, los programas de medidas son los instrumentos operativos con que cuentan los planes de demarcación. Estos documentos deben diseñar actuaciones concretas que contribuyan a: *«evitar o limitar la entrada de contaminantes en las aguas subterráneas y evitar el deterioro del estado de todas las masas de agua subterránea»*, así como, en su caso, *«invertir las tendencias significativas y sostenidas en el aumento de la concentración de cualquier contaminante derivada de la actividad humana con el fin de reducir progresivamente la contaminación de las aguas subterráneas»* (artículo 99. Bis.b, TRLA).

Por otra parte, los Organismos de Cuenca pueden delimitar perímetros de protección en los acuíferos con fines de protección general, así como para

---

9. Véanse los artículos 35 a 39 del Real Decreto 907/2007, de 6 de julio, por el que se aprueba el Reglamento de la Planificación Hidrológica, así como los apdos. 5.2 y 6.1 a 6.5, de la Orden ARM/2656/2008, de 10 de septiembre, por la que se aprueba la Instrucción de Planificación Hidrológica.

10. De conformidad con el artículo 92.Ter.2 del TRLA las Confederaciones disponen de programas de seguimiento, control y monitorización tanto del estado cuantitativo como cualitativo de todas las masas de agua continental: entre las redes de seguimiento, cabe mencionar la Red Oficial de Estaciones de Aforos (ROEA), el Sistema Automático de Información Hidrológica (SAIH), y las redes de control de intrusión marina, si procede. En cuanto a los programas, destacar el programa de control de vigilancia de aguas superficiales, programa de control operativo de aguas superficiales, programa de control de zonas protegidas de aguas superficiales, programa de control de vigilancia de aguas subterráneas, programa de control operativo de aguas subterráneas, programa de control de zonas protegidas de aguas subterráneas, entre otros.

proteger captaciones de agua para abastecimiento a poblaciones o zonas de especial interés ecológico, paisajístico, cultural o económico. Para que puedan ser autorizadas actividades potencialmente contaminantes en el perímetro, el Organismo de Cuenca debe emitir informe «favorable». La mención expresa al carácter favorable del informe apunta a que su contenido será vinculante o al menos determinante[11].

La aplicación práctica de estas previsiones presenta, sin embargo, importantes dificultades. Por un lado, alcanza solamente a las actividades agrarias desarrolladas en espacios en los que previamente, tras el procedimiento oportuno, se haya declarado un perímetro de protección. Además, para que esta declaración tenga lugar, es necesario demostrar que la contaminación podría afectar a espacios ambiental o socialmente singulares, o a la salud de las personas.

En la práctica, aunque son las Confederaciones las que detallan la calidad fisicoquímica de las unidades hidrogeológicas en los planes de demarcación, realizan el seguimiento a través de las redes de control, diseñan actuaciones a través de los programas de medidas, y emiten informe sobre las actividades a desarrollar en perímetros de protección, las actuaciones concretas quedan en buena medida en manos de las Comunidades Autónomas, competentes tanto en agricultura como en la ejecución de las políticas ambientales.

2. INSTRUMENTOS ADICIONALES EN LA DIRECTIVA SOBRE PROTECCIÓN DE LAS AGUAS SUBTERRÁNEAS CONTRA LA CONTAMINACIÓN Y EL DETERIORO

Las estrategias que contiene la legislación general de aguas y sus instrumentos de aplicación se complementan con contenidos específicos que atienden a las aguas subterráneas. A ello responde la Directiva 2006/118/CE del Parlamento Europeo y del Consejo, de 12 de diciembre de 2006, relativa a la protección de las aguas subterráneas contra la contaminación

---

11. El artículo 173.5 del Real Decreto 849/1986, de 11 de abril, por el que se aprueba el Reglamento del Dominio Público Hidráulico, establece: «*podrán imponerse condicionamientos en el ámbito del perímetro a ciertas actividades o instalaciones que puedan afectar a la cantidad o a la calidad de las aguas subterráneas. Dichas actividades o instalaciones se relacionarán en el documento de delimitación del perímetro y precisarán para ser autorizadas por el Organismo competente el informe favorable del Organismo de cuenca*». El apartado 6 letra c) del artículo incluye entre las actividades que precisan dicho informe favorable: «*actividades agrícolas y ganaderas: depósito y distribución de fertilizantes y plaguicidas, riego con aguas residuales y granjas*».

y el deterioro, que combina normas de calidad con medidas de prevención, completando así el marco de protección definido por la DMA[12].

Las fórmulas que aporta esta normativa pasan por el establecimiento de normas de calidad de las aguas subterráneas y valores umbral para cada parámetro contaminante[13]. La Directiva insiste especialmente en la problemática derivada de la utilización de nitratos y plaguicidas, como demuestra el hecho de que son los únicos compuestos a los que asocia normas de calidad con indicación específica de valores numéricos (Anexo I.1). En cuanto al resto de contaminantes, dada la variabilidad de los impactos a nivel local, prefiere ordenar a los Estados establecer valores umbral conforme a las características locales, regionales o nacionales. Sólo se definen directrices generales, y una lista mínima de contaminantes e indicadores para los que los Estados deben fijar los valores umbral (Anexo II).

En primer término, los Estados deben evaluar el estado de las masas de agua subterránea de acuerdo con dichas normas de calidad y valores umbral. Las masas se clasificarán como de buena o mala calidad en función del riesgo de no alcanzar el buen estado ecológico que demanda la DMA, y la autoridad de cuenca intervendrá para resolver los problemas detectados. Si la masa incumple algún parámetro, su estado ecológico puede ser calificado como «malo», y será necesario actuar sobre ella. Para ello deben cumplirse una serie de condiciones relacionadas en el artículo 4 de la Directiva. Además, la superación puntual de estos valores no siempre conduce a dicha calificación, si bien es necesario en tal caso exponer las razones por las que se está produciendo dicha situación, y las medidas a desarrollar para a su corrección.

La identificación de tendencias de aumento de los niveles de contaminación, que deben ser sostenidas en el tiempo, es otro de los elementos básicos del sistema diseñado por la Directiva. Cuando se detectan y resultan significativas conforme al Anexo IV, deben establecerse puntos de partida para invertir las tendencias, a través de los programas de medidas de los planes hidrológicos de demarcación. Tendrá esto lugar cuando la concentración del contaminante alcance el 75% de la norma de calidad o valor umbral que le

---

12. Aunque la atención prestada por la Unión Europea en materia de agua ha sido importante desde los años 80, la atención a las aguas subterráneas ha sido bastante pobre hasta épocas recientes, con la aprobación de la Directiva de 2006. La doctrina había venido advirtiendo sobre esas carencias. Sanz Rubiales, I. (1997): *Los vertidos en aguas subterráneas*, Marcial Pons, Madrid, pp. 227 y ss.
13. El artículo 17 de la DMA exigía precisamente que la nueva Directiva sobre aguas subterráneas incluyera criterios sobre el buen estado químico.

corresponda. Atendiendo a las condiciones locales, pueden aceptarse porcentajes distintos bajo supervisión de la Comunidad.

Definida la tendencia y los puntos de partida, el programa de medidas del plan hidrológico de la demarcación deberá incluir las actuaciones necesarias para prevenir la entrada de sustancias peligrosas o contaminantes comunes, tomando como referencia las mejores prácticas conocidas: mejores prácticas ambientales y mejores técnicas disponibles. Estas medidas pueden así mismo reflejarse en los códigos de buenas prácticas agrarias, y en los programas de actuación previstos en la Directiva nitratos. Entre estas actuaciones destaca, por ejemplo, el establecimiento de perímetros de protección.

El Real Decreto 1514/2009, de 2 de octubre, por el que se regula la protección de las aguas subterráneas contra la contaminación y el deterioro, incorporó a nuestro ordenamiento, con algún retraso, todas estas previsiones[14]. En su Anexo I, así como en el apdo. 5.2 de la Instrucción de Planificación Hidrológica, se recogen las normas de calidad sobre nitratos y plaguicidas que contiene la Directiva. Normas que pueden redefinirse en términos más estrictos si el estado de la masa genera efectos negativos en las aguas superficiales.

Así pues, el parámetro general de concentración máxima admisible en las masas de agua subterránea o grupos de masas queda fijado en 50 mg/l de nitratos[15]. En cuanto a las sustancias activas de los plaguicidas, la concentración máxima de referencia para cada una de ellas se sitúa en: 0,1 μg/L[16] (referido a cada sustancia), y 0,5 μg/L (referido a la suma de todos los plaguicidas detectados y cuantificados en el procedimiento de seguimiento). El Real Decreto contiene el procedimiento para evaluar la calidad de cada masa

---

14. Este Real Decreto, además de transponer la Directiva de aguas subterráneas a nuestro ordenamiento jurídico interno, incorpora los apdos. 2. 3, 2. 4 y 2. 5 del anexo V de la DMA, relativos al estado químico de las aguas subterráneas.

15. En relación con este parámetro, hay que tener en cuenta también que la Directiva 2014/80/UE de la Comisión, de 20 de junio de 2014, que modifica el anexo II de la Directiva 2006/118/CE del Parlamento Europeo y del Consejo, relativa a la protección de las aguas subterráneas contra la contaminación y el deterioro, establece que a la hora de fijar las normas de calidad y valores umbral se tengan en cuenta, junto a los nitratos (ya incluidos en el Anexo I de la Directiva), los nitritos, dado que este compuesto contribuye al nitrógeno total, y el fósforo total, como tal o como fosfatos, pudiendo agravar la contaminación de la masa. Esta Directiva ha sido incorporada a nuestro ordenamiento por el Real Decreto 1075/2015, de 27 de noviembre, por el que se modifica el anexo II del Real Decreto 1514/2009, de 2 de octubre.

16. La unidad de medida de la masa que se refiere en el texto, μg/l, es microgramo por litro, lo que se corresponde con la millonésima parte de un gramo (10-6 g).

de agua, y las condiciones que deben cumplirse para localizar los puntos de muestreo. Ninguna de las estaciones de control de la masa o grupo de masas de agua subterránea debe superar las referidas normas de calidad[17].

La configuración de las medidas correctoras a incluir en los programas de medidas cuenta sin embargo con una importante limitación. El Real Decreto, haciendo una transposición literal de la Directiva, ordena adoptar sólo aquellas medidas *«que sean técnicamente posibles»* (artículo 6. 3), y no tengan un *«coste desproporcionado»* (artículo 6.4). Esta cláusula evidencia las dificultades prácticas que supone controlar la contaminación difusa. Una realidad difícil de abordar de manera más estricta por razones socio económicas y por la limitación de medios con que cuentan las Administraciones públicas. Reducir la contaminación difusa es normalmente posible desde un punto de vista técnico, por lo que en buena medida se trata de una cuestión de costes, así como de una mayor concienciación e implicación por parte de los agricultores, organizaciones agrarias, y las Administraciones responsables.

Finalmente, la Ley 10/2001 de 5 de julio, del Plan hidrológico Nacional merece una mención particular, puesto que en su artículo 29 prevé un Plan de Acción en materia de aguas subterráneas para las demarcaciones intercomunitarias, así como programas para la mejora de su conocimiento hidrogeológico, protección y ordenación (artículo 29)[18].

III. TRATAMIENTO JURÍDICO DE LOS PLAGUICIDAS

Los productos fitosanitarios, es decir, los plaguicidas o pesticidas, son fundamentales para incrementar la productividad agraria y garantizar la suficiencia de alimentos. También se utilizan en los campos de golf, o para proteger parques y jardines. Estas sustancias están así mismo presentes en efluentes de aguas residuales urbanas, y pueden afectar tanto a las aguas

---

17. Las Confederaciones hidrográficas realizan muestreos periódicos en las diferentes masas de agua subterránea que están bajo su jurisdicción. LA aplicación del Real Decreto 1514/2009, de 2 de octubre, así lo exige, obligando a controlar no sólo la presencia de cada parámetro, sino el efecto acumulado de todos ellos en la masa. Con ello se pretende evitar que la masa pueda considerarse en buen estado cuando la presencia de diferentes plaguicidas, en concentración más limitada, conlleva de hecho la superación de lo admisible (presencia difusa de contaminantes).

18. Este plan y los programas que contienen fue aprobado por el MAGRAMA para el periodo 2006-2010 y puede consultarse en la siguiente dirección electrónica: http://www.magrama.gob.es/es/agua/temas/estado-y-calidad-de-las-aguas/pdeaccion_web_oct08_tcm7-27429.pdf.

superficiales como subterráneas[19]. Su disolución en agua de lluvia o de riego hace que accedan mediante escorrentía superficial a cauces, lagos, lagunas, zonas húmedas o embalses. Penetran también en los acuíferos subyacentes tras su aplicación en los terrenos regados, sobre todo cuando se utilizan sistemas de riego localizado.

Existen diversos tipos de pesticidas, como los herbicidas, que eliminan las plantas no productivas, los insecticidas, que se utilizan para reducir el número de insectos y plagas, los nematocidas, que destruyen determinados tipos de gusanos, y los fungicidas que permiten eliminar el moho y los hongos. Pese a sus evidentes beneficios, estos compuestos muestran importantes riesgos para el medio ambiente al reducir la biodiversidad, y también pueden ser nocivos para la salud humana en mayor o menor medida.

El Programa de las Naciones Unidas para el Medio Ambiente vinculó en 1992 los efectos de los plaguicidas al cáncer pulmonar y hematológico, así como a deformidades congénitas y deficiencias del sistema inmunitario. Su peligrosidad se plantea por su manipulación, su respiración, así como por su ingesta en el agua o en los alimentos[20]. En contraste, informes más recientes de esta Organización destacan que la implantación de mecanismos de manejo integrado de plagas, que suponen una reducción sustancial en el uso de estos productos, incrementan a medio y largo plazo la productividad, reducen costes, y limitan los efectos nocivos sobre la salud y el medio ambiente[21].

---

19. Como sostiene Álvarez Carreño, S.M.: «Actividad agrícola y contaminación de aguas subterráneas: régimen jurídico», en Embid Irujo, A. (dir.), (2011), p. 229, aproximadamente un 68% de la contaminación ambiental producida por plaguicidas proviene de la actividad agraria, un 17% tiene su origen en las actividades industriales, un 8% del uso doméstico, y un 7 % a otros usos. Parte de esta contaminación accede por lixiviación a las aguas subterráneas.
20. Informe del PNUMA (1992) The Aral Sea diagnostic study for the development of an action plan for the conservation of the Aral Sea. Nairobi. Véase, Ongley, E.D. (1997): «Lucha contra la contaminación agrícola de los recursos hídricos. Estudio FAO (Organización de las Naciones Unidas para la Agricultura y la Alimentación)», *Riego y Drenaje*, núm. 55, Roma. Disponible en: http://www.fao.org/docrep/w2598s/w2598s00.HTM. También, O'Hara *et al.* (2000): «Exposure to airborne dust contaminated with pesticide in the Aral Sea región», *The Lancet*, Vol. 355, núm. 9204, pp. 627-628.
21. Informe del PNUMA (2012) Synthesis Report for Decisio-Makers-Global Chemical Outlook: Towards Sound management of Chemicals (Informe de síntesis para los responsables de la adopción de decisiones-Perspectivas de los productos químicos a nivel mundial: hacia una gestión racional de los productos químicos). Este documento Sitúa la contaminación con plaguicidas y fertilizantes de los ríos y lagos, la contaminación por metales pesados asociados con la producción de cemento y la producción textil, y la contaminación por dioxinas proveniente de la minería, como

La Comunidad Europea aprobó la Directiva 2009/128/CE de 21 de octubre, por la que se establece un marco común de actuación para conseguir un uso sostenible de estos compuestos. La Directiva se aplica tanto a las aguas superficiales como subterráneas, diseñando medidas dirigidas a proteger el medio acuático y la salud de las personas. Para alcanzar dichos objetivos promueve y otorga preferencia al uso de los plaguicidas clasificados como no peligrosos para el medio, o que no contengan sustancias peligrosas identificadas como prioritarias. También prevé la utilización de medidas paliativas frente a la filtración y escorrentía.

La Directiva establece una discriminación zonal, extremando la necesidad de reducir el uso de plaguicidas en aquellas zonas que utilice el público en general o los grupos vulnerables, así como donde accedan trabajadores. También se presta especial atención a las zonas especialmente protegidas de acuerdo con la DMA, así como las tuteladas por la normativa ambiental sectorial (aves, hábitats, humedales, Red Natura 2000, etc.). El instrumento operativo más importante son los planes de acción nacionales, que deben coordinarse con la planificación hidrológica y los programas de medidas de la DMA[22].

---

las mayores preocupaciones ambientales. La escorrentía que arrastra fertilizantes y plaguicidas contribuye al aumento de «zonas muertas» en las aguas costeras, a las que les falta oxígeno. Según el quinto informe del PNUMA Perspectivas del Medio Ambiente Mundial, publicado en junio de 2012, solo se están recuperando 13 de las 169 zonas costeras muertas del mundo. En los Estados Unidos, a causa de una mala gestión de los plaguicidas, se han provocado pérdidas de cultivos por valor de 1.400 millones de dólares, y pérdidas de aves por un monto de 2.200 millones de dólares. En las plantaciones de patata en Ecuador donde se comenzó a usar el manejo integrado de plagas (MIP) el rendimiento ha sido igual o mayor, con costos de producción por lo menos un 20% inferiores que en los lotes en los que se usaron plaguicidas. También disminuyeron los casos de problemas neurológicos relacionados con plaguicidas. Los costes estimados por las intoxicaciones por plaguicidas en el África subsahariana superan en la actualidad el total anual de la ayuda exterior para el desarrollo que recibe la región para los servicios básicos de salud, sin contar el VIH/SIDA. Entre 2005 y 2020, el coste acumulado de las enfermedades y lesiones asociadas a los plaguicidas en las explotaciones agrícolas de pequeña escala del África subsahariana podría alcanzar los 90.000 millones de dólares. Informe disponible en http://www.unep.org/pdf/GCO_Synthesis%20Report_CBDTIE_UNEP_September5_2012.pdf.

22. Como señala Álvarez Carreño, S.M. (2011), p. 274, la íntima relación existente entre la regulación de los plaguicidas y con los objetivos de lucha contra la contaminación de las aguas de la DMA y legislación derivada, obligan a profundizar en una mayor coordinación normativa y de gestión.

El Real Decreto1311/2012, de 14 de septiembre, incorpora a nuestro ordenamiento esta Directiva con el objetivo es promover la gestión integrada de las plagas, y fomentar técnicas alternativas que contribuyan a reducir la utilización de estos productos. El 10 de diciembre de 2012, la Conferencia Sectorial de Agricultura y Desarrollo Rural aprobó el Plan de Acción Nacional de uso sostenible de productos fitosanitarios, donde se concretan los objetivos, medidas e indicadores de referencia, que estará en vigor hasta 2017[23].

Los titulares de las explotaciones agrícolas deben disponer de un cuaderno de explotación que recopile la información relativa al uso de estos productos. En las explotaciones se deben implantar prácticas con bajo consumo de fitosanitarios, priorizando los métodos no químicos y la gestión integrada de plagas. Además, el Ministerio competente en agricultura debe aprobar sistemas de producción certificada para garantizar el cumplimiento de estos objetivos. Quedan exentas de este régimen las explotaciones que el Ministerio declare, a propuesta del Comité Fitosanitario Nacional, como aprovechamientos con baja utilización de este tipo de productos.

El artículo 31 del Real Decreto contiene una serie de medidas para evitar la contaminación difusa de las masas de agua. Entre ellas, se especifica la reducción de su aplicación en superficies muy permeables, el establecimiento de bandas de seguridad con respecto a masas de agua superficial, o la recomendación de no realizar tratamientos con vientos superiores a 3 m/s. En lo que se refiere a las zonas de extracción de aguas para consumo humano, el artículo 33 introduce algunas cautelas, como la necesaria identificación de los pozos y aguas superficiales susceptibles de ser contaminadas, y la prohibición de aplicar los fitosanitarios a menos de 50 metros del punto de extracción o captación del agua. En estas zonas, así como en los espacios naturales protegidos, debe priorizarse la utilización de productos fitosanitarios de bajo riesgo. Las autoridades, además, pueden imponer la reducción o incluso prohibición de su utilización en zonas específicas, con la motivación correspondiente.

Las Comunidades Autónomas deben designar un órgano competente para controlar la aplicación de estas sustancias. La vigilancia constante en este campo es importante, como demuestra el hecho de que en 2014 se detectara, entre otros aspectos, que el 3.5% de los agricultores sujetos a inspección habían cometido infracciones por el uso inadecuado de productos fitosanitarios, habiéndose efectuado 23 comunicaciones de alerta por pla-

---

23. Orden AAA/2809/2012, de 13 de diciembre, por la que se aprueba el Plan de Acción Nacional para conseguir un uso sostenible de los productos fitosanitarios.

guicidas en aguas de consumo humano[24]. La situación es también mejorable en las masas de agua subterránea. En la figura 1 se observan las masas de agua subterránea de la Demarcación del Segura que presentan porcentajes de plaguicidas superiores a los admisibles[25].

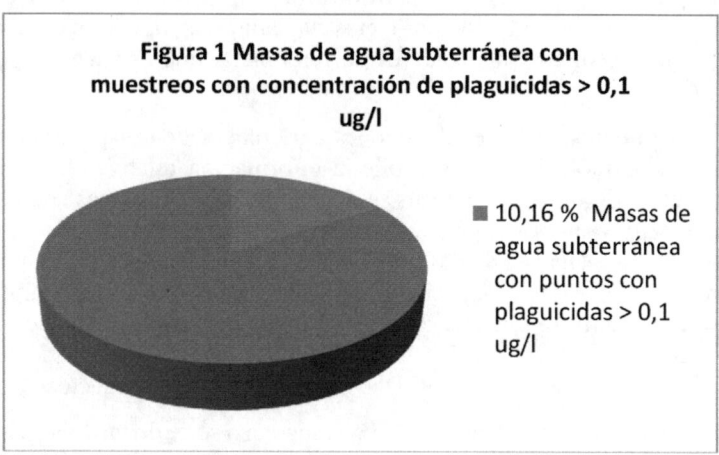

Figura 1 Masas de agua subterránea con muestreos con concentración de plaguicidas > 0,1 ug/l

■ 10,16 % Masas de agua subterránea con puntos con plaguicidas > 0,1 ug/l

Fuente: CHS (2014)[26]

Cuantitativamente, no parecen datos demasiado relevantes, pero si cualitativamente, toda vez que entre las masas que superan las concentraciones permitidas se encuentran algunas de las más importantes de la Demarcación, como ocurre, significativamente, con el Campo de Cartagena.

Para la supervisión efectiva del uso de plaguicidas se requieren programas flexibles que puedan adaptarse a los períodos de aplicación, así como realizar una buena elección del medio de análisis (agua, sedimentos, biota, etc.). Algunos plaguicidas modernos sólo son detectables inmediatamente tras su aplicación, por lo que el establecimiento de periodos de análisis mensuales, trimestrales o semestrales puede no ser suficiente[27]. Por otra parte, existen algunas sustancias sobre las que no existe un total consenso en cuan-

---

24. Datos extraídos del informe de Resultados del PAN 2014, del Ministerio de Agricultura, Alimentación y Medio Ambiente, disponible en: http://www.magrama.gob.es/es/agricultura/temas/sanidad-vegetal/informepan2014_tcm7-389126.pdf.
25. Esta Demarcación es bastante representativa por la abundante presencia del riego localizado y la importancia de las actividades agrarias en la zona.
26. CHS (2014) Estado químico (diagnóstico) de las aguas subterráneas en la Confederación Hidrográfica del Segura, periodo 2009-2013. Murcia. Disponible en: https://www.chsegura.es/export/descargas/cuenca/redesdecontrol/calidadenaguassubterraneas/docsdescarga/INFORME_Estado_Quimico_2009-2013.pdf.
27. ONGLEY, E.D. (1997), capítulo IV.

to a su calificación como plaguicidas en sentido estricto, por lo que urge una actualización de la normativa técnica para clarificar esta situación[28].

Al margen de las cuestiones ambientales, existe una evidente preocupación por las implicaciones sanitarias que plantean estos productos químicos, al estar presentes, entre otros, en los alimentos. Esta cuestión está regulada en sede comunitaria por el Reglamento (CE) núm. 1107/2009 del Parlamento Europeo y del Consejo, de 21 de octubre de 2009, relativo a la comercialización de productos fitosanitarios[29]. El objetivo es garantizar que los productos fitosanitarios que se ponen en el mercado sean previamente testados y obtengan la correspondiente autorización administrativa. Se trata de que los componentes químicos que contienen estos productos no resulten nocivos para la salud y el medio ambiente. Sólo las sustancias activas, protectores, sinergistas o coformulantes que hayan sido comprobados pueden formar parte del producto[30].

Antes de la aprobación de dicho Reglamento, el Real Decreto 2163/1994 de 4 de noviembre, implantó en España el sistema armonizado comunitario de autorización para comercializar y utilizar productos sanitarios, sujetando la utilización de estos productos a la previa autorización estatal. Dicho reglamento, sin embargo, fue derogado por el Real Decreto 971/2014, de 21 de noviembre, por el que se regula el procedimiento de evaluación de productos fitosanitarios. Esta norma recoge ahora la regulación del procedimiento

---

28. CHS (2014), supra nota 26. Llama la atención, por ejemplo, que una de las sustancias más extendidas de todas las detectadas es el ftalato, sobre el que no existe una norma de calidad específica aplicable para las masas de agua subterránea. Según la Confederación Hidrográfica del Segura, no debe considerarse como componente activo de un plaguicida o como plaguicida, en sentido estricto. Otra cosa es la potencial afección a la salud que este compuesto puede tener. Dada la importante utilización de este compuesto y la elevada presencia en las masas de agua subterránea, debería regularse su utilización mediante su introducción en el Real Decreto.

29. Esta norma deroga las Directiva 79/117/CEE, de 21 de diciembre de 1978, relativa a la prohibición de salida al mercado y de utilización de productos fitosanitarios que contengan determinadas sustancias activas. Así como la Directiva 91/414, de 15 de julio, de 15 de julio de 1991, relativa a la comercialización de productos fitosanitarios.

30. Los protectores son compuestos que se incluyen en junto al fitosanitario para eliminar o reducir los efectos fitotóxicos del producto en determinadas plantas. Los sinergistas son productos que, pese a presentar una actividad escasa o nula, pueden aumentar la actividad de las sustancias activas de un producto fitosanitario. Finalmente, los coformulantes y adyuvantes son productos que potencian los efectos del fitosanitario, bien sea como parte del mismo producto, o como producto a mezclar con el primero, respectivamente (artículo 2.3 del Reglamento (CE) núm. 1107/2009).

administrativo de autorización de los productos fitosanitarios, y de sus sustancias activas, dentro del marco normativo de la Unión Europea y nacional, y de acuerdo con la Ley 43/2002, de 20 de noviembre, de sanidad vegetal.

Las autorizaciones tienen una naturaleza operativa o reglamentaria, pudiendo ser revisadas en cualquier momento. Las sustancias autorizadas pueden ser retiradas tras su aprobación si se comprueba que las mismas ya no reúnen las condiciones necesarias, o su utilización puede comprometer el cumplimiento de los objetivos de la DMA. La Comisión Europea puede, de oficio, o a petición de un Estado, modificar o retirar la autorización a la vista de nuevos conocimientos científico técnicos, o de los datos derivados de la vigilancia realizada por las autoridades.

Al margen de las autorizaciones de comercialización, es importante el tratamiento jurídico de los residuos derivados de la utilización de estos productos. El Real Decreto 280/1994, de 18 de febrero establece los límites máximos de residuos de plaguicidas (LMR) y su control en determinados productos vegetales. De acuerdo con esta normativa, las Comunidades Autónomas deben elaborar planes anuales de vigilancia de residuos de productos fitosanitarios en origen, mediante muestreo. Las infracciones se sancionan conforme al Real Decreto 1945/1983, de 22 de junio, por el que se regula las infracciones y sanciones en materia de defensa del consumidor y de la producción agroalimentaria, y conforme a la Ley 14/1986, General de Sanidad.

Los LMR fueron redefinidos para los diferentes productos alimentarios por el Reglamento (CE) 396/2005 del Parlamento Europeo y del Consejo de 23 de febrero de 2005, relativo a los límites máximos de residuos de plaguicidas en alimentos y piensos de origen vegetal y animal[31]. Su artículo 4 establece que tanto los productos fitosanitarios como los residuos que estos produzcan no deben tener efectos nocivos en la salud humana, incluida la de los grupos vulnerables, en la salud animal, y en el medio ambiente, incluidas

---

31. Este Reglamento deroga diversas Directivas que venían fijando los LMRs de diferentes productos alimentarios. Se trata de las siguientes normas: Directiva 76/895/ CEE del Consejo, de 23 de noviembre de 1976, relativa a la fijación de los contenidos máximos de residuos de plaguicidas en las frutas y hortalizas, Directiva 86/362/CEE del Consejo, de 24 de julio de 1986, relativa a la fijación de contenidos máximos para los residuos de plaguicidas sobre y en los cereales, la Directiva 86/363/CEE del Consejo, de 24 de julio de 1986, relativa a la fijación de contenidos máximos para los residuos de plaguicidas sobre y en los productos alimenticios de origen animal, y la Directiva 90/642/ CEE del Consejo, de 27 de noviembre de 1990, relativa a la fijación de los contenidos máximos de residuos de plaguicidas en determinados productos de origen vegetal, incluidas las frutas y hortalizas (6). El Reglamento sustituye, actualiza y armoniza estos actos legislativos.

específicamente las aguas subterráneas. De ahí que sólo puedan aprobarse aquellas sustancias activas que garanticen estos objetivos (artículo 4).

La generación del residuo debe partir de una buena utilización del producto, conforme a las buenas prácticas fitosanitarias. Una vez producido el residuo, este no debe tener efectos nocivos para la salud humana, especialmente la de los grupos vulnerables, ni para la sanidad animal. La aplicación del producto debe realizarse en sus niveles más bajos posibles, dentro del LMR aplicable, y conforme a las mejores técnicas disponibles. El objetivo es garantizar la seguridad alimentaria de los ciudadanos y, en particular, de los grupos más vulnerables, como los lactantes, niños y mujeres embarazadas.

En el caso de España, el 1.7% de las muestras realizadas en alimentos en 2013 mostraron niveles de residuos de plaguicidas que superaban el LMR, mientras que en 2012 el porcentaje de incumplimiento del LMR fue de 1.2%; de las 36 muestras que incumplieron, 21 eran de procedencia doméstica, y 15 eran productos importados[32].

IV. REGULACIÓN DE LOS NITRATOS

1. MARCO LEGAL

La utilización de fertilizantes nitrogenados es muy común en las explotaciones agrarias, y resulta imprescindible para garantizar una producción suficiente[33]. La normativa comunitaria sobre esta temática se materializó en la Directiva 91/676/CEE, de 12 de diciembre de 1991, relativa a la protección de las aguas contra la contaminación producida por nitratos, la cual se incorporó a nuestro ordenamiento mediante el Real Decreto 261/1996 de 16 de febrero. Esta regulación afronta los retos ambientales y sanitarios que plantea este tipo de contaminación de carácter difuso.

Las estrategias de prevención y control del uso de nitratos pasan por identificar las masas de agua afectadas, designar las que se consideren vulnerables a este tipo de contaminación, y aprobar los correspondientes

---

32. European Food Safety Authority (EFSA), 2013) «The 2013 European Union report on pesticide residues in food», EFSA Journal 2015;13(3):4038 [169 pp.] http://www.efsa.europa.eu/en/efsajournal/pub/4038.

33. Uno de los análisis más completos sobre esta cuestión puede verse en ÁLVAREZ CARREÑO, S.: «Actividad agrícola y contaminación de las aguas subterráneas: régimen jurídico», en EMBID IRUJO, A., (dir.), (2011), *Agua y agricultura*, Aranzadi, Pamplona, pp. 215-281.

instrumentos operativos, a saber, los programas de acción. Además, deben elaborarse códigos de buenas prácticas agrarias, que se convierten en instrumentos vinculantes cuando un espacio es declarado zona vulnerable. Todo el proceso debe estar monitorizado a través de programas de muestreo y seguimiento de la calidad de las aguas, que evalúan la eficacia de los programas de acción y permiten actualizar la lista de zonas vulnerables. Finalmente, las autoridades deben elaborar cada cuatro años un informe de situación que se remite a la Comisión Europea para su evaluación[34].

Pese a todos estos instrumentos, el estado químico de las masas de agua subterránea dista mucho de ser adecuado en relación con este parámetro. En las zonas con mayor concentración agrícola, un porcentaje significativo de masas de agua superan ampliamente el nivel máximo admisible, fijado esta normativa, así como por el Real Decreto 1514/2009 de 2 de octubre, en 50 mg/l de nitratos. En la demarcación del Segura, por ejemplo, más del 25% de las masas de agua subterránea contienen mayor concentración de la permitida, como puede observarse en la figura 2.

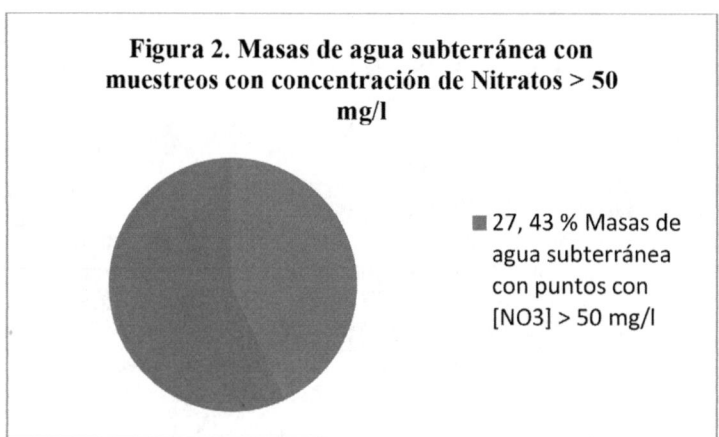

Figura 2. Masas de agua subterránea con muestreos con concentración de Nitratos > 50 mg/l

■ 27, 43 % Masas de agua subterránea con puntos con [NO3] > 50 mg/l

Fuente: (CHS, 2014)[35]

La relación entre la actividad agrícola intensiva y la presencia de este tipo de contaminación es superior en las zonas de mayor implantación del regadío localizado[36]. Las aguas subterráneas son desde luego las más ex-

---

34. Un estudio detallado sobre todos estos instrumentos puede verse en MOLINA GIMÉNEZ, A.: «La contaminación difusa del agua por actividades agrarias. Especial referencia al riego con aguas regeneradas», en BENITO LÓPEZ, M. A., *et al.* (2015) (dir.): *Agua y Derecho. Retos para el Siglo XXI*, Aranzadi, Pamplona.
35. *Vid. supra* nota núm. 26.
36. Así, en la masa de agua subterránea correspondiente a la Vega media y Vega media

puestas a este tipo de contaminación, muy por encima de las superficiales. Así, según el Plan hidrológico de la Demarcación del Júcar, de los 280 municipios que están declarados zonas vulnerables a la contaminación por nitratos, 279 están asociados a masas de agua subterránea[37].

El tratamiento jurídico de este tipo de contaminación es ciertamente complicado, teniendo en cuenta que no estamos ante un vertido directo, salvo que se trate de explotaciones ganaderas con depósito de purines[38]. Por ello, como ya se ha señalado, las estrategias de prevención y control se sitúan al margen del instrumento de la autorización de vertido, que permite un control más efectivo del efluente[39].

del Segura se localizan hasta 7 puntos de muestreo en estas condiciones, número que se eleva a 19 en la masa de agua del Campo de Cartagena. (CHS, 2014), *vid. supra* nota núm. 26.

37. Véase la Propuesta de proyecto de revisión del plan hidrológico. MEMORIA–ANEJO 4. Registro de zonas protegidas. Ciclo de planificación hidrológica 2015-2021 http://www.chj.es/Descargas/ProyectosOPH/Consulta%20publica/PHC-2015-2021/PHJ1521_CP_Anejo04_ZonasProtegidas.pdf.

38. La jurisprudencia española, como por ejemplo la STJ 811/2010 de 27 de diciembre. del Tribunal Superior de Justicia de Andalucía, [JUR 2011, 106368] avala la aplicación en estos casos, por parte de las Confederaciones Hidrográficas, del régimen sancionador contenido en el artículo 173 del RDPH, que se refiere a las actividades que pueda afectar a la calidad o cantidad de las aguas subterráneas, y menciona específicamente en su apartado 6.c) las: «Actividades agrícolas y ganaderas: Depósito y distribución de fertilizantes y plaguicidas, riego con aguas residuales y granjas». Ahora bien, el precepto se ha aplicado a casos de vertidos puntuales localizados, no a los supuestos en los que se realiza una aplicación de estos productos en explotaciones agrícolas. La propia Sentencia que comentamos se refiere a la aplicación al caso del artículo 116.f) del TRLA «los vertidos que puedan deteriorar las calidad del agua o las condiciones del desagüe del cauce receptor, efectuados sin contar con la autorización correspondiente», en concordancia con 316.g) del RDPH, así como con el artículo 100 del TRLA, que dispone: «queda prohibido con carácter general el vertido directo o indirecto de aguas y de productos residuales susceptibles de contaminar las aguas continentales o cualquier otro elemento del dominio público hidráulico, salvo que cuente con la previa autorización administrativa», y el artículo 245 del RDPH que se refiere también a los vertidos no autorizados considerando estos los que: «se realicen directa o indirectamente en los cauces, cualquiera que sea la naturaleza de éstos, así como los que se lleven a cabo en el subsuelo o sobre el terreno, balsas o excavaciones, mediante evacuación, inyección o depósito». Queda claro que la aplicación del régimen sancionador se basa en la consideración del vertido de purines como un vertido directo o a lo sumo indirecto, nunca difuso. En el mismo sentido, puede verse la STJ 1066/2004, de 2 de julio, del Tribunal Superior de Justicia de Madrid, [JUR 2004, 271894], entre otras.

39. El TJCE, en la Sentencia de 29 de septiembre de 1999, asunto: C-232/97, caso:

La dificultad de aplicar los diferentes instrumentos que contiene la normativa sobre nitratos es más que evidente si observamos los numerosos pronunciamientos de condena que se han sucedido por parte del TJCEE, por incumplimientos detectados en España[40]. Circunstancia a la que, por otra parte, no han sido ajenos otros importantes Estados de la Unión Europea[41].

«Nederhoff v Dijkgraf en Hoogheemraden van het Hoogheemraadschap Rijnland», [TJCE 1999/217], excluyó la contaminación difusa del concepto «vertido directo». De acuerdo con su interpretación, los vertidos directos son solo aquellos que pueden quedar plenamente identificados y vinculados a una acción humana. El resto, los de naturaleza difusa, no pueden sujetarse a un marco autorizatorio, debiendo luchar contra ellos mediante la aprobación de programas específicos.

40. Podemos al respecto citar algunas de las resoluciones más importantes del TJCE en relación con nuestro país, por incumplimientos de diversa índole en relación con la aplicación en España de la Directiva Nitratos. En primer término, cabe citar la Sentencia del TJCE, de 1 de octubre de 1998, asunto: C-71/97. Comisión vs Reino de España, [TJCE 1998/233], relativa al incumplimiento de los artículos 3 y 4 de la Directiva 91/676/CEE, debido a la ausencia de identificación de las zonas con riesgo de contaminación por nitratos, designación de zonas vulnerables, y no establecimiento de códigos de buenas prácticas agrarias. Algunos años después, la Sentencia del TJCE de 13 de abril de 2000, asunto: C-274/98, Comisión vs Reino de España, [TJCE 2000/81], declaró el incumplimiento de las obligaciones derivadas del artículo 5 de la Directiva, al no haber establecido en plazo los programas de acción previstos en dicho artículo. En relación con incumplimientos en cuencas internas, debe citarse la Sentencia del TJCE de 15 de mayo de 2003, asunto: C-419/2001, [TJCE 2003/143]. Por otra parte, es interesante la Sentencia del TJCEE de 8 de septiembre de 2005, asunto: C-416/02, [TJCE 2005/260], por cuanto declara el incumplimiento de las Directivas sobre aguas residuales urbanas y nitratos, al no someter las aguas residuales de la aglomeración de Vera a un tratamiento como el previsto en el artículo 5, apartado 2, de la Directiva 91/271, es decir, un tratamiento más riguroso que el ordinario, y al no declarar la Rambla de Mojácar como zona vulnerable, en contra de lo dispuesto en el artículo 3, apartados 1, 2 y 4, de la Directiva 91/676.

41. Más recientemente, la Sentencia del TJCE de 4 de septiembre de 2014, asunto C-237/12, [TJCE 2014/293], condena a la República Francesa por incumplimiento de la Directiva 91/676/CE, de nitratos, al no haber adoptado todas las medidas necesarias para dar cumplimiento a las obligaciones que le incumben en virtud del artículo 5, apartado 4, en relación con lo dispuesto en los anexos II, letra A, puntos 1 a 3 y 5, y III, apartados 1, puntos 1 a 3, y 2 de dicha Directiva. En particular, el artículo 5.4 de la Directiva se refiere a los programas de acción, sus medidas y el ámbito cronológico de implantación. También, la Sentencia del TJCEE de 23 de abril de 2015, asunto C-149/14, Comisión vs. Grecia, declara el incumplimiento de los artículos 3.4 y 5.1 de la Directiva 91/676/CEE del Consejo, de 12 de diciembre de 1991, toda vez que Grecia no había designado las zonas vulnerables conforme a los criterios establecidos en la Directiva, ni se habían elaborado los programas de acción. Disponible en: http://eur-lex.europa.eu/legal-content/ES/TXT/?uri=CE-

Frente a ello, el Tribunal europeo viene considerando la protección de las masas de agua subterránea frente a este tipo de contaminación como una cuestión prioritaria, e incluso prevalente sobre cualesquiera obstáculos formales que plantee el derecho interno de los estados, incluidos los que se deriven de la aplicación de otras directivas de protección ambiental[42].

LEX:62014CA0149#ntr1-C_2015205ES.01001201-E0001.

42. Buena muestra de ello es la STJEE de 22 de septiembre de 2005, asunto C-221/03, Comisión vs. Bélgica, [TJCE 2005/280], por incumplimiento de la Directiva 91/676/CEE, dada la incompleta adaptación del ordenamiento jurídico interno, el incumplimiento de normas de protección de las aguas contra la contaminación producida por nitratos utilizados en la agricultura, la no determinación de las aguas contaminadas o que pueden serlo, la designación incorrecta e insuficiente de las zonas vulnerables, así como insuficiencias y aplicación incompleta de los códigos de buenas prácticas agrarias y de los programas de acción. Si hacemos seguimiento de esta Sentencia, podemos encontrar una segunda resolución de particular interés, que evidencia la prelación de la variable ambiental sustantiva frente a defectos de naturaleza formal. En cumplimiento de la Sentencia indicada, el Gobierno valón adoptó un Decreto sobre gestión sostenible del nitrógeno en la agricultura, el cual fue recurrido por no haber sido sujeto a evaluación de impacto ambiental de planes y programas. El órgano judicial estatal elevó cuestión prejudicial al TJ-CEE planteando las consecuencias de la anulación del citado Decreto, en cuanto al cumplimiento de las obligaciones derivadas de la Directiva Nitratos. A juicio del órgano jurisdiccional belga, la anulación del Decreto privaría al ordenamiento belga de toda medida de transposición de la Directiva 91/676 en la región Valona. La Sentencia del TJUE (Gran Sala), de 28 de febrero de 2012, Inter-Environnement Wallonie ASBL, asunto C-41/11, [TJCE 2012/35], declara que la protección del medio ambiente es uno de los objetivos esenciales de la Unió y reviste un carácter tanto trasversal como fundamental, lo que permite autorizar con carácter excepcional al órgano judicial interno, a aplicar la normativa nacional que permite mantener determinados actos sustancialmente válidos en actos anulados, bajo los siguientes requisitos: la norma impugnada debe constituir una medida de trasposición adecuada de la Directiva, el mantenimiento de determinados efectos del acto anulado permite evitar efectos perjudiciales en el medio ambiente que se derivarían de su anulación, la anulación de éste crearía un vacío legal relativo a la trasposición de la Directiva nitratos que resultaría más perjudicial para el medio ambiente, y en concreto, resultaría en una menor protección de las aguas contra la contaminación producida por nitratos procedentes de fuentes agrarias. Lo que además vulneraría el objetivo esencial de dicha Directiva que consiste en prevenir dicha contaminación. Finalmente, el mantenimiento excepcional de los efectos del acto (plan o programa derivado del Decreto) sólo podrá justificarse dentro del tiempo estrictamente necesario para que se adopten medidas que subsane la irregularidad declarada, y por tanto, se someta al mismo a evaluación de impacto ambiental.

2. LA DECLARACIÓN DE ZONAS VULNERABLES

En primer término, los Estados están obligados a identificar las aguas afectadas por la contaminación de nitratos o que estén en riesgo de llegar a dicha situación. En España, corresponde realizar este análisis en las cuencas intercomunitarias al Ministerio con competencias en materia ambiental, y al organismo correspondiente autonómico en las cuencas internas. El conocimiento de la calidad de las masas de agua es el presupuesto para activar los correspondientes escenarios de intervención.

La identificación de las masas en riesgo conduce a su designación como zonas vulnerables a la contaminación por nitratos. Las CCAA han ido aprobando decretos para designar estos espacios en su territorio, habiendo cumplido todas ellas con esta obligación[43]. Su aprobación, sin embargo, fue tardía, motivando la condena a España por incumplimiento de la Directiva por parte del TJCE[44]. Los objetivos específicos de calidad para estas zonas son los que establezca la declaración, y tienen carácter vinculante. La designación se revisa cada cuatro años de acuerdo con los resultados del seguimiento de las masas de agua realizado durante el periodo.

El Anexo I de la Directiva nitratos define las condiciones que debe cumplir un espacio para ser declarado zona vulnerable. Para las aguas superficiales el criterio es la presencia de fenómenos de eutrofización, mientras que para el agua subterránea se confía en la norma de calidad que venimos indicando, de manera que la masa de agua no debe albergar una concentración de nitratos superior a 50 mg/l; parámetro coincidente con el exigido para las aguas potables[45]. Una vez la zona queda declarada como vulnerable, los códigos de buenas prácticas agrarias, que como regla general son de voluntario

---

43. 43 Las Comunidades Autónomas españolas han designado las zonas vulnerables mediante instrumentos que, de acuerdo con la jurisprudencia, deben tener naturaleza reglamentaria. De hecho, en algún caso hemos asistido a la anulación de la designación de zona vulnerable cuando se ha realizado mediante una simple decisión administrativa. Véase la Sentencia del Tribunal Superior de Justicia de Cataluña, núm. 266/2015, de 14 abril [RJCA 2015, 651], que anula el acuerdo 128/2009, de 28 julio, de revisión y designación de nuevas zonas vulnerables.
44. *Vid. supra*, nota núm. 39, en relación con la STJCE, de 1 de octubre de 1998. Asunto C-71/97. Comisión vs Reino de España.
45. El parámetro fue introducido por la Directiva 75/440/CEE del Consejo, de 16 de junio de 1975, relativa a la calidad requerida para las aguas superficiales destinadas a la producción de agua potable; esta normativa fue derogada en 2007 de acuerdo con DMA, artículo 22, apdo. 1. La Directiva 98/83/CE, de 3 de noviembre de 1998, confirma el citado parámetro, que actualmente figura en nuestro ordenamiento interno en el Real Decreto 140/2003, de 7 de febrero, por el que se establecen los criterios sanitarios de la calidad del agua de consumo humano.

cumplimiento, pasan a ser vinculantes. Además, debe aprobarse un programa de acción específico para contribuir a revertir los impactos.

3. PROGRAMAS DE ACTUACIÓN

Cada zona vulnerable debe contar con un programa aprobado por la Comunidad Autónoma, con una vigencia de 4 años. Las Comunidades deben informar al Ministerio competente tanto de las directrices y contenido de los programas, como de la forma en que se aplican las medidas. Así mismo, informarán a los Organismos de Cuenca sobre estos extremos de cara a la elaboración de los planes hidrológicos de la demarcación y los programas de medidas. El programa de actuación es el instrumento operativo fundamental, ya que permite imponer obligaciones concretas de prevención y control a Administraciones y agentes contaminadores. Los programas son supervisados tras su aprobación en sede nacional por la Comisión Europea. Si no se consideran adecuados, la Comisión ordenará su reformulación.

Las medidas más comunes que contienen son la prohibición de uso de determinados fertilizantes, el establecimiento de limitaciones temporales para su utilización, así como medidas dirigidas a restringir la cantidad de ganado o la aplicación y almacenamiento de estiércol. También exigen mínimos de capacidad de almacenamiento estanco de estiércoles, toda vez que es fundamental depositar correctamente este producto para evitar la percolación de purines. Establecen a su vez valores límite para la aplicación de fertilizantes mediante el riego, de acuerdo con las prácticas agrarias más adecuadas, y teniendo en cuenta las características de la zona vulnerable.

Controlar las operaciones de riego en las explotaciones agrarias, para evitar el sobre-abono y la filtración de nitratos, es un gran reto en zonas con gran implantación de regadíos y suelos pobres en nutrientes. Por ello, la Directiva prevé excepciones, permitiendo a los agricultores operar con niveles de exigencia menos demandantes cuando existe una justificación adecuada. Ahora bien, estas deben ser autorizadas por la Comisión Europea y están sujetas a condiciones muy restrictivas. El Estado solicitante debe asegurar que las operaciones agrícolas que superen los estándares no supondrán ningún riesgo adicional[46].

---

46. Véase CLAEYS, D., et al. (2008), «Derogation of the EU Nitrates Directive: does it make a difference?», 12th Congress of the European Association of Agricultural Economists – EAAE, p. 1-5. Otro análisis en VAN DER STRAETEN, B., et al. (2011), «The effect of EU derogation strategies on the compliance costs of the nitrate directive», Science of the Total Environment, vol. 421-422, pp. 94 et seq.

4. CÓDIGOS DE BUENAS PRÁCTICAS AGRARIAS

Los Códigos de buenas prácticas agrarias se aprueban por las Comunidades Autónomas. Son documentos no vinculantes, si bien juegan un importante papel proporcionando información a los agricultores sobre prácticas agrarias sostenibles. Además, cuando un espacio es declarado zona vulnerable, pasan a ser vinculantes.

Los códigos incorporan criterios sobre: 1) periodos en los que la aplicación de fertilizantes no es apropiada, 2) condiciones para la aplicación de fertilizantes en zonas escarpadas, saturadas de agua, inundadas o cubiertas de nieve, y en zonas próximas a cursos fluviales, 3) procedimientos y metodologías para la aplicación de fertilizantes, incluida la cantidad, periodo y uniformidad en la aplicación, 4) capacidad de almacenaje necesaria para la gestión de estiércoles. La lista de buenas prá, incluidos nitratos y fosfatos. uidos nitratos y fosfatos. bar si los criterios de calidad requeridos se cumplen en rtciones debcticas se completa con medidas adicionales relativas a la gestión de los suelos, sistemas de rotación de cultivos, mantenimiento de cantidades mínimas de cubierta vegetal durante periodos de lluvia, y planes de fertilización a nivel de explotación, entre otros.

5. MEDIDAS DE SEGUIMIENTO

Las autoridades de cuenca deben instalar su propia red de estaciones de muestreo, y periódicamente tomar muestras de la calidad del agua. Para ello aprueban programas de muestreo y seguimiento. Se pretende así determinar la eficacia de los programas de acción establecidos, y en su caso modificar o ampliar la lista de zonas vulnerables.

Los controles deben efectuarse en estaciones de muestreo representativas de los acuíferos subterráneos, así como en los puntos de extracción de agua potable en aguas superficiales. Es muy importante que dichos puntos estén situados en localizaciones que garanticen tomas de muestras que proporcionen una imagen fiel de la situación del acuífero. No sería razonable, por tanto, situarlas en áreas próximas a algún punto de máxima concentración de emisiones, como en las proximidades de una explotación ganadera intensiva. La toma de muestras debe realizarse en todas las masas de agua, incluidas las aguas costeras.

En las cuencas intercomunitarias esta labor es realizada por los Organismos de Cuenca. Los análisis se repetirán por lo menos cada cuatro años salvo en masas de agua poco modificadas, donde las frecuencias pueden ser mayores. Las autoridades deben suministrar al Ministerio competente los datos y resultados obtenidos. Con arreglo a estos resultados, se elaboran las propuestas de modificación de las zonas vulnerables, actualizando su superficie, o incluso desclasificándolas si han recuperado un estado ambiental óptimo. Estas labores de seguimiento permiten a su vez actualizar las medidas incluidas en los programas.

Cuando la Comisión observa que un Estado está incumpliendo sus deberes, puede llevar el caso ante el Tribunal de Justicia de las Comunidades Europeas. Si el Estado resulta responsable, el Tribunal podrá ordenar la reposición de la situación vulnerada, así como, en caso de desobediencia, imponer sanciones económicas[47]. El Estado debe elaborar un informe de situación, con una frecuencia de 4 años, el cual será remitido a la Comisión Europea para su evaluación.

V. ÁREAS PROTEGIDAS

Los instrumentos de tutela de las aguas subterráneas presentan algunas especificidades cuando los agentes contaminantes, tanto nitratos como plaguicidas, pueden afectar a un área protegida. Estas especificidades obedecen a diferentes lógicas, dependiendo de los bienes jurídicos que prevalezcan; en ocasiones, son bienes de naturaleza ambiental, otras veces, sin embargo, conciernen más a la salud de las personas.

El artículo 99 bis del TRLA incluye un listado representativo de estos espacios, que deben incluirse en el Registro de Zonas Protegidas de cada Demarcación hidrográfica. De todos ellos, ya se han estudiado las zonas vulnerables a nitratos, por lo que resta por considerar, teniendo en cuenta la relevancia de las aguas subterráneas para estos espacios, las masas destinadas al consumo humano, determinados espacios naturales protegidos, y las áreas de captación y uso de aguas minerales y termales.

En primer término, los planes hidrológicos de cuenca deben incluir las zonas de extracción de agua para consumo humano que proporcionen un volumen medio de al menos 10 metros cúbicos diarios, o abastezcan a más de cincuenta personas, así como, en su caso, definir sus perímetros de protección. También se incluirán las zonas que, de acuerdo con las previsiones de la planificación hidrológica, vayan a proporcionar estos caudales en un futuro. Cuando los caudales en origen se han otorgado mediante concesión no hay problema para ello, pero en ocasiones los municipios se suministran

---

47. Los procedimientos frente al incumplimiento de los Estados de los objetivos vienen establecidos en los artículos 258-260 del Tratado de Funcionamiento de la Unión Europea (Tratado de Lisboa de 13 de diciembre de 2007). Sobre el particular, CRAIG, P., (2010), *The Lisbon Treaty, law, politics and Treaty reform*, Oxford University Press, pp. 124 *et seq.*

a partir de pozos privados, en cuyo caso no siempre se dispone de una información fiable de las captaciones.

Aunque la exigencia de delimitar perímetros de protección no aparece en la Directiva 98/83/CE de 3 de noviembre, relativa a la calidad del agua requerida para consumo humano, la DMA si la contiene. Además, esta Directiva obliga a instalar puntos de seguimiento en las masas de captación que proporcionen un promedio de más de 100 m³ diarios (artículo 7)[48].

Los resultados de los análisis realizados en estos puntos de seguimiento deben cumplir las condiciones paramétricas correspondientes a una masa de agua en buen estado. Ahora bien, desde la perspectiva del suministro, el Real Decreto 140/2003 de 7 de febrero, por el que se establecen los criterios sanitarios de la calidad del agua del consumo humano[49], no obliga a que tales exigencias deban cumplirse en el punto de captación del agua, sino en el punto en el que ésta se pone a disposición del consumidor. Esta normativa no atiende a la fuente del problema, sino que gestiona sus consecuencias. Los índices paramétricos, sin embargo, coinciden con los que se exigen para mantener la calidad de las masas de agua subterránea.

Así, el anexo I de esta norma limita la concentración máxima de nitratos en el punto de consumo en 50 mg/l. En lo que se refiere a plaguicidas, el total de estos compuestos presente en las aguas suministradas no debe superar la concentración máxima de 0,5 μg/l, y cada plaguicida en particular no superará los 0,1 μg/l[50]. En consecuencia, se puede afirmar que el estado

---

48. Para las masas de agua superficial, el Real Decreto 817/2015, de 11 de septiembre, obliga a que las masas de agua destinadas a la producción de agua para consumo humano, que a partir de uno o varios puntos de captación proporcionen un promedio de más de 100 metros cúbicos diarios, se sometan a controles adicionales para las sustancias prioritarias y contaminantes vertidos en cantidades significativas. Esto debe ponerse en relación con las sustancias que se regulan en el anexo I del Real Decreto 140/2003, de 7 de febrero, por el que se establecen los criterios sanitarios de la calidad de agua de consumo humano. Las estaciones o puntos de muestreo seleccionados para este control se identificarán en el programa de control de aguas destinadas al abastecimiento.

49. El Real Decreto 1138/1990, de 14 de septiembre, que aprobó la reglamentación técnico-sanitaria para el abastecimiento y control de calidad de las aguas potables de consumo público, incorporó a nuestro ordenamiento jurídico la Directiva comunitaria 80/778/CEE, de 15 de julio de 1980. Posteriormente, las novedades introducidas en la Directiva 98/83/CE, de 3 de noviembre, exigieron la elaboración de un nuevo texto, el Real Decreto 140/2003, de 7 de febrero, por el que se establecen los criterios sanitarios de la calidad del agua de consumo humano, que sustituye al anterior.

50. Dado que nos movemos con concentraciones bastantes bajas de estos compuestos,

ambiental de las masas de agua subterránea sólo será idóneo si el agua puede utilizarse directamente para consumo humano sin mayor tratamiento de eliminación de nutrientes o pesticidas.

El gestor del suministro debe comunicar la superación de estos límites a la autoridad sanitaria autonómica, que valorará la posible repercusión en la salud de los usuarios, la importancia de la incidencia, y la necesidad de realizar un estudio y evaluación del riesgo; todo ello a los efectos de, eventualmente, declarar una *«situación de alerta»*. La autoridad sanitaria podría incluso prohibir el suministro o el consumo de agua, restringir su utilización, e imponer la aplicación de técnicas de tratamiento apropiadas para modificar la naturaleza o las propiedades del agua antes de su distribución. La situación de alerta o incumplimiento sólo cesará cuando las medidas correctoras hayan sido efectivas; entre tanto, debe notificarse la situación a la población y comunicar las recomendaciones necesarias.

El Anexo I del Real Decreto incluye finalmente una previsión que impone la coordinación entre los departamentos autonómicos con competencias en agricultura y sanidad, los municipios titulares del servicio de abastecimiento de agua potable, y los entes o empresas gestoras. Es responsabilidad de las Comunidades Autónomas velar para que se *«adopten las medidas necesarias para poner a disposición de la autoridad sanitaria y de los gestores del abastecimiento el listado de plaguicidas fitosanitarios utilizados mayoritariamente en cada una de las campañas contra plagas del campo, y que puedan estar presentes en los recursos hídricos susceptibles de ser utilizados para la producción de agua de consumo humano»*[51].

Nos referimos a continuación, en otro orden de cosas, a las zonas protegidas por albergar espacios naturales relevantes. La Directiva 92/43/CEE del Consejo de 21 de mayo de 1992, relativa a la conservación de los hábitats naturales y de la fauna y flora silvestres, creó la denominada Red Natura 2000, que alberga hábitats de interés comunitario así como especies que de-

---

el Anexo IV incluye la siguiente prevención. «Aunque no sea posible, por el momento, cumplir con el límite de detección para algún plaguicida, los laboratorios deberían tratar de cumplir esta norma» Aun cuando parece una previsión que genera incertidumbre, lo cierto es que se trata de una cláusula de salvaguarda para los supuestos en los que el laboratorio de ensayos no cuenten con tecnología suficiente para detectar concentraciones muy bajas (por debajo del 25% del valor paramétrico, es decir, el 25% de 0,1 μg/l), lo que es frecuente en muchos laboratorios. Algún plaguicida, por tanto, que esté presente en concentraciones muy pequeñas, podría pasar desapercibido en los análisis. Sería no obstante adecuado que periódicamente las muestras fueran remitidas a laboratorios de última tecnología para tener información sobre la posible presencia de dichos compuestos no detectados.

51.   Véase la nota (6), Anexo I, B1.

ben mantenerse en buen estado de conservación. La Directiva fue incorporada al ordenamiento jurídico español mediante el Real Decreto 1997/1995, de 7 de diciembre, por el que se establecen medidas para contribuir a garantizar la biodiversidad[52], que debe ponerse en relación con la Ley 4/1989, de 27 de marzo, de Conservación de los Espacios Naturales y de la Flora y Fauna Silvestres.

Esta normativa, de carácter básico, consagra a las Comunidades Autónomas como autoridades competentes para la designación de los Lugares de Interés Comunitario (LICs), Zonas Especiales de Conservación (ZECs), y Zonas de Especial Protección para las Aves (ZEPAS). Además, les atribuye la función de aprobar la planificación ambiental, así como implementar las acciones necesarias para garantizar la conservación.

En algunos de estos espacios protegidos el agua, tanto superficial como subterránea, resulta determinante para su formación y conservación. Según el artículo 6 de la DMA, sólo estos deben incluirse en los planes hidrológicos como áreas protegidas. Se trata de que la calidad de la masa de agua, tanto cualitativa como cuantitativa, sea imprescindible para la preservación de los valores ambientales del espacio protegido. Una vez incluidos, los planes hidrológicos de demarcación dedicarán previsiones específicas para su protección desde la perspectiva hidrológica[53]. En la tabla 1, en la que se toma como referencia el plan hidrológico de la demarcación del Júcar, se aprecia la importante interacción de las diferentes masas de agua subterránea con los LICs y ZEPAS.

Tabla 1. Zonas protegidas LIC y ZEPA en masas de agua de subterránea

LICs asociados a masas de agua subterránea	Masas de agua subterránea relacionadas con LICs	ZEPAS asociadas a masas de agua subterránea	Masas de agua subterránea relacionadas con ZEPAS
64	68	33	62

Fuente: PHJ[54]

---

52. Modificado por el Real Decreto 1193/1998, de 12 de junio, por el que se establecen medidas para contribuir a garantizar la biodiversidad mediante la conservación de los hábitats naturales y de la fauna y flora silvestres.
53. Así, por ejemplo, el Plan del Júcar identifica 59 LIC y 30 ZEPA que tienen asociadas masas de agua subterránea.
54. Propuesta de proyecto de revisión del plan hidrológico. memoria –anejo 4. Registro de zonas protegidas. Ciclo de planificación hidrológica 2015-2021.
http://www.chj.es/Descargas/ProyectosOPH/Consulta%20publica/PHC-2015-2021/PHJ1521_CP_Anejo04_ZonasProtegidas.pdf.

Una vez las Comunidades Autónomas elaboran los correspondientes planes de ordenación y gestión de estos espacios, el plan hidrológico de la demarcación debe recoger los objetivos específicos que se hayan establecido en aquellos. Las actuaciones relacionadas con la protección del espacio protegido corresponden a las Comunidades Autónomas, si bien es necesario el intercambio de información para que la autoridad de cuenca pueda coordinar su planificación con la ambiental. En el caso de las aguas superficiales, el programa de control operativo y subprogramas de seguimiento que prevé el Real Decreto 817/2015, de 11 de septiembre pueden resultar instrumentos útiles para controlar este tipo de contaminación[55].

Finalmente, es necesario referirse a las masas de agua destinadas al aprovechamiento de aguas minerales y termales. Estas aguas se regulan en su legislación específica, y las Comunidades Autónomas son competentes para regular su aprovechamiento. La delimitación de perímetros de protección para garantizar la máxima calidad de estas aguas es una exigencia que deriva de la normativa estatal básica, en concreto de los artículos 26 y 28 de la Ley 22/1973, de 21 de julio, de Minas, y de los artículos 41 y 43 del Real Decreto 2857/1978, de 25 de agosto, por el que se aprueba el Reglamento General para el régimen de la minería. Las Comunidades Autónomas pueden establecer una regulación complementaria sobre estas bases[56]. Dentro de estos perímetros pueden imponerse limitaciones a la actividad industrial, agrícola o recreativa, evitando así la incorporación de elementos físicos y químicos que puedan afectar a la calidad de estas aguas.

---

55. El Real Decreto exige incluir a las masas de agua superficial en el programa de control operativo cuando se estime que están en riesgo de incumplir sus objetivos ambientales. Los puntos de muestreo correspondientes formarán parte del programa de control de aguas en zonas protegidas. Los programas de control operativo a que se refiere esta normativa tienen por objeto determinar el estado de las masas de agua en riesgo de no cumplir los objetivos medioambientales, así como evaluar los cambios que se produzcan en su estado como resultado de los programas de medidas. La calificación del riesgo está en función de los resultados de los subprogramas de seguimiento del Estado, lo que depende de la existencia de vertidos de sustancias prioritarias del anexo IV, así como, en su caso, por la presencia de sustancias peligrosas procedentes de fuentes puntuales y de plaguicidas procedente de fuentes agrarias. En la información asociada a cada estación del programa de control operativo se señalarán las presiones causantes del riesgo sobre la masa de agua aplicando la clasificación recogida en el anexo I B, donde se define el contenido de los programas de control operativo.

56. BARRIOBERO MARTÍNEZ, I. (2010): «El régimen jurídico de las aguas minerales y termales», *Diario La Ley*, núm. 7366, Sección Tribuna, 22 Mar. 2010, Año XXXI, Ref. D-88, Editorial LA LEY.

VI. OTROS INSTRUMENTOS

El conjunto de mecanismos disponibles para prevenir el acceso de este tipo de contaminantes a las masas de agua subterránea es, como se ha podido comprobar, particularmente amplio. Más que en la estructura y configuración normativa, donde se detectan los principales problemas es en la ejecución efectiva de las actuaciones de prevención, control, y sancionadoras.

Debido al carácter difuso de este tipo de contaminación, a la pluralidad de agentes implicados, y a la necesidad objetiva de utilizar abonos y pesticidas para sostener la productividad agraria, la acción administrativa puramente represora es poco efectiva. Frente a ello, merece la pena explorar instrumentos de tipo no coactivo que favorezcan la participación y el autocontrol por parte de los agentes directamente implicados en la actividad agraria, en coordinación con las autoridades administrativas.

Una fórmula interesante son los convenios entre las CCAA y las Comunidades de usuarios, puesto que estas son las organizaciones más directamente relacionadas con la actividad causante. Son además entidades de base participativa que permiten canalizar las necesidades de los agricultores de manera efectiva. Estos convenios pueden incluir elementos de diversa índole, desde ayudas para la mejora de los procedimientos de riego, actuaciones divulgativas, educativas y de concienciación, y establecimiento de mecanismos de autocontrol de las buenas prácticas agrarias.

En un marco más institucionalizado, merece la pena destacar alguna iniciativa adoptada en el ámbito autonómico, de particular interés. En Cataluña, en 2005, se creó el Consorcio de gestión de la fertilización agraria de Cataluña, GESFER, que incorporaba tanto a las Administraciones implicadas como a las ocho asociaciones más representativas del sector agrario y ganadero. Este consorcio tenía conforme a sus estatutos una destacada función de fomento, apoyo, investigación y asesoramiento técnico[57]. Este tipo de iniciativas van desde luego en la buena dirección.

Por último, es necesario indicar que existe la posibilidad de limitar la entrada de estos contaminantes en el medio, a través de la imposición de obligaciones en el marco de los instrumentos ambientales ordinarios como la evaluación de impacto ambiental, las autorizaciones ambientales integradas, y la licencia ambiental. El condicionado ambiental de estos títulos, que se aplican también a determinadas explotaciones agrarias y ganaderas, puede contener previsiones relacionadas con la correcta utilización de nitratos y pesticidas.

---

57. MOLIST GAZAPO, J., e IGLESIAS CARRERA, M.: «La agricultura en el Plan de gestión de cuenca fluvial de Cataluña», en EMBID IRUJO (dir.), (2011), pp. 397-398.

Así, por ejemplo, según el artículo 67 de la Ley 20/2009, de 4 de diciembre, de la Generalitat de Cataluña, de prevención y control ambiental de las actividades, las solicitudes de licencias y autorizaciones ambientales deben aportar un plan de gestión de las deyecciones ganaderas de la explotación. El departamento competente en materia de agricultura y ganadería emitirá al respecto un informe preceptivo y vinculante sobre la gestión de estos desechos, como condición previa a la concesión de la autorización o la licencia ambiental. Si el plan de gestión de las deyecciones afecta a zonas vulnerables por la contaminación de nitratos procedentes de fuentes agrarias, el citado Departamento desarrollará el programa de actuación correspondiente[58].

VII. CONCLUSIONES

Las aguas subterráneas son un factor estratégico en la gobernanza del agua en España. Son una inestimable fuente de recursos hidráulicos de elevada calidad, que además se sitúan en localizaciones próximas a los puntos de demanda, por lo que su aprovechamiento es muy eficiente en términos económicos. Por otra parte, se trata de recursos muchas veces endógenos de las demarcaciones hidrográficas, a excepción de los acuíferos compartidos, por lo que su aprovechamiento no presenta excesivos problemas político-territoriales.

Frente a ello, estos recursos están expuestos a amenazas y riesgos derivados de la entrada de contaminantes, siendo su capacidad de regeneración menor y más compleja que la que presentan las aguas superficiales. A los problemas conocidos de intrusión marina en el litoral, como consecuencia de la sobreexplotación, se añade la contaminación de tipo químico, producida por la utilización de plaguicidas y fertilizantes. Es evidente que el ordenamiento debe dar respuesta al reto de reducir este tipo de contaminación, de carácter difuso, para garantizar las exigencias de calidad y buen estado ecológico de las masas de agua, de conformidad con la DMA.

Para ello se dispone de numerosos instrumentos legales, tanto procedentes de la legislación general de protección de las masas de agua (DMA y Directiva de Protección de las Aguas Subterráneas), como de la normativa específica que regula ambos contaminantes. Cuestión distinta es el grado de eficacia de tales normativas, sobre todo porque tratándose de vertidos no localizados, no es posible sujetarlos a autorización de vertido, que es el instru-

---

58. El artículo 18 del Decreto 136/2009, de 1 de septiembre, de la Generalitat de Cataluña, que aprueba el programa de actuación aplicable a las zonas vulnerables, sujeta a licencia ambiental los sistemas colectivos de almacenaje de deyecciones animales.

mento que ha demostrado mayor eficacia en el control de la contaminación de las aguas. Asistimos, por el contrario, a la acumulación de mecanismos de planificación, programación, seguimiento, entre otros, en su mayor medida carentes de aparataje sancionador.

A ello hay que añadir que esos instrumentos son desarrollados tanto por las Confederaciones hidrográficas como por las Comunidades Autónomas, en el marco de sus respectivas competencias, lo que impone un adecuado nivel de coordinación. Las Confederaciones no pueden intervenir más allá del seguimiento e identificación de riesgos y presiones en las masas de agua, la planificación y programación de medidas. La implementación de acciones, sin embargo, es tarea de las Comunidades Autónomas, en su condición de Administraciones competentes en agricultura, protección del medio ambiente, e indirectamente, en materia de ordenación del territorio.

En lo que se refiere al control específico de los plaguicidas, la intervención administrativa se sitúa en un doble plano. En primer término, en los requisitos relacionados con la autorización de sustancias y su comercialización; en segundo, en los aspectos relacionados con su utilización e impacto en la calidad de las masas de agua. La normativa actual promueve el uso de plaguicidas que hayan sido clasificados como no peligrosos para el medio, o que no contengan sustancias peligrosas identificadas como prioritarias. También son interesantes las medidas paliativas frente a la filtración y escorrentía. Se impone además la reducción del uso de plaguicidas en aquellas zonas que utilice el público en general o los grupos vulnerables, así como donde accedan trabajadores. También se presta especial atención a las zonas especialmente protegidas.

Para alcanzar estos objetivos el instrumento operativo más importante es el plan de acción nacional, que debe coordinarse con la planificación hidrológica y los programas de medidas de la DMA. En 2012 fue aprobado el Plan de Acción Nacional de uso sostenible de productos fitosanitarios, donde se concretan los objetivos, medidas e indicadores de referencia. El plan estará en vigor hasta 2017. Su aplicación precisa de una programación flexible y de la máxima implicación de las autoridades autonómicas.

La contaminación de las aguas subterráneas por nitratos es, por su parte, la principal causa del deterioro de las masas de agua subterránea en España. Para corregir esta situación la normativa exige identificar las actuaciones necesarias en la planificación hidrológica y en los programas de medidas. A su vez, es necesario identificar y calificar las masas vulnerables, aprobar los programas de actuación correspondientes, y cumplir los códigos de buenas prácticas agrarias. Todo ello junto a las medidas de seguimiento, control y monitorización analítica necesarias, y la dación de cuentas a las autoridades europeas sobre el estado de las masas.

El seguimiento efectivo de las explotaciones agrarias se enfrenta sin embargo a las limitaciones materiales y personales de las autoridades competentes. El incumplimiento de las medidas contra la contaminación por nitratos no tiene respuesta adecuada en nuestro ordenamiento. Establecer si se está fertilizando correctamente precisa una supervisión muy intensa, y además no es fácil de determinar, ya que la aplicación del fertilizante varía en función del tipo de agua, cultivo, tipo de suelo, tiempos de aplicación y frecuencia. Individualizar la responsabilidad en caso de daños ambientales es todavía más difícil, ya que la degradación de la masa de agua se producirá normalmente como consecuencia de malas prácticas realizadas en numerosas explotaciones agrarias.

La imposición de restricciones al uso de fertilizantes puede generar además una importante pérdida de competitividad y productividad agrícola, alza de precios, etc. Se enfrenta además a la oposición directa de los agricultores. Es necesario, por ello, combinar las acciones de contenido restrictivo con instrumentos de fomento, educativos, y de divulgación, actuando con un mayor grado de coordinación entre las diferentes Administraciones y los agentes contaminadores.

La colaboración de las Comunidades de Usuarios resulta fundamental no sólo en el terreno del control en el uso y aprovechamiento de las aguas subterráneas, sino en su labor formativa y en la divulgación de las buenas prácticas relativas al riego, fertilización y protección frente a las plagas. Estas organizaciones, que son las que se encuentran en contacto directo y diario con el agricultor, deben ser decididamente apoyadas por la Administración hidráulica y ambiental, para que puedan asumir esta tarea de manera efectiva.

CAPÍTULO VIII

ESTUDIO SOBRE LA PREVALENCIA DE LOS VALORES AMBIENTALES EN LA INTERRELACIÓN ENTRE LOS PLANES HIDROLÓGICOS DE CUENCA Y LOS INSTRUMENTOS DE PROTECCIÓN DE LOS ESPACIOS NATURALES*

Anna Pallarès Serrano

Profesora Contratada Doctora de Derecho Administrativo (acreditada Titular). Investigadora del CEDAT (Centro de Estudios de Derecho Ambiental de Tarragona). Universidad Rovira i Virgili

SUMARIO: I. INTRODUCCIÓN. II. LA PLANIFICACIÓN HIDROLÓGICA COMO RECEPTORA DE LOS LÍMITES ESTABLECIDOS POR LOS PORNA. III. AFECTACIÓN DE LA PLANIFICACIÓN HIDROLÓGICA POR LA FIJACIÓN DE MEDIDAS DE CONSERVACIÓN DE LOS ESPACIOS VINCULADOS AL MEDIO HÍDRICO QUE FORMAN PARTE DE LA RED NATURA 2000. IV. REFLEXIONES FINALES.

I. INTRODUCCIÓN

Este estudio se estructura básicamente en 2 partes. La primera parte hace referencia a la normativa y doctrina del Tribunal Constitucional que determina la Planificación Hidrológica como receptora de las determinaciones y limitaciones hídricas que dispongan los Planes de Ordenación de los Recursos Naturales (en adelante, PORNA). Al respecto comentaremos, entre otras cuestiones, las SSTC 154/2014, de 25 de septiembre, y 182/2014, de 6 de noviembre. En la segunda parte veremos ejemplos en nuestro ordenamiento de como la fijación de medidas de conservación más allá de los PORNA, en

---

* Este trabajo que se presenta deriva de mi intervención en el Congreso Desafíos del Derecho de Aguas. Variables Jurídicas, económicas y ambientales, que se celebró en Murcia los días 5 y 6 de noviembre de 2015.

los espacios que forman parte de la Red Natura 2000 vinculados al medio hídrico, afectan a la planificación hidrológica. Aquí estudiaremos el Decreto 35/2015, de 17 de marzo, por el que se designan Zonas Especiales de Conservación cinco ríos del Territorio Histórico de Álava, el Decreto 34/2015, de 17 de marzo, por el que se aprueban las normas generales para las Zonas Especiales de Conservación (ZEC) y Zonas de Especial Protección para las Aves (ZEPA) vinculadas al medio hídrico y el Decreto 127/2015, de 31 de julio, del Consell de la Generalitat Valenciana, por el que se declaran como zonas especiales de conservación (ZEC) los lugares de importancia comunitaria (LIC) Lavajos de Sinarcas, Marjal de Nules y Marjal dels Moros, y se aprueban las normas de gestión para dichos LIC y para la Zona de Especial Protección para las Aves (ZEPA) Marjal dels Moros.

II. LA PLANIFICACIÓN HIDROLÓGICA COMO RECEPTORA DE LOS LÍMITES ESTABLECIDOS POR LOS PORNA

Pues bien, si se estudia la PH como receptora de los límites de los PORNA tenemos que saber que estos últimos tienen como *contenido mínimo*, entre otros:

– *la determinación de las limitaciones generales y específicas* que respecto a los usos y actividades hayan de establecerse en función de la conservación de los componentes del patrimonio natural y la biodiversidad[1].

Por otro lado, también tenemos que conocer que **el impacto de los PORNA** sobre la PH es claro: el contenido de los PORNA es *determinante* en relación a otros planes sectoriales, por lo tanto, éstos últimos tendrán que integrar y acoger su contenido. Sólo cuando existan «*razones imperiosas de interés público de primer orden*», y siempre que la decisión se motive y se haga pública, podrá la PH contradecir las disposiciones de los PORNA[2].

---

1. *Vid*. artículo 19 Ley 42/2007, de 13 de diciembre, de Patrimonio Natural y la Biodiversidad.
2. *Vid*. artículo 18.3 Ley 42/2007, de 13 de diciembre, de Patrimonio Natural y la Biodiversidad. En relación a este artículo la STC 154/2014, de 25 de septiembre, expresa: «las excepciones contempladas por la norma básica (...) deben establecerse una vez que la colisión entre intereses públicos se haya producido, lo que deberá hacerse caso por caso, de forma motivada, a la vista de las razones imperiosas de interés público concurrentes (...). Solo entonces los planes y actuaciones que realice el Estado (...), al igual que las que son competencia de las Comunidades Autónomas, se impondrán, con desplazamiento, que no inconstitucionalidad, de la competencia autonómica legítimamente ejercida en materia de espacios naturales, pues la limitación general de usos seguirá siendo legítima y constitucional aunque no opere en el caso concreto en que concurran las condiciones excepcionales establecidas por la legislación básica». *Vid*. FJ 4 y 5.

Por otro lado, el artículo 43.2 del Texto Refundido de la Ley de Aguas (en adelante, TRLA) se manifiesta coherentemente con las disposiciones de la Ley del Patrimonio Natural y de la Biodiversidad, al afirmar que los planes hidrológicos *recogerán*, si existen, las determinaciones de protección especial establecidas de acuerdo con la legislación ambiental y de protección de la naturaleza. En definitiva, en este apartado se está diciendo que la planificación hidrológica incorporará las determinaciones, limitaciones y condiciones que haya podido establecer, respecto al medio hídrico, la administración competente al elaborar el PORNA. Esta incorporación, evidentemente, se ha de realizar durante el procedimiento de elaboración o revisión de los PH[3].

Así, vemos como **el regulador estatal coordina** estableciendo que la PH ha de integrar lo que se determina en los PORNA, fijando bajo qué circunstancias y de qué manera se puede excepcionar esta regla general y determinando el procedimiento de elaboración de dichos planes para posibilitar dicha integración[4].

---

3. En este sentido, en los apartados 2 y 3 del artículo 23 del Real Decreto 907/2007, de 6 de julio, por el que se aprueba el Reglamento de la Planificación Hidrológica, se afirma: «2. *Las administraciones competentes* por razón de la materia *facilitarán al organismo de cuenca correspondiente, durante la elaboración de los planes hidrológicos*, la relación de zonas, cuencas o tramos de cuencas, acuíferos o masas de agua *declaradas de protección especial* para su inclusión en dichos planes (...). 3. *La clasificación y las condiciones para su protección se recogerán en los planes hidrológicos de cuenca* de forma expresa (...)». Apartados dictados al amparo del art. 149.1.22 de la CE.

4. En relación a esta cuestión, hemos de tener presente que el artículo 22 de la ley 42/2007, de Patrimonio Natural y Biodiversidad, establece que corresponde a las CCAA la elaboración y la aprobación de los PORNA y que en su procedimiento de elaboración han de darse necesariamente los trámites de *audiencia a los interesados*, información pública y *consulta* de los intereses sociales e institucionales afectados y de las organizaciones sin fines lucrativos que persigan el logro de los objetivos de la Ley 42/2007. Esta disposición estatal, en relación al procedimiento de elaboración de los PORNA, permite la participación de la Confederación Hidrográfica cuando estos planes afecten a cuencas intercomunitarias. Esta participación de la Confederación Hidrográfica queda más definida a través del artículo 25.4 del TRLA, al establecerse que esta última ha de emitir un *informe previo* cuando las CCAA hayan de aprobar un plan en materia de espacios naturales que afecte el régimen y aprovechamiento de las aguas continentales o a los usos permitidos en terrenos de dominio público hidráulico y en sus zonas de servidumbre y policía. Informe que se emitirá de acuerdo con lo previsto en la PH. En consonancia con la lógica de lo que se ha explicado hasta el momento –que es la PH la que queda condicionada por la determinaciones protectoras del medio hídrico y no la que impone sus precisiones sobre el medio–, con el régimen jurídico de los informes, en general, y con

Finalmente, resaltamos la **STC 154/2014**, de 25 de septiembre, que resuelve, de acuerdo con los postulados acabados de explicar, un recurso de inconstitucionalidad, promovido por el Presidente del Gobierno, contra unos apartados del anejo 2 de la Ley de Castilla-La Mancha 6/2011, de 10 de marzo, de declaración del parque natural del Valle de Alcudia y Sierra Madrona, que reproducen la normativa establecida en el PORNA de dicho Parque[5]. Esta sentencia es importante porque es la primera vez que se plantea en el ámbito del TC la concurrencia de la competencia autonómica ordenación de los espacios naturales y la competencia estatal sobre aguas intercomunitarias[6] resolviendo aplicando el criterio de prevalencia establecido en la Ley del Patrimonio natural y de la Biodiversidad[7], solo aplicable a la ordenación contenida en los PORNA de los espacios naturales protegidos[8].

En cumplimiento del mandato del contenido que han de tener estos planes el anejo distingue entre usos compatibles, usos autorizables y usos incompatibles y dentro de los incompatibles encontramos los incisos que se impugnan, que lo que hacen es concretar determinadas limitaciones a las actividades que se realicen en los espacios para preservar sus valores natura-

---

la literalidad del artículo 25.4 TRLA, estamos ante un informe preceptivo, previo y no vinculante.

5. Sobre el análisis de esta sentencia me remito *in totum* a lo explicitado en mi trabajo «La coordinación de los planes que ordenan el medio físico: el papel de la Planificación Hidrológica», en EMBID IRUJO, Antonio (dir.), *El segundo ciclo de planificación hidrológica en España (2010-2014). Con atención especial al Plan Hidrológico de la parte española de la Demarcación Hidrográfica del Ebro*, Cizur Menor, Aranzadi, 2015, pp.483-485.

6. Los límites del parque incluye bienes de dominio público hidráulico de las cuencas hidrográficas del Guadalquivir y del Guadiana, ambas de carácter supracomunitario.

7. Respecto a este criterio en el FJ 4 de la STC 154/2014 se afirma que: «Estas previsiones son formalmente básicas, ya que así lo establece la disposición final segunda de la Ley 42/2007. También son materialmente básicas en la medida en que ordenan y priorizan otros intereses públicos concurrentes con el principio consagrado en el art. 45 CE, y establecen el criterio para resolver los conflictos que puedan surgir por el ejercicio de las competencias sectoriales, estatales o autonómicas, que inciden sobre un mismo espacio físico (...)».

8. Como se afirma en el FJ 6 de la STC 154/2014: «En las sentencias en las que se ha dado respuesta a la concurrencia competencial que afecta a las aguas supracomunitarias en relación con la fijación de los caudales ecológicos, no estaba en juego la ordenación de los espacios naturales, tal y como ha sido configurada por la legislación básica estatal sobre espacios naturales protegidos, sino la competencia en materia de pesca o de protección general del medio ambiente (por todas, SSTC 123/2003, de 19 de junio; 110/2011, de 22 de junio, FJ 7; y 195/2012, de 31 de octubre, FJ 5)».

les. En concreto, se trata de los incisos 1, 5, 6 y 21. A efectos de este trabajo solo nos interesa hacer referencia a los 3 primeros:

- El inciso 1 se refiere a las «nuevas centrales para la producción de energía nuclear, térmica, geotérmica, *hidroeléctrica*, eólica, termosolar y fotovoltaica».

- El inciso 5 se refiere a «la nueva construcción o recrecimiento de presas. Los nuevos trasvases de agua, salvo casos de necesidad de abastecimiento para consumo humano por episodios de sequía. La extracción o derivación de aguas directamente de los bonales[9]».

- El inciso 6 menciona «las canalizaciones, dragados y demás operaciones similares que supongan la destrucción del biotopo en ríos, arroyos o humedales».

Para determinar si estos incisos vulneran el ejercicio de la competencia estatal del 149.1.22 sobre las aguas intercomunitarias, el TC recuerda qué engloba la materia espacios naturales protegidos[10] para afirmar que la regulación de limitaciones y prohibiciones dentro de un espacio, junto con su delimitación física, su declaración formal y su finalidad conservadora define el ejercicio de esta competencia, para después concluir que el contenido de los incisos objeto de controversia no exceden del ejercicio de dicha competencia.

La **STC 182/2014**, de 6 de noviembre, resuelve un recurso de inconstitucionalidad interpuesto por el presidente del Gobierno contra, a los efectos de nuestro interés, los incisos 9 y 13 del apartado 2.1.4 y los incisos 27, 29, 30 y 31 del apartado 2.2.4, ambos del anejo 2, de la Ley de Castilla-La Mancha 5/2011, de 10 de marzo, de declaración del parque natural de la Sierra Norte de Guadalajara, que reproducen la normativa establecida en el PORNA del citado parque natural[11]. Estos incisos declaran como usos, aprovechamientos

---

9. Los bonales son una formación vegetal de plantas herbáceas perennes, asentada en suelos ricos en materia orgánica, situados en zonas con humedad permanente o temporal, generalmente en umbrías y en ocasiones van acompañados de formaciones de tobas. Suelen presentar pendiente, más o menos pronunciada, tanto en invierno como en primavera el suelo se presenta encharcado. En verano no siempre se mantiene este encharcamiento. *Uno de los problemas más graves que se puede presentar en un bonal es el cambio del régimen hídrico*, la disminución de agua, eso trae consigo la pérdida de la humedad y su eliminación.

10. En el fundamento jurídico 5 de la STC 38/2002, de 14 de febrero, se dice que la materia espacios naturales protegidos «se refiere a una determinada forma de actuación basada sobre todo en la conservación de la naturaleza en determinados espacios por medio de una lista de prohibiciones y/o limitaciones».

11. PORNA aprobado por Decreto 215/2012, de 28 de septiembre.

y actividades incompatibles, y por lo tanto *prohibidas* las obras de drenaje y desecación, la construcción de presas, canales y trasvases, las centrales hidroeléctricas, la construcción o ampliación de embalses o acequias, los dragados y las nuevas explotaciones de recursos hídricos. Estas prohibiciones también afectan a una cuenca intercomunitaria y por ello se hace una remisión integra a la STC 154/2014 y se hace sucinta referencia a lo allí razonado.

A efectos prácticos, y definiéndonos sobre una cuestión que preocupa y que es generadora de controversias, los PORNA no podrán fijar unilateralmente los caudales ecológicos de un tramo de cuenca[12], porque en este caso no estaríamos ante la fijación de un límite o el establecimiento de una prohibición, sino que estaríamos ante una ordenación positiva que no corresponde a los PORNA sino a los PH[13].

---

12. La competencia para fijar los caudales ecológicos es de la confederación hidrográfica y forma parte del contenido que han de tener los PHC de acuerdo con el art. 42.1,b) c') del TRLA. En este sentido, en el FJ 5 de la STC 195/2012 se expresa: «(...) el régimen de caudales ecológicos ha de ser elaborado y aprobado para la cuenca hidrográfica en su conjunto, lo que impide una regulación independiente del mismo por cada una de las Comunidades Autónomas implicadas, cuyas competencias en materia de pesca fluvial y de protección de su ecosistema no pueden tener un alcance extraterritorial, ni interferir en la competencia del Estado sobre aprovechamientos hidráulicos (...)».
Según el art. 31 de la Ley 10/2001, del PHN, los caudales ecológicos de los humedales sitos en cuencas intercomunitarias los fija *el Ministerio de Medio Ambiente en coordinación con las CCAA*. En concreto, en relación al Delta del Ebro, la disposición adicional 10 de la Ley 10/2001 del PHN, reformada su redacción por la Ley 11/2005, de 22 de junio, establece que *la Administración General del Estado y la Generalitat de Cataluña han de aprobar, previo mutuo acuerdo*, el Plan Integral de protección del Delta del Ebro que entre otros contenidos ha de determinar los caudales ambientales que se han de incorporar al PHC del Ebro. A resultas del recurso de inconstitucionalidad interpuesto por el Gobierno de La Rioja contra la citada disposición adicional décima de la Ley 10/2001, la STC 195/2012, aclara que la propuesta de caudales del Delta del Ebro se aprueba por acuerdo conjunto de las dos administraciones y que esta propuesta habrá de ser considerada por el Consejo del Agua de la Demarcación Hidrográfica del Ebro y aprobada definitivamente por el Gobierno de la nación.
13. Aunque nos lleve a conclusiones diferentes, como muy bien dice el profesor Antonio Fanlo Loras «los PORNA no pueden establecer medidas de gestión de los recursos hídricos, pues dichas medidas, previa la necesaria coordinación interadministrativa, solo pueden establecerlas los planes hidrográficos, al exceder de la competencia ambiental de las CCAA». Apuntes facilitados por el autor de la Sesión de Clausura, de 10 de junio de 2015, del *Seminario Eduardo García de Enterría*, que versó sobre «Competencias en materia de aguas y espacios naturales: coordinación

III. AFECTACIÓN DE LA PLANIFICACIÓN HIDROLÓGICA POR LA FIJACIÓN DE MEDIDAS DE CONSERVACIÓN DE LOS ESPACIOS VINCULADOS AL MEDIO HÍDRICO QUE FORMAN PARTE DE LA RED NATURA 2000

Dentro de esta segunda parte, dedicada a mostrar cómo, más allá de los PORNA, la fijación de medidas de conservación de los espacios que forman parte de la Red Natura 2000 vinculados al medio hídrico puede afectar a la planificación hidrológica, vamos a ver, en primer lugar, que dice la legislación sectorial al respecto.

La Ley 42/2007, de 13 de diciembre, del Patrimonio Natural y de la Biodiversidad, establece en el art. 46, en relación a las medidas de conservación de las ZEC y las ZEPAS, que las Comunidades Autónomas en el ámbito de sus competencias[14], **fijarán** las medidas de conservación necesarias que respondan a las exigencias ecológicas de los tipos de hábitats naturales y de las especies presentes en tales áreas que implicarán **adecuados planes o instrumentos de gestión**[15], que incluyan al menos los objetivos de conservación del lugar y las medidas apropiadas para mantener los espacios en un estado de conservación favorable, y **medidas reglamentarias, administrativas** o contractuales. También aquí el artículo 43.2 TRLA se manifiesta coherente con esta disposición de la Ley del Patrimonio Natural y de la Biodiversidad, al afirmar que los planes hidrológicos *recogerán*, si existen, las determinaciones de protección especial establecidas de acuerdo con la legislación ambiental y de protección de la naturaleza. Por otro lado, es necesario tener en cuenta los objetivos de conservación de dichos espacios de la Red Natura 2000 y las normas que les sean de aplicación para obtener una evaluación ambiental favorable de los planes, programas o proyectos que puedan afectar de forma apreciable a las especies o hábitats de los citados espacios[16].

---

y prevalencia. Comentario de las SSTC 154 y 182/2014, de 25 de septiembre y 6 de noviembre».

14. La Ley 33/2015, de 21 de septiembre, de modificación de la Ley 42/2007 del Patrimonio Natural y de la Biodiversidad, incorpora como novedad a la Administración General del Estado como administración operadora en relación a las medidas de conservación de las ZEC y las ZEPAS.

15. Responde a la transposición de la Directiva 92/43/CEE del Consejo, de 21 de mayo de 1992, relativa a la conservación de los hábitats naturales y de la fauna y flora silvestres (Directiva hábitats).

16. *Vid.*, al respecto, art. 46.4 La Ley 42/2007, de 13 de diciembre, del Patrimonio Natural y de la Biodiversidad, y la Disposición Adicional séptima de la Ley 21/201,3 de 9 de diciembre, de Evaluación Ambiental, que se rubrica «Evaluación ambiental de los planes, programas y proyectos que puedan afectar a espacios de la Red Natu-

En este ámbito nos han llamado la atención los **dos Decretos del País Vasco**, aprobados y publicados el mismo día y con la misma *vacatio legis*[17]. En concreto, el Decreto 35/2015 designa Zonas Especiales de Conservación 5 ríos, de la zona biogeográfica mediterránea, del Territorio Histórico de Álava, que forman parte de la Demarcación Hidrográfica del Ebro. Se trata de los siguientes: Río Baia, Río Zadorra, Río Ihuda, Río Omecillo-Tumecillo y Río Ebro sobre los que se señala para cada uno de los espacios la cartografía del lugar con su delimitación, los tipos de hábitats de interés comunitario y especias animales y vegetales que justifican la declaración, la valoración del estado de conservación de los mismos, los objetivos de conservación, las directrices y medidas de gestión y el programa de seguimiento.

A estos espacios se les aplicarán las normas generales para todos[18] los espacios Red Natura 2000 vinculados al medio hídrico aprobadas por el **Decreto 34/2015, de 17 de marzo, por el que se aprueban las Normas Generales para las ZEC y ZEPA vinculadas al medio hídrico** (tanto para la región biogeográfica atlántica como mediterránea, con excepción de los localizados en la Reserva de la Biosfera de Urdaibai y de San Juan de Gaztelugatxe). Se especifica que dichas normas se han elaborado en estrecha **conexión con los Organismos de Cuenca** y las administraciones sectoriales competentes.

Las normas generales contenidas en el anexo al Decreto se agrupan en dos tipologías:

---

ra 2000», y que establece en el apartado 1:

«La evaluación de los planes, programas y proyectos que, sin tener relación directa con la gestión de un lugar Red Natura 2000 o sin ser necesario para la misma, pueda afectar de forma apreciable a los citados lugares ya sea individualmente o en combinación con otros planes, programas o proyectos, se someterá, dentro de los procedimientos previstos en la presente ley, a una adecuada evaluación de sus repercusiones en el lugar teniendo en cuenta los objetivos de conservación de dicho lugar, conforme a lo dispuesto en la Ley 42/ 2007, de 13 de diciembre, de Patrimonio Natural y de la Biodiversidad».

Conviene recordar que el articulado de estas normas deriva de la transposición del apartado 3 del artículo 6 de la Directiva 92/43/CEE del Consejo de 21 de mayo de 1992 relativa a la conservación de los hábitats naturales y de la fauna y flora silvestres (Directiva hábitats).

17. Al día siguiente de su publicación en el Boletín Oficial del País Vasco.

18. Las normas generales previstas en este Decreto regirán no solo en los espacios aprobados en el momento de entrada en vigor de este Decreto, sino también en aquellos lugares que se aprueben en el futuro, incluidos los que en este momento se encuentran en tramitación.

a) Las Directrices, que son disposiciones relativas a los distintos usos y actividades, ambientes o elementos clave que tienen como objetivo orientar las actuaciones de las diferentes administraciones públicas.

b) **Las Regulaciones**, que establecen normas **de carácter vinculante** relativas al desarrollo de usos y actividades que pueden afectar a los elementos y objetivos de conservación. Estas Regulaciones se clasifican en:

– Regulaciones generales y

– Regulaciones relativas a los usos y actividades. Dentro de estas últimas están las relativas a:

1. conservación y mejora ambiental

2. uso agrícola y ganadero

3. uso forestal

4. caza y pesca

5. uso del agua

6. régimen urbanístico, urbanización, edificación

7. infraestructuras

8. uso público y circulación rodada

9. otros usos y actividades

Según nuestro parecer, solo las regulaciones relativas al uso del agua pueden afectar a la PH al establecer:

– Entre las líneas de actuación propuestas en las ZEC/ZEPA, se prevé la realización de estudios específicos para definir el régimen de **caudales ambientales** adecuado para salvaguardar o alcanzar el buen estado de conservación de los hábitats y especies que constituyen elementos clave en cada lugar.

– En tanto en cuanto se elaboran esos estudios, **en las ZEC/ZEPA se aplicará un régimen de caudales que se adapte al hidrograma**[19] natural del río, que podrá definirse aplicando la metodología del caudal ecológico modular. **Todo ello sin perjuicio de lo establecido en el plan hidrológico que corresponda** en función

---

19. El hidrograma es la representación de la variación del caudal del río en el tiempo. El hidrograma correspondiente tendrá formas distintas según las aportaciones que alimenten el caudal.

de la cuenca y aplicando siempre, de entre las diferentes posibilidades, el régimen de caudales más favorable para mantener o restablecer el estado de conservación favorable de los hábitats y especies, respondiendo a sus exigencias ecológicas (reproducción, cría, alimentación y descanso) y manteniendo a largo plazo la funcionalidad ecológica de las masas de agua de las que dependen, tal y como establece el apartado 3.4.1.1 de la Orden ARM/2656/2008[20].

– Las ZEC/ZEPA fluviales se considerarán ámbitos prioritarios a efectos de la implantación del régimen de caudales ecológicos adaptados al hidrograma natural del rio, a los que se ha hecho referencia, de manera que se garantice la aplicación de estos caudales antes del año 2018, en la que finaliza el próximo periodo de evaluación del artículo 17 de la Directiva Hábitat.

– **No se autorizarán detracciones acumulativas de caudal** en las ZEC/ZEPA **que impliquen un caudal mínimo en los ríos inferior al caudal ecológico estimado**.

– Con carácter general[21], **se considera incompatible** con los objetivos de conservación de las ZEC fluviales **la instalación de nuevas centrales hidroeléctricas, así como la ampliación de las ya existentes**. Esta incompatibilidad viene determinada por las siguientes razones: La particular sensibilidad de las especies consideradas elementos clave en estas ZEC a las afecciones derivadas del uso hidroeléctrico; El estado de conservación inadecuado o desfavorable en el que se encuentran la mayoría de estos elementos de interés comunitario; La elevada fragilidad y/o vulnerabilidad de la mayoría de los tipos de hábitats y especies vinculados a

---

20. Esta orden aprueba la Instrucción de Planificación Hidrológica (en adelante, IPH) que, en el ámbito de la regulación sectorial de las aguas continentales, es la norma que contiene una definición de caudales ecológicos más avanzada. Realizo esta afirmación porque considero que el concepto de caudales ecológicos en la normativa sectorial de aguas ha evolucionado ambientalizándose de manera progresiva. Así, el Texto Refundido de la Ley de Aguas de 2001 considera caudales ecológicos a los que «mantienen como mínimo la vida piscícola que de manera natural habitaría o pudiera habitar en el río, así como su vegetación de ribera». El Reglamento de la planificación hidrológica de 2007 amplia la definición al referirse a «contribuye a alcanzar el buen estado o el buen potencial ecológico en los ríos o en las aguas de transición». Finalmente, la IPH de 2008 añade a la misma definición el objetivo de estos caudales de proteger los hábitats y las especies protegidas en virtud de la legislación sobre la naturaleza.
21. A excepción de la ZEC ES2110011 Embalses del Sistema del Zadorra.

estos ambientes y su dependencia funcional; Los corredores fluviales y ecosistemas acuáticos constituyen elementos de primer orden en el mantenimiento de la conectividad ecológica, por lo que garantizar su funcionalidad es un objetivo de conservación prioritario.

–   Con carácter general, **no se considera compatible** con los objetivos de conservación de las ZEC[22]**la pauta de explotación denominada emboladas o hidropuntas**[23]. En el caso de que el órgano gestor detectara incidencias o afecciones en relación a esta práctica, lo pondrá en conocimiento de la administración hidráulica competente, en orden a la adopción de las medidas que estime pertinentes para mantener o restablecer el estado de conservación favorable de los hábitat o especies objeto de conservación.

Para acabar, pasamos a comentar el Decreto 127/2015, de 31 de julio, del Consell de la Generalitat Valenciana, que declara como ZEC tres LIC (Lavajos de Sinarcas, Marjal de Nules y Marjal dels Moros) y aprueba **las normas de gestión** para dichos LIC y para una ZEPA (Marjal dels Moros). De acuerdo con el preámbulo de dicho Decreto, las normas de gestión, que contienen medidas de conservación y las medidas para evitar el deterioro de los hábitats y especies que los habitan, «son equivalentes a los planes o instrumentos de gestión mencionados en el artículo 45.1[24] de la Ley 42/2007». Además, las normas de gestión que contiene el Decreto son también el instrumento de ordenación de 3 zonas húmedas catalogadas con las que coinciden parcialmente los espacios de la Red Natura 2000 a los que se refiere este decreto. A efectos de este trabajo, nos interesa destacar que el artículo 3.4 del Decreto establece que «las normas de gestión son **vinculantes** tanto para las administraciones públicas como para los particulares, **prevaleciendo** sobre el planeamiento territorial y urbanístico y **sobre cualquier otro instrumento sectorial de ordenación o gestión de recursos naturales**».

Tanto en los «objetivos de conservación y gestión» de las normas de gestión del Marjal de Nules, como en las del Marjal dels Moros, se hace referencia a la promoción de la coordinación con la planificación hidrológica de la cuenca hidrográfica del Júcar para procurar la conservación de los hábitats naturales de interés comunitario asociados a las masas de agua, y en el caso

---

22. Exceptuando la ZEC ES2110011 Embalses del Sistema Zadorra.
23. Sueltas repentinas de agua en los cauces, que conllevan grandes perjuicios al ecosistema fluvial. Este método se utiliza para producir más energía cuando hay más demanda y esta se paga mejor.
24. Después de la modificación de la Ley 42/2007 por la Ley 33/2015, de 21 de septiembre, el artículo 45 pasa a ser el artículo 46.

del Marjal dels Moros corregir el proceso de intrusión salina, el proceso de erosión litoral y procurar la conservación de las especies de interés comunitario asociadas a las masas de agua y al cordón litoral.

De las normas de gestión del espacio de Lavajos de Sinarcas (ZEC) destacamos la siguiente «normativa de aplicación directa»:

- En la zona A se considera **incompatible** la extracción de agua de las charcas o navajos cuando suponga la alteración de su régimen natural, y la desecación total o parcial de los mismos por causas no naturales. Por lo tanto, estamos ante una actuación no autorizable, excluida de evaluación de repercusiones por incompatibilidad con la conservación.

- Requerirán **evaluación de repercusiones** las autorizaciones de vertido de aguas residuales y las concesiones para aprovechamiento de aguas subterráneas cuando afecten al ámbito de la ZEC, las zonas periféricas de protección y el perímetro de afección de la zona húmeda catalogada[25].

De las normas de gestión del espacio Marjal de Nules (ZEC) destacamos la siguiente «normativa de aplicación directa»:

- Requerirán **evaluación de repercusiones** las autorizaciones de vertido de aguas residuales, las concesiones para aprovechamiento de aguas subterráneas, así como los bombeos, drenajes o instalación de cualquier dispositivo que facilite la desecación del terreno, incluyendo la extracción de agua con fines agrícolas u otros, cuando afecten al ámbito de la ZEC y el perímetro de afección de la zona húmeda catalogada[26].

De las normas de gestión del espacio Marjal dels Moros (ZEC+ZEPA) destacamos la siguiente «normativa de aplicación directa»:

- Requerirán **evaluación de repercusiones** las autorizaciones de vertido de aguas residuales, las concesiones para aprovechamiento de aguas subterráneas, así como los bombeos, drenajes o ins-

---

25. Al respecto, *vid.* artículo 3 y apartado 8 del anexo del Decreto 60/2012, de 5 de abril, del Consell, por el que se regula el régimen especial de evaluación y de aprobación, autorización o conformidad de planes, programas y proyectos que puedan afectar a la Red Natura 2000.

26. Al respecto, *vid.* artículo 3 y apartado 8 del anexo del Decreto 60/2012, de 5 de abril, del Consell, por el que se regula el régimen especial de evaluación y de aprobación, autorización o conformidad de planes, programas y proyectos que puedan afectar a la Red Natura 2000.

talación de cualquier dispositivo que facilite la desecación del terreno, incluyendo la extracción de agua con fines agrícolas u otros, cuando afecten al ámbito de la ZEC y ZEPA y al perímetro de afección de la zona.

Por otro lado, entre estas normas de gestión encontramos las «medidas de gestión activa», que constituyen el conjunto de actuaciones necesarias que han de ejecutarse para que los hábitats y/o especies mantengan o alcancen un estado de conservación favorable. Entre estas actuaciones, en el ámbito de las aguas superficiales y subterráneas del Marjal dels Moros, está la **coordinación con la planificación hidrológica del Júcar** con el objetivo de:

- **Identificar con mayor precisión las masas de agua vinculadas a los Espacios Red natura 2000** con el análisis en detalle de los hábitat y especies vinculados al medio hídrico. Esta actuación se ha de realizar porque la Confederación Hidrográfica del Júcar ha realizado una primera identificación de las masas de agua vinculadas a los Espacios Red natura 2000 que cabe mejorar utilizando la información cartográfica correspondiente a los hábitats naturales de interés comunitario.

- **Definir y aplicar un régimen ambiental de caudales en relación a los hábitats de interés comunitario y especies prioritarias vinculadas a la masa de agua**, para así cumplir con el objetivo casi coincidente[27] de la planificación hidrológica, de alcanzar un buen estado ecológico de las masas de agua, y de la planificación de los espacios Red Natura 2000, de alcanzar un estado de conservación favorable de los hábitats naturales de interés comunitario y de las especies ligadas al agua[28].

- Colaborar con la Confederación para la determinación de los indicadores de seguimiento necesarios para evaluar el estado de conservación de dichas masas de agua, desde la perspectiva del cumplimiento de la Directiva de Hábitats, y, también, para aprovechar la información recogida por la red de estaciones que tiene

27. Decimos casi coincidente porque el concepto de caudales ecológicos es más ambicioso en el ámbito de la ordenación de los espacios naturales, que por ejemplo contempla otras especies más allá de los peces y contempla las necesidades hídricas de los hábitats en general y de las especies ligadas al agua, que en el ámbito de la ordenación de la PH, que en principio se limita a los «que mantiene como mínimo la vida piscícola que de manera natural habitaría o pudiera habitar en el río, así como su vegetación de ribera».

28. La evaluación de esta actuación se realizará teniendo en cuenta el número de acuerdos alcanzados en materia de gestión de caudales.

la Confederación Hidrográfica del Júcar (Red Integral de Calidad de Aguas) para comprobar si las masas de agua del Marjal dels Moros cumplen con los objetivos ambientales que exige la Directiva Hábitats, y para hacer el seguimiento correspondiente[29].

IV. REFLEXIONES FINALES

Es importante que tengamos claro que lo que determinan las dos SSTC analizadas es que es constitucional que los PORNA, dentro del ámbito territorial de un espacio natural protegido, establezcan límites y prohibiciones, con finalidad conservadora y protectora, que afecten a una cuenca intercomunitaria y que, por tanto, la podrán condicionar y limitar en negativo. Ahora bien, los PORNA no podrán incidir nunca ordenando y determinando positivamente y unilateralmente el contenido de un PH.

También vemos que las normas que hemos analizado, que establecen mandatos vinculantes ordenadores de ZEC y ZEPAS vinculadas el medio hídrico, son normas que condicionan a la PH a través de prohibiciones y limitaciones muy puntuales y acotadas que tienen, todas ellas, finalidad protectora y conservadora, donde no existe una normativa ordenadora del recurso hídrico en sentido determinador y positivo. Por tanto, en este sentido, consideramos que la normativa analizada es respetuosa con el reparto competencial establecido en nuestro ordenamiento.

Ahora bien, no podemos perder de vista que aunque los PORNA y los instrumentos de regulación de los espacios vinculados al medio hídrico establezcan prohibiciones, incompatibilidades y límites muy concretos, que como hemos visto ha de respetar e integrar la PH, una parte importante de los condicionantes que determinen el contenido de la PH vendrán dados por los objetivos de conservación que fijen los instrumentos que regulen estos espacios y que la PH tendrá que asumir e integrar si quiere superar con éxito, con garantías y sin miedo a los recursos, la aprobación de dicha PH.

De acuerdo con los instrumentos normativos comentados en este trabajo, no podemos dejar de mencionar la gran presión que existe y que va a existir, aún más en el futuro, en relación a la fijación de los caudales ecológicos en los espacios naturales, en general, y en los que forman parte de la Red Natura 2000, en especial, cuando están vinculados al medio hídrico. Es evidente que, aunque la competencia para fijar los caudales ecológicos es, por

---

29. La evaluación de esta actuación se realizará teniendo en cuenta los acuerdos alcanzados en relación a los indicadores de seguimiento necesarios para evaluar el estado de conservación de los hábitats de interés comunitario y especies prioritarias vinculadas a las masas de agua.

regla general, de las Confederaciones Hidrográficas, en este terreno tienen también mucho que decir los conocedores de los requerimientos de conservación de los hábitats y especies que constituyen elementos clave en cada lugar. Por ello, en este trabajo vemos que, entre los instrumentos reguladores de los espacios que forman parte de la Red Natura 2000, se establece la necesidad de colaborar con la Confederación Hidrográfica del Júcar para definir y aplicar los caudales ecológicos en el Marjal dels Moros (ZEPA+ZEC). En esta misma línea, la Comisión Europea en las recomendaciones del documento de trabajo de los servicios de la Comisión titulado «Informe sobre la aplicación de los Planes Hidrológicos de Cuenca de la Directiva Marco del Agua», referido a España, que acompaña al documento Comunicación de la Comisión al Parlamento Europeo y al Consejo «La Directiva Marco del Agua y la Directiva sobre Inundaciones: medidas para lograr el «buen estado» de las aguas de la UE y para reducir los riesgos de inundación» (COM(2015)120), invita a España, entre otras cosas, a «considerar los objetivos de los hábitats y las especies protegidos dependientes del agua a la hora de fijar los caudales ecológicos» y a «llevar a cabo un estudio integral junto con las autoridades responsables en materia de naturaleza para determinar las necesidades cuantitativas y cualitativas de los hábitats y especies protegidos, traducidas en objetivos específicos para cada zona protegida que vaya a ser incluida en los planes hidrológicos».

Pensamos que la presión a la que nos referimos se incrementará, sobretodo, de la mano de la tramitación de procedimientos de infracción del derecho de la Unión Europea, de las advertencias de la Comisión y de las sentencias y/o sanciones del Tribunal de Justicia de la Unión Europea al reino de España, desde el momento que se demuestre que un plan hidrológico no ha recogido los requerimientos ecológicos necesarios para asegurar la buena conservación de los hábitats y de las especies vinculados al medio hídrico que motivaron la inclusión de estos lugares en la Red Natura 2000.

CAPÍTULO IX

TRATAMIENTO NORMATIVO Y JURISPRUDENCIAL DE LA RECUPERACIÓN DE COSTES EN EL ÁMBITO HIDRÁULICO: DOS CONDICIONANTES DIRECTOS QUE DETERMINAN SU DEFICIENTE IMPLEMENTACIÓN*

Beatriz Setuáin Mendía
Profesora Titular de Derecho Administrativo. Universidad de Zaragoza.

SUMARIO: I. INTRODUCCIÓN. LA RECUPERACIÓN DE COSTES ES UNA CUESTIÓN CONTROVERTIDA EN LA QUE RESULTA DIFÍCIL FIJAR DATOS CONCRETOS, POR LO QUE INTERESA EXPLORAR LA RESPONSABILIDAD NORMATIVA Y JURISPRUDENCIAL SOBRE ESTE HECHO. II. EL TRATAMIENTO NORMATIVO DE LA RECUPERACIÓN DE COSTES HÍDRICOS EN ESPAÑA: ASISTEMÁTICA Y DEFICIENCIA EN TORNO A UN MANDATO ESENCIAL DE POLÍTICA HIDRÁULICA. 1. *Las modificaciones más significativas, aunque insuficientes, operadas sobre la regla: imperatividad e integridad, ampliación de la discrecionalidad administrativa, extensión de los elementos de cálculo.* 2. *Las reformas no abordadas: ausencia de definición normativa e identificación de mecanismos de ejecución. El silencio en torno a los costes ambientales y del recurso.* 3. *Conclusión: el diseño normativo de la regla de recuperación de costes en España contribuye de manera decisiva a su defectuosa implementación.* III. EL DESCONCIERTO AÑADIDO POR

* Este trabajo se corresponde con el contenido de mi intervención en el Congreso «Desafío del Derecho de Aguas. Variables jurídicas, económicas y ambientales», celebrado en Murcia los pasados días 5 y 6 de noviembre de 2015. Agradezco a la Universidad de Murcia como organizadora y, en particular, a la Directora del Congreso, Dra. Teresa María Navarro Caballero, su amable invitación a participar.Asimismo, el trabajo se enmarca dentro de las actividades del Grupo de Investigación «Agua, Derecho y Medio Ambiente» (AGUDEMA), integrado en el Instituto Universitario de Ciencias Ambientales de Aragón (IUCA), y su realización ha sido apoyada por el Gobierno de Aragón/Fondo Social Europeo.

LA SENTENCIA DEL TRIBUNAL DE JUSTICIA DE LA UNIÓN EU-
ROPEA DE 11 DE SEPTIEMBRE DE 2014: LA INTERPRECIÓN RES-
TRICTIVA DE LA REGLA QUE AMENAZA SU MANTENIMIENTO. 1.
*Los argumentos de las partes: consideración amplia versus interpretación
restringida del concepto de «servicios relacionados con el agua» a efectos
de tarificación.* 2. *Réplicas jurídicas al juicio del Tribunal.* 2.1. El carácter
principal de la regla de recuperación de costes dentro del sistema de protección del agua articulado por la DMA impone su aplicación como regla
general. 2.2. La consideración sistemática y teleológica de la DMA obliga
a una interpretación amplia de los «servicios relacionados con el agua» a
efectos de su tarificación que no absorbe el concepto normativamente diferenciado de «usos del agua». 2.3. La exclusión genérica de la regla de recuperación de costes en relación a un grupo amplio de actividades hídricas no
respeta las condiciones de excepción impuestas por la norma comunitaria.
3. *Conclusión: la necesidad de modificar esta interpretación jurisprudencial so pena de inaplicación general de la recuperación de costes en el
ámbito hidráulico.* IV. BIBLIOGRAFÍA DE REFERENCIA.

I. **INTRODUCCIÓN. LA RECUPERACIÓN DE COSTES ES UNA
CUESTIÓN CONTROVERTIDA EN LA QUE RESULTA DIFÍCIL
FIJAR DATOS CONCRETOS, POR LO QUE INTERESA EXPLO-
RAR LA RESPONSABILIDAD NORMATIVA Y JURISPRUDEN-
CIAL SOBRE ESTE HECHO**

La intención que anima la redacción de estas líneas es formular algunas reflexiones jurídicas necesariamente breves acerca del estado actual del
principio de recuperación de los costes generados por los servicios relacionados con el agua a la vista de su tratamiento normativo y de la jurisprudencia comunitaria que se ha dictado en su relación. Más concretamente, el
análisis se va a centrar en valorar el papel que juegan sobre la eficacia real de
la regla ambos elementos que, conformadores del marco determinante de su
aplicación, condicionan su alcance. Y no precisamente en sentido favorable
sino, como va a tratar de demostrarse, actuando como seria cortapisa a su
implementación efectiva.

Desde luego, no se descubre nada nuevo al afirmar que, en la práctica,
esta de la recuperación de costes es una cuestión en permanente debate,
en la que resulta muy difícil hablar en términos absolutos porque hay opiniones, valoraciones y realidades muy diversas y encontradas. Por un lado,
si se atiende a los datos que aportan en sus páginas web las distintas Administraciones con competencias sobre el agua, así como las cifras que se
desprenden de las memorias económicas de los planes hidrológicos, vemos
que refieren desde recuperaciones plenas en relación con determinados ser-

vicios, usuarios y zonas (incluso por encima del 100% de los costes de los servicios prestados), hasta porcentajes mínimos de recuperación, cuando no inexistentes. Por otro lado, hay análisis y estudios públicos y privados citados en la Bibliografía de referencia que, por diversas razones (por ejemplo, por entender que no consideran suficientemente el componente ecológico de los costes del agua), cuestionan estas informaciones lo que, en cualquier caso, pone en evidencia la falta de uniformidad en la cuestión. Es decir: ni siquiera resulta sencillo conocer con exactitud los porcentajes de recuperación, variables según la fuente a la que se acuda y el tipo de examen que se haga. Así las cosas, unas reflexiones estrictamente jurídicas no pueden pretender ofrecer opinión sobre quiénes pagan mucho, quiénes pagan poco o cuáles serían las soluciones definitivas para que esto no fuese así, porque ello implicaría moverse en un trazo demasiado grueso alejado del ánimo de este trabajo. Pero como se ha avanzado, sí resulta oportuno aportar algunas consideraciones en torno a qué parte de la responsabilidad sobre esta situación corresponden al diseño y a la interpretación jurídica del principio, que se estima que no es poca.

II. EL TRATAMIENTO NORMATIVO DE LA RECUPERACIÓN DE COSTES HÍDRICOS EN ESPAÑA: ASISTEMÁTICA Y DEFICIENCIA EN TORNO A UN MANDATO ESENCIAL DE POLÍTICA HIDRÁULICA

Efectivamente, es bien sabido que la propia formulación del principio a nivel comunitario con el fin de incorporarlo al texto de la Directiva Marco del Agua 60/2000, de 23 de octubre (DMA) fue una de las cuestiones más discutidas dentro de una norma que, ya de por sí, lo fue mucho. De la misma manera, también se conoce que el tenor final del precepto que terminó acogiéndolo (el artículo 9) presentó diferencias apreciables con el inicialmente propuesto, pues rebajó de modo notorio su alcance e intensidad. Por lo que respecta a nuestro país puede señalarse algo parecido, al quedar pronto de manifiesto la existencia de un tratamiento normativo de la regla incompleto y asistemático, con abuso de conceptos indeterminados que no se articulan en torno a una estructura clara, y que ha sido objeto de sucesivas modificaciones de compromiso para resolver cuestiones prácticas, que en ningún caso tienen carácter estructural.

Si se comparan las tres redacciones que ha tenido el artículo 111 bis del Real Decreto Legislativo 1/2001, de 20 de julio, por el que se aprueba el texto refundido de la Ley de Aguas (TRLA) –la inicial aportada por la Ley 62/2003, de 30 de diciembre mediante la que se traspuso la DMA, la realizada por la Ley 11/2005, de 22 de junio, de modificación del Plan Hidrológico

Nacional, y la actualmente vigente derivada de la Ley 11/2012, de 19 de diciembre, de medidas urgentes en materia de medio ambiente– en seguida se aprecian estos rasgos, así como los distintos intentos realizados por el legislador para perfilar el principio, se supone que buscando un mayor perfeccionamiento y eficacia. Pero junto con lo hecho se aprecia lo no hecho: las modificaciones no abordadas; las reticencias a clarificar cuestiones en torno a la regla que son esenciales para entender en qué se traduce y con qué alcance y condiciones y que, sin embargo, se han soslayado.

1. LAS MODIFICACIONES MÁS SIGNIFICATIVAS, AUNQUE INSUFICIENTES, OPERADAS SOBRE LA REGLA: IMPERATIVIDAD E INTEGRIDAD, AMPLIACIÓN DE LA DISCRECIONALIDAD ADMINISTRATIVA, EXTENSIÓN DE LOS ELEMENTOS DE CÁLCULO

Comenzando sin ánimo exhaustivo por los cambios, lo primero que salta a la vista es la sustitución en el apartado 1 del precepto del original potestativo («tendrán en cuenta este principio», transcripción literal del tenor del artículo 9 DMA) por el imperativo («establecerán los oportunos mecanismos para repercutir los costes de los servicios relacionados con la gestión del agua»), lo que implica en buena lógica una obligación en ese sentido para las Administraciones competentes. Tarificar los servicios hídricos es hoy, pues, una regla ineludible, debiendo recuperarse en cualquier caso los costes generados por la puesta en disposición del agua por parte de las Administraciones públicas. Recuperación que, además, y aunque no se diga expresamente, habrá de ser íntegra, como es propio de un mandato jurídico general. Eso no obsta que en determinadas circunstancias, y con la debida justificación, se admitan excepciones, y así lo reconoce también el precepto en su apartado 3. Pero la enunciación de una regla jurídica dirigida a conseguir los fines previstos por la norma –conseguir el buen estado cualitativo de las aguas, porque ésta es su finalidad, nunca recaudatoria– es, en cuanto tal, absoluta.

Esta recuperación completa implica la necesidad de repercutir los costes. Y en quién debe hacerse esa repercusión también queda aclarado en el precepto: en los usuarios finales del agua. No por tanto en el conjunto de la ciudadanía vía presupuestos. Por lo menos, no de principio ni como fórmula habitual, sin que de nuevo sea óbice la existencia de excepciones debidamente justificadas. Lo que no cabe, porque así se señala expresamente en la norma, es considerar a priori y sin más análisis (como no pocas veces se hace) que el coste de determinados servicios no va a recuperarse, con el argumento habitual de que los usuarios finales son difíciles de singularizar al tratarse de usos colectivos. También en estos casos suelen existir mecanismos de recuperación con un mayor o menor alcance[1]. Así pues, si no se recuperan todos los costes deberá haber una razón específica que explique suficientemente, dentro del rango de motivos admitidos por la norma –causas sociales, económicas, ambientales, geográficas, climáticas, demográficas precisas y concretas, nunca genéricas y ambiguas–, por qué los usuarios finales no se han hecho cargo de los gastos generados. Y sobre todo, no deberá comprometer los fines y objetivos ambientales previstos en la DMA. De no ser así, simple y llanamente se está incumpliendo el ordenamiento jurídico.

El instrumento a través del que establecer y motivar las excepciones a la regla de recuperación de costes también ha sido alterado a lo largo de la vigencia del principio. Hoy cumplen esa función las resoluciones administrativas en lugar de los planes hidrológicos previstos inicialmente, si bien se dispone como mecanismo de control del respeto a aquellas causas y fines la emisión de un informe preceptivo por parte de los organismos de cuenca. No cabe duda de que, a efectos prácticos, sustituir un vehículo normativo por un acto administrativo dota de una mayor agilidad a la decisión, si bien afianza la discrecionalidad administrativa existente en torno al principio, que ya es muy amplia como luego se explicará. Sin embargo, desde el punto de vista jurídico suscita reparos más importantes. Para empezar, no se comprende como el instrumento al que, por decisión normativa, se vincula en este país toda la gestión cuantitativa y cualitativa del agua queda al margen de una decisión tan importante como la de inaplicar el mandato general de recuperación de costes. De hecho, el artículo 9.4 *in fine* DMA señala a los planes hidrológicos como el vehículo a través del cual los Estados miembros deberán informar de los motivos por los que no aplican plenamente la recuperación de costes, y aunque informar no implica necesariamente reconocer y motivar las excepciones (pudiendo bastar a estos efectos con una descripción genérica de las causas de excepción), lo cierto es que el legislador español consideró inicialmente coherente con el diseño y alcance de la planificación la concreción de motivos y situaciones en este instrumento, por lo que aún se entiende menos el cambio operado.

No basta para justificarlo con menciones a la inoperatividad manifestada en este punto por los instrumentos planificatorios, muy retrasados en su adaptación a las determinaciones de la DMA. Sobre todo porque el artículo

---

1. Es muy frecuente que los planes hidrológicos reconozcan la inaplicación del principio de recuperación de costes en relación con actuaciones como la protección contra las avenidas mediante obras de regulación o los trabajos en riberas y cauces con fines ambientales, justificándola en el carácter colectivo del uso y del beneficio. Sin embargo, también para estos casos la normativa establece instrumentos de recuperación de costes, como es el canon de control de vertidos, cuyo importe se destina a la protección y mejora del demanio hídrico de la demarcación.

42.1.f) TRLA, con manifiesta incompatibilidad con lo dicho, sigue señalando como contenido necesario de los planes «un resumen del análisis económico de los usos de agua, incluyendo una descripción de las situaciones y motivos que puedan permitir excepciones en la aplicación del principio de recuperación de costes», y los artículos 40, 42 y 46 del Real Decreto 907/2007, de 6 de julio, por el que se aprueba el Reglamento de la Planificación Hidrológica (RPH) obligan a incluir en ellos determinaciones esenciales para la ejecución de principio de recuperación de costes que se hacen necesarias para definir sus excepciones: a) un resumen del análisis económico del uso del agua que comprenda el análisis de recuperación de los costes de los servicios asociados a la misma, realizado tanto en las unidades de demanda definidas en el propio Plan como globalmente para el conjunto de la demarcación hidrográfica; b) información relacionada con la recuperación de costes, en concreto, y entre otros extremos, los costes de capital de las inversiones necesarias para la provisión de los diferentes servicios de agua, incluyendo los costes contables y las subvenciones, los costes ambientales y del recurso, los descuentos sobre dichos costes y el nivel actual de recuperación, especificando la contribución efectuada por los diversos usos del agua, y c) información sobre las medidas incluidas en los correspondientes programas que tienen la intención de adoptar las Administraciones competentes para tener en cuenta el principio de recuperación de costes, entre las que podrán comprenderse propuestas de revisión y actualización de las estructuras tarifarias, especialmente en relación con la incorporación de los costes ambientales y del recurso, incluyendo formulas de valoración de daños al medio ambiente.

La conclusión resulta, pues, evidente: esta traslación, unida la laxitud de los Planes hidrológicos (que han acogido tarde, cuando lo han hecho, los contenidos indicados) han reforzado aún más la discrecionalidad administrativa ya existente a la hora de adoptar decisiones de excepción a la regla general de recuperación de costes, presentando ésta un patrón incontrolado que dificultará mucho conocer cuántas se dan, dónde y porqué, y que tiene el riesgo de concluir en una amplia inaplicación del mismo.

Incidiendo en esta discrecionalidad, se ha avanzado líneas atrás cómo la última reforma operada en 2012 ha introducido en el artículo 111 bis TRLA una referencia a los «oportunos mecanismos» que deberán establecer las Administraciones competentes para proceder a la repercusión de costes. Cabe entender que esta referencia pretende remarcar tanto su pluralidad –pudiendo manifestarse a través de ingresos fiscales, política de precios, imposición de normas técnicas, etc.–, como espacio de elección administrativa que existe en su relación, y que implica la selección por parte de los poderes públicos, entre todos los posibles, de los más adecuados para conseguir el fin propuesto. Sin embargo, este acento poco aporta en realidad a la solución del verdadero problema existente en este punto: la extensión de dicha discrecionalidad ligada a la indeterminación de los conceptos en torno a los que se formula el principio, producto de una labor de traslación al ordenamiento español sin verdadera trasposición o integración de contenidos. La conjunción de ambos aspectos propicia muchas de las dificultades para su interpretación y aplicación, generando un marco laxo carente de estructura y sistemática sólidas. Y la introducción de un concepto indeterminado adicional sin acompañarlo de alguna alusión siquiera ejemplificativa de cuáles podrían ser esos «mecanismos» supone redundar sin avanzar en la confusión existente.

En todo caso, para fijar esos «oportunos mecanismos de recuperación de costes» ya no solo se tendrán en cuenta proyecciones a largo plazo de oferta y demanda, sino «proyecciones económicas». Esto significa que la definición de la política de precios del agua y, en particular, la consideración dentro de ellos de la recuperación de costes no deberá realizarse como hasta ahora, con un cálculo formulado en función de los pronósticos de oferta y demanda de agua en la demarcación hidrográfica. Que por supuesto se seguirán valorando. Junto a ellos tendrán que apreciarse otro tipo de previsiones, como las relativas al volumen, precios y costes asociados a los servicios relacionados con el agua o a la inversión correspondiente, lo que resulta mucho más coherente con el modelo de análisis económico del uso del agua planteado en la DMA. Sin embargo la dificultad que plantea esta previsión, meritoria en cuanto tal, son los cálculos y estimaciones que obliga a realizar, inexistentes en buena medida.

Una novedad cuya razón no se comprende es la eliminación de la referencia a los mecanismos compensatorios para evitar la duplicidad en la recuperación de costes, introducida en aquel precepto por la Ley 11/2005 y suprimida en 2012. Como más adelante se destacará, el principal instrumento de recuperación de costes que diseña el ordenamiento hídrico español es su régimen económico-financiero, que es plural y no se agota con los cánones y tarifas del TRLA y sus correspondientes desarrollos reglamentarios. Junto a ellos existen regímenes económicos sectoriales referidos a aspectos concretos de los usos, aprovechamientos y servicios hídricos (trasvases, regadíos, abastecimiento, saneamiento de aguas residuales, etc.), contenidos en normas estatales o autonómicas según el ámbito de correspondencia de las competencias ejercidas para su diseño y aprobación. Y también regímenes generales análogos al dispuesto en la norma cabecera del ordenamiento hídrico, de aplicación en el ámbito territorial de las cuencas intracomunitarias. Por supuesto, todos estos regímenes están vinculados por el principio de recuperación de costes, que informa la economía del agua en todas sus manifestaciones. Recuperación, nunca enriquecimiento injusto, que es lo que se produciría en supuestos en los que, por un mismo hecho, pudiera exigirse más de una contraprestación económica. En ocasiones, incluso sin siquiera conocimiento por parte de las Administraciones con competencias para gravar el mismo. Como bien alertó hace tiempo A. EMBID IRUJO, el régimen económico del agua no es hoy solo de derecho público, sino también de derecho privado (caso de las sociedades públicas que construyen y explotan obras hidráulicas, y que reciben de sus usuarios los precios privados fijados en el convenio), resultando a veces difícil identificar las contraprestaciones a considerar. Dada la existencia de este riesgo, no se entiende por qué se silencia. Si bien lo importante es evitar efectivamente la duplicidad, diseñando en la realidad los mecanismos aludidos –lo que no siempre se hacía–, la llamada de atención que suponía la redacción eliminada justificaba por sí misma su mantenimiento.

2. LAS REFORMAS NO ABORDADAS: AUSENCIA DE DEFINICIÓN NORMATIVA E IDENTIFICACIÓN DE MECANISMOS DE EJECUCIÓN. EL SILENCIO EN TORNO A LOS COSTES AMBIENTALES Y DEL RECURSO

La lectura en paralelo de las tres redacciones que ha presentado desde su aprobación el artículo 111 bis TRLA también permite apreciar qué reformas no han sido abordadas pese a su necesidad, al tratarse de cuestiones importantes en torno al principio de recuperación de costes y mantener dudas preexistentes que dificultan su aplicación.

Aunque pueda parecer una cuestión menor, es el caso de la resistencia del legislador español a definir normativamente el principio, lo que no hubiese sobrado considerando lo inespecífico de los contenidos que componen su régimen general. También lo es –y esto tiene más trascendencia– la ausencia de mención a los mecanismos para su ejecución, y aunque resulta evidente que los instrumentos que componen el régimen económico-financiero del agua son los elementos principales para ello, ni se mencionan otros que por su habitualidad afectan directamente a la repercusión de los costes del agua en los usuarios (subvenciones, descuentos, etc.) ni, sobre todo, se ajusta dicho régimen a ese mandato jurídico general. Esto último ha sido puesto de manifiesto muchas veces por resultar incomprensible. Y más a la vista de los déficits de funcionamiento que presenta, demostrados en estudios jurídicos (I. JIMÉNEZ COMPAIRED en relación con la tarifa de utilización del agua), económicos (J. MAESTU y A. DEL VILLAR), en documentos administrativos (las propias Administraciones españolas en sus informes sobre el cumplimiento de la DMA aceptan esta realidad) o en las Memorias económicas de los Planes hidrológicos. Así las cosas, puede afirmarse que a día de hoy, y entre otras por esta razón, la recuperación de costes no se aplica correctamente en España y difícilmente se va a conseguir mientras se mantengan estos mimbres.

Tampoco se clarifican las cuestiones en torno a los costes ambientales y del recurso que, como señala nominalmente el precepto por intimación de la DMA, deberán incluirse en el cálculo de las repercusiones de los costes de los servicios relacionados con el agua y que, como evidencian también esos mismos estudios, muchas veces no se consideran. Recuperar este tipo de costes implicaría desarrollar mecanismos de cálculo que, sobre todo en el segundo caso (costes del recurso), podrían tener una factura bastante compleja, aunque se rechace de momento asignar un «precio» al agua en cuanto tal, que podría ser diferente para los diversos usos. Atendiendo a la definición de mismos que da el apartado 7.4 de la Orden 2656/2008, de 10 de septiembre, por la que se aprueba la Instrucción de planificación hidrológica («los costes del recurso se valorarán como el coste de escasez, entendido como el coste de las oportunidades a las que se renuncia cuando un recurso escaso se asigna a un uso en lugar de a otro u otros»), parece que su cálculo se tendrá realizar particularmente en situaciones de escasez en que exista competencia por el agua, que son las habituales en muchas zonas y en relación con determinados usos. Habrá por tanto que habilitar mecanismos para calcular el montante de esas «oportunidades perdidas», describiendo en los Planes los instrumentos de mercado precisos para ello (así lo establece también la Instrucción) y cómo estos permiten mejorar la asignación económica del recurso. Esto implica dos cosas: por un lado, parece haberse optado a nivel nacional por los contratos de cesión de usos y los centros de intercambio de derechos como herramientas de estimación del coste del recurso, al ser éstos los únicos instrumentos «de mercado» para la asignación de recurso recogidos en el derecho español, lo que determina que en aquellos ámbitos en que no se hayan implementado, que son muchos, se carezca de marco de cálculo y, en consecuencia, no se proceda al mismo, impidiéndose la recuperación de costes del recurso. Y por otro, es un encargo a los servicios correspondientes de cada organismo de cuenca para que, cuando sea posible, procedan a estos análisis económicos y señalen a partir de ahí las maneras en que piensa trasladarse en cada demarcación este coste al precio a abonar por el usuario. Lo que, en muchos casos, no han hecho. Por ejemplo, el Plan hidrológico de la cuenca del Ebro despacha la cuestión precisamente como acaba de advertirse, afirmando que «la metodología de estimación establecida a nivel nacional no resulta apropiada para la Demarcación del Ebro, donde no se han producido intercambios de derechos de uso del agua mediante mecanismos de mercado. Las situaciones de escasez se gestionan en el marco de los órganos colegiados de las comunidades de usuarios y de la propia Confederación».

3. CONCLUSIÓN: EL DISEÑO NORMATIVO DE LA REGLA DE RECU-
PERACIÓN DE COSTES EN ESPAÑA CONTRIBUYE DE MANERA
DECISIVA A SU DEFECTUOSA IMPLEMENTACIÓN

Queda suficientemente claro, a la vista de todo lo indicado, aquello que
quería destacarse en esta primera parte del trabajo. Si se procede a una especie de cuantificación final de la aportación del diseño normativo del principio
de recuperación de costes a su aplicación efectiva (en qué lo favorece y en
qué lo dificulta) puede verse que, más allá de su planteamiento como regla
obligatoria y del indudable señalamiento a los usuarios finales como destinatarios de su repercusión, el resto de elementos que lo configuran muestran
deficiencias tan importantes que propician defectuoso cumplimiento. Se ha
visto cómo el mandato de arbitrar los mecanismos oportunos para repercutir
los costes en los usuarios finales es vacío y no coadyuva a mejorar uno de los
fallos más evidentes del diseño del principio, que es el de la indeterminación
de los conceptos en torno a los que se formula (lo que genera inseguridad
y ausencia de estructura esencial) y el de la consiguiente extensión de la
discrecionalidad administrativa. Antes al contrario, lo agrava. La sustitución
de los planes hidrológicos por la decisión administrativa en la determinación
de los motivos de excepción del principio también sirve para aumentar la
discrecionalidad y consolidar su patrón asistemático. La falta de reforma del
régimen financiero y el mantenimiento de la oscuridad en torno a los elementos esenciales de la regla como son los costes ambientales y del recurso
confirman la responsabilidad jurídica indicada.

III. EL DESCONCIERTO AÑADIDO POR LA SENTENCIA DEL TRI-
BUNAL DE JUSTICIA DE LA UNIÓN EUROPEA DE 11 DE SEP-
TIEMBRE DE 2014: LA INTERPRECIÓN RESTRICTIVA DE LA
REGLA QUE AMENAZA SU MANTENIMIENTO

Por si la normativa no tuviese suficiente responsabilidad sobre la problemática y el debate permanente que existe en torno a la recuperación de
los costes del agua, el TJUE ha añadido aún más desconcierto a través de la
Sentencia de 11 de septiembre de 2014. En ella ha interpretado por primera
vez cuáles son los «servicios relacionados con el agua» sujetos a esa regla
general, y lo ha hecho de una forma tan sorprendente que puede llegar a
certificar la defunción del principio si no procede a modificar su doctrina.

1. LOS ARGUMENTOS DE LAS PARTES: CONSIDERACIÓN AMPLIA VERSUS INTERPRETACIÓN RESTRINGIDA DEL CONCEPTO DE «SERVICIOS RELACIONADOS CON EL AGUA» A EFECTOS DE TARIFICACIÓN

Efectivamente, la Comisión interpuso un recurso frente a lo que consideraba inaplicación por parte de Alemania del principio de recuperación de costes. En este país quedaban al margen de tarificación actividades hídricas tan relevantes como el embalse para producción de energía hidroeléctrica, navegación y protección contra inundaciones, la extracción con fines de irrigación e industriales y el autoconsumo. La Comisión expresó en el recurso que el artículo 2.38 de la DMA (que define dichos «servicios») obligaba a recuperar los costes de todas las utilizaciones del agua consistentes en alguna de las actividades enumeradas en el precepto (extracción, embalse, depósito, tratamiento, distribución, recogida y depuración), pues todas son servicios relacionados con el agua y en esa condición se mencionan. Alemania por su parte, basándose en una interpretación propia de los debates y negociaciones de la DMA en este punto (en los que se aludía con frecuencia al abastecimiento y la depuración) y en el concepto de servicios comunitarios que se desprende del artículo 57 TFUE (del que deduce la necesidad de que exista una relación prestacional bilateral en que ambas partes estén claramente determinadas), entendía que la enumeración de todas estas actividades en la norma tiene solo un sentido aclaratorio y de refuerzo de las etapas que componen las dos únicas actividades que, a su juicio, están sujetas al principio (precisamente aquellos abastecimiento y depuración), como modo de precisar que todas ellas deben tenerse en cuenta al calcular los costes de esos servicios que, en todo caso, han de considerarse como un todo unitario. En otras palabras: no se trata de singularizar actividades y predicar de cada una aisladamente el principio de recuperación de costes (lo que supondría ampliar ilícitamente su ámbito objetivo), sino de tratar estos servicios como un todo unitario atendiendo en la aplicación del mismo a todas las etapas que lo configuran. De esta manera solo cuando se extraiga, embalse, deposite, trate, etc., para abastecer o depurar habrá que aplicar la regla de recuperación de costes, dentro del conjunto unívoco que conforman todas estas fases. No así en el resto de supuestos.

Sorprendentemente, el TJUE se ha alineado con las tesis alemanas, respaldadas asimismo por otros Estados miembros del norte de Europa que apoyaron como coadyuvantes al Estado demandado. Para ello, ha esgrimido fundamentalmente tres argumentos. En primer lugar, la afirmación de que el principio de recuperación de costes no es el único instrumento previsto por la DMA para conseguir sus objetivos de protección cualitativa del agua, ni siquiera el preferente, de lo que deduce que dejar de someter a tarificación algunas actividades no implicaría obstaculizar el logro de los mismos. En segundo término, la consideración de que del artículo 9 DMA no se concluye una obligación generalizada de recuperar los costes de todas las actividades vinculadas al agua, sino sólo de los «servicios relacionados con el agua», que son solo los antes citados. En tercer lugar, la previsión de excepción del principio siempre que no se comprometan los objetivos generales de la norma, lo que sucedería en los casos analizados. Con todo respeto para la institución, frente a estos argumentos cabe expresar firmes réplicas jurídicas que servirían para contradecirlos.

2. RÉPLICAS JURÍDICAS AL JUICIO DEL TRIBUNAL

2.1. El carácter principal de la regla de recuperación de costes dentro del sistema de protección del agua articulado por la DMA impone su aplicación como regla general

En ningún momento el principio de recuperación de costes puede considerarse una herramienta accesoria dentro del aparato jurídico articulado por la DMA. Antes al contrario, presenta un carácter tan nuclear como las demás. Es verdad que la DMA, como es propio de su condición de norma de resultado, no predetermina ni cuáles son ni qué alcance deberán tener los mecanismos para implementarlo, puesto que esto corresponde a los Estados miembros en función de sus propias realidades y sistemas. Pero no es menos cierto que dentro de esa discrecionalidad de los Estados no se inserta la posibilidad de desatenderlo, al tratarse de un mandato general. Dicho de otro modo: su adaptabilidad a la realidad de cada Estado no ampara una dispensa genérica y apriorística como la que hace Alemania, pues como antes se ha dicho, aunque caben excepciones, éstas tendrán que ser concretas y justificadas en motivos suficientemente explicados.

Tampoco le resta esa naturaleza principal el hecho de que su concreción requiera como vehículos otros instrumentos que también tienen esa condición esencial en el sistema de la Directiva: los programas de medidas (en los que deberán recogerse como contenido necesario las medidas concretas que va a desarrollar cada Estado para posibilitar la recuperación de costes, artículo 11.3.b DMA) y los planes hidrológicos (que deberán informar sobre las mismas y sobre la contribución de los distintos usos a dicha recuperación, artículo 9.2 DMA). Esa necesidad se explica perfectamente atendiendo a la condición sistémica de la norma comunitaria. Lo que ha diseñado el legislador es una estructura jurídica compleja en la que todos los instrumentos se complementan y requieren mutuamente, jugando cada uno su papel, que es igual de necesario para que el sistema de protección cualitativa del agua funcione. Ni los planes y programas son súper elementos independientes e ilimitados que pueden actuar como piezas separadas y autónomas en base a una presunta supremacía (decidiendo, por ejemplo, no recuperar los costes en un ámbito determinado con carácter general), ni situar a su nivel el principio de recuperación de costes supone rebajar la posición de los anteriores al condicionar su contenido, puesto que el fin de todos ellos es el mismo –lograr los objetivos de calidad previstos– y como tal se articulan para conseguirlo. No se trata de que uno prevalezca sobre otro, sino que cada uno desempeñe su papel dentro de una maquinaria con un destino final claro. Entender otra cosa supone confundir el valor sustantivo fundamental de la recuperación de costes como principio ineludible con su concreción jurídico-formal en los planes y programas de medidas.

2.2. La consideración sistemática y teleológica de la DMA obliga a una interpretación amplia de los «servicios relacionados con el agua» a efectos de su tarificación que no absorbe el concepto normativamente diferenciado de «usos del agua»

También suscita reparos el segundo argumento del TJUE, conforme al cual los «servicios relacionados con el agua», como únicos vinculados a la aplicación del principio de recuperación de costes, son solo el abastecimiento y la depuración. Por supuesto, no se puede negar sobre éstos ni su condición servicial ni su importancia, pero tampoco son las únicas actividades de base hídrica que pueden encajar en la noción. De hecho, la aplicación de los métodos sistemático y teleológico de interpretación jurídica llevan justamente a la conclusión contraria, como va a comprobarse a continuación.

Aplicando el primero, no puede perderse de vista que el principio de recuperación de costes forma parte de un sistema jurídico y, como tal, ha de interpretarse en el contexto general de la DMA junto con el resto de herramientas y reglas de actuación, sin que quepa restringir su aplicación a voluntad e interpretación de cada Estados so pena de desvirtuar una estructura en el que todas las piezas se orientan al único objetivo que les da sentido último y unitario como conjunto: la protección de la calidad de las aguas. Atendiendo al elemento teleológico, debe convenirse en que es precisamente este objetivo y finalidad el que impide excluir un conjunto tan amplio y relevante de actividades de base hídrica de la recuperación de costes. Aunque el TJUE afirme la viabilidad de este hecho –bien que sin argumentos, puesto que no explica de qué manera queda demostrado que no tarificar los usos descritos no afecta al buen estado cualitativo de las aguas–, la lógica de las cosas impide admitir que inaplicar la recuperación de costes a la navegación, el embalse para la producción hidroeléctrica o la extracción para irrigación o usos industriales no ejerza presiones sobre las masas hídricas que afecten a su calidad. Una interpretación de la DMA realmente en función de esos fines habría de concluir justo en lo contrario, puesto que toda actividad que utilice el agua, precisamente por afectarle como recurso, debe estar sujeta por regla general a tarificación. Y todas las actividades que el artículo 2.38 DMA enuncia como «servicios» son susceptibles de incidir sobre su estado cualitativo, de tal manera que el deber de los Estados, sujetos como están al cumplimiento de los objetivos de la norma, es establecer una tarificación que estimule a los usuarios a utilizar el agua de modo eficaz, permitiendo lograrlos. Aunque la actividad no se considere prestación de servicios en el sentido clásico o clientelar de la expresión. Esto aquí es irrelevante, porque no estamos en el marco de una regulación servicial sino en un contexto ambiental que excede lo puramente prestacional para incorporar parámetros de definición orientados a la protección del recurso. Lo que prima es el logro de la finalidad de la norma: proteger la calidad del agua y lograr un buen estado cualitativo de la misma.

Asimismo hay que aceptar que carece de sentido que en Alemania, como en España, muchas de las actividades exentas de tarificación queden sujetas a gestión pública y a estrictas normas de utilización dentro del derecho público sin que estas cautelas, propias de acciones con afección ambiental, vayan acompañadas de la consideración del principio de recuperación de costes impuesto con el mismo fin. Como también debe rechazarse la afirmación del Estado demandado en el sentido de que considerar dichas actividades como «servicios relacionados con el agua» implicaría anular por absorción el concepto de «usos del agua», normativamente diferenciados y definidos de manera más amplia en el artículo 2.39 DMA. Esta definición se alinea con la consideración tradicional del concepto en los ordenamientos internos: serán tales usos los diversos tipos de utilización del agua (incluidos los servicios) que repercutan de modo significativo en el estado del agua.

Lo que caracteriza a estos «usos» frente a los «servicios» es que no están sujetos con carácter general a la recuperación de costes, aunque sí a valoración económica para calcular la combinación más rentable de medidas a incorporar en los programas para conseguir el objetivo de buen estado ecológico. Esto no significa, sin embargo, que cuando los «usos» también tengan la consideración de «servicios» conforme al concepto ya conocido deban sujetarse a la recuperación de costes, permaneciendo al margen de la regla cuando se limiten a presentar efectos significativos sobre el agua pero no impliquen las acciones previstas en el artículo 2.38 del texto comunitario. Perfectamente pueden darse ambas situaciones, manteniéndose «usos» que no sean «servicios» (por ejemplo en el caso de actividades sobre aguas naturales sin que medie la utilización de una infraestructura hidráulica), que en nada se van a ver alterados por aceptar una consideración amplia de estos últimos en la línea que aquí se defiende. Porque efectivamente, es importante notar cómo todas las actividades que la DMA identifica como «servicios» implican utilizar una de estas infraestructuras, sin que se plantee ese reconocimiento en relación con actuaciones sobre aguas en su cauce o lecho natural. En este supuesto, reclamando la extensión conceptual también para estas últimas, sí podría reprocharse una vis expansiva de la noción de servicio que anularía el concepto comunitario de uso de agua. Pero no es el caso.

2.3. La exclusión genérica de la regla de recuperación de costes en relación a un grupo amplio de actividades hídricas no respeta las condiciones de excepción impuestas por la norma comunitaria

Finalmente, y en lo que hace al tercer argumento expresado por el TJUE para defender la interpretación restringida de los «servicios relacionados con el agua» a efectos de tarificación, se considera aquí que las utilizaciones del agua exentas de recuperación de costes difícilmente encajan en los supuestos de excepción del principio, tal y como debe interpretarse algo no que se denomine excepcional sino que de verdad lo sea. Es sabido que las excepciones, admitidas como tales, tienen unas condiciones preestablecidas: no comprometer los fines y los objetivos de la misma y explicarse conforme a circunstancias suficientemente sólidas, definidas y singulares contrastadas tras los análisis oportunos. Así lo exige específicamente el artículo 9.4 DMA, que las prevé en relación con actividades determinadas, y las acompaña del deber de los Estados de informar en los planes hidrológicos de los motivos concretos por los que no ha aplicado lo que es regla general. Excepcionar a priori y en bloque un conjunto amplio de actividades de base hídrica importantes con la afirmación retórica e indiscriminada de que «no afectan a los objetivos de la DMA», pero sin explicar por qué precisamente esas actividades y no otras, por qué todas, por qué en todo el territorio, o qué escenario social, económico, geográfico, climático, demográfico concreto ampara esa decisión supone, salvo que se demuestre lo contrario –y no se ha hecho–, incumplir el principio, plantear una asunción de costes por el sistema e invertir el mecanismo normativo, haciendo de la excepción regla general.

3. CONCLUSIÓN: LA NECESIDAD DE MODIFICAR ESTA INTERPRETACIÓN JURISPRUDENCIAL SO PENA DE INAPLICACIÓN GENERAL DE LA RECUPERACIÓN DE COSTES EN EL ÁMBITO HIDRÁULICO

La conclusión a la que lleva todo lo expuesto es clara, habiendo sido avanzada al inicio de estas reflexiones. Sin lugar a dudas, con esta interpretación, el TJUE propina un revés importante al principio de recuperación de costes, lo que supone reconocer el fracaso del sistema de la DMA. Por mucho que las realidades sean distintas en los diversos Estados de la Unión, admitir que pueden eximirse *ab initio* bloques completos de actividad de la importancia e impacto de los citados implica, sencillamente, su negación. Uno de los pilares fundamentales del sistema de protección de la calidad del agua que articula la DMA ha quedado sin efecto, puesto que solo queda garantizada su aplicación en relación con las actividades de abastecimiento y depuración.

Cómo va a afectar esto a la consecución de los objetivos previstos por la norma es algo que el TJUE no se cuestiona, aunque debería haberlo hecho. Por eso, lo único que resta es desear que llegue a ser consciente de ellos y rectifique su doctrina. Advertencias suficientes ya existen al respecto. Sin ir más lejos, la formulada por la Comisión en su informe al Parlamento y al Consejo sobre la aplicación de la DMA de 14 de noviembre de 2012, en la que textualmente advierte de que

> «Una parte significativa de las masas de agua no alcanzará un buen estado en 2015, y ello, entre otras razones, porque con demasiada frecuencia los planes hidrológicos se acogen a las excepciones para justificar usos y prácticas de gestión que demuestran que no hay ningún plan para alcanzar los objetivos de la DMA». «Se han hecho pocos progresos en la implementación de políticas transparentes de tarificación», «muy pocos Estados miembros han implementado una recuperación transparente de los costes medioambientales y de los relativos a los recursos. La recuperación de los costes se lleva a cabo, en mayor o menor medida, en los sectores del consumo doméstico y del industrial. En muchas zonas, el agua para usos agrícolas solo se cobra hasta cierta cantidad». «Es necesaria una notable mejora en este ámbito... En caso contrario, no será posible garantizar la ejecución efectiva de las políticas de tarificación ni tampoco evitar medidas inadecuadas y desproporcionadas».

Una cosa es afirmar como declaración general que excepciones como las vistas no comprometen necesariamente los fines de la norma, pero otra bien distinta es la realidad.

IV. BIBLIOGRAFÍA DE REFERENCIA

Embid Irujo, A.: «Condicionamientos jurídicos de una política de precios del agua», en la obra dirigida por el mismo autor *Precios y mercados del agua*, Madrid, Civitas, 1996.

– «El régimen económico-financiero del agua en el contexto de la aplicación de la Directiva Marco de Aguas de 2000. Reflexiones generales», en la obra colectiva dirigida por el mismo autor *Régimen económico-financiero del agua. Los precios del agua*, Cizur Menor, Civitas, 2009.

– «Cuestiones institucionales: demarcaciones y cuencas hidrográficas, planificación hidrológica y su relación con el principio de recuperación de costes», en AA.VV., *La Directiva Marco de Aguas y su recepción en España (el modelo europeo de gestión del agua)*. Número extraordinario de la Revista Justicia Administrativa, 2012.

JIMÉNEZ COMPAIRED, I.: «Modificaciones económico financieras en el ámbito del abastecimiento», en AA.VV., *La Directiva Marco de Aguas y su recepción en España (el modelo europeo de gestión del agua)*. Número extraordinario de la Revista Justicia Administrativa, 2012.

– «La recuperación de costes en la planificación hidrológica en España y el régimen económico-financiero: consideración especial del Plan Hidrológico del Ebro», en EMBID IRUJO, A. (dir.), *El segundo ciclo de planificación hidrológica en España (2010-2014)*, Cizur Menor, Aranzadi, 2015.

LÓPEZ DE CASTRO, L.: «El principio europeo de recuperación de los costes de los servicios relacionados con el agua y su aplicación en el derecho español», *Revista de Derecho Urbanístico y Medio Ambiente*, 265, 2011.

MAESTU, J., y DEL VILLAR, A.: *Precios y costes de los servicios del agua en España*, Madrid, Ministerio de Medio Ambiente, 2007.

MAESTU, J., y BERBEL, J.: «Financiación de servicios de agua y aplicación de excepciones al principio de recuperación de costes», en EMBID IRUJO, A. (dir.), *Régimen económico-financiero del agua. Los precios del agua*, Cizur Menor, Civitas, 2009.

PEARCE, D., y TURNER, K.: *Economía de los recursos naturales y medio ambiente*, Madrid, Colegio de Economistas de Madrid y Celeste Ediciones, 1995.

RODRÍGUEZ-CHAVES, B.: «La aplicación del principio de recuperación de costes en la gestión del agua en el derecho interno español», en AGUDO GONZÁLEZ, J., (coord.), *El derecho de aguas en clave europea*, Madrid, La Ley, 2010.

SETUAIN MENDÍA, B.: «Principio de recuperación de costes y régimen sancionador hídrico en España: últimas novedades aportadas por la Ley 11/2012, de 19 de diciembre, de medidas urgentes en materia de medio ambiente», en GARCÍA PACHÓN, M. P., y AMAYA NAVAS, O., *Derecho Sancionatorio Ambiental*, Bogotá Universidad del Externado de Colombia, 2013.

– «La tarificación de los servicios relacionados con el agua: condiciones, alcance y eficacia a la luz de la reciente jurisprudencia comunitaria», *Revista Aranzadi de Derecho Ambiental*, 30, 2015.

CAPÍTULO X

CONSIDERACIONES EN RELACIÓN CON LOS DISTINTOS MODELOS DE GESTIÓN DEL CICLO INTEGRAL DEL AGUA DE USO URBANO[*]

Guillermo GONZÁLEZ DE OLANO

Abogado

SUMARIO: I. CONSIDERACIÓN PRELIMINAR: EL AGUA COMO SERVICIO PÚ-
BLICO MUNICIPALIZADO. 1. *Significado de las expresiones «municipalización» o «remunicipalización»*. 2. *La municipalización de los servicios
públicos del agua*. 3. *Conclusión: los servicios públicos de abastecimiento
y depuración de agua prestados indirectamente por un concesionario o una
empresa mixta ya son municipales*. II. ALGUNAS REFLEXIONES EN
RELACIÓN CON LA GESTIÓN DIRECTA DE LOS SERVICIOS PÚ-
BLICOS LOCALES DEL AGUA. 1. *La autonomía local como premisa:
las Entidades Locales gozan de autonomía para determinar el modo de
gestionar los servicios públicos de su competencia*. 2. *Criterios en relación
con la gestión directa. Los paradigmas de la LRSAL*. III. ALGUNAS RE-
FLEXIONES EN RELACIÓN CON LA GESTIÓN INDIRECTA DE LOS
SERVICIOS PÚBLICOS LOCALES DEL AGUA. 1. *Las prerrogativas de
las Entidades Locales en los modelos de gestión indirecta. En los supuestos
de gestión indirecta de un servicio público, la Entidad Local contratante
tiene el derecho y el deber de controlar al gestor del servicio*. 2. *Previsiones
del Ordenamiento jurídico vigente que garantizan la transparencia, concurrencia y control de la actividad en el caso de la gestión indirecta de los
servicios públicos locales del agua*. 2.1. La normativa sobre transparencia
como mecanismo de control y acceso a la información relativa a la prestación de los servicios públicos locales gestionados indirectamente. 2.2. Normativa sobre contratación en los denominados «sectores especiales». IV.
BIBLIOGRAFÍA.

---

[*] Contenido de la ponencia impartida con el mismo título en las jornadas celebradas
en el Paraninfo de la Universidad de Murcia (Campus de La Merced) los días 5 y 6
de noviembre de 2015 tituladas «Desafíos del Derecho de Aguas».

I. CONSIDERACIÓN PRELIMINAR: EL AGUA COMO SERVICIO PÚBLICO MUNICIPALIZADO

1. SIGNIFICADO DE LAS EXPRESIONES «MUNICIPALIZACIÓN» O «REMUNICIPALIZACIÓN»

Quisiera comenzar mi exposición dando las gracias a los colegas que han intervenido antes de mí, y que sin duda han colaborado para dar una visión global de los principales problemas y tendencias que actualmente afronta el sector del agua. Por mi parte, pretendo dedicar los últimos de esta jornada a recordar brevemente: (a) dónde estamos, desde el punto de vista jurídico, en la prestación de servicios públicos municipales relacionados con el agua; y (b) cuál es el marco jurídico en el que nos movemos, qué garantías ofrece, qué incertidumbres y qué novedades.

Como punto inicial de la exposición es interesante partir de un concepto que considero esencial, sobre todo en estos tiempos en los que el modelo de gestión del agua está siendo objeto de análisis y replanteamiento –replanteamiento y análisis, que por otra parte, considero perfectamente legítimos e incluso recomendables como ejercicio periódico–: el de «municipalización» de determinados servicios esenciales.

En estos tiempos, en los que con frecuencia se oye hablar de la «remunicipalización» de determinados servicios públicos –incluidos los relacionados con el agua– es importante tener claro el significado preciso de este término en el Derecho español. Para ello, nada mejor que hacer un pequeño ejercicio de historia (reciente) del Derecho y revisar el clásico debate de la municipalización, con o sin monopolio. Como se verá, una vez más se hace verdad la vieja expresión salomónica de que «no hay nada nuevo bajo el sol».

a) Originariamente, el surgimiento del término «municipalización» hace referencia al interesamiento de los municipios en determinados servicios en los que hasta ese momento se había mantenido ajeno. Pero ello sin distinguir entre ese interesamiento y el hecho de si el municipio prestaba ese servicio con su propio personal o a través de tercero. Por tanto, en estas primeras regulaciones, de influjo italiano[1] se aprecia un *tratamiento indiferenciado y*

---

1. La Ley italiana de 29 de marzo de 1903, *Legge sulla municipalizzazione dei pubblici servizi*, núm. 103 (posible origen de este uso del término), conforme a cuyo artículo 1 «[l]os municipios pueden asumir en las formas previstas en este texto único la implantación y ejercicio directo de los servicios públicos (...) la construcción de acueductos y fuentes y suministro de agua potable» («*I comuni possono assumere nei modi stbiliti dal preente testo único, l'impianto e*

conjunto de dos conceptos distintos: (a) de una parte, el interesamiento de la Corporación en el servicio en cuestión; es decir, la atribución de *competencias* en relación con ciertos sectores de actividad; y (b) de otra, *la gestión* del servicio propiamente dicho. Este tratamiento indiferenciado de ambas realidades determina que, conceptualmente, el concepto de *«municipalización»* se equipare con el de *prestación directa*.

Ejemplos españoles de normas que utilizan la expresión «municipalización» sin diferenciar entre la asunción de un servicio por el municipio y el modo de gestión son, entre otras: (a) el Estatuto Municipal de 1924, aprobado mediante Real Decreto-Ley de 8 de marzo de 1924, cuyo artículo 169 disponía que los Ayuntamientos podrán: «... administrar y explotar directamente todos aquellos servicios que tengan carácter general, sean de primera necesidad, de utilidad pública y se presten o puedan prestar dentro del término municipal en beneficio de sus habitantes»; y (b) La Ley Municipal de 1935, cuyo artículo 131 dispone que: «[l]os Municipios podrán administrar y explotar directamente todos aquellos servicios que tengan carácter general, sean de primera necesidad, de utilidad pública y se presten o puedan prestar dentro del término municipal, en beneficio de sus habitantes». En su excelente estudio sobre la evolución del significado de este término, la profesora MAGALDI MENDAÑA recoge una lista detallada de las distintas normas –extranjeras y propias– en las que el término «municipalización» lleva aparejado este doble significado[2].

Por su parte, la doctrina del momento también analizó la municipalización de manera indiferenciada de la «gestión directa». Así, los primeros autores españoles que recogieron este concepto de «municipalización» del extranjero y la analizaron en nuestro país, como GASCÓN Y MARÍN, señalan: «implica la municipalización de servicios públicos el ejercicio directo de los mismos por los comunes»[3]. ÁLVAREZ GENDÍN indica que «la municipalización

---

l'esercizio diretto dei pubblici servizi e segnatamente di querlli relativi agli oggetti setguenti: 1° costruzione di acquedotti e fontane e distribuzione di acqua potabile...»).

2. *Vid.* MAGALDI MENDAÑA, Nuria: *Los orígenes de la municipalización de servicios en España. El tránsito del Estado liberal al Estado social a la luz de la municipalización de servicios públicos.* Ed. INAP, Madrid, 2012. También contiene un interesante estudio sobre la evolución histórica de la regulación sobre abastecimiento de agua potable y saneamiento de las aguas residuales urbanas el profesor asociado de la Universidad de Zaragoza, José Luis CALVO MIRANDA (CALVO MIRANDA, José Luis: «Abastecimiento de agua potable y saneamiento de las aguas residuales urbanas en España», *Revista Aragonesa de Administración Pública*, núm. 367, 2010).

3. GASCÓN Y MARÍN, José: *Municipalización de servicios públicos.* Ed. Victoriano Suárez, Madrid, 1904, p. 21. *Vid.* también, en este sentido, MAGALDI MENDAÑA,

es la entrega a la gestión directa del Municipio de una actividad remunerable, para satisfacer una necesidad pública que anteriormente era desarrollada por empresa o particulares»[4].

Ahora bien, es importante llamar la atención sobre el hecho de que, aunque estas normas no distingan conceptualmente entre la asunción del servicio por el municipio y el modo de prestación del servicio, ello no implica que esta distinción no exista. De hecho, *las mismas normas que acabamos de citar prevén expresamente la posibilidad de lo que hoy denominamos modos de gestión indirecta de estos servicios*. Así, el citado Estatuto Municipal de 1924:

i. De una parte, dispone que los Ayuntamientos podrán: «... Administrar y explotar directamente todos aquellos servicios que tengan carácter general, sean de primera necesidad, de utilidad pública y se presten o puedan prestar dentro del término municipal en beneficio de sus habitantes» (artículo 169).

ii. De otra, explica que en el acuerdo de municipalización se indicará si explotación del servicio se lleva a cabo mediante «subasta o concurso para adjudicar la explotación del servicio municipalizado a una empresa particular» (artículo 173).

b) Este primer tipo de normas da paso a un segundo tipo de leyes en las que ya se distingue con precisión entre la asunción del servicio por el municipio y el modo de gestión del mismo. La Ley de Régimen Local de 1950 –y a partir de ahí el resto de las normas que han regulado esta cuestión en nuestro Ordenamiento jurídico– dejan claro que la esencia de la municipalización radica en la *asunción del servicio por el municipio*, lo que no equivale a la «gestión directa».

(i). El artículo 164 de esta Ley regula la municipalización de servicios y establece que:

«1. Los Municipios podrán explotar directamente servicios de naturaleza mercantil, industrial, extractiva, forestal o agrícola que sean de primera necesidad o utilidad pública y se presten dentro del término municipal, en beneficio de sus habitantes...».

(ii). Por su parte, el artículo 167 de la citada Ley de 1950 dispone:

Nuria: «La primera doctrina española sobre la municipalización de servicios públicos: en particular, la recepción de la doctrina extranjera por el profesor Gascón y Marín», *Revista Aragonesa de Administración Pública*, núm. 39-40, 2012.

4. ÁLVAREZ GENDÍN, Sabino: *El servicio público (su teoría jurídico-administrativa).* Ed. Insituto de Estudios Políticos, Madrid, 1944, p. 149.

> *«Los servicios municipalizados podrán prestarse por gestión directa, con o sin órgano especial de administración, en forma de Empresa privada y en régimen de Empresa mixta, por concurso, o mediante participación de particulares en el capital, por suscripción de acciones».*

Esta norma supone un avance en la definición del concepto de servicio público local y, por ende, también en el del propio concepto de municipalización[5]. Su entrada en vigor da lugar a lo que Fernando ALBI CHOLBI ha calificado como la crisis definitiva de «la noción de lo directo como característica de las municipalizaciones»[6]. Como ha explicado soberbiamente este jurista –que, como es sabido, dedicó la mayor parte de su actividad profesional a la Administración local y ocupó, entre otros cargos, Secretario del Ayuntamiento de Bilbao y de las Diputaciones Provinciales de Cádiz y Alicante–, para aclarar la nueva legislación surgen nuevas teorías que arrumban las anteriores. De este modo CLAVERO ARÉVALO manifiesta:

> *«Hora es ya de acabar con el mito del carácter directo de la municipalización en nuestro Derecho positivo. El verdadero carácter de ella en nuestra reciente Ley de Régimen local radica en el control interno que el Municipio se reserva en los distintos modos de gestión municipalizadora»[7].*

De modo similar razona también GARCÍA DE ENTERRÍA:

> *«Es urgente desconectar estos distintos aspectos del problema municipal que el concepto de municipalización, como hemos visto, ha vinculado a una suerte común. Está, por una parte, el problema de la asunción de competencias por el Municipio; está, por otra, sin necesidad ninguna de ligarlo al anterior, el problema de la forma de gestión de los servicios municipales. A juicio de esta Ponencia, es pertinente reservar al término municipalización el primero de estos dos aspectos, y liberarlo íntegramente del segundo de ellos, que es, sin embargo, el que hoy priva (sic).*

> *El término municipalizar, incluso gramaticalmente, tiene un sentido dinámico que se acomoda con justeza a ese significado de integrar competencias exentas a favor del Municipio»[8].*

---

5. Ahora bien, como han señalado los autores que a continuación se citarán, resulta discutible que la posición que mantienen no pudiera sustentarse incluso con la normativa anterior.

6. ALBI CHOLBI, Fernando: *Tratado de los modos de gestión de las Corporaciones Locales.* Ed. Aguilar, Madrid, 1960, pp. 101-ss.

7. CLAVERO ARÉVALO, Manuel Francisco: *Municipalización y provincialización de servicios en la Ley de Régimen Local.* Ed. Insituto de Estudios de Administración Local, Madrid, 1952, pgs. 130-131.

8. GARCÍA DE ENTERRÍA, Eduardo: «La actividad industrial y mercantil de los municipios», *Revista de Administración Pública*, núm. 17, 1955, pp. 112-113.

Como hemos avanzado, la normativa posterior a la Ley de Régimen Local de 1950 ha continuado haciendo hincapié en esta diferencia entre la municipalización –entendida como asunción por el municipio de un determinado servicio– y los modos de gestión –directa o indirecta–.

a) La Ley 7/1985, de 2 de abril, Reguladora de las Bases del Régimen Local (LRBRL) se refiere en varias ocasiones a la municipalización o provincialización de actividades, poniendo de manifiesto su diferencia con los modos de gestión (artículo 47.2.k)[9], 123.k)[10].

b) En lo que pueda considerarse vigente[11], el Decreto de 17 de junio de 1955 por el que se aprueba el Reglamento de Servicios de las Corporaciones locales (RSCL) define la municipalización como una forma de desarrollo de la actividad de las Corporaciones locales para la prestación de los servicios económicos de su competencia, asumiendo en todo o en parte el riesgo de la Empresa mediante el poder de regularla y fiscalizar su régimen (artículo 45.1). Definición que, como puede verse –y siguiendo la explicación dada por el profesor GARCÍA DE ENTERRÍA–, incide decididamente en esa parte del concepto de «municipalización» relativa a la asunción del servicio[12].

---

9. Se requiere el voto favorable de la mayoría absoluta del número legal de miembros de las corporaciones para adoptar acuerdos relativos a la «[m]unicipalización o provincialización de actividades en régimen de monopolio *y aprobación de la forma concreta de gestión del servicio correspondiente*».

10. Corresponden al Pleno, entre otras, «[l]a determinación de las formas de gestión de los servicios, así como el acuerdo de creación de organismos autónomos, de entidades públicas empresariales y de sociedades mercantiles para la gestión de los servicios de competencia municipal, y la aprobación de los expedientes de municipalización».

11. El Real Decreto 1098/2001, de 12 de octubre, por el que se aprueba el Reglamento General de la Ley de Contratos de las Administraciones Públicas, deroga el RSCL en todo lo que se oponga a su propio articulado.

12. Ahora bien, no puede ignorarse que el propio artículo 45 es un tanto ambiguo pues, después de la definición dada en el apartado 1, el apartado 2 establece que los objetivos de las municipalización es serán «conseguir que la prestación de los servicios reporte a los usuarios condiciones más ventajosas que las que pudiera ofrecerles la iniciativa particular *y la gestión indirecta*» lo que, en clara oposición con lo dispuesto por la Ley de Régimen Local de 1950, equivaldría a volver a equiparar nuevamente el concepto de municipalización con el de «gestión directa».

2. LA MUNICIPALIZACIÓN DE LOS SERVICIOS PÚBLICOS DEL AGUA

Como decía ALBI CHOLBI en los años sesenta, en España los servicios del agua están encomendados a las Entidades Locales desde, al menos, 1924[13]:

a) Antes de 1924, el Reglamento para la ejecución de la Ley General de Obras Públicas, de 6 de julio de 1877, y señala que, de los distintos servicios fundamentales que la legislación contemplaba en aquel tiempo, «solamente el de abastecimiento de aguas quedaba al pleno alcance de la actividad de los Municipios», reconociendo los preceptos 4ntonces vigentes la competencia de las Corporaciones.

b) El Estatuto Municipal de 1924 se basa en la premisa de que «[e]l Estado, para ser democrático, ha de apoyarse en *Municipios libres*» y declara:

(i). La exclusiva competencia de los Ayuntamientos sobre el «[a]bastecimiento de aguas y destino de las residuales, lavaderos, abrevaderos, balnearios y servicios análogos» (artículo 150.9).

(ii). La posibilidad de que los Ayuntamientos administren y exploten directamente los servicios municipales obligatorios (con o sin monopolio), o bien otorguen concesiones para la gestión indirecta de estos servicios (artículo 220).

b) En la actualidad, como es sabido, el artículo 25 de la Ley 7/1985, de 2 de abril, Reguladora de las Bases de Régimen Local (LBRL)[14], el municipio ejercerá:

---

13. ALBI CHOLBI, Fernando: *Tratado de los modos de gestión de las Corporaciones Locales*. Ed. Aguilar, Madrid, 1960, p. 77. De hecho, ALBI CHOLBI considera que los orígenes de las competencias municipales en el ámbito del alcantarillado y suministro de agua a fuentes públicas datan en algunos casos de la Edad Media. En relación con las obras de abastecimiento de aguas, alcantarillado y tratamiento de aguas residuales que tengan por objeto dotar de estos servicios a los núcleos de población, los artículos 180 y siguientes del Estatuto de 1924 establecen un régimen, basado en la Ley de 18 de marzo de 1895, sobre mejora, saneamiento y reforma o ensanche interior de las grandes poblaciones (30.000 habitantes o más) que, como en el caso de los servicios, atribuye a los municipios la «exclusiva competencia municipal» para proyectar, construir y aprobar este tipo de proyectos (artículo 180), sin perjuicio de que la ejecución final de la obra sea adjudicada a terceros (posibilidad expresamente prevista por la Ley de 18 de marzo de 1895 en los artículos 51 y siguientes).

14. Redacción dada por la Ley 27/2013, de 27 de diciembre, de racionalización y sostenibilidad de la Administración Local.

(i). Como competencia propia, en los términos de la legislación del Estado y de las Comunidades Autónomas, el servicio de abastecimiento de agua potable a domicilio y evacuación y tratamiento de aguas residuales [artículo 25.2.c) LBRL].

(ii). En relación con los servicios anteriores, en todos los municipios (con independencia de su tamaño), el servicio de abastecimiento domiciliario de agua potable y alcantarillado [artículo 26.1.a) LBRL].

(iii). Además, en los municipios con población inferior a 20.000 habitantes, será la Diputación Provincial o entidad equivalente la que coordinará la prestación del servicio de abastecimiento de agua potable a domicilio y evacuación y tratamiento de aguas residuales [artículo 26.2.b) LBRL].

3. CONCLUSIÓN: LOS SERVICIOS PÚBLICOS DE ABASTECIMIENTO Y DEPURACIÓN DE AGUA PRESTADOS INDIRECTAMENTE POR UN CONCESIONARIO O UNA EMPRESA MIXTA YA SON MUNICIPALES

Como resumen de lo anterior cabe concluir el uso del término «remunicipalización» para referirse al paso de la gestión *indirecta* de un servicio público (ej. Sociedades mixtas, concesiones, conciertos, etc.) a la gestión *directa* (ej. Sociedades 100% públicas o el Ayuntamiento directamente) puede llevar un equívoco. Este equívoco sería el de entender que cuando un servicio públicos se presta por un concesionario –o por una sociedad mixta– ha quedado fuera de la esfera de gestión del municipio. Esto no es así.

La Ley permite[15] que los servicios públicos se gestionen (a) de manera *directa* –por ejemplo, directamente por la propia entidad– o (b) de manera *indirecta* –por ejemplo mediante concesión–. **En ambos casos se considera que la gestión última del servicio le corresponde al municipio** aunque, como sucede en el caso de la concesión, para la prestación material del servicio el municipio haya considerado conveniente servirse de la colaboración de un privado.

---

15. Artículo 85 LBRL.

II. ALGUNAS REFLEXIONES EN RELACIÓN CON LA GESTIÓN DIRECTA DE LOS SERVICIOS PÚBLICOS LOCALES DEL AGUA

1. LA AUTONOMÍA LOCAL COMO PREMISA: LAS ENTIDADES LOCALES GOZAN DE AUTONOMÍA PARA DETERMINAR EL MODO DE GESTIONAR LOS SERVICIOS PÚBLICOS DE SU COMPETENCIA

Cuando se habla de los modelos de gestión directa e indirecta de servicios públicos, conviene partir del principio de autonomía local de las Entidades Locales, que se recoge en documentos internacionales como la Carta Europea de la Autonomía Local[16], en los artículos 137[17] y 140[18] de la Constitución Española, y que se desarrolla en otras normas de rango legal, como el artículo 2 LBRL[19]. Entre otros extremos, esta autonomía local conlleva una potestad de libre decisión en el ejercicio de sus competencias (autodeterminación dentro del marco del ordenamiento jurídico)[20]. Estas competencias –que el artículo 7.2 LBRL califica de «propias»– son determinadas por Ley y se ejercen «en régimen de autonomía y bajo la propia responsabilidad» de cada Entidad Local.

---

16. «Por autonomía local se entiende el derecho y la capacidad efectiva de las Entidades locales de ordenar y gestionar una parte importante de los asuntos públicos, en el marco de la Ley, bajo su propia responsabilidad y en beneficio de sus habitantes» (artículo 3.1).

17. «El Estado se organiza territorialmente en municipios, en provincias y en las Comunidades Autónomas que se constituyan. Todas estas entidades *gozan de autonomía para la gestión de sus respectivos intereses*».

18. «La constitución garantiza la autonomía de los municipios...».

19. «1. Para la efectividad de la autonomía garantizada constitucionalmente a las Entidades Locales, la legislación del Estado y la de las Comunidades Autónomas, reguladora de los distintos sectores de la acción pública, según la distribución constitucional de competencias, deberá asegurar a los Municipios, las Provincias y las Islas su derecho a intervenir en cuantos asuntos afecten directamente al círculo de sus intereses, atribuyéndoles las competencias que proceda en atención a las características de la actividad pública de que se trate y a la capacidad de gestión de la Entidad Local, de conformidad con los principios de descentralización, proximidad, eficacia y eficiencia, y con estricta sujeción a la normativa de estabilidad presupuestaria y sostenibilidad financiera»

20. EMBID IRUJO, Antonio: «Autonomía municipal y Constitución. Aproximación al concepto y significado de la declaración constitucional de autonomía municipal», *Revista Española de Derecho Administrativo*, núm. 30, 1981.

Por ello –y sin ignorar la revisión y redimensionamiento a los que estos servicios se han visto sometidos por los recientes cambios legislativos[21]–, en lo relativo a las competencias de las Entidades Locales que se recogen en los artículos 25.2, 26 y 86 LBRL parece claro que **cada Entidad local goza de autonomía para decidir el modo de gestionar los servicios públicos de su competencia**, siempre y cuando ello sea compatible con los parámetros de sostenibilidad y eficiencia que impone la ley. En este sentido, el artículo 85.2 LBRL dispone que:

«2. Los servicios públicos de competencia local habrán de gestionarse de la forma más sostenible y eficiente de entre las enumeradas a continuación:

A) Gestión directa:

a) Gestión por la propia Entidad Local.

b) Organismo autónomo local.

c) Entidad pública empresarial local.

d) Sociedad mercantil local, cuyo capital social sea de titularidad pública...

B) Gestión indirecta, mediante las distintas formas previstas para el contrato de gestión de servicios públicos en el texto refundido de la Ley de Contratos del Sector Público, aprobado por Real Decreto Legislativo 3/2011, de 14 de noviembre [TRLCSP].

La forma de gestión por la que se opte deberá tener en cuenta lo dispuesto en el artículo 9 del Estatuto Básico del Empleado Público, aprobado por Ley 7/2007, de 12 de abril, en lo que respecta al ejercicio de funciones que corresponden en exclusiva a funcionarios públicos».

De acuerdo con lo anterior, tanto el contenido dado al principio de autonomía local por los tratados internacionales de los que España forma parte, como su configuración por la Norma Fundamental y su consiguiente desarrollo legislativo garantizan –y así lo ha corroborado en infinidad de ocasiones el Tribunal Supremo– la libertad de las Entidades Locales para optar por el modo de gestión que consideren más adecuado para los intereses de sus

---

21. Vid., entre otros, DEL GUAYO CASTIELLA, Íñigo: «Nuevo régimen jurídico de los servicios públicos locales, tras la Ley núm. 27/2013, de 27 de diciembre, de racionalización y sostenibilidad de la Administración Local», *Revista de Estudios de la Administración Local y Autonómica*, núm. 2 (Nueva época), 2014; MERINO ESTRADA, Valentín: *Reordenación de las competencias y cambios en los servicios públicos locales*. Ponencia en «Jornada sobre la Ley de Racionalización y Sostenibilidad de la Administración Local», Palma de Mallorca, 2014; CHINCHILLA PEINADO, Juan Antonio y DOMÍNGUEZ MARTÍN, Mónica: *Límites y redimensionamiento de los servicios públicos locales: exigencia y necesidad de racionalización de la Administración local en tiempos de crisis*. Ponencia en «XII Congreso de AECPA», 2015.

ciudadanos. Lo anterior, lógicamente, teniendo en cuenta las restricciones y condicionamientos que impone la moderna normativa sobre racionalización y sostenibilidad de la administración local, singularmente la Ley 27/2013, de 27 de diciembre, de racionalización y sostenibilidad de la Administración Local (LRSAL)[22]. Por tanto, fuera de los límites que acaban de plantearse, no son admisibles las injerencias de otras Administraciones, estatal o autonómicas, que traten de imponer un determinado modelo de gestión frente a otro.

Esta libertad de elección del modo de gestión, como hemos visto, ya estaba prevista en el régimen preconstitucional, pero se consagra con el cambio de régimen. Por tanto, a diferencia de lo que hay sucedido en otros países como Italia, donde la ley ha tratado de imponer un determinado modelo de gestión sobre otro[23], en España la eficacia del principio de autonomía local ha garantizado que cada Entidad Local haya decidido, sobre la base de sus propias consideraciones, si optaba por un modelo de gestión directa o por un modelo de gestión indirecta. De hecho, en el caso de los servicios locales del agua –y según el estudio realizado en su momento por la Asociación Española de Abastecimiento de Aguas y Saneamiento (AEAS)–, las Entidades Locales han optado por estos modos de gestión aproximadamente a partes iguales. Es decir, aproximadamente un 50% de las Entidades Locales españolas gestiona los servicios públicos del agua por métodos directos, mientras que el otro 50% restante lo hace a través de mecanismos de gestión indirecta[24].

---

22. Límites que, por otra parte, podría incluso considerarse ya incluidos en la legislación preexistente, si bien posiblemente de forma menos explícita, entre otros artículos en el 25 TRLCSP, que otorga libertad de pactos en el ámbito del sector público, siempre que tales pactos no sean contrarios al interés público, al ordenamiento jurídico «*y a los principios de buena administración*» (*vid*. ARIAS RODRÍGUEZ, Antonio. El principio de buena administración en contratación. En *Fiscalizacion.es*. Antonio Arias, 2014).

23. El Decreto Ley de 25 de junio de 2008, de disposiciones urgentes para el desarrollo económico, la simplificación, las finanzas públicas y nivelación de impuestos, que estableció una preferencia por el modo de gestión indirecta, permitiendo la gestión directamente únicamente en ciertos casos (peculiares características económicas, sociales, ambientales o geomorfológicas que no permitiesen acudir al mercado). Esta normativa fue finalmente derogada por presión popular.

24. Fuente: Asociación Española de Abastecimiento de Aguas y Saneamiento (AEAS).

2. CRITERIOS EN RELACIÓN CON LA GESTIÓN DIRECTA. LOS PA-RADIGMAS DE LA LRSAL

Sentado lo anterior, no puede dejar de indicarse que la legislación actual impone una serie de requisitos para la gestión directa de un servicio público. Lo anterior no cuestiona en absoluto la validez y eficacia del principio de la autonomía local. Pero sí establece unos condicionantes, en consonancia con el principio de estabilidad presupuestaria introducido en el artículo 135 CE, tendentes a –en términos de la Exposición de Motivos de la LRSAL– «racionalizar la estructura organizativa de la Administración local de acuerdo con los principios de eficiencia, estabilidad y sostenibilidad financiera, garantizar un control financiero y presupuestario más riguroso».

Por ello, si bien la reforma legal introducida por la LRSAL respeta la plena autonomía del municipio a la hora de determinar si éste opta por una gestión directa o indirecta, en el primer caso limita la posibilidad de que, en vez de la gestión la lleve a cabo la propia Entidad Local o un organismo autónomo local, la Entidad pretenda servirse de otro tipo de entes instrumentales, singularmente las «entidades públicas empresariales locales» o las «sociedades mercantiles locales de titularidad íntegramente pública». En relación con estas dos últimas fórmulas, la LRSAL dispone que únicamente serán viables cuando quede acreditado mediante memoria justificativa elaborada al efecto que resultan más sostenibles y eficientes que las otras dos fórmulas de gestión directa que se acaban de mencionar[25].

---

25. Para ello, la LRSAL aclara además que deberán tenerse en cuenta los criterios de rentabilidad económica y recuperación de la inversión. Además, en el expediente –que deberá ser publicitado– constará la memoria justificativa del asesoramiento recibido, junto con los informes sobre el coste del servicio y el apoyo técnico recibido, y se elevará al Pleno para su aprobación.
Éstas no son las únicas previsiones que la LBRL contiene en relación con las «entidades públicas empresariales locales» y las «sociedades mercantiles locales de titularidad íntegramente pública». Los artículos 85 bis y 86 LBRL contienen normas específicas sobre el régimen de creación y funcionamiento de ambos tipos de entidades (las previstas en el artículo 85 bis también resultan aplicables en los supuestos de creación de un organismo autónomo local).

III. ALGUNAS REFLEXIONES EN RELACIÓN CON LA GESTIÓN IN-DIRECTA DE LOS SERVICIOS PÚBLICOS LOCALES DEL AGUA

1. LAS PRERROGATIVAS DE LAS ENTIDADES LOCALES EN LOS MODELOS DE GESTIÓN INDIRECTA. EN LOS SUPUESTOS DE GESTIÓN INDIRECTA DE UN SERVICIO PÚBLICO, LA ENTIDAD LOCAL CONTRATANTE TIENE EL DERECHO Y EL DEBER DE CONTROLAR AL GESTOR DEL SERVICIO

Uno de los motivos que dieron lugar a las corrientes municipalizadoras de principios del siglo XX fue la supuesta falta de control de las empresas privadas que en aquel momento prestaban servicios considerados esenciales para el municipio. Por las razones que se expondrán a continuación, considero que, en la actualidad, la posible falta de control del gestor de un servicio público no debe constituir motivo de preocupación.

Los contratos para la gestión de servicios públicos a través de los cuales las Entidades Locales canalizan las distintas alternativas de gestión indirecta prevista en la legislación sobre contratos del sector público[26] tienen todos los casos la condición de «contratos administrativos». Ello implica que las Entidades Locales contratantes ostentan importantes prerrogativas sobre estos contratos y sobre la actividad de sus titulares en relación con los mismos (inspección, control, imposición de penalidades e incluso resolución unilateral o rescate, etc.)[27]. Esta posición de preeminencia de la Administración contratante[28] es consecuencia, lógicamente, del interés público que justifica

---

26. El artículo 277 TRLCSP recoge las conocidas cuatro modalidades de contratación para la gestión de los servicios públicos: (a) concesión (por la que el empresario gestionará el servicio a su propio riesgo y ventura); (b) gestión interesada (en cuya virtud la Administración y el empresario participarán en los resultados de la explotación del servicio en la proporción que se establezca en el contrato); (c) concierto (como persona natural o jurídica que venga realizando prestaciones análogas a las que constituyen el servicio público de que se trate); y (d) sociedad de economía mixta (en la que la Administración participa, por sí o por medio de una entidad pública, en concurrencia con personas naturales o jurídicas).

27. En concreto, el artículo 210 TRLCSP establece que [d]entro de los límites y con sujeción a los requisitos y efectos señalados en la presente Ley, el órgano de contratación ostenta la prerrogativa de interpretar los contratos administrativos, resolver las dudas que ofrezca su cumplimiento, modificarlos por razones de interés público, acordar su resolución y determinar los efectos de esta».

28. Hace ya tiempo que Sebastián MARTÍN-RETORTILLO explicó los motivos por los cuales la igualdad de las partes no constituye un elemento esencial de la figura del contrato (vid. MARTÍN-RETORTILLO BAQUER, Sebastián: El derecho civil en la génesis del derecho administrativo y de sus instituciones. Ed. Civitas, Madrid, 1996).

toda actuación administrativa, máxime cuando ésta tiene que ver con la prestación de un servicio calificado como público[29].

Esta misión de la Entidad Local de velar por el interés público le otorga un derecho y le impone una obligación, la de velar por el buen fin del contrato, para lo cual goza precisamente de las prerrogativas que acaban de enunciarse. Es decir, que *precisamente* porque el servicio que presta un gestor privado es un servicio municipal –sin que a mi juicio sea posible hablar aquí de ningún tipo de «privatización»[30]–, la Entidad local no puede desentenderse de la prestación del *servicio del que continúa siendo titular* sino que, en el caso de que la Entidad Local haya optado por un modelo de gestión indirecta, debe llevar una continua y estrecha actividad de seguimiento y fiscalización de las tareas desarrolladas por el contratista en quien haya confiado. Un poder de control que es en todo equiparable al que ostentaría si gestionarse el servicio directamente.

En relación con esta cuestión de la titularidad pública del servicio, quizás convenga también recordar un dato que, sin duda en este foro es sobradamente conocido pero que, en otros puede que en ocasiones no se tenga presente: tan público es el servicio como el objeto principal del servicio, el *agua*. En España, la titularidad del agua es pública desde hace muchos años. En concreto, ya la Ley de Aguas de 13 de junio de 1879 declaraba que eran de dominio público la mayor parte de las aguas[31]. En concreto (artículos 2 y 4):

---

29. RODRÍGUEZ-ARANA MUÑOZ, Jaime: «Las prerrogativas de la Administración en los contratos de las Administraciones Públicas», *Anaurio da Facultade de Dereito da Universidade da Coruña*, núm. 12, 2008, p. 802. Como continúa diciendo el citado autor «[e]sa protección del interés público que la obra o el servicio público vienen a satisfacer, constituye el fundamento de esa especial posición jurídica de la Administración en la contratación administrativa, en cuyo seno es bien sabido no se produce esa igualdad entre las partes características del contrato privado». En igual sentido MEILÁN GIL, José Luis: «Las prerrogativas de la Administración en los contratos administrativos: propuesta de revisión», *Revista de Administración Pública*, núm. 191, 2013.

30. Como se ha dicho en muchas ocasiones, el término «privatización» adolece de una perjudicial polisemia –*vid*. DÍAZ LEMA, José Manuel: «La privatización en el ámbito local (el lento declinar de los monopolios locales)», *Revista de Estudios de la Administración Local y Autonómica*, núm. 282–. Por ello, hay quien utiliza el término para indicar sencillamente la entrada del sector privado en ámbitos hasta entonces controlados por el sector público. A mi juicio, si se quiere dar a este término un sentido útil, por «privatización» hay que entender el cese de la actuación del sector público en una actividad y la consiguiente entrada del sector privado. Cosa que, como se explica en esta ponencia, no sucede en el sector local del agua.

31. Frente a la titularidad pública de este tipo de aguas pluviales, el artículo 1 también

- Las aguas pluviales que discurrían por barrancos Ramblas, cuyos cauces fueron del dominio público.

- Las aguas que nacen continua o discontinua mente en terrenos de dominio público.

- Las aguas continuas o discontinuas de manantiales y arroyos que corren por sus cauces naturales.

- Los ríos.

Tres conclusiones se extraen, por tanto, de esta reflexión inicial: 1ª las empresas que gestionan indirectamente un servicio municipal de agua no venden agua, sino que *prestan un servicio* de abastecimiento o saneamiento, que incluye la gestión y mantenimiento –en muchos casos también la construcción total o parcial– de una infraestructura; 2ª la prestación de un servicio público a través de modos de gestión indirecta es tan «municipal» –en el sentido de que el Ayuntamiento continúa siendo el responsable último de la gestión– como la prestación mediante mecanismos de gestión directa; y 3ª como consecuencia de lo anterior, el grado de control que una Entidad local ostenta sobre el gestor (indirecto) de un servicio público es en todo punto comparable que ostentaría sobre su propia organización si prestase el servicio directamente.

2. PREVISIONES DEL ORDENAMIENTO JURÍDICO VIGENTE QUE GARANTIZAN LA TRANSPARENCIA, CONCURRENCIA Y CONTROL DE LA ACTIVIDAD EN EL CASO DE LA GESTIÓN INDIRECTA DE LOS SERVICIOS PÚBLICOS LOCALES DEL AGUA

Además de los controles propios de la Administración como titular del servicio, y de la propia garantía de transparencia y concurrencia que otorga la normativa sobre contratación pública[32], el ordenamiento jurídico español contiene en la actualidad un buen número de previsiones legales que garantizan la transparencia, la concurrencia y el control de estos servicios, en el

otorgaba al dueño de un predio la titularidad de las aguas pluviales que cayeran en el mismo, lo que le habilitaba para construir con ellas estanques, pantanos cisternas o aljibes donde poder conservarlas al efecto.

32. No puede olvidarse que las empresas que gestionan indirectamente un servicio del agua acceden a esta posición como resultado de un procedimiento de concurrencia pública. Quienes realmente tienen el monopolio de este servicio son los Ayuntamientos, que como hemos visto más arriba pueden optar por encomendar su gestión indirecta a un tercero (sobre el tema de los monopolios locales nos remitimos a la excelente obre de DÍAZ LEMA «Los monopolios locales» (DÍAZ LEMA, José Manuel: *Los monopolios locales*. Ed. Montecorvo, Madrid, 1994).

caso de que las Entidades Locales opten por una fórmula de gestión indirecta del servicio público del agua. Singularmente nos referiremos aquí: (1) a la normativa sobre transparencia; y (2) a la normativa sobre contratación en los denominados «sectores especiales».

2.1. La normativa sobre transparencia como mecanismo de control y acceso a la información relativa a la prestación de los servicios públicos locales gestionados indirectamente

El 10 de diciembre de 2013 se publicaba en el BOE la Ley 19/2013, de 9 de diciembre, de transparencia, acceso a la información pública y buen gobierno («Ley de Transparencia»). Esta norma se encuentra actualmente en vigor en su totalidad y emplaza a las Comunidades Autónomas y Entidades Locales para adaptarse a sus disposiciones en un plazo máximo de dos años, próximo ahora a concluir (10 de diciembre de 2015). Entre los objetivos declarados de la Ley de Transparencia hay que destacar aquí la búsqueda de unos adecuados niveles de transparencia y acceso a la información pública y las normas de buen gobierno, por entender que tales objetivos constituyen los ejes fundamentales de toda acción política. Como la propia Ley de Transparencia señala en su Preámbulo:

> *«Sólo cuando la acción de los responsables públicos se somete a escrutinio, cuando los ciudadanos pueden conocer cómo se toman las decisiones que les afectan, como se manejan los fondos públicos o bajo qué criterios actúan nuestras instituciones podremos hablar del inicio de un proceso en el que los poderes públicos comienzan a responder a una sociedad que es crítica, exigente y que demanda participación de los poderes públicos».*

En cuanto a su ámbito subjetivo de aplicación –y en lo que aquí interesa–, la Ley de Transparencia se aplica a las sociedades mercantiles en cuyo capital social la participación, directa e indirecta de las Entidades Locales sea superior al 50% [artículo 2.1.g)], y en el que por tanto se incluirían todas aquellas sociedades de economía mixta en las cuales la participación de una Entidad Local fuera mayoritaria como sucede, por ejemplo, con la Sociedad de Aguas de Murcia (EMUASA). Excedería de límite temporal de esta ponencia el análisis pormenorizado de las principales previsiones contenidas en la Ley de Transparencia, pero baste decir aquí que en su articulado se contienen:

a) Una serie de obligaciones de *publicidad activa*, que obligan a las entidades sujetas a esta norma a facilitar determinada información institucional, organizativa, y de planificación, así como información de relevancia jurídica, económica, presupuestaria, estadística y de control. Entre esta información destaca la obligación de este tipo de sociedades de informar sobre la actividad contractual realizada, licitaciones llevadas a cabo, etc.

b) Otra serie de obligaciones relacionadas con el *derecho de acceso a la información pública* que establece el artículo 12 de la Ley de Transparencia, conforme al cual todas las personas tienen derecho a acceder a la información pública, en los términos previstos en el artículo 105.b) CE. Se trata de derechos que, como todos, no son absolutos y deben ejercerse de conformidad con lo previsto en la propia Ley de Transparencia, pero que sin duda contribuyen a garantizar un mayor conocimiento por parte de los ciudadanos de las actividades desarrolladas por entidades que se integran en el sector público.

Además de la Ley de Transparencia estatal, las Comunidades Autónomas no han dudado en aprobar sus propias normas autonómicas sobre transparencia, en las cuales cada Comunidad ha recogido y desarrollado estas obligaciones de transparencia en la medida que ha considerado más adecuada. En el caso concreto de Murcia, por ejemplo, la Ley 12/2014, de 16 de diciembre, de Transparencia y Participación Ciudadana de la Comunidad Autónoma de la Región de Murcia establece una serie de obligaciones de información que no afectan únicamente a las sociedades mercantiles públicas, sino también a personas físicas o jurídicas que presten servicios públicos. Murcia no es la única Comunidad que ha aprobado este tipo de normas, ni tampoco extendido estas previsiones a otras entidades no estrictamente públicas, como pueden ser, por ejemplo, los concesionarios encargados de la prestación de determinados servicios públicos.

2.2. Normativa sobre contratación en los denominados «sectores especiales»

Dentro del conjunto de normas relativos a la contratación pública hay una Ley relativamente olvidada –una especie de «hermana pobre» del TRLCSP–, que es la Ley 31/2007, de 30 de octubre, sobre procedimientos de contratación en los sectores del agua, la energía, los transportes y los servicios postales (la denominada Ley de contratos de los «sectores excluidos» o «sectores especiales»).

Como en el caso de la normativa sobre transparencia, esta ponencia tampoco es el lugar adecuado para extenderse en al análisis de esta normativa[33], pero sí creo conveniente centrarse en un par de cuestiones:

---

33. Nos remitimos, a estos efectos, a los distintos autores que han analizado esta normativa. Entre otros, BERMEJO VERA, JOSÉ: «El régimen de contratación pública en los sectores especiales del agua, la energía, los transportes y los servicios postales», *Revista de Administración Pública*, núm. 176, 2008; DÍEZ MORENO, Fernando: «Principios jurídicos de la contratación pública: los considerandos en las directivas sobre sectores excluidos». En la obra colectiva *La contratación pública en los lla-*

a) De acuerdo con el artículo 3.2 de la Ley 31/2007, quedan sujetos a esta ley –siempre que realicen alguna de las actividades relacionadas en el artículo 7[34]– entidades contratantes que tengan «derechos especiales o ex-

mados sectores excluidos. *Agua, Energía, Transportes, Telecomunicaciones*, Civitas, Madrid, 1997; en la misma obra colectiva, MARTÍNEZ LÓPEZ-MUÑIZ, José Luis: «El contrato de suministro en los sectores excluidos»; MENÉNDEZ MENÉNDEZ, Adolfo: «Las relaciones entre la Ley de Contratos de las Administraciones Públicas y las futuras normas reguladoras de la contratación en los llamados sectores excluidos«; OLIVIÉ MARTÍNEZ-PEÑALVER, Luis: «Consideraciones en torno al proyecto de ley sobre procedimientos de formalización y de contratos en los sectores del agua, la energía, los transportes y las telecomunicaciones»; PIÑAR MAÑAS, José Luis y HERNÁNDEZ CORCHETE, Juan Antonio: «El contrato de obras en el ámbito de los sectores excluidos»; y SAMANIEGO BORDIU, Gonzalo: «Los procedimientos de contratación de las empresas que operan en los sectores del agua, la energía, los transportes y las telecomunicaciones» MEDEIROS, Rui: *A contrataçao pública nos sectores com regime especial água, energia, transportes e telecomunicaçoes*. Ponencia en «Congreso Luso-Hispano de profesores de Derecho Administrativo», INAP, Barcelona, 2004, MEILÁN GIL, José Luis y AYMERICH CANO, Carlos: «La contratación pública en los denominados "sectores excluidos". Consecuencias de la falta de incorporación de las Directivas 93/38/CEE y 92/13/CEE al Derecho Español». En la obra colectiva *Competencia y sector eléctrico: un nuevo régimen jurídico*, Civitas. Madrid.

34. «1. La presente Ley se aplicará a las actividades siguientes:
a) La puesta a disposición o la explotación de redes fijas destinadas a prestar un servicio al público en relación con la producción, transporte o distribución de agua potable o
b) el suministro de agua potable a dichas redes.
2. La presente ley se aplicará, asimismo, a los contratos o a los concursos de proyectos adjudicados u organizados por las entidades que ejerzan una actividad contemplada en el apartado 1, siempre y cuando tales contratos:
a) Estén relacionados con proyectos de ingeniería hidráulica, irrigación o drenaje y el volumen de agua destinado al abastecimiento de agua potable represente más del 20 por ciento del volumen de agua total disponible gracias a dichos proyectos o a dichas instalaciones de irrigación o drenaje, o
b) estén relacionados con la evacuación o tratamiento de aguas residuales.
3. No se considerará como una actividad con arreglo al apartado 1 el suministro de agua potable a redes destinadas a prestar un servicio al público por parte de una entidad contratante distinta de los poderes adjudicadores, cuando:
a) La producción de agua potable por parte de la entidad de que se trate se realice porque su consumo es necesario para el ejercicio de una actividad distinta de las contempladas en el presente artículo y en los artículos 8 a 12, y
b) la alimentación de la red pública dependa exclusivamente del propio consumo de la entidad y no haya superado el 30 por ciento de la producción total de agua potable de la entidad tomando en consideración la media de los tres últimos años, incluido el año en curso».

clusivos», entendiendo por tales aquellas entidades que, sin ser poderes adjudicadores ni empresas públicas en los términos que describe la propia Ley «ejerzan, entre sus actividades, alguna de las contempladas en los artículos 7 a 12 o varias de estas actividades y tengan derechos especiales o exclusivos concedidos por un órgano competente de una Administración Pública, de un organismo de derecho público o de una entidad pública empresarial».

b) La aplicación de esta Ley impone a los que quedan sujetos a ella, una evidente limitación en su libertad de contratar, que queda sujeta a lo dispuesto en la Ley. De este modo, nos encontramos con una norma que, aunque pueda resultar sorprendente a primera vista, impone a entidades totalmente privadas –no a personas jurídicas que, bajo fórmulas jurídico-privadas, constituyen entes instrumentales al servicio de una Administración– una serie de exigencias a la hora de contratar análogas o semejantes a las que las propias Administraciones Públicas padecen, por virtud de lo dispuesto en el TRLCSP.

Esta normativa establece un mecanismo adicional de control a este tipo de entidades y garantiza la apertura al mercado de la actividad de contratación que estas desarrollan.

IV. BIBLIOGRAFÍA

ALBI CHOLBI, Fernando: *Tratado de los modos de gestión de las Corporaciones Locales*. Ed. Aguilar, Madrid, 1960.

ÁLVAREZ GENDÍN, Sabino: *El servicio público (su teoría jurídico-administrativa)*. Ed. Insituto de Estudios Políticos, Madrid, 1944.

ARIAS RODRÍGUEZ, Antonio. «El principio de buena administración en contratación». En *Fiscalizacion.es*. Antonio Arias, 2014.

BERMEJO VERA, José: «El régimen de contratación pública en los sectores especiales del agua, la energía, los transportes y los servicios postales», *Revista de Administración Pública*, núm. 176, 2008, pp. 115-159.

CALVO MIRANDA, José Luis: «Abastecimiento de agua potable y saneamiento de las aguas residuales urbanas en España», *Revista Aragonesa de Administración Pública*, núm. 367, 2010, pp. 295-312.

CARBONERO GALLARDO, José Miguel: «Las nuevas Directivas europeas sobre contratación pública: claves para una primera lectura», *Contratación administrativa práctica: revista de la contratación administrativa y de los contratistas*, núm. 131, 2014, pp. 69-73.

CLAVERO ARÉVALO, Manuel Francisco: *Municipalización y provincialización de servicios en la Ley de Régimen Local.* Ed. Instituto de Estudios de Administración Local, Madrid, 1952.

CHINCHILLA PEINADO, Juan Antonio y DOMÍNGUEZ MARTÍN, Mónica: *Límites y redimensionamiento de los servicios públicos locales: exigencia y necesidad de racionalización de la Administración local en tiempos de crisis.* Ponencia en «XII Congreso de AECPA», 2015.

DEL GUAYO CASTIELLA, Íñigo: «Nuevo régimen jurídico de los servicios públicos locales, tras la Ley núm. 27/2013, de 27 de diciembre, de racionalización y sostenibilidad de la Administación Local», *Revista de Estudios de la Administración Local y Autonómica*, núm. 2 (Nueva época), 2014.

DÍAZ LEMA, José Manuel: «La privatización en el ámbito local (el lento declinar de los monopolios locales)», *Revista de Estudios de la Administración Local y Autonómica*, núm. 282.

– *Los monopolios locales.* Ed. Montecorvo, Madrid, 1994.

DÍEZ MORENO, Fernando: «Principios jurídicos de la contratación pública: los considerandos en las directivas sobre sectores excluidos». En la obra colectiva *La contratación pública en los llamados sectores excluidos. Agua, Energía, Transportes, Telecomunicaciones*, Civitas, Madrid, 1997, pp. 33-46.

EMBID IRUJO, Antonio: «Autonomía municipal y Constitución. Aproximación al concepto y significado de la declaración constitucional de autonomía municipal», *Revista Española de Derecho Administrativo*, núm. 30, 1981, pp. 437-470.

ESCRIHUELA MORALES, Francisco Javier: «Criterios de adjudicación medioambientales en la contratación del sector público», *Contratación administrativa práctica: revista de la contratación administrativa y de los contratistas*, núm. 134, 2014, pp. 80-82.

FERNÁNDEZ DE GATTA SÁNCHEZ, Dionisio: «La integración de aspectos medioambientales en la contratación pública». En la obra colectiva *Derecho ambiental y transformaciones de la actividad de las Administraciones Públicas*, CASADO CASADO, L., y A. PALLARÈS SERRANO (coord.). Atelier libros, Pamplona, 2010.

GARCÍA DE ENTERRÍA, Eduardo: «La actividad industrial y mercantil de los municipios», *Revista de Administración Pública*, núm. 17, 1955, pp. 87-138.

GASCÓN Y MARÍN, José: *Municipalización de servicios públicos*. Ed. Victoriano Suárez, Madrid, 1904.

MAGALDI MENDAÑA, Nuria: «La primera doctrina española sobre la municipalización de servicios públicos: en particular, la recepción de la doctrina extranjera por el profesor Gascón y Marín», *Revista Aragonesa de Administración Pública*, núm. 39-40, 2012, pp. 165-220.

– *Los orígenes de la municipalización de servicios en España. El tránsito del Estado liberal al Estado social a la luz de la municipalización de servicios públicos*. Ed. INAP, Madrid, 2012.

MARTÍN-RETORTILLO BAQUER, Sebastián: *El derecho civil en la génesis del derecho administrativo y de sus instituciones*. Ed. Civitas, Madrid, 1996.

MARTÍNEZ LÓPEZ-MUÑIZ, José Luis: El contrato de suministro en los sectores excluidos. En la obra colectiva *La contratación pública en los llamados sectores excluidos. Agua, Energía, Transportes, Telecomunicaciones*, Civitas, Madrid, 1997, pp. 137-160.

MEDEIROS, Rui: *A contrataçao pública nos sectores com regime especial água, energia, transportes e telecomunicaçoes*. Editado por Pública, I.N.D.A. Ponencia en «Congreso Luso-Hispano de profesores de Derecho Administrativo». Ed. Instituto Nacional de Administración Pública, Barcelona, 2004.

MEILÁN GIL, José Luis: «Las prerrogativas de la Administración en los contratos administrativos: propuesta de revisión», *Revista de Administración Pública*, núm. 191, 2013, pp. 11-41.

MEILÁN GIL, José Luis y AYMERICH CANO, Carlos: «La contratación pública en los denominados "sectores excluidos". Consecuencias de la falta de incorporación de las Directivas 93/38/CEE y 92/13/CEE al Derecho Español». En la obra colectiva *Competencia y sector eléctrico: un nuevo régimen jurídico*, Civitas (coord.). Madrid, pp. 121-147.

MENÉNDEZ MENÉNDEZ, Adolfo: «Las relaciones entre la Ley de Contratos de las Administraciones Públicas y las futuras normas reguladoras de la contratación en los llamados sectores excluidos». En la obra colectiva *La contratación pública en los llamados sectores excluidos. Agua, Energía, Transportes, Telecomunicaciones*, Civitas, Madrid, 1997, pp. 363-384.

MERINO ESTRADA, Valentín: *Reordenación de las competencias y cambios en los servicios públicos locales*. Ponencia en «Jornada sobre la Ley de Racionalización y Sostenibilidad de la Administración Local», Palma de Mallorca, 2014.

Olivié Martínez-Peñalver, Luis: «Consideraciones en torno al proyecto de ley sobre procedimientos de formalización y de contratos en los sectores del agua, la energía, los transportes y las telecomunicaciones». En la obra colectiva *La contratación pública en los llamados sectores excluidos. Agua, Energía, Transportes, Telecomunicaciones*, Civitas, Madrid, 1997, pp. 305-330.

Pintos Santiago, Jaime: «Claves actuales para la utilización de las cláusulas medioambientales en la contratación pública», *Contratación administrativa práctica: revista de la contratación administrativa y de los contratistas*, núm. 134, 2014, pp. 30-34.

Piñar Mañas, José Luis y Hernández Corchete, Juan Antonio: «El contrato de obras en el ámbito de los sectores excluidos». En la obra colectiva *La contratación pública en los llamados sectores excluidos. Agua, Energía, Transportes, Telecomunicaciones*, Civitas, Madrid, 1997, pp. 103-136.

Rodríguez-Arana Muñoz, Jaime: «Las prerrogativas de la Administración en los contratos de las Administraciones Públicas», *Anaurio da Facultade de Dereito da Universidade da Coruña*, núm. 12, 2008, pp. 795-812.

Samaniego Bordiu, Gonzalo: «Los procedimientos de contratación de las empresas que operan en los sectores del agua, la energía, los transportes y las telecomunicaciones». En la obra colectiva *La contratación pública en los llamados sectores excluidos. Agua, Energía, Transportes, Telecomunicaciones*, Civitas, Madrid, 1997, pp. 221-252.

CAPÍTULO XI

EL RIESGO DE INUNDACIÓN EN LOS INSTRUMENTOS NORMATIVOS DE PLANIFICACIÓN SECTORIAL Y AMBIENTAL. UNA VISIÓN DE LA RESPONSABILIDAD PATRIMONIAL DE LA ADMINISTRACIÓN POR USO DEFICIENTE DE SU FACULTAD PLANIFICADORA[*]

Estanislao Arana García

Departamento de Derecho Administrativo. Universidad de Granada.

Jesús Conde Antequera

Departamento de Ingeniería Civil. Universidad de Granada.

Asensio Navarro Ortega

Jesús Garrido Manrique

---

[*]   Por orden alfabético y del Departamento al que pertenecen.

I. INTRODUCCIÓN

El presente trabajo[1] analiza de forma sintética el tratamiento de los riesgos por inundaciones en los instrumentos de planificación sectorial y ambiental deteniéndose, sobre todo, en los instrumentos de planificación hidrológica. De este lado, se abordan cuestiones tan importantes como la obligatoriedad de introducir medidas específicas para evitar el riesgo de inundaciones en España, la necesidad de integrar estas medidas (soluciones estructurales y no estructurales) en los instrumentos de planificación para reducir o evitar esas inundaciones desde una perspectiva estratégica, técnica y jurídica; y, en fin, la delimitación del sistema de responsabilidad administrativa por riesgos de inundación en España.

Con este objetivo, se analiza el régimen jurídico de las inundaciones desde la perspectiva técnica planificadora de la Administración pública, profundizando en las obligaciones que se derivan de esta potestad administrativa y en las consecuencias que conlleva desde el punto de vista de la responsabilidad una deficiente actuación pública.

Las conclusiones que se alcanzan señalan la necesidad de aceptar que hay que ordenar y planificar el territorio teniendo en cuenta los riesgos de inundación en España; que hay que redefinir los conceptos jurídicos indeterminados que interfieren en la efectiva protección frente a eventuales daños, como el de período de retorno, presentes en estos instrumentos técnicos y jurídicos, para mejorar la modelización y la prevención de las inundaciones; que hay que homogeneizar los planes de medidas y evitar la proliferación de usos y actividades en zonas de riesgo; que es necesario atender a la realidad local del problema, haciendo una correcta gestión de los instrumentos de planificación urbanística; que hay que replantear la relación de las poblaciones cercanas con el río y reconsiderar el modelo de ordenación del territorio y urbanístico para evitar estrangular los «dominios invertebrados» de los ríos.

---

1. Que ha sido presentado como comunicación técnica al Congreso «Desafíos del Derecho de Aguas. Variables jurídicas, económicas y ambientales», se enmarca en la actividad del proyecto de investigación de I+D+i DER2013-47655-P, «*Riesgos naturales y Derecho. Especial consideración a los riesgos ligados a la dinámica fluvial y litoral: su relación con el cambio climático*», del Ministerio de Economía y Competitividad.

II. PANORÁMICA GENERAL DEL RIESGO DE INUNDACIONES EN ESPAÑA

España es un país con fuertes desequilibrios hídricos por su posición geográfica, y por sus especiales características hidrológicas. Como se ha afirmado, el rasgo que caracteriza el marco físico y biótico de nuestro territorio es la diversidad de climas, sustratos geológicos y regímenes pluviométricos, fluviales, de vegetación, paisajes, suelos, etc.[2]. Aunque en España el índice pluviométrico medio no es muy alto, estacionalmente se producen precipitaciones que, en pocas horas, pueden llegar a alcanzar valores muy superiores a la media, sobre todo en el arco mediterráneo, provocando importantes daños económicos y personales. Las inundaciones que provocan estas precipitaciones tienen origen meteorológico; sin embargo, la Administración puede incurrir en responsabilidad agravando los daños que estas inundaciones generan, por ejemplo, cuando no se realizan las funciones de dragado y las demás tareas de limpieza de los cauces, por una defectuosa clasificación urbanística de las zonas inundables, por la modificación artificial del cauce y de las zonas inundables (extracción de áridos, desvío de caudales, etc.), así como autorizando construcciones, cultivos (que cambian la rugosidad y escorrentía de estos terrenos), obstruyendo cauces con vías de comunicación, etc., todo lo cual aumenta notablemente el riesgo de inundación. Esta concurrencia de culpa, en ningún caso, como tendremos oportunidad de comprobar, resulta inverosímil.

Las inundaciones dejan cada año importantes pérdidas de vidas y daños económicos. Se trata de un riesgo natural de dimensiones extremas que requiere de una intervención administrativa en todos los niveles y, especialmente, en el ámbito planificador[3]. La heterogeneidad de las condiciones

2. Dominados por fuertes gradientes de aridez, «islas de humedad» en contextos secos, variabilidad de las escorrentías, hidrología como no me deja poner comentarios te lo escribo aquí: aunque sugerí sustituir hidrogeología por hidrología, el libro blanco habla de hidrogeología, por lo que creo que habría que dejar hidrogeología y eliminaría lo de torrencialidad e inundaciones relámpago de las que no habla la página 2 del libro blanco condicionada por importantes diferencias regionales (torrencialidad, inundaciones relámpago, etc.). Ello condiciona la aparición de dos fenómenos meteorológicos extremos, las sequías y las inundaciones, y propicia la existencia de muy distintos entornos hidrológicos. *Vid. Libro blanco del Agua en España. Documento de Síntesis*, Madrid, 1998, p. 2.

3. La Ley 17/2015, de 9 de julio, del Sistema Nacional de Protección Civil (que entró en vigor el 1 de enero de 2016), pretende reforzar los mecanismos que potencian y mejoran el funcionamiento del sistema nacional de protección de los ciudadanos ante emergencias y catástrofes, previsto en la Ley 2/1985, de 21 de enero, de protección civil, dentro de la política de Seguridad Nacional, apostando por la colaboración interadministrativa de competencias como eje de esta política.

hidrológicas, por otro lado, cierra la puerta a la adopción de decisiones válidas para cada lugar y en todo momento. De ahí que se venga exigiendo, cada vez más, un control riguroso a las Administraciones públicas en el ámbito de sus potestades públicas de planificación y control, para limitar el riesgo de inundaciones, calculando este riesgo de inundación para cada población y territorio.

Hasta la fecha, se han desarrollado la mayoría de los planes nacionales y regionales de protección civil ante el riesgo de inundación; sin embargo, la mayoría de los municipios no han aprobado los planes de actuación de ámbito municipal. El «factor humano» incide, qué duda cabe, en los daños que producen las inundaciones, por el efecto que tiene la antropización de los cauces en la evolución de las dinámicas ambientales. Las grandes poblaciones e industrias se asientan en los fértiles terrenos contiguos a los ríos, así como en las zonas de la desembocadura de estos ríos que son, precisamente, las zonas de mayor riesgo de inundación. Por otro lado, el envejecimiento técnico y estructural de nuestras infraestructuras, sometidas a un gran desgaste y a una amortización progresiva, agrava este fenómeno. De este lado, se debe combinar una gestión ecológica de los ríos, así como de sus ecosistemas fluviales y litorales, con una gestión técnica que tenga en cuenta las necesidades sociales básicas (prevención, planificación, gestión, reparación)[4]. Es obligatorio incluir mapas de riesgos naturales en los instrumentos de planificación urbanística, conforme a lo establecido en el Real Decreto Legislativo 2/2008, de 20 de junio, por el que se aprueba el texto refundido de la ley de suelo (LS/2008)[5], a través del esquema fijado en la Ley 21/2013, de 9 de diciembre, de Evaluación Ambiental Estratégica[6].

---

4. En este punto, es clave, como apuntan los expertos, establecer medidas que favorezcan la conectividad lateral y longitudinal de los ríos para asegurar una serie de objetivos básicos como son la conservación de los elementos biodiversitarios ¿que son estos elementos?, la protección de las dinámicas morfológicas, los ciclos de renovación y la estructura y composición de los ríos, etc.

5. *Vid.* GARRIDO MANRIQUE, J., ARANA GARCÍA, E., y NAVARRO ORTEGA, A.: *Maps of Natural Hazards and Land Use Planning in Spain,* en prensa. Hoy por hoy, muchos de los planes en materia de urbanismo no incluyen consideraciones específicas sobre riesgos naturales. Y, cuando lo hacen, por lo general, emplean mapas oficiales que no utilizan escalas válidas para el ámbito de la planificación urbana.

6. La norma establece, también, la necesidad de someter a evaluación ambiental la implementación de medidas que juegan un papel esencial en la prevención del riesgo de inundaciones, entre las que se encuentran las soluciones estructurales y no estructurales para la gestión de los cauces que utiliza la Administración del agua; por ejemplo, las obras de encauzamiento y los proyectos de defensa de cauces y márgenes cuando la longitud total del tramo afectado sea superior a 5 km; los dragados fluviales cuando el volumen del producto extraído sea superior a 100.000 metros cúbicos anuales, etc.

III. INSTRUMENTOS JURÍDICO-TÉCNICOS PARA LA EVALUACIÓN Y GESTIÓN DEL RIESGO DE INUNDACIONES

La regulación de las inundaciones se ha desarrollado en normas que introducen objetivos cada vez más técnicos y ambiciosos. Estas normas concretan los planteamientos generales, realizando una previsión racional de usos y de zonificación de áreas a través de los instrumentos de planificación ambiental y sectorial, así como del deslinde administrativo, que determinan y caracterizan este espacio[7].

Por las características de este trabajo, resulta imposible comentar la extensa normativa que existe en materia de inundaciones. Nuestro cometido se centra, más bien, en exponer muy básicamente las últimas disposiciones técnicas que se han aprobado en España para realizar la evaluación y gestión del riesgo de inundaciones, las cuales han sido en su mayoría traspuestas desde el ámbito regulador de la Unión Europea. En este sentido, la Directiva 2007/60/CE (traspuesta a nuestro Ordenamiento por el RD 903/2010, de 9 de julio, de evaluación y gestión de riesgos de inundaciones) constituye la norma básica para prevenir el riesgo de inundaciones y obligar a los Estados miembros a realizar diferentes estudios técnicos en materia de inundaciones. Mediante la misma, los Estados se comprometen a aprobar los siguientes instrumentos técnicos y jurídicos:

1) Evaluación Preliminar del Riesgo de Inundación (EPRI) e identificación de las Áreas con Riesgo Potencial Significativo de Inundación (ARPSIs). Fecha límite de aprobación: diciembre 2011 (ya completada).

---

7. La Directriz de Planificación de protección civil de 1994, introdujo criterios de zonificación territorial y análisis de riesgo muy relevantes en función de criterios de peligrosidad y vulnerabilidad (periodo de retorno, daños que origina, etc.). La legislación de protección civil distingue, asimismo, entre zonas de inundación frecuente: para avenidas de período de retorno de 50 años; zonas de inundación ocasional: para avenidas con periodo de retorno entre 50 y 100 años; zonas de inundación excepcional: para avenidas de periodo de retorno entre 100 y 500 años.
Por su parte, el TRLA establece una zona de policía de 100 metros de anchura medidos horizontalmente a partir del cauce con una serie de limitaciones de uso, que puede ampliarse para incluir la zona o zonas donde se concentra preferentemente el flujo, al objeto específico de la protección. Y una zona de flujo preferente, constituida por la unión de la zona o zonas donde se concentra preferentemente el flujo durante las avenidas, o vía de intenso desagüe, y de la zona donde, para la avenida de 100 años de periodo de retorno, se puedan producir graves daños sobre las personas y los bienes, quedando delimitado su límite exterior mediante la envolvente de ambas zonas.

2) Elaboración de mapas de peligrosidad y riesgo (de las ARPSIs seleccionadas en la EPRI). Fecha límite de aprobación: diciembre 2013 (ya completada).

3) Planes de gestión de riesgo (utilizando los mapas). Fecha límite de aprobación: diciembre 2015 (en fase de finalización).

1. EVALUACIÓN PRELIMINAR RIESGO DE INUNDACIONES

La evaluación preliminar se ha realizado en mapas que tienen en cuenta el ámbito de la demarcación hidrográfica, siguiendo una descripción histórica de inundaciones importantes ocurridas cuando puedan preverse consecuencias adversas en el futuro. Actualmente existen Evaluaciones Preliminares de Riesgo de Inundaciones (EPRIs) y Áreas de Riesgo Potencial Significativo de Inundaciones (ARPSIs) de todas las Demarcaciones Hidrográficas, aprobadas por el Ministerio de Agricultura, Alimentación y Medio Ambiente (MAGRAMA).

2. MAPAS DE PELIGROSIDAD Y RIESGO DE INUNDACIONES

Una vez completado este proceso, se ha elaborado para cada ARPSI, mapas de peligrosidad de inundación y de riesgo de inundación. Estos mapas se representan mediante capas independientes de información, y han sido fundamentales en la redacción de los Planes de Gestión del Riesgo de Inundaciones. Con el fin de que éstos tengan carácter oficial, se ha decidido integrarlos en el Registro Central de Cartografía.

Los mapas de peligrosidad representan la superficie inundada de manera natural por diferentes caudales correspondientes a tres escenarios (las avenidas probables en 10, 100 y 500 años) así como las profundidades (calados) que alcanza el agua en el terreno. Además, se representa el Dominio Público Hidráulico (DPH) probable y la Zona de Flujo Preferente (ZFP), asociada a la avenida de 100 años de periodo de retorno.

Los mapas de riesgo, por su parte, reflejan los daños potenciales de las inundaciones en escenarios de alta, media y baja probabilidad de inundación una vez son incorporadas las zonas inundables y los usos del suelo. Para ello, se superponen las áreas inundadas en los tres escenarios anteriores con la ocupación real de ese territorio, obteniendo las capas de afección a la población, a la actividad económica, a las áreas protegidas y a los puntos de especial importancia. Estos mapas informan del daño producido por la inundación en función del uso del suelo.

La elaboración de estos mapas ha sido realizada por los Organismos de cuenca, sirviéndose de instrumentos de colaboración interadministrativa, incluyendo una fase de alegaciones públicas y mediante informe del Comité de Autoridades Competentes u organismo equivalente en las cuencas intracomunitarias. Posteriormente, los mismos fueron remitidos al MAGRAMA para su incorporación al Sistema Nacional de Cartografía de Zonas Inundables (SNCZIs), y a la Comisión Europea para su evaluación. Su función, consiste en complementar a la legislación de aguas, de costas, de protección civil y de ordenación del territorio[8].

3. PLANES DE GESTIÓN DE LOS RIESGOS DE INUNDACIONES

Por último, los Planes de Gestión de Riesgo de Inundaciones (PGRI), que se encuentran actualmente en fase de información pública o ya informados[9], son la herramienta clave de la Directiva 2007/60/CE. Regulados en los artículos 11 al 17 del RD 903/2010, aspiran a lograr una actuación coordinada de todas las administraciones públicas y de la sociedad para reducir las consecuencias negativas de las inundaciones, basándose en los programas de medidas en el ámbito hidrológico (PMH) que cada una de las administraciones debe aplicar en el seno de sus competencias. De este lado, los PGRI incluyen el contenido fijado en el RD 903/2010:

- Las conclusiones de la evaluación preliminar del riesgo de inundación.

- Los mapas de peligrosidad y los mapas de riesgo de inundación.

- Una descripción de los objetivos de la gestión del riesgo de inundación en la zona concreta a que afectan.

---

8. Es importante señalar, por lo que luego diremos, que, la cartografía que utilizan estos mapas tiene en cuenta los límites del DPH y de las zonas inundables. Suponen el instrumento técnico de apoyo a la gestión del espacio fluvial, a la prevención de riesgos, a la planificación territorial y a la transparencia administrativa. Su labor también resulta de divulgación: por ejemplo, el visor cartográfico de zonas inundables permite a todos los interesados visualizar la información elaborada por el MAGRAMA y las CCAA; y, el Catálogo Nacional de inundaciones históricas (CNIH), contiene información muy valiosa en el ámbito de cada cuenca: análisis de inundaciones históricas, identificación y clasificación de zonas especialmente amenazadas, catálogo de acciones de corrección más adecuadas.

9. A octubre de 2015, el Consejo Nacional del Agua ya han sido informados favorablemente los planes de gestión de riesgo de inundación de las cuencas hidrográficas de Miño-Sil, Duero, Tajo, Guadiana, Guadalquivir, Ceuta, Melilla, Segura, Júcar y Ebro.

–   Un resumen de los criterios especificados por el plan hidrológico de cuenca sobre el estado de las masas de agua y los objetivos ambientales fijados para ellas en los tramos con riesgo potencial significativo por inundación.

–   Un resumen del contenido de los planes de protección civil existentes.

–   Una descripción de los sistemas y medios disponibles en la cuenca para la obtención de información hidrológica en tiempo real durante los episodios de avenida, así como de los sistemas de predicción y ayuda a las decisiones disponibles.

–   Un resumen de los programas de medidas, con indicación de las prioridades entre ellos, que cada Administración Pública, en el ámbito de sus competencias, ha aprobado para alcanzar los objetivos previstos. Estos programas de medidas podrán subdividirse en subprogramas en función de los órganos administrativos encargados de su elaboración, aprobación y ejecución.

–   El conjunto de programas de medidas, formadas estas por medidas preventivas y paliativas, estructurales o no estructurales, que deberá contemplar, en lo posible, las siguientes medidas:

  •   De restauración fluvial y para la restauración hidrológico-agroforestal de las cuencas.

  •   De mejora del drenaje de infraestructuras lineales.

  •   De predicción de avenidas.

  •   De protección civil.

  •   De ordenación territorial y urbanismo.

  •   Para promocionar los seguros frente a inundación sobre personas y bienes y, en especial, los seguros agrarios[10].

  •   Medidas estructurales planteadas y los estudios coste-beneficio que las justifican, así como las posibles medidas de inundación controlada de terrenos.

---

10. En materia de seguros, para determinados tipos de inundación, el Consorcio de Compensación de Seguros se ocupa de la cobertura de los riesgos extraordinarios y la Entidad Estatal de Seguros Agrarios (ENESA) elabora el Plan Anual de Seguros Agrarios y colabora en la concesión de subvenciones a los agricultores y ganaderos para atender al pago de una parte del coste del seguro, colaborando con las Comunidades Autónomas en estas materias.

Las medidas deben coordinarse con lo establecido por la Directiva 2000/60/CE del Parlamento Europeo y del Consejo, de 23 de octubre de 2000, por la que se establece un marco comunitario de actuación en el ámbito de la política de aguas, construyendo infraestructuras verdes, utilizando humedales naturales para la absorción del exceso de agua, etc. Igualmente, estas medidas deberán coordinarse con otros Planes que están ya en ejecución, como son:

- La Estrategia Nacional de Restauración de ríos.

- El Sistema Automatizado de Información Hidrológica.

- El Programa de Seguridad de Presas y Embalses.

- Los Planes de Protección Civil frente al riesgo de inundaciones.

- Las medidas de ordenación territorial y urbanismo.

La elaboración de los PGRIs, se realiza por el Organismo de cuenca con la colaboración de la Dirección General de Protección Civil, la Dirección General de Urbanismo, la Dirección General de Costas del Estado, el Servicio Meteorológico, el Departamento de Agricultura, las Oficinas en materia de Cambio Climático, el Consorcio de Compensación de Seguros y la Entidad Nacional de Seguros Agrarios. Una vez elaborados, estos planes son elevados a los Comités de Autoridades Competentes (CAC) de cada demarcación y a la Comisión Nacional de Protección Civil, examinados por el Consejo Asesor de Medio, e informados por el Consejo Nacional del Agua, siendo por tanto el resultado de un amplio proceso de participación pública[11]. Por su parte, la evaluación ambiental de los PGRIs se está realizando de forma simultánea a la del segundo ciclo de la Planificación Hidrológica (conforme a lo que establece la Ley de Evaluación Ambiental).

Una cuestión fundamental es que estos instrumentos de regulación técnica deben integrarse en otros instrumentos de planificación sectorial y ambiental, como son los planes de desarrollo agrario, de política forestal, de infraestructuras del transporte, etc., que deben ser compatibles con los planes de gestión del riesgo de inundación (artículo 15.2 y 3 del RD 903/2010). Asimismo, estos PGRI's deben ser tenidos preceptivamente en cuenta por los instrumentos de planificación hidrológica, tal y como recoge el artículo 14.1 RD 903/2010: *«Los planes hidrológicos de cuenca, en el marco del TRLA, incorporarán los criterios sobre estudios, actuaciones y obras para*

---

11. En las Demarcaciones hidrográficas internacionales (compartidas con Portugal, Francia, Andorra y Marruecos) se establecerá la necesaria coordinación en la elaboración y ejecución de los PGRIs.

prevenir y evitar los daños debidos a inundaciones, avenidas y otros fe-nómenos hidráulicos a partir de lo establecido en los PGRI». Y, por parte de los instrumentos de ordenación territorial y urbanísticos, como señala el LS/2008, que obliga a incluir mapas de riesgos naturales en los instrumentos de ordenación territorial y urbanística, así como la realización de informes de las administraciones hidrológicas y costeras en relación con la protección del DPH y la protección de las costas en la definición de los deslindes[12].

Ahora bien, la principal pregunta que se nos plantea es la siguiente: ¿qué nivel de riesgo deben contemplar estos mapas? ¿Hasta qué punto es vinculante su aprobación? El artículo 15. 1 RD 903/2010 permite responder a esta pregunta al señalar: «*Los instrumentos de ordenación territorial y urbanística, en la ordenación que hagan de los usos del suelo, no podrán incluir determinaciones que no sean compatibles con el contenido de los planes de gestión del riesgo de inundación, y reconocerán el carácter rural de los sue-los en los que concurran dichos riesgos de inundación o de otros accidentes graves».* De este lado, se excluye cualquier uso incompatible contrario a los PGRI aprobados, de donde se extrae la importancia que llegarán a alcanzar estos instrumentos. Del artículo 15.1 se deduce que los PGRI prevalecen so-bre la clasificación del suelo contemplada en el planeamiento, pero no espe-cifica si este planeamiento debe modificarse una vez que son aprobados los PGRI o solo se refiere a los planeamientos que se aprueben posteriormente. En nuestra opinión, esta obligación se extendería a todos los planes que con-tradigan el contenido de los PGRI. El no cumplimiento de esta obligación por parte de la Administración competente en materia de ordenación de los usos del suelo, le haría incurrir en responsabilidad administrativa ante los daños futuros que se puedan originar por causa de inundaciones.

Asimismo, en materia de protección civil, el artículo 15.2 del RD 903/2007, establece: « *Los planes de protección civil existentes se adap-tarán de forma coordinada para considerar la inclusión en los mismos de los mapas de peligrosidad y riesgo, y al contenido de los planes de ges-tión del riesgo de inundación. Los planes de protección civil a elaborar se redactarán de forma coordinada y mutuamente integrada a los mapas de peligrosidad y riesgo y al contenido de los planes de gestión del riesgo de inundación».* En este caso, la norma sí diferencia claramente entre los planes existentes y futuros, limitando el margen de interpretación.

Finalmente, el RD 903/2010 regula el riesgo de inundación cuando las aguas del cauce principal del río confluyan con los valores emplazados en la costa, lo que pone en conexión a esta norma con el ámbito sectorial de la

---

12. *Vid.* artículo 25.4 del TRLA sobre el sistema de informes que elaboran los Organis-mos de cuenca sobre el planeamiento urbanístico.

costa, sirviendo para conectar también la política de riesgos por inundación y demás riesgos naturales que se puedan producir en este entorno, por ejemplo, la eventual subida del nivel del mar y el cambio climático[13]. De este modo, se amplía la definición de zona inundable, y establece que la misma se extenderá hasta: *«los terrenos que puedan resultar inundados por niveles teóricos que alcanzarían las aguas en las avenidas cuyo periodo estadístico de retorno sea de 500 años, atendiendo a estudios geomorfológicos, hidrológicos e hidráulicos, así como de series de avenidas históricas y documentos o evidencias históricas de las mismas en los lagos, lagunas, embalses, ríos o arroyos, así como las inundaciones en las zonas costeras y las producidas por la acción conjunta de ríos y mar en las zonas de transición».*

IV. LA RESPONSABILIDAD PATRIMONIAL DE LA ADMINISTRACIÓN EN MATERIA DE INUNDACIONES POR UNA DEFICIENTE EJECUCIÓN PLANIFICADORA EN EL ÁMBITO DE SUS COMPETENCIAS

Conforme a lo visto hasta ahora, la Administración tiene la obligación de actuar con carácter preventivo frente al riesgo de inundaciones, anticipándose a las fatales consecuencias que se derivan de los peligros que conlleva y regulando la actuación administrativa en este sentido, sobre todo, pero no únicamente, en los instrumentos normativos de planificación ambiental e hidrológica, urbanística y de ordenación del territorio.

La consideración de que los daños producidos por inundaciones constituyen un supuesto de fuerza mayor (en sí mismo, un concepto jurídico indeterminado), está cambiando hacia el establecimiento de un sistema de responsabilidad objetiva de acuerdo a las últimas interpretaciones jurisprudenciales que se vienen realizando en supuestos de este tipo. Este sistema de responsabilidad objetivo es todavía más claro cuando existe una ejecución defectuosa de la potestad planificadora por parte de la Administración. En estos casos, podemos hablar de una responsabilidad por negligencia en la actividad de predicción o por falta de previsión del riesgo natural en el planeamiento[14]. Dicho así, se considera responsable a la Administración de un daño originado en una zona de riesgo natural que no ha sido incluida en el planeamiento territorial y urbanístico, pues, como hemos explicado, la Ad-

---

13. Sobre esta cuestión, *vid.* ARANA GARCÍA, E., y NAVARRO ORTEGA, A.: «La reforma de la Ley de costas: ¿un giro hacia lo desconocido?», *Revista Vasca de Administración pública*, núm. 97, 2013, pp. 21-60.
14. Sobre esta cuestión, *vid.* CONDE ANTEQUERA, J.: «La responsabilidad de la Administración por daños derivados de fenómenos naturales: especial referencia al riesgo de inundación», *en prensa*.

ministración tiene el deber jurídico de incluir mapas de riesgos naturales en el estudio ambiental estratégico (el denominado informe de sostenibilidad ambiental en la ya derogada Ley 9/2006, de 28 de abril, sobre evaluación de los efectos de determinados planes y programas en el medio ambiente), como pre-condición para aprobar los instrumentos de ordenación territorial y urbanística (artículo 15.2 de la LS/2008)[15]. El artículo 12.2.a) de la LS/2008, de hecho, impone a la Administración competente la consideración de suelo rural a los terrenos con riesgos naturales, al igual que el Anexo del RD 903/2010, que obliga a declarar suelo rural toda aquella superficie expuesta a riesgos de inundación[16].

Este valor normativo de los mapas de riesgo ha sido también declarado por la jurisprudencia, no sin controversias[17]. No obstante, la imputación de responsabilidad a la Administración en los casos en que no se cumplan los dictados de estos instrumentos técnicos encuentra un límite en la competencia en materia de seguridad pública y en la discrecionalidad de planeamiento[18]:

---

15. El artículo 10.1.c) de la LS/2008 establece que, en la ordenación de los usos del suelo que hagan las Administraciones públicas será un criterio básico «la prevención de los riesgos naturales y de accidentes graves». El artículo 2.1, por su parte, establece la obligación de que las políticas públicas relativas a la regulación, ordenación, ocupación, transformación y uso del suelo contribuyan a la prevención adecuada de los riesgos. Finalmente, el artículo 14. 4 del Real Decreto 849/1986, de 11 de abril, por el que se aprueba el Reglamento de Dominio Público Hidráulico (RDPH), dispone que el Gobierno podrá establecer las limitaciones en el uso de las zonas inundables que estime necesarias para garantizar la seguridad de las personas y bienes.

16. El TS extiende esta obligación, incluso, cuando la peligrosidad de edificar o construir en el cauce de avenidas no se limita a los daños directos que pueden producir sobre estas edificaciones, sino también a daños indirectos. *Vid.* STS de 12 de mayo de 2011 (RJ 2011, 5769), FD 1, sobre la clasificación como suelo urbano y la concurrencia de riesgos naturales, señala que: «concurriendo dos clasificaciones regladas de signo contrario, no hay razón para que la toma en consideración de los servicios urbanísticos deba prevalecer sobre las circunstancias de riesgo determinantes de la clasificación como suelo no urbanizable de especial protección».

17. A favor de esta tesis mayoritaria, entre otras, las STS de 12 de mayo de 2011 (RJ 2011, 5769). En contra, la STS 12 de diciembre de 2011 (RJ 2012, 2691).

18. *Vid.* SAN, de 4 de abril de 2001 (RJCA 2001, 1232). La limitación de usos en el planeamiento, para evitar usos residenciales o de actividades que conlleven una exposición al peligro que determine la existencia de riesgo, se constituye en actividad debida de la Administración con fundamento en la «seguridad pública», a pesar de que en las zonas inundables que no son dominio público parece configurarse normativamente sólo la posibilidad de hacerlo, según se deduce de la expresión utilizada por el artículo 14 del RDPH.

A) En el ámbito planificador, la competencia del Estado para preservar la seguridad pública (artículo 149.1.29 CE) se impone a la competencia local y autonómica en materia de urbanismo y ordenación del territorio (148.3 CE). De este lado, el control y eliminación de riesgos se ha considerado una función característica del Estado y de los poderes públicos. El objetivo al que tal función apunta no es otro que el de la seguridad y ésta es una de las razones del Estado[19]. Por ello, el planeamiento urbanístico no puede oponerse a un deslinde administrativo[20]. Ni siquiera, es significativo, cuando se haya establecido la previa clasificación del suelo e, incluso, se haya producido intervención estatal en dicha clasificación a través de los informes previstos, pues ello no vincula la posterior actuación estatal en materia de deslinde[21].

B) Por otro lado, el valor normativo-ejecutivo de los mapas de riesgo limita la discrecionalidad administrativa inherente a toda actividad de planeamiento[22], convirtiendo tal potestad discrecional en una potestad reglada[23]. Este carácter normativo o ejecutivo de los mapas de riesgo es declarado al establecer, por ejemplo, que la concurrencia de causas de riesgo natural sobre un suelo conlleva la necesaria reducción de la discrecionalidad administrativa en la potestad de planeamiento, clasificación y calificación del suelo[24]. La clasificación del suelo depende de lo que dichos mapas indican sobre la presencia de riesgos naturales, así como la calificación o definición de usos posibles en los mismos (artículo 12.2 de la LS/2008).

Conforme a esta interpretación, una deficiente ejecución por parte de la Administración de su actividad de planeamiento (o error en la clasificación o calificación del suelo)[25] puede dar lugar a responsabilidad administrativa, si

---

19. Como sostiene, ESTEVE PARDO, J.: Técnica, riesgo y Derecho, Tratamiento del riesgo tecnológico en el Derecho Ambiental, Barcelona, Ed. Ariel, 1999, p. 59.
20. *Vid.*, por todas, la STC 164/2001, de 11 de julio de 2001 (RTC 2001, 164).
21. *Vid.* STS de 31 de enero (RJ 2012, 3710), FD 5.
22. *Vid.* vgr., la STSJ de la Comunidad Valenciana, de 2 de febrero, (JUR 2007, 234332).
23. Como se deduce, por ejemplo, de la STS de 12 de mayo de 2011 (RJ 2011, 5769), si bien la jurisprudencia no es pacífica en este punto, encontrando una excepción en tal sentido, por ejemplo, en la STS de 12 de diciembre de 2011 (RJ 2012, 2691).
24. Así, por ejemplo la STSJ de la Comunidad de Valencia, de 2 de febrero (JUR 2007, 234332), F.D.3. En esta sentencia el Tribunal concluye que el planeamiento debe tener un tratamiento normativo (ejecutivo) y no meramente consultivo y que, por tanto, no es posible autorizar la instalación de la actividad (se trataba de un camping) en suelo potencialmente inundable en consideración con la normativa en vigor al respecto.
25. A mayor abundamiento, será potestad reglada cuando se refiera a terrenos «que deban incluirse en esta clase por estar sometidos a algún régimen especial de protección incompatible con su transformación de acuerdo con los planes de ordenación

bien, una vez predicha esta responsabilidad, se plantean dudas derivadas de la clausula de progreso técnico y del principio de precaución. Por ejemplo, sobre la realización y modificación de los deslindes administrativos para definir el DPH, sobre la definición de los períodos de retorno en los PGRI, en cuanto a la definición de los programas de medidas y las escalas utilizadas por la cartografía de los mapas, ante el impacto que tiene la realización de actuaciones estructurales y no estructurales en los cauces de los ríos (tales como dragados, extracción de áridos, encauzamientos, construcción de obras públicas tales como puertos, barreras,...), etc. Estas decisiones ínsitas al desarrollo de la planificación constituyen conceptos jurídicos no determinados y, como tales, resultan complejos de calibrar apriorísticamente. Su valoración debe someterse a un examen individualizado, conforme a su propia casuística. Pero, actuando en coherencia con el principio de precaución.

En dicho sentido, la jurisprudencia ha sentenciado, por ejemplo, que si el riesgo natural no ha sido previsto porque no se disponía en el momento de la confección de los mapas de riesgo de las técnicas adecuadas para detectar el peligro natural, la Administración quedaría exenta de responsabilidad al concurrir un supuesto de fuerza mayor, dada la imprevisibilidad del evento[26]. Pero, en cambio, si disponiéndose de las técnicas no se han empleado o hubieran podido evitarse los daños derivados de un fenómeno natural de haberse tenido en cuenta los mapas de riesgo existentes que se han obviado, se muestra proclive al reconocimiento de la responsabilidad patrimonial de la Administración[27]. Para algunos autores[28], los avances técnicos y de co-

---

territorial o la legislación sectorial en razón de sus valores paisajísticos, históricos, arqueológicos, científicos, ambientales o culturales, de riesgos naturales acreditados en el planeamiento sectorial, o en función de su sujeción a limitaciones o servidumbres para la protección del dominio público». *Vid.* STS 2837/2011, de 13 de mayo (RJ 2011, 3282), FD 4. En este caso, la consideración de suelo no urbanizable no será una consecuencia directa y automática derivada del hecho de estar sujeto el terreno a algún régimen especial de protección, sino que requerirá una ponderación de los valores y circunstancias concurrentes, lo que inevitablemente comporta un cierto margen de apreciación; pero la clasificación como suelo no urbanizable no es aquí discrecional sino reglada, de modo que, si se constata que concurren tales valores, será preceptivo asignar al terreno tal clasificación.

26. Véase, por ejemplo, la STS 14 de octubre de 2002 (RJ 2003, 359).
27. Al respecto, *vid.* SAN de 4 de abril de 2001 (RJCA 2001, 1232): «las lluvias torrenciales sí han podido preverse y no exoneran de responsabilidad a la Administración» con fundamento en la existencia de unos mapas de riesgos que se ignoraron.
28. *Vid.* GARRIDO MANRIQUE, J.: *Prevención de riesgos naturales y geotécnicos a través de la legislación sectorial y la ordenación territorial y urbanística.* La evaluación ambiental estratégica y los riesgos en la planificación urbanística española. Tesis doctoral. Universidad de Granada, 2014. En este sentido, también, GONZÁLEZ GAR-

nocimiento científico obligan a plantear el carácter retroactivo de los mapas de riesgos, a efectos de la responsabilidad de la Administración[29]. La revisión de los mapas de riesgo sería obligatoria entonces en virtud del principio de prevención.

V. CONCLUSIONES

Es preciso delimitar correctamente las zonas inundables para evitar y/o reducir los daños provocados por las inundaciones a través de los PGRIs. Para ello se deben aplicar soluciones administrativas que obliguen a la ejecución de medidas estructurales y no estructurales en la gestión del río: establecer rutas de desalojo, construir medidas de defensa, evitar la proliferación de núcleos de población en zonas inundables y la modificación de la escorrentía superficial por construcciones, etc. Asimismo, es necesario conocer la vulnerabilidad de las áreas expuestas al riesgo de inundación y el impacto que tienen las medidas correctoras, para establecer una política de usos y de planificación en función de las características del medio.

Para conseguir este objetivo, es preciso afinar en los cálculos técnicos y elaborar mapas de riesgos que iterativamente vayan adaptando la realidad del terreno a la realidad jurídica de los instrumentos de ordenación territorial, urbanísticos y de planificación hidrológica, integrando las informaciones y referencias históricas y geomorfológicas. Las políticas públicas deben actuar con carácter preventivo y reconocer la incertidumbre de los datos cuando no se tiene información histórica y estadística suficiente. La utilización de nuevas técnicas de teledetección y otras tecnologías que utilizan sistemas aéreos, así como la utilización de sistemas de información geográfica, permite contrastar la información obtenida de diversas fuentes y reducir los costes, mejorando la modelización del territorio. Las cartografías deben ser de libre disposición. De esta forma, se integra el conocimiento técnico en el régimen jurídico y se concretan conceptos jurídicos indeterminados que tienen máxima relevancia en la aplicación de las normas, como son el período de retorno, la zona de riesgo de inundación, la zona de flujo preferente, los deslindes administrativos del dominio público hidráulico y del dominio público marítimo-terrestre, etc.

CÍA, J.L. (coord.): *Mapas de riesgos naturales en la ordenación territorial y urbanística*, Madrid, Ilustre Colegio Oficial de Geólogos, 2009, pág. 93.

29. Si la detección de un peligro natural antes desconocido en un territorio da entrada a la disposición del artículo 12.2 de la LS/2008, ello supone la necesaria revisión de la ordenación urbanística conforme a estos nuevos mapas para adaptarlos a la realidad y convertirlos así en instrumentos encaminados a evitar la exposición a tales peligros ambientales y garantizar la seguridad de las personas.

Las crecidas forman parte de la dinámica natural de los ríos y aportan servicios importantes a la sociedad. Se debe dar espacio al río y convivir con estas inundaciones, respetando el territorio fluvial, constituido por el río y los espacios inundables adyacentes que actúan como zona de expansión de crecidas (recuperación del comportamiento natural de la zona inundable). Aceptando que una protección absoluta en materia de inundaciones no es posible. Así, se debe planificar teniendo en cuenta los riesgos que existen, minimizándolos. Se deben priorizar los programas técnicos (programas de medidas) que incluyen los Planes hidrológicos de demarcación y los PGRIs, al mismo tiempo que se debe evitar la dispersión normativa y competencial que amenaza al cumplimiento efectivo de estas obligaciones.

Es fundamental reflejar la realidad local e integrar la planificación en materia de inundaciones, contenida básicamente en la planificación hidrológica, con otro tipo de planificación, especialmente la urbanística y de ordenación del territorio, teniendo en cuenta la responsabilidad objetiva de la Administración en este ámbito. Todo ello, sin que las Comunidades Autónomas y las Administraciones locales estrangulen la competencia estatal en una materia donde el Estado desempeña un papel tan relevante, sobre todo por las funciones y competencias que tienen las Confederaciones Hidrográficas en las demarcaciones hidrográficas intercomunitarias.

CAPÍTULO XII

LOS INFORMES EMITIDOS POR LAS CONFEDERACIONES HIDROGRÁFICAS EN CASO DE APROBACIÓN, MODIFICACIÓN O REVISIÓN DE INSTRUMENTOS DE PLANIFICACIÓN TERRITORIAL Y URBANÍSTICA: CARACTERIZACIÓN JURISPRUDENCIAL Y CAUCES JURÍDICOS DE REACCIÓN FRENTE A LOS MISMOS[*]

Roberto O. Bustillo Bolado

Profesor Titular de Derecho Administrativo
Universidad de Vigo (Campus de Ourense)

SUMARIO: I. INTRODUCCIÓN. II. DESARROLLO. 1. *Orígenes y evolución positiva del informe del artículo 25.4 LA/2001.* 2. *La incidencia de la Disposición Adicional 2ª de la Ley 13/2003, de 23 de mayo, reguladora del contrato de concesión de obras públicas y del artículo 15.3.a LS/2008.* 3. *El rechazo por el Tribunal Supremo de los argumentos utilizados por las partes interesadas para evitar la aplicación de cada una de las tres leyes citadas.* 4. *Caracterización jurisprudencial del informe a la vista de la incidencia de las tres referidas normas legales.* 5. *Cauces jurídicos de reacción contra el informe desfavorable.* III. CONCLUSIONES. IV. BIBLIOGRAFÍA.

I. INTRODUCCIÓN

En virtud del artículo 25.4 de la LA/2001, las Confederaciones Hidrográficas deben informar sobre los actos y planes de las Comunidades Autóno-

---

[*]   Esta comunicación se enmarca dentro de la Red Mercado y Medio Ambiente. Propuestas para una economía verde (ECOVER), red interuniversitaria de investigación coordinada desde la Facultad de Derecho de la Universidad de A Coruña y financiada por la Xunta de Galicia (Resolución de 8 de octubre de 2014).

mas «siempre que tales actos y planes afecten al régimen y aprovechamiento de las aguas continentales o a los usos permitidos en terrenos de dominio público hidráulico y sus zonas de policía».

En origen (año 1999), tales informes estaban positivamente dotados de una posición jurídico-institucional débil, pues la ley les reconocía un carácter preceptivo pero no vinculante, y, además, en caso de no emisión en plazo se preveía la ficción de que su sentido era favorable. Posteriores reformas legislativas[1] y la interpretación de las mismas efectuada por la Sala Tercera del Tribunal Supremo han reforzado el valor de estos informes pues hoy se prevé que en caso de no emisión en plazo su sentido se entienda como desfavorable y, además, en caso de que se hayan emitido a propósito de la aprobación, modificación o revisión de instrumentos de planificación territorial y urbanística, su carácter es (con los caracteres y límites que luego se expondrá) vinculante.

No obstante, en principio, el panorama puramente positivo no era claro, lo que dio lugar a que, en varias ocasiones a lo largo de la última década, ante informes del artículo 25.4 desfavorables en materia de urbanismo y ordenación del territorio, los órganos autonómicos competentes dictaran resoluciones contrarias al sentido del informe, suscitándose acto seguido impugnaciones judiciales por parte de la Administración General del Estado que se han saldado con un interesante debate jurídico: iniciales sentencias favorables a la Administración autonómica en la instancia y posteriores sentencias del Tribunal Supremo en casación favorables a las pretensiones de la Administración General del Estado.

A la vista de esta casuística judicial, el objetivo de la ponencia es doble. En primer lugar, analizar cómo el Tribunal Supremo ha delimitado en los últimos años (la última sentencia estudiada es de septiembre de 2015) el carácter preceptivo y vinculante de estos informes. Y, en segundo lugar, exponer los cauces de actuación legalmente correctos para que una Administración competente o un sujeto privado interesado puedan reaccionar frente a un informe de una Confederación Hidrográfica que consideran lesivo para sus intereses.

---

1. Operadas primero por el apartado cuarto de la Disposición Adicional segunda de la Ley 13/2003, de 23 de mayo, *reguladora del contrato de concesión de obras públicas*; después, por el apartado 3° de la Disp. Adic. Primera de la Ley 11/2005, de 22 de junio, *por la que se modifica la Ley 10/2001, de 5 de julio, del Plan Hidrológico Nacional*; y, por último, por el artículo 15.3.a de la LS/2007 (actualmente en el artículo 15.3.a LS/2008).

II. DESARROLLO

1. ORÍGENES Y EVOLUCIÓN POSITIVA DEL INFORME DEL ARTÍCULO 25.4 LA/2001

El modelo jurídico y político descentralizado implantado con la CE exigía un texto legal de nuevo cuño que sustituyera a la centenaria *Ley de Aguas de 13 de junio de 1879* y a su pléyade de reformas y textos normativos complementarios. No en vano la exposición de motivos de la que, a la sazón, sería la LA/1985, explicaba que el viejo texto decimonónico no podía dar respuesta «a los requerimientos que suscitan la nueva la nueva organización territorial del Estado» y que era «imprescindible» una nueva ley que, entre otros factores, tuviera especialmente en cuenta «la nueva configuración autonómica del Estado, para que el ejercicio de las competencias de las distintas Administraciones se produzca en el obligado marco de colaboración, de forma que se logre la utilidad racional y una protección adecuada del recurso».

Y es que el artículo 149.1.22ª CE reservaba al Estado la «legislación, ordenación y concesión de recursos y aprovechamientos hidráulicos cuando las aguas discurran por más de una Comunidad Autónoma». Y ello implicaba (e implica) dos importantes consecuencias y complicaciones competenciales. En primer lugar, dividir territorialmente la competencia y la responsabilidad sobre los recursos hídricos entre el Estado (cuencas hidrográficas intercomunitarias) y las Comunidades Autónomas (cuentas hidrográficas intracomunitaria, competencia cuya titularidad fue recogida como exclusiva en todos los Estatutos de Autonomía). Y, en segundo lugar, la consideración de dicho precepto dentro del complejo entramado competencial esbozado en el Título VIII de la Constitución daba lugar a la coexistencia sobre el territorio de las cuencas hidrográficas intercomunitaria de, por un lado, el citado título estatal del 149.1.22ª, y, por otro, numerosos títulos competenciales autonómicos (ordenación del territorio, urbanismo y vivienda, obras públicas de interés de la Comunidad Autónoma en su propio territorio, montes y aprovechamientos forestales...) y locales (necesariamente concretados en la legislación sectorial estatal y autonómica, como consecuencia o plasmación de la autonomía local del artículo 140 CE).

Por tanto, uno de los principales desafíos de la nueva legislación consistía en crear mecanismos que permitieran conciliar las competencias propias del Estado (cuyo protagonismo administrativo correspondía a las Confederaciones Hidrográficas) con el ejercicio por parte de las Comunidades Autónomas y de los Entes locales de las suyas propias cuando éstas se proyectaran sobre el territorio de una cuenca hidrográfica intercomunitaria y pudieran tener real o potencial repercusión sobre sus recursos hídricos y el conjunto del dominio público hidráulico y las servidumbres que lo protegen.

Algunos de los contenidos en tal sentido de la LA/1985 fueron reforzados por medio de la *Ley 46/1999, de 13 de diciembre, de modificación de la Ley 29/1985, de 2 de agosto, de Aguas.* Su artículo 9 introdujo tres nuevos párrafos en el original artículo 23 de la Ley de Aguas de 1985, y, en concreto un párrafo cuarto que, tras convertirse en el artículo 25.4 LA/2001, y tras la modificación operada por la disposición final 1.3 de la Ley 11/2005, de 22 de junio, da lugar a la norma actualmente vigente (se destacada en cursiva la modificación introducida en 2005):

> «4. Las Confederaciones Hidrográficas emitirán informe previo, en el plazo y supuestos que reglamentariamente se determinen, sobre los actos y planes que las Comunidades Autónomas hayan de aprobar en el ejercicio de sus competencias, entre otras, en materia de medio ambiente, ordenación del territorio y urbanismo, espacios naturales, pesca, montes, regadíos y obras públicas de interés regional, siempre que tales actos y planes afecten al régimen y aprovechamiento de las aguas continentales o a los usos permitidos en terrenos de dominio público hidráulico y en sus zonas de servidumbre y policía, teniendo en cuenta a estos efectos lo previsto en la planificación hidráulica y en las planificaciones sectoriales aprobadas por el Gobierno. *Cuando los actos o planes de las Comunidades Autónomas o de las entidades locales comporten nuevas demandas de recursos hídricos, el informe de la Confederación Hidrográfica se pronunciará expresamente sobre la existencia o inexistencia de recursos suficientes para satisfacer tales demandas. El informe se entenderá desfavorable si no se emite en el plazo establecido al efecto. Lo dispuesto en este apartado será también de aplicación a los actos y ordenanzas que aprueben las entidades locales en el ámbito de sus competencias, salvo que se trate de actos dictados en aplicación de instrumentos de planeamiento que hayan sido objeto del correspondiente informe previo de la Confederación Hidrográfica».*

2. LA INCIDENCIA DE LA DISPOSICIÓN ADICIONAL 2ª DE LA LEY 13/2003, DE 23 DE MAYO, REGULADORA DEL CONTRATO DE CONCESIÓN DE OBRAS PÚBLICAS Y DEL ARTÍCULO 15.3.A LS/2008

El texto del comentado artículo 25.4 LA/2001, por sí solo, no parece dejar lugar a dudas: configura un informe preceptivo y no vinculante. Sin embargo, a lo largo de los últimos años, numerosas sentencias de la Sala del Tribunal Supremo han afirmado el carácter vinculante de dicho informe al considerar también la incidencia de otras dos normas legales: el artículo 15.3.a LS/2008 y el párrafo 4º de la Disposición Adicional 2ª de la *Ley 13/2003, de 23 de mayo, reguladora del contrato de concesión de obras públicas.*

3. **EL RECHAZO POR EL TRIBUNAL SUPREMO DE LOS ARGUMENTOS UTILIZADOS POR LAS PARTES INTERESADAS PARA EVITAR LA APLICACIÓN DE CADA UNA DE LAS TRES LEYES CITADAS**

En numerosas ocasiones, las partes perjudicadas por el informe, han pretendido en sede judicial la inaplicación de las tres referidas normas legales, utilizando argumentos que siempre han sido contundentemente desautorizados pro el Tribunal Supremo.

En relación con el artículo 25.4 LA/2001, el que no exista el «desarrollo reglamentario» que reclama la propia norma no es óbice para su aplicabilidad, pues[2]

> «tal objeción (...) podría ser predicable dialécticamente de otros supuestos, pero no de los que ya están descritos e individualizados de forma suficiente en la norma legal; y desde luego tal objeción no puede sostenerse respecto del supuesto específico que examinamos, toda vez que la referencia del precepto legal a la necesidad de emitir el informe estatal sobre suficiencia de recursos respecto de los planes de las Comunidades Autónomas o de las entidades locales "que comporten nuevas demandas de recursos hídricos" es tan precisa, clara y rotunda que adquiere plena virtualidad por sí misma en cuanto impone la necesidad de solicitar y obtener tal informe, y por eso mismo hace innecesaria y superflua una concreta previsión reglamentaria de desarrollo de la Ley que especifique la necesidad de informe respecto de tales planes».

Tampoco es posible alegar contra la aplicabilidad de la Disp. Adic. 2ª.4 de la Ley 13/2003, que su alcance se circunscribe sólo a las «concesiones de obras públicas», pues (con independencia de la deficiente técnica legislativa que supone que dentro de una ley se encuentren preceptos que nada tienen que ver con el título que la encabeza), la letra y la finalidad del citado precepto legal no dejan lugar a dudas[3].

---

2. Entre otras, SSTS de 17 de junio de 2015 (RJ 2015, 2958; FJ 6º), 14 de noviembre de 2014 (RJ 2014, 5927; FJ 6º); o 25 de septiembre de 2012 (RJ 2012, 9237; FJ 6º); o 24 de abril de 2012 (RJ 2012, 6224; FJ 7º).

3. Véanse las SSTS citadas en la anterior nota. Tampoco deja lugar a dudas el estudio de la tramitación parlamentaria de la norma. En todo momento, los representantes en Cortes eran conscientes de que la Disp. Adic.2ª.4 no se circunscribía sólo a los «contratos de concesión de obras públicas»; valgan como ejemplos la (rechazada) enmienda núm. 8 del Grupo Parlamentario Vasco en el Congreso, que pretendía la supresión del párrafo por entender que ya había leyes sectoriales con la misma finalidad y que la norma introducía un procedimiento de prevalencia añadido (BOC-CGG-Congreso de los Diputados – VII legislatura – Serie A – Proyectos de Ley – 11-noviembre-2002); o las también rechazadas enmiendas núm. 107 del Grupo parlamentario Entesa Catalana de Progres, y la núm. 175 del Grupo Parlamentario Socialista (ambos del Senado), que proponían circunscribir el alcance de la nor-

Por otro lado, ninguno de los tres preceptos estatales vulneran las competencias autonómicas sobre urbanismo y ordenación del territorio, pues es jurisprudencia constitucional que, con carácter general, desde los títulos competenciales del Estado se puede condicionar el ejercicio de competencias autonómicas, siempre que no sea más de lo necesario para garantizar la competencia estatal [entre otras, SSTC 61/1997, de 20 de marzo (RTC 1997, 61) o 46/2007, de 1 de marzo (RTC 2007, 46)], y, en concreto, en este bloque normativo, así ha considerado que sucede el Tribunal Supremo en todas las ocasiones en que ha tenido ocasión de pronunciarse[4].

4. CARACTERIZACIÓN JURISPRUDENCIAL DEL INFORME A LA VISTA DE LA INCIDENCIA DE LAS TRES REFERIDAS NORMAS LEGALES

Al día de hoy existe una nutrida y (en casi todos los aspectos) constante jurisprudencia de la Sala tercera del Tribunal Supremo en relación con los informes emitidos por las Confederaciones Hidrográficas a propósito de instrumentos de planeamiento urbanístico y ordenación del territorio, de acuerdo con las previsiones de los artículos 25.4 LA/2001, 15.3.a LS/2008 y la Disp. Adic. 2ª.4 de la Ley 3/2013. La síntesis de dicha jurisprudencia es la que se recoge en los siguientes párrafos.

– *En relación con el carácter del informe.*

a) El informe es preceptivo en todo caso, sin que pueda supeditarse su presencia en el expediente a prueba alguna sobre la incidencia en el Plan de la cuestión relativa al aprovechamiento de agua[5]; si hay o no hay incidencia, es en todo caso a la Confederación Hidrográfica a quien le corresponde preceptivamente justificarlo.

b) Es vinculante, pero *sólo* en lo que respecta al ámbito competencial de las Confederaciones Hidrográficas (la suficiencia de los recursos hídricos y la protección del dominio público hidráulico). Nada impide que en su informe la Confederación Hidrográfica pueda pronunciarse sobre otros aspectos de legalidad conexos (por ejemplo, sobre si en el procedimiento de elaboración de la norma de planeamiento municipal se ha respetado o no la legislación urbanística aplicable), pero en

---

ma sólo a las concesiones y obras públicas (BOCG, Senado, Serie II, núm. 108.d 26/03/2003).
4. Véanse las SSTS citadas en la anterior nota.
5. STS de 15 de julio de 2015 (RJ 2015, 3486; FJ 2°).

lo que a tales contenidos se refiere su informe no vincula al órgano local o autonómico competente para resolver. Desde esta perspectiva, el carácter «vinculante» recogido en la Disp. Adic. 2ª.4 de la Ley 3/2013 no sólo no entra en contradicción, sino que viene a coincidir en cuanto a su alcance con el carácter «determinante» que se recoge en el artículo 15.3 LS/2008[6].

c) La aprobación definitiva de un instrumento de planeamiento urbanístico u ordenación territorial sin que se haya emitido el informe o en contra de sus contenidos vinculantes acarrea la nulidad del instrumento[7].

– *En relación con el contenido del informe.*

d) El informe puede y debe analizar el aprovechamiento y la disponibilidad de recursos hídricos, y ello incluye tanto los aspectos físicos (por ejemplo, existencia de cantidad de agua

---

6. STS de 20 de julio de 2015 (RJ 2015, 3943; FJ 10º) o 14 de noviembre de 2014 (RJ 2014, 5927; FJ 7º). Señalan las citadas sentencias que «partiendo de la base de que determinar es *fijar los términos de algo*, si el legislador atribuye a un informe el carácter de determinante, es porque le quiere atribuir un valor reforzado (...). Desde esta perspectiva, por mucho que estos informes no puedan caracterizarse como vinculantes desde un plano formal, sí que se aproximan a ese carácter desde el plano material o sustantivo (...). Más aún, la posibilidad de apartarse motivadamente de esos informes no es absoluta ni incondicionada, sino que ha de moverse dentro de los límites marcados por el ámbito de competencia de la Autoridad que resuelve el expediente en cuyo seno ese informe estatal se ha evacuado. Esto es, que un hipotético apartamiento del informe sobre suficiencia de recursos hídricos sólo puede sustentarse en consideraciones propias del legítimo ámbito de actuación y competencia del órgano decisor (autonómico en este caso), y no puede basarse en consideraciones que excedan de ese ámbito e invadan lo que sólo a la Administración del Estado y los órganos que en ella se insertan corresponde valorar (...). Por eso, el informe estatal sobre suficiencia de recursos hídricos, en cuanto se basa en valoraciones que se mueven en el ámbito de la competencia exclusiva estatal, es, sin ambages, vinculante. *Desde esta perspectiva, el artículo 15.3 del TRLS/2008 concuerda con la precitada Disposición Adicional 2ª.4, de la Ley estatal 13/2003, pues lo que uno y otro precepto vienen a sentar, en definitiva, y en cuanto ahora interesa, es el carácter no ya determinante sino incluso vinculante del informe estatal, por más que no en todos sus extremos y consideraciones (es decir, de forma omnicomprensiva), sino en lo que se refiere a la preservación de las competencias del Estado».*

7. Véanse, por ejemplo, las SSTS de 2 de septiembre de 2015 (RJ 2095, 3975; FJ 12º); 20 de julio de 2015 (2015, 3943; FJ 14º); 19 de diciembre de 2013 (RJ 2014, 1243; FJ 7º).

suficiente) como los jurídicos (por ejemplo, existencia y legalidad de concesiones demaniales) del recurso. Nada impide que la Confederación Hidrográfica puede examinar otros aspectos conexos y señalar o advertir sobre otros posibles vicios concurrentes de legalidad, aunque, como ya se ha explicado, ni la existencia de tal análisis es preceptiva, ni el parecer al respecto de la Confederación despliega efectos vinculantes[8].

e) Lo que importa a los efectos del informe no es sólo la futurible suficiencia de recursos hídricos, sino, sobre todo, que esa suficiencia esté garantizada en el momento de la aprobación del planeamiento. Así, por ejemplo, ante la insuficiencia de agua en el momento presente, no puede informarse favorablemente un plan que dispone que para su futuro desarrollo se realizarán las actuaciones necesarias para obtener los recursos hídricos necesarios[9].

f) Para que el informe sea favorable tiene que ser preciso y claro (no son admisibles imprecisiones o ambigüedades); debe asegurarse directamente la suficiencia de recursos hídricos o, por lo menos, que las actuaciones proyectadas no suponen un incremento en la demanda de tales recursos[10].

– *Informe y legislación autonómica.*

g) En el ámbito de competencia estatal (cuencas intercomunitarias), la legislación autonómica no puede sustituir el informe a las Confederaciones Hidrográficas por el de otros organismos u órganos públicos o privados (en este caso, a partir de 2009 hay una variación respecto a la línea jurisprudencial anteriormente mantenida)[11].

h) En el caso de la competencia autonómica (cuencas intracomunitarias), el Tribunal Supremo ha entendido que también es exigible que haya un informe de la Administración Hidráu-

---

8. Véanse, por ejemplo, las SSTS 17 de junio de 2015 (RJ 2015, 2958; FJ 6°); 14 de noviembre de 2014 (RJ 2014, 5927; FJ 6°; FJ 9°), 18 de marzo de 2014 (RJ 2014, 2121; FJ 8°).

9. Véanse, por ejemplo, las SSTS de 12 de junio de 2015 (RJ 2015, 2940; FJ 9°.E), 11 de junio de 2015 (núm. de recurso 2926/2013; FJ 9°.E) o 10 de abril de 2014 (núm. de recurso 5467, 2011; FJ 6°).

10. *V. gr.* STS 17 de junio de 2015 (RJ 2015, 2958; FJ 7°) o 12 de junio de 2015 (RJ 2015, 2940; FJ 10°).

11. *V. gr.* SSTS 17 de junio de 2015 (RJ 2015, 2958; FJ 7°); 14 de noviembre de 2014 (RJ 2014, 5927; FJ 8°).

lica; a qué órgano u organismo le competa, es a la legislación autonómica a quien le corresponde determinarlo, pero ésta ni puede eliminar la existencia del informe ni puede desnaturalizarlo sustantivamente[12].

– *Tutela cautelar contencioso-administrativa*

i) Si se impugna en vía contencioso-administrativa un instrumento de planeamiento urbanístico o de ordenación territorial que no cuenta con el informe favorable de la Confederación Hidrográfica, el *periculum in mora* habilita como medida cautelar la suspensión de la eficacia del instrumento impugnado[13].

5. CAUCES JURÍDICOS DE REACCIÓN CONTRA EL INFORME DESFAVORABLE

¿De qué cauces jurídicos disponen las personas físicas o jurídicas pública o privadas interesadas o competentes para hacer frente a un informe desfavorable de una Confederación Hidrográfica que consideran lesivo para sus intereses?

En primer lugar debe descartarse como medio la aprobación definitiva del instrumento por el órgano local o autonómico competente en contra del sentido del informe; sean cuales sean los motivos esgrimidos en este caso por la Administración activa, el informe tiene carácter vinculante, y la resolución que desconozca tal carácter está avocada a la nulidad.

Si el sentido de este informe es desfavorable, en la medida en que su contenido «decide directa o indirectamente el fondo del asunto» (pues con informe desfavorable el plan o proyecto no puede aprobarse), se trata de un acto de trámite cualificado y ello habilita la posibilidad de impugnación individualizada en virtud del artículo 107.1 LPA (también en el artículo 112.1 de la Ley 39/2015, de 1 de octubre, *del procedimiento administrativo común*

---

12. V. gr. STS 12 de junio de 2015 (RJ 2015, 2940; FJ 5°). Aunque, sin duda, esta jurisprudencia despliega un favorable resultado tuitivo respecto del recurso natural, entiendo, junto con parte de la doctrina administrativista, que puede ser discutible en cuanto a la argumentación que lo sustenta, y que tal resultado protector sería preferible que derivara no de un planteamiento jurisprudencial, sino de una expresa y clara previsión positiva [en este sentido, véase recientemente Pallarès (2015, 503-505)].

13. *V. gr.* SSTS de 11 de noviembre de 2011 (RJ 2012, 2136), 9 de febrero de 2010 (RJ 2010, 3855), 1 de febrero de 2010 (RJ 2010, 1318), 25 de febrero de 2009 (RJ 2009, 3690.

de las Administraciones Públicas, en vigor en octubre de 2016) y del artículo 25 LJCA. Sin embargo, en el caso de informe favorable, dado que ni el informe determina el fondo del asunto (pues al final el proyecto o plan podría no aprobarse por otras circunstancias que nada tengan que ver con el informe) ni concurre ninguna otra de las circunstancias especiales recogidas en los artículos 107.1 LPA (o 112.1 Ley 39/2015) y 25 LJCA, se trata de un acto de trámite simple, y en tal caso, la única vía disponible es impugnar la posterior resolución aprobatoria del plan o proyecto urbanístico o de ordenación alegando la ilegalidad del informe.

III. CONCLUSIONES

Primera. La jurisprudencia de la Sala Tercera del Tribunal Supremo es constante en cuanto a la consideración como preceptivos y (en los términos descritos en el cuerpo de esta comunicación) vinculantes de los informes emitidos por las Confederaciones Hidrográficas sobre la suficiencia de los recursos hídricos y la protección del dominio público hidráulico en casos de aprobación, modificación o revisión de instrumentos de planificación territorial y urbanística. Ello implica la nulidad de los planes aprobados definitivamente sin que exista tal informe o en contra de sus contenidos vinculantes.

Segunda. Sin perjuicio de que algunos de los fundamentos de tal jurisprudencia puedan no compartirse (principalmente en cuanto a su proyección sobre las cuencas intracomunitarias), y con independencia de las críticas que desde la perspectiva de la técnica legislativa pueda merecer el bloque normativo estatal aplicado, entiendo que tal jurisprudencia (ante la insoslayable consideración del agua como un recurso natural imprescindible y cada vez más escaso) favorece la satisfacción del principio de desarrollo sostenible, cuya consideración como elemento hermenéutico, en tanto en cuanto principio constitucional, resulta obligatoria para los órganos judiciales (artículo 9 CE y artículo 5.1 LO 6/1985, *del Poder Judicial*)[14].

---

14. Sobre el «desarrollo sostenible» como principios constitucional implícito, conforme a la jurisprudencia del TC y de la Sala Tercera del Tribunal Supremo, véase, entre otros, Bustillo Bolado, R./Gómez Manresa, Mª. F. (coords.): *Desarrollo sostenible. Análisis jurisprudencial y de políticas públicas*, Ed. Aranzadi, Cizur Menor, 2014. Como de forma excelente explica el magistrado Carlos Altarriba Cano en su voto particular a la [posteriormente casada por la STS de 12 de abril de 2013 (RJ 2013/3039)] STSJ Comunidad Valenciana de 8 de julio de 2010 (JUR 2011, 7557): «lo que resulta evidente es que, a raíz de la Directiva [se refiere el magistrado a la *Directiva Marco sobre el Agua, 60/2000 de 23 de octubre*] la existencia de recursos hídricos suficientes, constituye un *a priori* de cualquier acto de planificación territorial, y es un *prius* inexcusable de cualquier ordenación. El recurso hídrico no es

Tercera. La consideración, en estos supuestos, de los informes desfavorables como actos de trámite cualificados habilita su impugnación autónoma en vía administrativa y en vía judicial.

IV. BIBLIOGRAFÍA[15]

AGUDO GONZÁLEZ, Jorge: «Procedimiento administrativo y suspensión cautelar de planes urbanísticos (Reflexiones a la vista de los conflictos sobre existencia y disponibilidad de recursos hídricos)», en *Revista de Derecho urbanístico y Medio Ambiente*, núm. 280, 2013, pp. 45-102.

BLANES CLIMENT, Miguel A.: «La acreditación de suficiencia de recursos hídricos en los desarrollos urbanísticos», en *Revista de Derecho urbanístico y Medio Ambiente*, núm. 265, 2011, pp. 32-56.

CANTÓ LÓPEZ, Mª. Teresa: «La garantía de disponibilidad de recursos hídricos en la aprobación definitiva de los planes urbanísticos», en *Actualidad Jurídica Ambiental*, núm. 3, 2013, pp. 1-22.

ESCRIVÁ CHORDÁ, R.: «Los informes de las confederaciones hidrográficas para la aprobación de planeamientos urbanísticos que impliquen incrementos de demanda de agua», en *Consultor de los Ayuntamientos y de los Juzgados*, núm. 24, 2013, pp. 2364-2375.

PALLARÈS SERRANO, Anna: «La coordinación de los planes que ordenan el medio físico: el papel de la Planificación Hidrológica», en EMBID IRUJO, A. (dir.): *El segundo ciclo de Planificación Hidrológica en España (2010-2014)*, Ed. Aranzadi, Cizur Menor (Navarra), 2015, pp. 477-509, en concreto, 485-505.

TARDÍO PATO, J. Antonio: «Suficiencia y disponibilidad de agua para los desarrollos urbanísticos y la ineludible coordinación entre la planificación hidrológica y la planificación del territorio», en *Revista Aranzadi de Derecho Ambiental*, núm. 22, 2012, pp. 21-63.

---

un elemento normativo del plan, es un elemento físico previo al Plan, como lo son el paisaje, la orografía, el suelo, la atmósfera, los bosques, o las aguas superficiales. El recurso hídrico, es un elemento absolutamente indispensable, sin el cual, cualquier acto del procedimiento administrativo tendente a la aprobación de un Plan, es imposible. Esta verdad, la puedo deducir del párrafo 2º del art. 45 de nuestra Constitución (...); o del artículo 47 (...). De esta forma, si no existen suficientes recursos hídricos (...) el acto administrativo que pretenda instrumentar una planificación en estas condiciones, resulta irracional, inmotivado, desproporcionado, y arbitrario».

15. Se cita bibliografía posterior al nacimiento de la jurisprudencia analizada.

CAPÍTULO XIII

CAUDALES ECOLÓGICOS Y PLANIFICACIÓN

Isabel Caro-Patón Carmona

Prof. Titular de Derecho Administrativo y abogada

I. CAUDALES ECOLÓGICOS Y PRÁCTICA ADMINISTRATIVA Y JUDICIAL NACIONAL

En estos dos primeros ciclos de planificación hidrológica, en los que era
obligatorio aplicar la metodología de la Directiva 60/2000/CE, de 23 de octubre de 2000, por la que se establece un marco comunitario de actuación en
el ámbito de la política de aguas (en adelante, DMA), los caudales ecológicos han tenido un papel protagonista, siendo el tema que mayor polémica ha
generado. A primera vista, esto podría parecer paradójico ya que la DMA no
se refiere directamente a esta técnica de protección ambiental, ni en principio tiene por objeto una gestión cuantitativa del agua.

Ahora bien, no se puede negar que los caudales ecológicos son un instrumento de gestión ambiental y su implantación puede ser necesaria para
alcanzar el buen estado o potencial de las masas de agua. Desde esta perspectiva, sí están implícitamente recogidos por la DMA. Esto es importante
ya que, de aplicarse la metodología de esta norma, incluso en los casos en

que fueran necesarios caudales ecológicos distintos de los que ya existen, cuando ello comprometiera usos del agua, los planes podrán acudir al régimen de excepciones previsto por el derecho comunitario.

Considero que, a la hora de abordar la difícil cuestión de los caudales ecológicos, conviene abandonar visiones maximalistas, y no perder de vista que los caudales ecológicos afectan a la gestión cuantitativa del agua ya que su determinación o, mejor dicho, su implantación puede determinar una reducción del agua disponible para la satisfacción de demandas consolidadas o futuras previstas por el Plan.

1. ¿SON LOS CAUDALES ECOLÓGICOS UN INSTRUMENTO PARA ALCANZAR LOS OBJETIVOS AMBIENTALES?

La Instrucción de Planificación Hidrológica, aprobada por Orden ARM/2656/2008, de 10 de septiembre (IPH), resultaba ambigua en cuanto a la relación entre los caudales ecológicos y a DMA. Por un lado, en su apartado 3.4, dedicado íntegramente a los caudales ecológicos, establece que:

> «*El régimen de caudales ecológicos se establecerá de modo que permita mantener de forma sostenible la funcionalidad y estructura de los ecosistemas acuáticos y de los ecosistemas terrestres asociados, **contribuyendo a alcanzar el buen estado** o potencial ecológico en ríos o aguas de transición*».

Para la IPH los caudales ecológicos «contribuyen» a alcanzar el buen estado o potencial y, en este sentido, los objetivos ambientales fijados por el plan para cada masa de agua.

La ambigüedad deriva de que este texto no decía –y era un tema abierto a la interpretación jurídica– si los caudales ecológicos estaban al servicio de los objetivos ambientales y tenían una naturaleza instrumental; es decir, si tendrían que implantarse en las masas de agua que no estuvieran en buen estado o potencial y sólo en la medida en que ello fuera necesario para cumplir con las previsiones del plan. En concreto, lo que se podía discutir, a la vista de la redacción de la IPH, es si habría que fijar caudales ecológicos en todas las masas o, por el contrario, sólo en aquéllas que estuvieran en mal estado y en las que su mejora requiriera como medida específica un caudal ambiental distinto del que ya hubiera (por ejemplo, si una masa de agua estuviera en mal estado por recibir aguas no depuradas de una aglomeración urbana, poner un caudal ambiental más alto no es una respuesta adecuada porque lo procedente será la construcción de una depuradora).

El Tribunal Supremo en la STS de 23 de enero de 2015 (recurso núm. 277/2013) ha dado una respuesta a este interrogante al decir que:

«Recordemos que, con carácter general, los caudales ecológicos son definidos por el TR de la Ley de Aguas, ex artículo 42.1.b).c#), párrafo segundo, como "los que mantiene como mínimo la vida piscícola que de manera natural habitaría o pudiera habitar en el río, así como su vegetación de ribera". Pues bien, el alcance de esa definición legal de los caudales ecológicos está en relación con el párrafo primero de ese mismo artículo 42.1.b).c#), cuando se refiere, como uno de los contenidos necesarios de los planes hidrológicos, dentro de la descripción general de los usos, presiones e incidencias antrópicas significativas sobre las aguas, a la "conservación y recuperación" del medio natural a cuyo efecto se determinan estos caudales medioambientales. Es decir, que se trata no sólo de recuperar los que se han deteriorado, sino también de conservar los que se encuentran sanos. Sólo tiene sentido conservar, evitando por tanto el deterioro, de aquello que se encuentra en buen estado».

El TS, con esta respuesta, no sólo despeja la duda advertida señalando que los caudales ambientales son una técnica de protección cuya oportunidad puede valorarse por la Administración hidráulica al margen de los objetivos que hubiera fijado el plan hidrológico para esa masa de agua[1], sino que su pronunciamiento tiene un alcance más profundo. Pues, en efecto, se está admitiendo la legalidad de una planificación de cuño ambiental (que es obligatoria por imperativo comunitario) utilizando una metodología distinta a la que llega de Europa.

2. METODOLOGÍA DMA Y METODOLOGÍA IPH

Hay que reconocer que también era una cuestión a interpretar si la metodología para establecer caudales ambientales de la IPH encajaba en las fases lógicas del proceso de planificación de la DMA. Para la DMA, la planificación es un procedimiento lógico o racional de toma de decisiones que sigue las tres fases clásicas de esta técnica administrativa de intervención y que son:

1) Análisis de la realidad planificada o fase cognoscitiva (determinación de las masas de agua y caracterización de su estado utilizando indicadores físico-químicos, biológicos e hidromorfológicos).

---

1. Para el TS, en esta sentencia, la prohibición de deterioro se interpreta de forma que se aparta del sentido técnico-jurídico que tiene la expresión «deterioro adicional» en la DMA. La STJUE de 1 de julio de 2015 (asunto C-461/2013) interpreta, con rigor y precisión, la prohibición de deterioro de la DMA diferenciándola de la obligación de alcanzar el buen estado. La prohibición de deterioro se proyecta hacia el futuro y es de aplicación para evaluar nuevos proyectos que supongan una afección al estado de ríos y acuíferos. La obligación de alcanzar el buen estado se utiliza, por el contrario, para evaluar la sostenibilidad de las presiones que ya existen.

2) Fase de toma de decisiones al establecer el objetivo correspondiente a cada masa de agua (como mínimo buen estado o potencial, teniendo abierta la posibilidad de establecer objetivos menos rigurosos o prórrogas al cumplimiento de objetivos, según el régimen de excepciones del artículo 4 de la DMA).

3) Fase de ejecución de las actuaciones y las previsiones necesarias para alcanzar los objetivos medioambientales indicados, necesariamente incluidos en los programas de medidas. Estos programas de medidas no están regulados en el derecho español: los artículos 41, 42 y 92 quáter del Texto Refundido de la Ley de Aguas aprobado por Real Decreto Legislativo 1/2001, de 20 de julio (TRLA) se limitan a decir que se adoptarán por la Administración competente y que se coordinarán e integrarán en el plan hidrológico, donde se incluirá un resumen.

La metodología de la IPH era diferente y entrañaba una gran dosis de ambición muy propia de la idiosincrasia española proclive a hacer construcciones magníficas que se trasladan a los textos de los Boletines oficiales (como se ha dicho, no hay nada más tolerante que el papel de la *Gazeta*) pero que resultan de escaso realismo por sus dificultades de aplicación, considerando los medios con que cuenta la Administración. Pero, con todo, y a mi juicio, ambas metodologías se podrían haber integrado con cierta facilidad.

Lo que preveía la IPH era un proceso en dos fases. En la primera, había que hallar el régimen de caudales ecológicos, idóneo o ideal con todos sus componentes (caudal mínimo, máximo, tasas de cambio,...) con una metodología científica mixta (métodos hidrológicos ajustados con modelización del hábitat), que ha sido muy discutida (hay cientos de metodologías para determinar el caudal ecológico que, no puede olvidarse, es un concepto artificial o un sucedáneo cuando no pueden devolverse las aguas a su estado natural).

Esta tarea, que era ímproba, tenía que realizarse para todas las masas (aunque la IPH permitía completar estudios de campo con trabajo de gabinete) con independencia de que su estado o potencial fuera bueno.

Una vez hallados los caudales se entraba en la segunda fase, que la IPH denominaba proceso de concertación y cuyo objetivo es *«compatibilizar los derechos al uso del agua con el régimen de caudales ecológicos para hacer posible su implantación».* Los trabajos a realizar durante esta fase, y según el apartado 3.4.6 de la IPH, son:

«a) Valorar su integridad hidrológica y ambiental.

b) Analizar la viabilidad técnica, económica y social de su implantación efectiva.

c) *Proponer un plan de implantación y gestión adaptativa»*.

Puede advertirse que el punto de encuentro entre la IPH y la DMA podía estar en esta fase de concertación, ya que al valorar la *«integridad hidrológica y ambiental»* de los estudios habría que tomar en consideración el estado de la masa de agua descartando, cuando éste fuera bueno, caudales ecológicos distintos de los ya existentes.

Igualmente el análisis de la *»viabilidad técnica, económica y social»* –y para los casos en que las masas no estuvieran en buen estado– podría con naturalidad conducir a que el planificador se planteara si era posible prorrogar el plazo para la consecución de objetivos o, más bien, establecer objetivos menos rigurosos. Al respecto, los requisitos que exige la DMA para estas excepciones pasan también por análisis sociales, técnicos y económicos (que las necesidades económicas y ecológicas a que sirve la actividad que causa el deterioro –el regadío o la producción hidroeléctrica o la capacidad de regulación de un embalse– no pueda lograrse por otros medios que constituyan una alternativa ecológica significativamente mejor que no suponga un coste desproporcionado[2]).

Por último y para cerrar cómo se podían perfectamente integrar las dos metodologías, lo que la IPH denominaba *«plan de implantación y gestión adaptativa»*, en la jerga de la DMA se traduciría como la inclusión en el programa de medidas de las previsiones de incoación de procedimientos de revisión concesional en los casos en que éstos fueran necesarios para alcanzar los objetivos ambientales[3].

Pues bien, aunque visto sobre el papel, era posible –y además razonable– integrar ambas metodologías, en la práctica, la determinación de caudales

---

2.   Artículo 4.5 DMA.
3.   Varias sentencias recientes del TS han puesto de manifiesto que, cuando deban recortarse los derechos concesionales de las masas de agua en las que se hubieran implantado caudales ecológicos que impidieran satisfacer las demandas consolidadas en el respectivo sistema de explotación, se ha de acudir a un procedimiento de revisión concesional, valorándose el tema de la indemnización. El TS ha señalado que por el principio de jerarquía normativa, los planes no pueden modificar directamente las concesiones «saltándose» el artículo 65.1.c) TRLA (que es el que regula la revisión concesional para su adaptación a los planes hidrológicos) y valorándose la cuestión de la indemnización (artículo 65.3 TRLA). A modo de ejemplo se pueden citar tres sentencias de tres planes hidrológicos diferentes: STS de 11 de julio de 2014 (RJ 2014, 4040), recurso contra el Plan Hidrológico de la Demarcación Cantábrico Occidental; STS de 20 de enero de 2015 (RJ 2015, 220) recurso contra el Plan de la Demarcación Hidrográfica del Duero; o STS de 23 de enero de 2015 (RJ 2015, 297) recurso contencioso-administrativo interpuesto contra el Real Decreto que aprobaba el Plan de la Demarcación Miño-Sil.

ecológicos se ha hecho con criterios diferentes, que dicho sea de paso, tampoco han sido siempre son los de la IPH.

La Comisión Europea, como se dirá luego, ha resultado muy crítica con la falta de integración de metodologías. Sin embargo, el TS, en la STS de 20 de enero de 2015 (núm. de recurso 360/2013) en la resuelve la impugnación del Plan Hidrológico del Duero, tuvo que enfrentarse directamente a esta cuestión, señaló que para la determinación de caudales ecológicos la metodología de la IPH no era obligatoria argumentando lo siguiente:

> *«Ahora bien, que el Ministerio de Medio Ambiente esté indudablemente apoderado para emanar criterios tendentes a homogeneizar el modo de elaboración de los diferentes planes hidrológicos no significa que dichos criterios –es decir, las "instrucciones y recomendaciones técnicas" de que habla el citado artículo 82– vinculen al Consejo de Ministros a la hora de aprobar cada plan hidrológico. La razón principal es que la Instrucción de Planificación Hidrológica va dirigida a los servicios técnicos encargados del trabajo de preparación y redacción de los planes hidrológicos, tal como se desprende del apartado 1.1 de las Disposiciones Generales con que se abre la propia Instrucción de Planificación Hidrológica:*

> *"El objeto de esta instrucción de planificación hidrológica es el establecimiento de los criterios técnicos para la homogeneización y sistematización de los trabajos de elaboración de los planes hidrológicos de cuenca, conforme a lo establecido en el artículo 82 del Reglamento de la Planificación Hidrológica, aprobado mediante Real Decreto 907/2007, de 6 de julio".*

> *La Instrucción de Planificación Hidrológica tiene, así, una naturaleza eminentemente técnica y, por ello, no es un instrumento idóneo para regular los aspectos propiamente jurídicos de los planes hidrológicos. De aquí que no pueda considerarse vinculante para el Consejo de Ministros a la hora de dar su aprobación aquéllos».*

II. LAS DIFERENCIAS EN MATERIA DE CAUDALES ECOLÓGICOS ENTRE LOS PLANES ADOPTADOS DURANTE EL PRIMER CICLO DE PLANIFICACIÓN

Como es lógico, sin una metodología y sin un fin específico (según la STS de 23 de enero de 2015 citada más arriba, *«contribuir a alcanzar»* objetivos ambientales permite fijar cualquier caudal ecológico) las cifras de caudales adoptadas han resultado muy dispares.

1. LOS DOS GRUPOS DE DIFERENCIAS

Las diferencias que pueden advertirse entre los planes adoptados durante el primer ciclo de planificación afectan a dos tipos de cuestiones:

Primera: La propia *«determinación»* de los componentes del régimen de caudales ecológicos, con las siguientes variaciones:

– Los planes fijan caudales ecológicos en puntos significativos de la cuenca o bien para todas las masas de agua.

Los planes que optan por fijar caudales sólo en puntos significativos, utilizan terminologías distintas: masas estratégicas o caudales de desembalse o caudales en puntos de control (estaciones de aforo).

– Los planes establecen caudales mínimos elevados que provocan un fuerte impacto en aprovechamientos preexistentes o, por el contrario, caudales mínimos bajos o meramente indicativos.

– El punto de control de los caudales ecológicos, según los ámbitos de planificación, puede situarse a varios km del aprovechamiento (hasta a 5 km) o justo en el pie de presa.

Los planes fijan caudales máximos, de crecida y tasas de cambio con carácter indicativo o vocacionalmente obligatorios (para su implantación a partir de 2015). Otros planes no fijan cifras.

Segunda: Existen diferencias cualitativas en cuanto al modo de **«implantación»** de los caudales en concesiones preexistentes (revisión concesional e indemnizabilidad) y **«cumplimiento»** (condiciones generales, situaciones transitorias, previsiones para sequía,...).

2. LAS CRÍTICAS DE LA COMISIÓN EUROPEA

Las disparidades entre planes fueron presentadas en una Ponencia del Subdirector de Planificación hidrológica del Ministerio de Agricultura, Medio Ambiente y Alimentación, en el Congreso Nacional de Medio Ambiente CONAMA 2014, en una sesión específica sobre caudales ecológicos que tuvo lugar en Madrid el 27 de noviembre de 2014.

Pero también han sido advertidas por la Comisión Europea en uno de los documentos de trabajo que acompañan a la Comunicación de Comisión sobre la Directiva Marco del Agua (DMA), Documento COM (2015) 120 final, relativo a la planificación hidrológica española.

De forma específica en el informe sobre España[4] y entre las *«principales deficiencias»* advertidas en los planes españoles (apdo. 2.2) se incluye:

> *«La gestión cuantitativa del agua está vinculada a objetivos de calidad a través del establecimiento de caudales ecológicos en muchos tramos fluviales, pero esos caudales no están en general claramente relacionados con el logro de un buen estado».*

Y más adelante se dice:

> *«La configuración actual de caudales ecológicos (véase, más adelante, el capítulo 12.3 del primer plan hidrológico) no garantiza la consecución de los objetivos de la DMA, ya que no se han establecido unos vínculos claros con el objetivo de un buen estado ecológico».*

Y la valoración general que se hace desde la Comisión Europea en este mismo documento de la metodología de la IPH (en el citado capítulo 12.3) es que, si bien es exhaustiva, **resulta poco transparente y no se advierte su relación con los objetivos ambientales**:

> *«Aunque la mayoría de las demarcaciones hidrográficas de España ha evaluado los caudales ecológicos, **el nivel de ambición es desigual**. Según la legislación española (IPH), los regímenes de los caudales ecológicos consisten no solamente en un caudal mínimo fijo a lo largo del año, sino que asimismo incluyen recomendaciones para su distribución estacional. Llegado el caso, se procederá a evaluar y establecer infraestructuras corriente abajo, otros componentes de caudales ecológicos, como el caudal máximo, un régimen de inundaciones y una tasa de variación.*
>
> *Los caudales mínimos se han establecido mediante estudios de hidráulica directa y de modelización de hábitats, o mediante extrapolación respecto a cerca de 2 200 masas de agua superficial estratégicas, por lo que **efectivamente condicionan la asignación de agua en la cuenca** (en ocasiones también se incluyen algunos humedales como, por ejemplo, ES040, ES060, ES070 o ES080). El **peso reglamentario del resto de los componentes de los caudales ecológicos varía sustancialmente**, yendo desde la plena adopción en ES040 hasta una función puramente indicativa en ES080, mientras que la mayor parte de los planes hidrológicos no han concluido las evaluaciones o siguen pendientes de acuerdo con las partes interesadas.*

---

4. DOCUMENTO DE TRABAJO DE LOS SERVICIOS DE LA COMISIÓN, »*Informe sobre la aplicación de los Planes Hidrológicos de Cuenca de la Directiva Marco del Agua Estado miembro: ESPAÑA»* que acompaña al documento COMUNICACIÓN DE LA COMISIÓN AL PARLAMENTO EUROPEO Y AL CONSEJO La Directiva Marco del Agua y la Directiva sobre Inundaciones: medidas para lograr el «buen estado» de las aguas de la UE y para reducir los riesgos de inundación.

Algunos planes del norte de España (ES010, ES017 y ES018) incluyen una prohibición explícita de patrones de explotación de instalaciones hidroeléctricas que generan hidropuntas bruscas.

*También **existe una enorme variedad de fórmulas** para regular el modo en que los regímenes de los caudales ecológicos van a afectar a los derechos del agua en vigor. En cualquier caso, y de conformidad con la Ley de Aguas de España, los planes hidrológicos consolidan la prioridad del suministro de agua potable.*

*La regulación de los caudales ecológicos en la legislación española es una de las más exhaustivas en toda la Unión Europea, **y, en el contexto de aplicación español, se considera una herramienta fundamental para vincular la gestión cuantitativa del agua con los objetivos ambientales de la DMA. Sin embargo, la relación entre los caudales ecológicos y los objetivos de la DMA no resulta clara.***

*La definición que figura en la Ley de Aguas (artículo 42, apartado 1, letra c), afirma que el caudal ecológico es el "que mantiene como mínimo la vida piscícola que de manera natural habitaría o pudiera habitar en el río, así como su vegetación de ribera". En el RPH la definición se amplía con una referencia a "contribuye a alcanzar el buen estado o el buen potencial ecológico en los ríos o en las aguas de transición" (artículo 3, letra j)). La IPH reproduce la misma definición pero la amplía en el texto principal para incluir como objetivo adicional la protección de los hábitats y las especies protegidos en virtud de la legislación sobre naturaleza. Por otra parte, la IPH define las masas de agua «con hidrología muy alterada» como aquellas que sufren "graves alteraciones hidrológicas en la situación actual, y que presentan conflictos entre los usos existentes y el régimen de caudales ecológicos". Los criterios para establecer caudales ecológicos son menos estrictos en estas masas de agua. **Parecen combinar criterios ecológicos y consideraciones socioeconómicas de una manera que no es del todo transparente**[5]. Además, no existe una separación nítida entre los estudios técnicos que definirían el caudal ecológico compatible con la consecución del buen estado ecológico y el proceso de generación de consenso (concertación) que apuntala la definición final y la implantación del caudal ecológico. **Como resultado de ello, el proceso carece de transparencia en cuanto a la relación entre el caudal ecológico final y la consecución de***

---

5. Esta combinación ex-ante de consideraciones ecológicas y socioeconómicas parece difícil de reconciliar con el enfoque de la DMA, que separa claramente en diferentes pasos la definición del objetivo ambiental del buen estado, que solamente se basa en criterios ecológicos (DMA, artículo 4, apartado 1, y anexo V) y consideraciones socioeconómicas, que tienen un papel en la aplicación de exenciones (DMA, del artículo 4, apartado 3, al artículo 4, apartado 7). Por tanto, debe quedar claro en qué medida la aplicación de exenciones a masas de agua concretas desvía los objetivos ambientales del objetivo predeterminado del buen estado.

los objetivos de la DMA, y, en especial, no existe una relación clara entre los caudales ecológicos y el buen estado ecológico».

Y finalmente en las recomendaciones:

> *Asegurarse de que los* **caudales ecológicos** *establecidos* **garantizan el buen estado ecológico**. *Si no es así, comunicar de manera transparente las desviaciones y las justificaciones sobre la base de la viabilidad técnica o de unos costes desproporcionados. En las masas de agua pertinentes, considerar los objetivos de los hábitats y las especies protegidos dependientes del agua a la hora de fijar los caudales ecológicos.*

3. EL PROYECTO DE REAL DECRETO POR EL QUE SE MODIFICA EL REGLAMENTO DEL DOMINIO PÚBLICO HIDRÁULICO APROBADO POR EL REAL DECRETO 849/1986, DE 11 DE ABRIL, EN MATERIA DE GESTIÓN DE RIESGOS DE INUNDACIÓN, CAUDALES ECOLÓGICOS, RESERVAS HIDROLÓGICAS Y VERTIDOS DE AGUAS RESIDUALES

Durante el verano de 2015 ha estado expuesto a información pública un proyecto de Real Decreto que incluye una extensa regulación en materia de caudales ecológicos.

Su exposición de motivos explica que su objetivo es *«precisar y mejorar determinados aspectos tanto de la **definición** de los caudales ecológicos o ambientales como su **mantenimiento y el control y seguimiento** de los mismos por los distintos Organismos de cuenca»*.

Siendo este su propósito, la reforma debería servir para uniformizar u homogeneizar el tratamiento por los planes de cuenca del segundo ciclo de planificación post Directiva Marco del Agua. Debería, por tanto, servir para eliminar las grandes disparidades que existen en la determinación de los caudales ecológicos por los planes y que no se han justificado en atención a su mayor o menor ambición a la hora de fijar objetivos ambientales. O debería servir para tratar de uniformizar el procedimiento de determinación y los componentes del régimen de caudales ecológicos, habida cuenta de que todos los planes adoptados deberían haber aplicado, y no lo han hecho, la metodología de la IPH.

Sin embargo, el proyecto aborda cuestiones que se refieren fundamentalmente al régimen de cumplimiento de los caudales ecológicos. No trata ninguna de las dos cuestiones de las que se ha tratado en esta Comunicación (que son un instrumento al servicio de los objetivos ambientales y que el procedimiento para su elaboración ha de armonizarse o integrarse en la metodología de la DMA).

III. LOS CAUDALES ECOLÓGICOS EN EL FUTURO

La cuestión de los caudales ecológicos va a complicarse hacia el futuro. Es previsible que la Comisión Europea mantenga una actitud beligerante tanto en un plano general (el informe sobre España citado es una buena muestra) como en los análisis de denuncias relativas a determinados espacios protegidos integrados en la Red Natura 2000 (Delta del Ebro, Doñana, Tablas de Daimiel).

La situación no es fácil. Por un lado, España cuenta en su contra con unos planes hidrológicos adoptados, de los que la Comisión ha destacado tanto la carencia de datos relativos a la caracterización de las masas, como la falta de rigor en el establecimiento de objetivos ambientales.

Por otro, existe una situación competencial extremadamente compleja y dos sentencias relativamente recientes del TC (SSTC 154/2014 y 182/2014) en las que se ha declarado, sin demasiado matiz, que los planes de ordenación de recursos naturales prevalecen sobre la planificación hidrológica y que para que las previsiones de un plan de ordenación de espacio protegido no vincule a la planificación hidrológica es preciso que el Estado tome la correspondiente decisión, sin que sirva al respecto el procedimiento participativo de elaboración del Plan hidrológico.

Dicho de otro modo, el TC ha afirmado un principio de prevalencia que cede cuando el Estado aprecie de manera motivada y pública que concurren razones imperiosas de interés público de primer orden que justifiquen que se contradigan o no se acojan las determinaciones de los PORN. El resumen de esta doctrina sería que las determinaciones de los PORN son vinculantes para la planificación hidrológica, sin perjuicio de que el Estado decida motivadamente exceptuar su aplicación, autorizando cualquiera de las actuaciones sobre el dominio público hidráulico previamente prohibidas.

Si pensamos en el ejemplo de los caudales ecológicos necesarios para la protección de cualquiera de los espacios naturales citados (todos son espacios dependientes del agua), lo que esto implica es que los caudales necesarios se determinarán por el propio plan de ordenación, resultando vinculantes para la planificación hidrológica que tendrá que prever entre sus medidas el recorte de derechos concesionales (fundamentalmente regadíos) que imposibiliten el respeto a estos caudales.

Es evidente que esta conclusión debe poder ser matizada, considerando las obligaciones del Estado español con respecto a la protección de espacios (que es adoptar las correspondientes medidas de conservación y de evitación del deterioro), pues carece de sentido de que las necesidades de agua de un espacio –evaluadas desde la visión limitada de los intereses ambientales de ese determinado lugar– condicionen de manera plena los usos del agua y la planificación hidrológica de la cuenca en su conjunto.

En definitiva, esta es la situación en la que nos encontramos: por un lado, a una Comisión Europea vigilante y tramitando procedimientos de infracción del derecho comunitario que determinan que el Estado pierda parte de la iniciativa en cuanto al modo de buscar sus propias soluciones. Por otro, un sistema normativo muy confuso tanto en lo competencial como en lo procedimental, que poco ayuda a tomar decisiones reflexivas.

Para los ciudadanos interesados en la gestión del agua, se advierte que existe un conflicto evidente entre usos y protección ambiental. Y también se intuye que la solución de un problema que no ha hecho más que asomarse es tremendamente delicada. En mi opinión, no debería olvidarse que la DMA no es una directiva de gestión cuantitativa y que, sin perjuicio que, de acuerdo con la Sentencia del Tribunal de Justicia de 30 de enero de 2001 (Asunto C-36/98), sea posible que llegue a condicionar de forma adicional los usos de las aguas y los aspectos cuantitativos de su gestión cuando se haga al objeto de proteger y mejorar de la calidad de dichas aguas, en un país con graves desequilibrios hídricos y una fuerte regulación en modo alguno impone al Estado español que limite sus aprovechamientos de una forma general e indiscriminada. El objeto de satisfacción de demandas es un fin legal de la planificación hidrológica y, por tanto, vinculante para la Administración a la hora de utilizar la gran discrecionalidad de planificación conferida por el legislador europeo.

CAPÍTULO XIV

TARIFAS Y PEAJES POR EL USO DE LAS INFRAESTRUCTURAS HIDRÁULICAS DEL ACUEDUCTO TAJO-SEGURA Y DEL POSTRASVASE. SU PAPEL COMO EJES VERTEBRADORES DEL MODELO TERRITORIAL DEL SURESTE[*]

Encarnación Gil Meseguer
Profesora Titular de Universidad
José María Gómez Espín
Catedrático de Universidad

SUMARIO: I. INTRODUCCIÓN. RECUPERACIÓN DE COSTES VEINTE AÑOS ANTES DE LA DIRECTIVA MARCO DEL AGUA (DMA). II. EL ACUEDUCTO, UN CANAL MULTIUSO. III. EL POSTRASVASE Y EL MODELO TERRITORIAL DEL SURESTE. IV. CONCLUSIONES Y PROPUESTAS PARA ASEGURAR EL TRASVASE TAJO SEGURA (TTS). V. BIBLIOGRAFÍA.

I. INTRODUCCIÓN. RECUPERACIÓN DE COSTES VEINTE AÑOS ANTES DE LA DIRECTIVA MARCO DEL AGUA (DMA)

La Memoria económica del *Anteproyecto General de aprovechamiento conjunto de los recursos hidráulicos del Centro y Sureste de España. Complejo Tajo-Segura (1967)*, contemplaba que los usuarios deberían asumir

[*] Proyecto 12011/PHCS/09 «El interés geográfico de la ordenación territorial auspiciado por el Trasvase Tajo-Segura». Fundación Séneca. Plan de Ciencia, Tecnología e Innovación de la Región de Murcia (2010-2014). Proyecto 17588. Contrato de Apoyo Tecnológico y Asesoría entre la UMU y el SCRATS «Usos del agua (recursos-demandas) en el Alto Tajo. Posibilidades de cesiones de derechos y centros de intercambio de agua en el trayecto del Acueducto Tajo-Segura». Años 2014 y 2015

la amortización de las infraestructuras hidráulicas. La Ley 21/71, de 19 de junio, aprobó la realización de las obras del Acueducto y Postrasvase. La conexión (del Acueducto) permitiría conducir en primera fase 600 Hm³ del Sistema Alto Tajo al Segura (para hacer frente al déficit estructural de esta cuenca hidrográfica). Y la red del Postrasvase se encargaría de distribuir esos volúmenes trasvasados en el espacio de la región Sureste. Un espacio o región natural que se caracteriza y adquiere unidad por la indigencia pluviométrica. Un medio semiárido donde las precipitaciones son escasas y la insolación elevada por su latitud y posición a sotavento de la Circulación Zonal del Oeste, con efecto fohën por la disposición de los relieves Béticos.

Figura 1. La región física y climática del Sureste. De región natural a funcional.

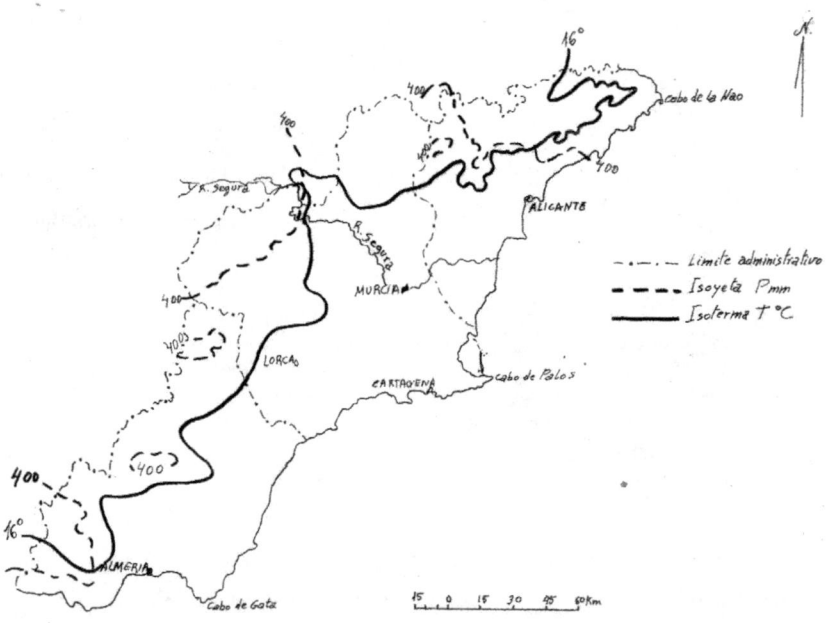

Fuente: Gil Meseguer, E. 2010.

La Ley 52/1980, de 16 de octubre, de regulación del régimen económico de la explotación del Acueducto Tajo-Segura (modificada el 31 de diciembre de 2001); y la Ley 21/2013, de 13 de diciembre de Evaluación Ambiental reúnen la legislación sobre las tarifas derivadas de la explotación. Éstas se confeccionan a propuesta de la Comisión Central de Explotación del Acueducto Tajo-Segura, y se publican en el BOE. Tienen tres componentes: el coste de las obras acometidas por el Estado; los gastos fijos de funcionamiento; y los gastos variables de funcionamiento.

Cada tipo de usuario tiene tomas diferentes y utiliza el Trasvase de forma distinta, por ello las obras del Acueducto se han dividido en seis tramos: Primer tramo (de 49.050 metros), desde el inicio hasta la derivación de Valdejudíos, donde está la toma del Guadiana (representa el 20,2% del total de las inversiones y gastos fijos del Trasvase). Segundo tramo (de 59.890 metros) desde la derivación de Valdejudíos hasta el embalse de Alarcón (representa el 24,7% del total de las inversiones y gastos fijos del Trasvase). Tercer tramo (de 88.436 metros) desde Alarcón a las tomas de Los Llanos de Albacete (representa el 36,5% de las inversiones y de los gastos fijos del Trasvase). Desde las tomas de Los Llanos hasta el embalse del Talave se subdivide en tres subtramos (de 11.000 m, 26.161 m, y 8.000 m, respectivamente) representan el 18,6% de las inversiones y gastos fijos de funcionamiento del Trasvase.

Las tarifas recogen compensaciones para la cuenca cedente (en la Ley 21/1971 figuraban una serie de obras hidráulicas de regulación, de ampliar y modernizar regadíos, abastecimientos y depuración en el ámbito del territorio español de la Cuenca del Tajo en las comunidades autónomas de Castilla La Mancha, Madrid, y Extremadura), y una revisión periódica para actualizar las tarifas teniendo en cuenta la inflación. Las tarifas entraron en vigor el 26/08/1981; 31/05/1985; 10/05/1986; 01/01/1989; 04/10/1995; 02/08/1997; 01/01/2000; 22/03/2001; 12/10/2002; 07/03/2004; 25/05/2005; 15/12/2009; 08/03/2012, 29/11/2013, y 29/11/2014. En el BOE núm.288, del viernes 28 de noviembre de 2014, se publicó el Acuerdo del Consejo de Ministros por el que se aprobaban las nuevas tarifas para el aprovechamiento de Acueducto Tajo-Segura. Así para aguas trasvasadas al Sureste se fijan las tarifas de 0,097318 €/m^3 para riegos y de 0,099163 €/m^3 para abastecimientos. Veinte años antes de la publicación de la Directiva Marco del Agua (DMA, 60/2000/CE), por la que se extendía a los países miembros el principio de recuperación de costes de las infraestructuras hidráulicas, ya se aplicaba en el Complejo Tajo-Segura.

II. EL ACUEDUCTO, UN CANAL MULTIUSO

En el título del Anteproyecto General (aprovechamiento conjunto de los recursos hidráulicos del Centro y Sureste de España) se mostraba la vocación de utilidad múltiple del Acueducto Tajo Segura. (GÓMEZ, J. Mª.; LÓPEZ, J. A.; MONTANER, E., 2011, 65).

Tabla 1. Usuarios del Acueducto Tajo-Segura con sus volúmenes potenciales

Diversos Usuarios	Volúmenes potenciales en Hm³/año
Riegos del Sudeste de trasvase	400+21
Abastecimientos del Sudeste de trasvase	110+9
Riegos del Sudeste de aguas propias	87,350
Abastecimientos del Sudeste de aguas propias	21,670
Suministro a las Tablas de Daimiel	19,909
Abastecimientos del Guadiana	29,863
Compensación a los Llanos de Albacete	4,176
Suministro del Júcar para riegos de los Llanos de Albacete	39,300
Suministro del Júcar para abastecimiento a Albacete	24,000
Suministro del Júcar para abastecimiento del Sudeste	3,640
Compensación a Hellín	4,165

Fuente: MAGRAMA. Comisión Central de Explotación Acueducto Tajo-Segura. Octubre 2014.

En la Tabla 1 hemos indicado los diversos usuarios, con las concesiones de volúmenes potenciales si llegasen a trasvasarse los 600 Hm³/año de la primera fase (hecho que sólo sucedió en el año hidrológico 2000/2001). El Acueducto es una infraestructura vital, no sólo para el Sureste, sino para todas las regiones que atraviesa, permitiendo conectar varios ejes fluviales.

Figura 2. El Acueducto Tajo-Segura, un canal multiuso

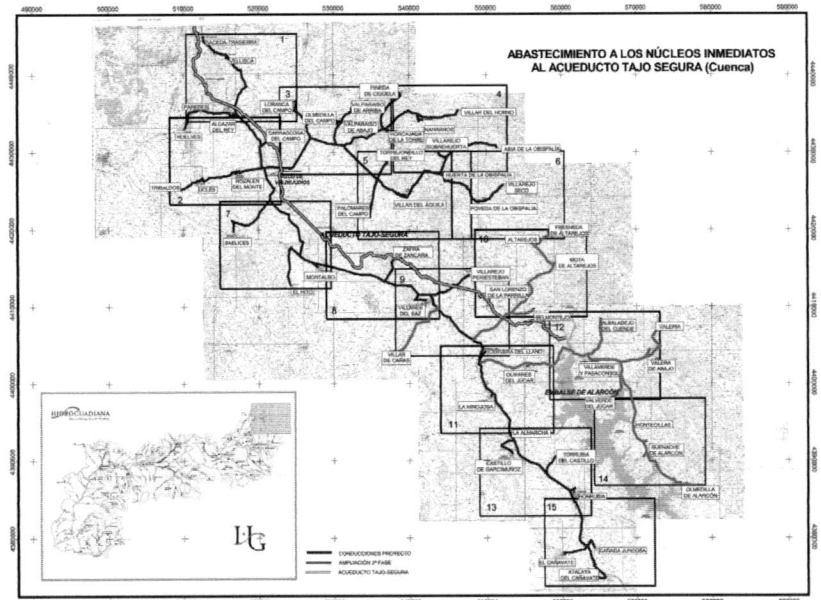

Fuente: Sindicato Central de regantes del Acueducto Tajo-Segura (SCRATS).

El Trasvase ha tenido siempre una dimensión nacional y una vocación de utilidad múltiple. A través de él, y otras conducciones se mejorará el abastecimiento de una amplia red de núcleos urbanos en las provincias de Ciudad Real, Albacete y Cuenca. (Abastecimiento a los núcleos inmediatos al Acueducto Tajo-Segura, en Cuenca., o la Conducción de agua desde el Acueducto Tajo-Segura para incorporación de recursos a la llanura manchega). Así mismo se ha enviado volúmenes para recuperar las condiciones ambientales del Parque Nacional de las Tablas de Daimiel (GÓMEZ, J. Mª.; LÓPEZ, J. A.; MONTANER, E., 2011, 369).

Permite también la cesión de derechos de agua especialmente en épocas de graves sequías en el Sureste de España. Las mayores transacciones de agua han tenido lugar durante la sequía del 2005 al 2009, y utilizando los dos tipos de intercambios previstos en la Ley de Aguas: a) los Centros de Intercambio creados por los Organismos de cuenca, que formulan ofertas públicas de adquisición de derechos; b) los contratos de cesión temporal de derechos, con una compensación económica pactada entre el usuario cedente y cesionario. Los centros de intercambio se activaron por el Real Decreto 9/2006, de 15 de septiembre de medidas urgentes para paliar los efectos de las sequías. La otra modalidad, la de contrato de cesión de derechos entre usuarios se activó también en la sequía de 2005 a 2009, con el Real Decreto 15/2005, de 16 de diciembre de medidas urgentes para la regulación de las transacciones de derechos para el aprovechamiento de agua. Los contratos fueron pactados directamente por los usuarios de las cuencas cedentes y receptoras, aunque finalmente fuera el Estado quien los autorizó. El ámbito quedó limitado a las zonas cedentes y receptoras de los trasvases Negratín-Almanzora y Tajo-Segura.

El contrato de cesión de derechos al uso privativo de las aguas representó en su día un instrumento novedoso a la par que controvertido... Las múltiples limitaciones del régimen jurídico del contrato de cesión hizo que a los pocos años de nacer hubiera de ser flexibilizado y en buena medida corregido. (Real Decreto 15/2005, de 16 de diciembre; Real Decreto 14/2009, y la Ley 21/2013, de 9 de diciembre, de Evaluación Ambiental que modifica la redacción del artículo 72 del Texto refundido de la Ley de Aguas (LA/2001). (Navarro, T. Mª., 2015).

En las transacciones intercuencas reguladas por el Real Decreto 15/2005 resaltan la cuenca del Tajo como cedente y la del Segura como receptora. Los regantes del Acueducto Tajo-Segura suscribieron un contrato de cesión con la Comunidad de Regantes del Canal de Estremera (Madrid), adquiriendo un volumen de 31 hm^3 al año, a un precio de 0,19 €/m^3. La otra cesión de derechos se estableció entre la Mancomunidad de Canales del Taibilla y la Comunidad del Canal de las Aves en Aranjuez (Madrid). El volumen adquirido ascendía 35 hm^3/año a un coste de 0,28 €/m^3 (Gil, A.; Rico, A. M., 2015, 186).

En situaciones de sequía en el Sureste se han realizado varias cesiones de derechos de aguas. Para el Sindicato Central de Regantes del Acueducto Tajo-Segura (SCRATS), por parte de la Comunidad de Regantes del Canal de Estremera en los años hidrológicos 2006/2007, 2007/2008 y 2008/2009, de 31,05 Hm^3, respectivamente. En año 2013/2014 el SCRATS recibió por cesión de derechos unos 5,000 Hm^3 de la C.R. Canal de Estremera y 1,416 Hm^3 de la C.R. La Poveda.

En el curso 2014/2015 preparamos un modelo de cuestionario que dirigimos a algunas de estas Comunidades de Regantes, para conocer si estarían dispuestos a suscribir contratos de cesión temporal de derechos a cambio de una compensación económica por parte del Sindicato Central de Regantes del Acueducto Tajo-Segura. De las comunidades de regantes contactadas, las más proclives a los contratos de cesión de derechos de aguas son aquellas que se han modernizado y desean continuar con más innovación en sus espacios regables. El ahorro generado en los consumos por la reducción de pérdidas en la red y la nueva planificación del riego, le permiten en determinadas campañas poder llegar a acuerdos, a convenir precios y volúmenes de agua, para cesiones de derechos. La modernización de la C.R. del Canal de las Aves afecta a 3.725 ha, de ellas algunas con explotaciones orientadas al maíz con consumos de 12.000 m³/ha/año que se pueden reducir en más de 4.000 m³/ha/año. Comunidades de regantes que han llevado a cabo procesos de concentración parcelaria y desean modernizar sus regadíos como la C.R. La Poveda en Fuentidueña del Tajo. Y nuevas comunidades de regantes como la C.R. Illana-Leganiel (a caballo entre las provincias de Guadalajara y de Cuenca) que está también en esta línea.

Los usuarios de comunidades de regantes como el Caz Chico y el Caz de la Azuda, están más divididos en sus opiniones. Así los cosechero-fruteros con fincas en estos parajes de Aranjuez, querrían disponer de su concesión de agua para continuar aplicándola en sus explotaciones orientadas a agricultura ecológica y de venta directa a pie de parcela a consumidores de hortalizas, frutas, tubérculos, etc., que vienen de Madrid. Sin embargo la mayoría de propietarios con explotaciones dedicadas a producciones de maíz o a forrajeras (alfalfa), no les importaría ceder parte o la totalidad de su concesión de agua.

Figura 3. Partidor de Aguas del Caz Chico y del Caz de la Azuda

Fuente: Gil Meseguer, E. 28/05/2015.

Las infraestructuras del Acueducto y Postrasvase se amortizaran más rápidamente en la medida que los volúmenes transferidos de la primera fase se acerquen a los 600 Hm³/año y no a la media de los treinta y cinco años de algo más de 305 Hm³/año, y se complete con volúmenes de cesión de derechos de aguas como los mencionados, especialmente en situaciones de sequía.

III. EL POSTRASVASE Y EL MODELO TERRITORIAL DEL SURES-TE

La red del Postrasvase en el Sureste de España distribuye no sólo las concesiones de agua de usuarios del Trasvase (TTS) sino que por estas arterias hidráulicas se mueven también volúmenes de agua de la Cuenca del Segura, mediante peaje. La Junta de Hacendados de la Huerta de Murcia por contrato firmado del 14 de febrero del 2014, cedió a 0,16 €/m³, dos millones de m³ a regantes de Águilas y tres millones de m³ a regantes de Mazarrón. Estos usuarios del litoral tuvieron que utilizar las infraestructuras del Postrasvase Tajo-Segura en la Depresión Prelitoral Murciana, autorizados por la CHS (Comisaria de Aguas) tras el consiguiente peaje (Diario La Verdad, 04/06/2014).

En la Comisaria de Aguas de la Cuenca del Segura hemos consultado los expedientes de peajes que han aprovechado las infraestructuras del Postrasvase y del Segura desde 1986 a 2014, de los 300 expedientes consultados el 55,33% correspondían a autorizaciones de peajes de aguas de pozos, el 42,00% de autorizaciones transporte peaje, y el 2,67% a autorizaciones peaje de aguas privadas. Así por ejemplo el expediente APT/3/2001 cuyo titular es la C.R Huerta de Ricote que solicita poder conducir por el canal de la margen derecha del Postrasvase la concesión de aguas que tienen. Se le autoriza, por un plazo de cinco años, a seguir realizando las tomas de su concesión C.R-200 para el riego de 188,72 ha, por las tomas del tramo Ojós-Mayés del Canal de la M.D. En el expediente ATP/9/2013 se autoriza a la C.R. Riegos de Levante Margen Derecha al suministro de un volumen neto de 1.886.035 m³ a través de los canales del trasvase Tajo-Segura (TTS).

Hay toda una serie de usuarios de aguas que reciben, tras peaje, y mediante las infraestructuras del Postrasvase, sus asignaciones de la Cuenca del Segura. De acuerdo con sus títulos concesionales y de conformidad con lo establecido en el apartado 3° del Artículo 29 del Real Decreto 594/2014, de 11 de julio por el que se aprueba el Plan Hidrológico de la Demarcación Hidrográfica del Segura (BOE 169, de 12 de julio de 2014). A fecha 6 de febrero de 2015, el número de entidades y particulares usuarios era de 29, con un volumen concesional bruto de 66.327.976 m³ (Tabla 2). Por lo que reiteramos que el Postrasvase es un eje vertebrador del modelo territorial del Sureste.

Tabla 2. Usuarios que reciben sus asignaciones de la Cuenca del Segura a través de la red del Postrasvase.

Titular	Volumen Concesional Bruto (m³)
C. R. Riegos de Levante margen derecha	8.518.680
C.R. Sangonera la Seca	7.944.285
Ayuntamiento de Murcia	6.519.488
C.R. Campotejar	6.336.738
C.R. Blanca. Zona II de las vegas Alta y Media	5.110.655
C.R. Lorca	4.200.000
C.R. Campo de Cartagena	4.200.000
C.R. Carrascoy– Las Cañadas	3.991.664
C.R. El Grajero	3.158.495
C.R. San Víctor	2.665.473
Ayuntamiento de Alcantarilla	2.302.128
C.R. Azarbe del Merancho	2.181.526
C.R. El Porvenir	1.762.467
C.R. El Palacete	1.690.790
C.R. San Isidro y Realengo	1.500.000
C.R. San Miguel de Redován	1.209.600
Subtotal	63.381.989
Otros	2.995.987
TOTAL	66.327.976

Fuente: MAGRAMA. CHS. Comisaría de Aguas. INF-46/2015, 3 de febrero de 2015.

En el apartado de Otros, hay incluso particulares: Hilario López Fernández (24.446 m³/año), Blas Gomariz Mayor (15.976 m³/año), José Gómez García (29.335 m³/año), y José Rojo Rodriguez (38.680 m³/año). Y comunidades de regantes con concesiones más pequeñas de la Cuenca del Segura. Pero las infraestructuras del Trasvase le proporcionan un servicio que sin ellas no podrían recibir esas concesiones caso de la C.R. del Pantano de La Cierva en Mula, la C.R. de Lorca, la C.R. del Campo de Cartagena. Y otras mediante estas infraestructuras (canales y tomas) mejoran significativamente los caudales de su concesión (antes de azarbes ahora del rio Segura en el

Azud de Ojós), véase algunas comunidades de regantes de la zona IV de la Vega Media y sobre todo de las que mayor número se benefician de nueva toma son las de Alicante.

También las posibilidades de intercambio de dotaciones entre comunidades de regantes al coincidir perímetros regables, por ejemplo en la zona de Almería, dotaciones por el Canal de la Margen Derecha del Trasvase Tajo-Segura y dotaciones de la Conexión Negratín-Almanzora, lo que le ha permitido algunas de estas comunidades (Sierra de Enmedio, El Saltador, etc.) reducir sus costes energéticos. (Gil, E.; Gómez, J. Mª., 2015).

La red de didtribución de agua del Postrasvase, con sus zonas regables (132.723,71 ha, de ellas el 3,04% en Almería; el 34,98% en Alicante, y 61,98% en Murcia) y sus conexiones con la red de la Mancomunidad de Canales del taibilla, y en menor medida con la Conexión Negratín-Almanzora y la Conducción Rabassa-Fenollar-Amadoiro se inscriben y articulan la región Sureste. Una región natural cuyo modelo territorial también está vertebrado por estas «autovías para conducir volúmenes de agua de distintos orígenes», alrededor de ellas se situa la actividad económica, convirtiendo al Sureste en una región cultural, en una región funcional.

Figura 4. Las infraestructuras hidráulicas vertebran el modelo territorial.

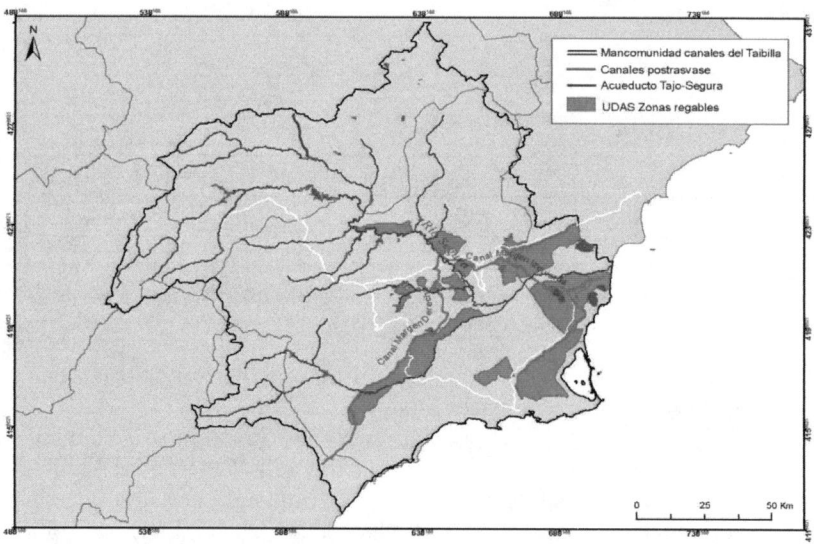

Fuente: Pérez Morales, A. 2014.

IV. CONCLUSIONES Y PROPUESTAS PARA ASEGURAR EL TRASVASE TAJO SEGURA (TTS)

Para dar continuidad y asegurar las transferencias de recursos de la primera fase del Trasvase Tajo-Segura son necesarias propuestas como que: el Sistema de Explotación Alto Tajo (Cabecera) debe dar prioridad a las demandas propias del sistema y a la primera fase del TTS. El abastecimiento de Madrid y su entorno debe mirar al Oeste (Tiétar, Alberche, Guadarrama e incluso trasvase de la cuenca del Tormes en el Duero) y no hacia el Este. La mejora de la depuración de aguas en Madrid y su entorno incorporará más de 600 hm³/año de retornos para incrementar el nivel del Tajo en Talavera de la Reina. Es preciso un control en las extracciones de acuíferos de la divisoria de aguas subterráneas entre la cabecera del Tajo y las cuencas vecinas del Ebro y Júcar (masas de agua de Sigüenza-Maranchón, Molina de Aragón, Tajuña-Montes Universales y Entrepeñas en el sector del Alto Tajo). Mejorar la política de desembalses y controlar los volúmenes destinados a caudal ecológico (6 m³/segundo en Aranjuez suponen aportar 189,2 hm³/año, es decir, más del 23% de la cabecera, y ha habido años que se ha enviado más del 50% de la aportación sistema Cabecera). Una vez construidos los embalses de Montoro y Fresneda, ya no es preciso tomar recursos del ATS para las comarcas de Puertollano y Valdepeñas, ya puede asumirse desde el Guadiana. La desalación en el Sureste no es una alternativa al trasvase Tajo-Segura, sino un complemento para épocas de sequías, de forma continuada en abastecimientos y coyuntural en regadíos (Posibilita la reestructuración de la participación de abastecimientos y riegos en las dotaciones del TTS). La regulación de la cuenca del Tajo y la modernización de regadíos facilita que, en situaciones de sequía en el Sureste, algunas comunidades de regantes puedan llevar a cabo cesiones de derechos al uso del agua. Estas propuestas pueden asegurar el TTS y abastecer de «agua de boca» a más de 2,5 millones de personas y agua para el riego de unas 140.000 ha en el Sureste de España.

La Cuenca del Segura continua con el mayor déficit estructural de las cuencas hidrográficas españolas, La Memoria del *Anteproyecto General del Aprovechamiento conjunto de los recursos hidráulicos del Centro y Sureste de España. Complejo Tajo-Segura (1967)*, señalaba en su página 31 «Al examinar las perspectivas de las zonas de Levante y Sureste, se ha visto claramente que esta última es la que reclama con mayor urgencia complementar sus recursos hidráulicos, para poner remedio a su actualmente inevitable estancamiento en el desarrollo y para evitar la regresión de sus regadíos ya iniciada, llegue a adquirir gravísima importancia. Resulta pues, claramente prioritaria la zona del Sureste, para iniciar con ella los programas de corrección del desequilibrio hidráulico peninsular».

Figura 5. Canal de la Margen Derecha del Postrasvase en tierras de Almería

Fuente: Gil, E. y Gómez, J.Mª. 05/12/2013.

Ese déficit estructural (en torno a los 400 Hm^3/año) se mantiene en la segunda planificación hidráulica (2016-2021), (Reunión del Consejo Nacional de Agua de finales de septiembre de 2015 en el que se aprobaron la mayor parte de los planes de cuenca) pero se disminuirá con políticas combinadas de oferta de recursos y políticas de gestión de la demanda, tanto en la parte española de la Cuenca del Tajo, especialmente en su Cabecera (Centro-oriental de la Península Ibérica) como en la Cuenca del Segura (Sureste de la Península Ibérica), y sobre todo sin políticos con demagogias de patrimonialización del agua.

Entre las medidas de oferta de recursos destaca una mayor regulación con más embalses y mejor gestión de desembalses; más reutilización y mejora de calidad de las aguas; más desalación a precios asequibles al riego, etc. Y entre las medidas de gestión de la demanda destaca la reducción de pérdidas en las redes de distribución de alta y baja, la modernización de los regadíos con ahorro y eficacia en el uso del agua para riego, las prácticas de aplicación de riego deficitario, los cambios en las orientaciones productivas a variedades de cultivos menos exigentes en agua, etc.

V. BIBLIOGRAFÍA

BERNABÉ CRESPO, M. B.; GÓMEZ ESPÍN, J. Mª. (2015): «Abastecimiento de agua a Cartagena», *Cuadernos Geográficos,* núm. 45 (2), Universidad de Granada, pp. 270-297.

FLORES MONTOYA, F. J. (2004) (coordinador): *50 años de la Confederación Hidrográfica del Tajo,* Impresión GRAMADONA, 213 pp.

GIL MESEGUER, E. (2010): «La Región de Murcia, un laboratorio de experiencias de Ahorro y eficiencia en el uso del agua: la modernización de sus regadíos, entre las políticas agraria y ambiental de la Unión Europea», *Papeles de geografía,* núm. 51-52, Universidad de Murcia, pp. 131-146.

GIL, E.; GARCÍA, P. J.; GÓMEZ, J. Mª.; ALMELA, R. (2014): *El dinamismo del regadío de Pulpí,* Comunidad de Regantes de Pulpí, Murcia, 222 pp.

GIL, E.; GÓMEZ, J. Mª. (2015): «Cambios en la ordenación territorial del Bajo Almanzora auspiciados por los trasvases Tajo-Segura y Negratín-Almanzora», *XXIV Congreso de la Asociación de Geógrafos Españoles. Análisis espacial y representación geográfica,* Universidad de Zaragoza, AGE, Zaragoza, pp. 1-9.

GIL OLCINA, A.; RICO AMORÓS, A. M. (2015): *Consorcio de aguas de la Marina Baja. Gestión convenida, integral y sostenible del agua,* Instituto Universitario de Geografía, Universidad de Alicante, 327 pp.

GÓMEZ ESPÍN, J. Mª. (2012): *La elevación de aguas para riego en la Cuenca del Segura. Cien años del Motor Resurrección (1912-2012).* Regional Campus of International Excellence «Campus Mare Nostrum». C.R. Motor Resurrección. Fundación Séneca. Murcia. 143 pp.

GÓMEZ ESPÍN, J. Mª.; LÓPEZ FERNÁNDEZ, J. A.; MONTANER SALAS, M. E. (coordinadores) (2011): *Modernización de regadíos: Sostenibilidad social y económica. La singularidad de los regadíos del Trasvase Tajo-Segur,* Fundación Séneca, SCRATS. Editum, Murcia, 439 pp.

MELGAREJO MORENO, J. (2009) (dir.): *El Trasvase Tajo-Segura repercusiones económicas, sociales y ambientales en la cuenca del Segura,* Instituto del Agua, Universidad de Alicante y CAM, Alicante, 635 pp.

Ministerio de Obras Públicas. Dirección General de Obras Hidráulicas. (1967): *Anteproyecto General de Aprovechamiento Conjunto de los Recursos Hidráulicos del Centro y Sureste de España. Complejo Tajo-Segura.* Noviembre de 1967, MOP, Madrid. Tomo I 230 pp. Tomo II

294 pp. + 67 planos. (Ingenieros J.Mª. Martín Mendiluce y J.Mª. Pliego Gutiérrez).

Navarro Caballero, T. Mª. (2015): «El nuevo régimen de utilización de las infraestructuras de conexión intercuencas para la cesión de recursos hídricos. Su conexión con la reforma de las reglas de explotación del trasvase Tajo-Segura y el impacto de la STC 13/2015», *Revista Aranzadi de Derecho Ambiental*, núm. 30 (enero-abril 2015), pp. 5-26.

Pérez, A.; Gil, E.; Gómez, J. Mª. (2014): «Las aguas residuales regeneradas como recurso para los regadíos de la Demarcación Hidrográfica del Segura (España)», *Boletín de la Asociación de Geógrafos Españoles*, núm. 64, pp. 151-175.

Real Decreto 270/2014, de 11 de abril, por el que se aprueba el Plan Hidrológico de la parte española de la Demarcación Hidrográfica del Tajo, *Boletín Oficial del Estado,* 12 de abril de 2014, núm. 89, pp. 30535-30638.

Real Decreto 594/2014, de 11 de julio, por el que se aprueba el Plan Hidrológico de la Demarcación Hidrográfica del Segura (*BOE* núm. 169, de 12 de julio de 2014).

https://www.chsegura.es/chs/cuenca/infraestructuras/postrasvaseTajoSegura/tarifas.htm

CAPÍTULO XV

LA PROBLEMÁTICA AMBIENTAL DE LA DESALACIÓN: EL RÉGIMEN JURÍDICO DEL VERTIDO DE SALMUERA

Concepción Jiménez Shaw

Doctora en Derecho. Abogada en «Jiménez Shaw Abogados»

I. INTRODUCCIÓN

La incidencia ambiental de las instalaciones de desalación es muy variable
en función de su capacidad, de la tecnología concreta que se emplee y de las
características del lugar en que se producen los vertidos.

Dejando al margen otros impactos, como el relativo a la producción de la
energía que consumen, o un hipotético impacto paisajístico, particularmente
cuando se ubican las instalaciones en la zona costera, la presente comunicación se centra en el impacto más específico de la desalación, que es sin duda
el del **vertido del agua de rechazo (salmuera),** que puede afectar a especies
que se encuentren en el punto de vertido y sean sensibles a los cambios de
salinidad del agua. Existen técnicas que pueden minimizarlo o eliminarlo pero
que evidentemente tienen un coste, por lo que deben ser exigidas con rigor.

Lo que se examina a continuación, –tras una somera exposición acerca de en qué consiste dicho vertido y su posible incidencia en el medio–, es el régimen jurídico aplicable a este vertido de salmuera, es decir las distintas normas que inciden sobre el mismo y la conveniencia de llevar a cabo una modificación de las mismas, e incluso de aprobar una regulación específica que tenga en cuenta su singularidad.

II. EL VERTIDO DE SALMUERA PROCEDENTE DE LAS PLANTAS DE DESALACIÓN

El proceso industrial de desalación, y en concreto el que se lleva a cabo mediante ósmosis inversa, genera un residuo que se suele verter al mar: la salmuera. Es preciso aclarar que con este vertido al mar no se le añade sal, simplemente se devuelve la misma cantidad de sal pero más concentrada, por lo que se trata de lograr la inmediata dilución en la masa del agua de mar sin causar daño a la fauna y flora marina.

Con la proliferación de plantas desaladoras en el Mediterráneo, la comunidad científica[1] –en particular tras los estudios elaborados por el CSIC[2]– advirtió de los posibles efectos negativos de este vertido sobre todo en una especie que no tolera los cambios de salinidad, y que tiene un alto grado de protección en las directivas medioambientales, la *Posidonia Oceánica*. Se trata de una planta endémica de las costas mediterráneas, que es un hábitat de gran valor para el desarrollo de los peces, fijar los bancos de arena y oxigenar el agua de mar.

En efecto, las praderas de *Posidonia* se encuentran incluidas en el Anexo I de la Directiva del Consejo 92/43/CEE relativa a la conservación de los hábitats naturales y de la fauna y flora silvestres, y así se ha recogido en la normativa de transposición española, por ello la protección de esta planta se ha convertido en el principal problema del vertido de salmuera, encontrándose diversas soluciones (dilución de la salmuera con agua de mar antes del vertido, vertido en lugares estratégicos alejados de las praderas de *Posidonia,* en zonas de fuertes rompientes, salmueroductos con difusores, etc.).

---

1. Véase por todos el informe de UNITED NATIONS ENVIRONMENT PRO-GRAMME/MEDITERRANEAN ACTION PLAN, Dessalement de l'eau de mer en Mediterranée. Evaluation et lignes directrices/Sea water desalination in the Mediterranean Sea, MAP Technical Reports Series No. 139, Athens, 2003, que cita numerosos estudios científicos sobre esta cuestión.
2. «Informe sobre la influencia en el medio marino del agua hipersalina sobrante del proceso de desalación por ósmosis inversa y su tipificación como vertido y/o efluente» (mayo 2006) Informe inédito del Museo de Ciencias Naturales (CSIC).

Lo más relevante de este vertido es que la solución es precisamente la dilución, lo que no ocurre en otro tipo de vertidos, en que se tienen en consideración valores de emisión, sin que en su determinación se pueda tener en cuenta una posible dilución. En el caso de la salmuera precisamente lo que se busca es la dilución para rebajar los parámetros de salinidad.

III. LAS NORMAS QUE CONTEMPLAN, DE FORMA DIRECTA O INDIRECTA, EL VERTIDO DE SALMUERA

Tenemos que partir de la base de que no existe una normativa estatal que regule de forma específica el vertido de salmuera. Sin embargo existen muy diversas normas que inciden en estos vertidos de forma más o menos directa, que se examinan a continuación.

A tal efecto hay que tener en consideración que en la mayor parte de las ocasiones la salmuera se vierte en lo que se denomina «aguas costeras», lo que ha traído consigo que en España se encuentre recogida tanto en la Ley de Aguas, que las incluye en su ámbito de aplicación, como en la de Costas, desde el punto de vista del vertido, e incluso la Ley de Protección del Medio Marino que las recoge como una de las presiones sobre el medio marino. Pero también en la normativa de impacto ambiental, e incluso en la relativa a la Red Natura, por su especial incidencia en un hábitat prioritario como es la *Posidonia Oceánica*.

1. LA DIRECTIVA MARCO DE AGUAS Y LA LEY DE AGUAS QUE INCLUYEN LAS AGUAS COSTERAS

La Unión Europea con la aprobación de la Directiva 2000/60/CE, del Parlamento Europeo y del Consejo, de 23 de octubre de 2000, en adelante DMA, por la que se establece un marco comunitario de actuación en el ámbito de la política de agua, justamente prevé, en su Anexo VI, dentro de las medidas complementarias que pueden adoptar los Estados, la construcción de plantas desalinizadoras.

En el ámbito de esta directiva se encuentran las aguas costeras, y en su transposición al derecho español, el RD Legislativo 1/2001, que aprueba el texto refundido de la Ley de aguas, en adelante TRLA, ha sido modificado para incorporar en su ámbito estas aguas costeras –las que están en una milla náutica mar adentro, contada desde las líneas de bases– aunque no las incluye, lógicamente, en el dominio público hidráulico[3]. La Ley de Aguas, por lo tanto

---

3.   (Artículos 1.2 y 16, sobre la demarcación hidrológica).

se ocupa de las aguas costeras, aunque no de manera exhaustiva, ya que son frecuentes las remisiones a la normativa sectorial y en concreto al bloque normativo que tiene por norma de cabecera la Ley de Costas.

2. LA DIRECTIVA MARCO DE ESTRATEGIAS MARINAS Y LA LEY DE PROTECCIÓN DEL MEDIO MARINO

Asimismo hay que considerar la Directiva 2008/56/CE del Parlamento Europeo y del Consejo, de 17 de junio de 2008, por la que se establece un marco de acción comunitaria para la política del medio marino, conocida como Marco sobre Estrategia Marina que, en consonancia con la DMA, considera la salinidad entre las características determinantes de los hábitats en fondo marino y la columna de agua, y que su modificación puede comprometer la calidad del medio.

Esta directiva ha previsto un instrumento de planificación del medio marino denominado Estrategias Marinas.

En su primer informe de aplicación (COM(2014) 97 final, 20/2/2014), se reitera que para lograr un buen estado del medio marino (diverso, limpio y productivo) es necesaria la plena y sistemática aplicación de la legislación a las fuentes de contaminación terrestre, no ignorando determinadas sustancias o contaminantes perjudiciales para el medio que afecten a la conservación de sus recursos.

La transposición de la Directiva Marco de Estrategias Marinas se ha llevado a cabo en España a través de la Ley 41/2010, de 29 de diciembre, de protección del medio marino, en la que podemos comprobar que España es uno de los Estados miembros que han identificado los vertidos de desalación como fuentes de presión en la evaluación de sus masas de agua. Así, en el Anexo I de la Ley se contiene el Cuadro 2 «Listas indicativas de características, presiones e impactos» (referente a los artículos 8, 9, 10 y 11), en el que figura lo siguiente:

Interferencia con los procesos hidrológicos.	Modificaciones significativas del régimen térmico (p. ej. por vertidos de centrales eléctricas).
	Modificaciones significativas del régimen de salinidad (p. ej. por **vertidos de salmuera**, por construcciones que impidan los movimientos del agua o por captación de agua).

Por Acuerdo del Consejo de Ministros de 2 de noviembre de 2012, se aprueban los objetivos ambientales de las estrategias marinas españolas, que se recogen en un Documento Marco de Estrategias Marinas, con el siguiente contenido: evaluación inicial, buen estado ambiental y objetivos ambientales. Pues bien en la evaluación se lleva a cabo un análisis general de presiones e impactos, en el que se encuentra el análisis del vertido de salmuera (pp. 144 y 145 del documento), y en el que se llama la atención sobre la ausencia de legislación estatal que regule las condiciones de los vertidos de salmuera.

Asimismo ha de tomarse en consideración la Estrategia Marina de la demarcación levantino-Balear, que aborda, en el análisis de impactos, modificaciones significativas del régimen de salinidad por vertidos de salmueras (pp. 72 a 76 del documento).

3. LA EVALUACIÓN DE IMPACTO AMBIENTAL

La evaluación de impacto ambiental figura en la legislación estatal española desde 2001, año en que, a través de la Ley 6/2001 de 8 de mayo, se modificó de forma importante el Real Decreto Legislativo 1302/1986, de 28 de junio, de evaluación de impacto ambiental Una de las novedades que se incluyeron en el Anexo II, fue precisamente la que ahora nos ocupa: se trata del epígrafe e) del grupo 8 (proyectos de ingeniería hidráulica y de gestión del agua): «*Instalaciones de desalación o desalobración de agua con un volumen nuevo o adicional superior a 3.000 metros cúbicos/día*». Esta misma redacción es la que persiste en la ley vigente, Ley 21/2013, de 9 de diciembre, de evaluación ambiental.

Los proyectos a que se refiere el Anexo II se someterán a la evaluación de impacto ambiental simplificada, prevista en la sección 2ª del capítulo II. También procede este tipo de evaluación para aquellos proyectos que no estando incluidos en el anexo I ni en el anexo II puedan afectar directa o indirectamente a los espacios Red Natura 2000.

La *Posidonia Oceánica* es uno de los hábitats de la Red Natura 2000, recogiéndose en el Anexo I (hábitats naturales de interés comunitario cuya conservación requiere la designación de zonas de especial conservación), y además tiene la consideración de prioritario.

Así se contempla en la Ley de Patrimonio Natural y de la Biodiversidad, Ley 42/2007, que por cierto ha sufrido una reciente modificación, mediante Ley 33/2015 de 21 de septiembre, que afecta al antiguo artículo 45, que pasa a ser el 46, y en el que se establece la necesidad de que se someta a evaluación de sus repercusiones cualquier plan o proyecto que pueda afectar a las especies o hábitats[4].

Ello supone que, con independencia de la capacidad de la desaladora, todos los proyectos en que el vertido de salmuera afecte a la *Posidonia Oceánica* requerirán de evaluación del impacto ambiental. Así lo recoge también el artículo 7.2 de la Ley 21/2013 de evaluación ambiental, al contemplar en el apartado b) *Los proyectos no incluidos ni en el anexo I ni el anexo II que puedan afectar de forma apreciable, directa o indirectamente, a Espacios Protegidos Red Natura 2000*. En estos supuestos también procede la evaluación ambiental simplificada.

Lo mismo ocurre si se toma en consideración el efecto acumulativo de los proyectos, y así el precepto, en su apartado d) obliga a la evaluación en el caso de proyectos que, *presentándose fraccionados, alcancen los umbrales del anexo II mediante la acumulación de las magnitudes o dimensiones de cada uno de los proyectos considerados.*

En la práctica, en estas DIA se establecen condiciones del vertido de salmuera, medidas de seguimiento, límites de salinidad en los puntos de muestreo que se suelen situar en los bordes de las praderas de *Posidonia Oceánica*, frecuencia de las mediciones etc.

4. LA REGULACIÓN DE LOS VERTIDOS EN LA LEY DE COSTAS Y LA NORMATIVA SOBRE CALIDAD DE LAS AGUAS

Si bien conceptualmente cabe plantear que el vertido de salmuera se lleva a cabo al dominio público hidráulico (supuesto en el que se autorizaría por el organismo de cuenca), este es un supuesto más infrecuente, por lo que procede centrar la atención en el vertido de salmuera al mar.

El vertido al mar requiere de una autorización prevista en la Ley de Costas, que compete a las Comunidades Autónomas, y que permite establecer condiciones para que el vertido no cause daños al medio.

Ya se ha señalado que, aunque en el ámbito de la Ley de Aguas se contemplan las aguas costeras –según se ha expuesto más arriba–, e incluso en este texto legal se contemplan los principios generales aplicables a los ver-

---

4. En el caso de evaluación negativa el proyecto solo podrá llevarse a cabo adoptando medidas compensatorias, y si se trata de un hábitat prioritario, como en el caso que nos ocupa, por razones relacionadas con la salud humana y la seguridad pública, por consecuencias positivas de primordial importancia para el medio ambiente, y en el caso de otras razones imperiosas de interés público de primer orden, previa consulta a la Comisión Europea

tidos marinos (artículo 108 bis⁵), no se regulan propiamente los vertidos en zonas costeras, que aparecen contemplados en la Ley de Costas.

Los vertidos se encuentran regulados en la sección 2ª del capítulo IV del Título III de la Ley de Costas, disposiciones que se aplican, cualquiera que sea la dependencia del dominio público marítimo-terrestre en que se realicen (artículo 56). En consecuencia, hay que estar a la definición del dominio público marítimo terrestre que se encuentra en el artículo 3° de la Ley, y de la que se desprende que se incluyen no sólo los vertidos en la ribera, sino los que se realicen en el mar territorial, que se extiende hasta una distancia de doce millas náuticas contadas a partir de las líneas de base desde las que se mide su anchura.

El alcance es pues mucho más amplio que el de las aguas costeras, lo que es relevante pues los vertidos de salmuera puede ser necesario que se lleven a cabo a distancias superiores a una milla náutica para minimizar sus efectos sobre el medio.

Asimismo es aplicable la Orden de 13 de julio de 1993 que aprueba la Instrucción para el proyecto de conducciones de vertidos desde tierra al mar.

La lectura del artículo 57 de la Ley de Costas, en sus apartados 2 y 3, así como el contenido mínimo que debe contener la resolución de autorización, recogida en el artículo 58, permite interpretar que esta norma establece una doble limitación, la relativa a los estándares de emisión sobre los efluentes vertidos, que deben respetar las prohibiciones de sustancias o las limitaciones de determinadas concentraciones, y la que resulta del estándar de calidad del medio receptor.

Pues bien, aunque las autorizaciones de vertido deben limitarse en función de los objetivos de calidad fijados para el medio receptor, sin que se pueda producir una alteración significativa en dicho medio, no existen parámetros objetivos que limiten la discrecionalidad de la Administración autonómica a la hora de autorizar el vertido.

Estos parámetros no se recogen en las Estrategias Marinas que contemplan la salinidad como uno de los indicadores químicos y fisicoquímicos que afectan a los indicadores biológicos.

---

5.   *1. La protección de las aguas marinas tendrá por objeto interrumpir o suprimir gradualmente los vertidos, las emisiones y las pérdidas de sustancias peligrosas prioritarias, con el objetivo último de conseguir concentraciones en el medio marino cercanas a los valores básicos por lo que se refiere a las sustancias de origen natural y próximas a cero por lo que respecta a las sustancias sintéticas artificiales. 2. Los principios generales enumerados en el apartado anterior se recogerán por la legislación sectorial aplicable en cada caso.*

Tampoco los establece el reciente Real Decreto 817/2015, de 11 de septiembre, por el que se establecen los criterios de seguimiento y evaluación del estado de las aguas superficiales y las normas de calidad ambiental. Aunque entre los elementos de calidad para la clasificación del estado o potencial ecológico para las masas de agua de la categoría aguas costeras (artículo 13) se incluye la salinidad, ni en los programas de seguimiento (Anexo I) se establece una periodicidad mínima de los controles de salinidad en esta agua, ni se recogen parámetros máximos tampoco en el Anexo II. Y ello a pesar de que en el citado Anexo, entre los indicadores de los elementos de calidad que permiten evaluar el estado o potencial ecológico de las masas de agua se recoge en el apartado E), aguas costeras, la *Posidonia Oceánica,* que se ha de evaluar en prácticamente todos los tipos de aguas costeras mediterráneas, y en las baleares, estableciéndose unos límites para determinar el estado, entre muy bueno/bueno y deficiente/malo.

En realidad la única norma sobre calidad de las aguas que recoge límites de salinidad sería la Orden que desarrolla el Reglamento de calidad de las aguas en Andalucía, de 14 de febrero de 1997[6], por la que se clasifican las aguas litorales andaluzas y se establecen los objetivos de calidad de las aguas afectadas directamente por los vertidos. Entre estos últimos destaca el correspondiente a la salinidad, que en el Anexo II se establece entre el 0.9 y el 1.1 de la media normal en la zona no afectada por el vertido.

5. PLANES TERRITORIALES O PLANES HIDROLÓGICOS QUE CONTEMPLAN LOS VERTIDOS DE SALMUERA

A la vista de lo expuesto, hay que concluir que los vertidos de salmuera no se contemplan de forma específica en ninguna disposición ni de la Unión europea, ni estatal, ni autonómica. Ahora bien, si que se han regulado en algunos casos en el planeamiento territorial, y en el hidrológico.

En concreto podemos encontrar los siguientes ejemplos:

– Por Decreto 26/2009 de la Junta de Andalucía, de 3 de febrero, se aprobó el Plan de Ordenación del Territorio del Levante Almeriense, y en su artículo 86 se establecieron «Criterios para la Implantación de Plantas Desaladoras»[7].

---

6. Esta Orden ha sido derogada por el Decreto 109/2015, de 17 de marzo, por el que se aprueba el Reglamento de Vertidos al Dominio Público Hidráulico y al Dominio Público Marítimo-Terrestre de Andalucía, que sin embargo ha dejado subsistentes los límites establecidos en el anexo II, que seguirán siendo de aplicación hasta que no se aprueben los distintos documentos normativos que establezcan los valores.
7. Artículo 86 Criterios para la Implantación de Plantas Desaladoras

– En Canarias se han aprobado varios Decretos, en unos casos de suspensión del Plan Hidrológico Insular, y aprobación de normas sustantivas, y también se ha aprobado incluso definitivamente el nuevo Plan Hidrológico de Tenerife. Se pueden citar el Decreto 33/2015, de 19 de marzo, con normas de planificación hidrológica para Gran Canaria, artículo 155[8], el Decreto 45/2015, de 9 de abril, sobre Plan Hidrológico Insular de Fuerteventura, el Decreto 49/2015, Plan Hidrológico de Tenerife, artículo 329[9].

---

a) El agua de entrada deberá tener las características de agua de mar.

b) Se situará lo más cercana posible respecto del mar, limitando en todo caso su impacto visual.

c) El pozo de captación se situará a menos de 100 metros del mar.

d) El punto de vertido de la salmuera deberá estar situado entre 50 y 100 metros de distancia de la costa si se trata de zonas abiertas.

e) En ningún caso será admisible la localización del punto de vertido en zonas abrigadas.

f) El punto de vertido deberá tener en cuenta el tipo de fondo marino y las corrientes de distribución, minimizando la afección a las zonas de fondo marino protegido.

8. Artículo 155. Medidas ambientales asociadas a los vertidos de salmuera

1. Implantación de emisarios submarinos y/o conducciones de desagüe para vertido de salmuera, correctamente diseñados para que la pluma de dispersión del vertido sea alta y por tanto la afección al medio marino sea nula.

2. Se preverá conducir mediante un colector paralelo y a contracorriente a la tubería de impulsión de agua del mar desde los pozos de captación a la desaladora, hasta el emisario submarino de la EDAR más próxima.

3. Las aguas una vez depuradas serán conducidas hasta el emisario submarino, que con una longitud adecuada mar adentro, las verterá a una profundidad óptima para la dispersión, a través de difusores.

9. Artículo 329. La Autorización administrativa para la evacuación de la salmuera de rechazo

1. Los titulares de infraestructuras para la desalinización del agua salobre deberán obtener autorización administrativa para la evacuación de la salmuera de rechazo producida durante el proceso de desalinización.

2. La competencia para el otorgamiento de la autorización para la evacuación de la salmuera de rechazo corresponderá al Consejo Insular de Aguas cuando se produzca mediante pozo al medio terrestre y al órgano competente del Gobierno de Canarias cuando tenga lugar al medio marino a través de conducciones de vertido tierra-mar.

En este segundo caso la autorización que se otorgue se entenderá sin perjuicio de las exigidas en virtud de lo dispuesto en la vigente legislación sobre Costas, cuando los pozos se ubiquen en dominio público marítimo-terrestre o en su zona de servidumbre.

IV. INICIATIVAS PARA LA REGULACIÓN ESPECÍFICA DEL VERTIDO DE SALMUERA

Cabe pues plantearse si tiene sentido que exista una norma estatal que con carácter general establezca unas limitaciones de forma que el vertido de salmuera solo pueda producirse si se cumplen estos parámetros objetivos.

Dado que el principal impacto que produce la salmuera es el del incremento de salinidad en la zona de vertido, y que en consecuencia es de un problema que ha de controlarse más desde el punto de vista de la inmisión que del de la emisión, se ha considerado oportuno una disposición que regule específicamente este tipo de vertido, tomando en cuenta su singularidad, contemplando la dilución entre las medidas correctoras, y estableciendo objetivos de concentración salina en un determinado círculo con centro en el punto de vertido, así como distancias desde dicho punto, en función del límite permisible óptimo medido en unidades prácticas de salinidad (psu)[10] de los distintos organismos que pudieran verse afectados.

Ello redundaría tanto en la protección de la vida marina de las zonas de vertido, y ofrecería seguridad jurídica a la hora de abordar las importantes inversiones que requiere una planta desaladora.

En esta línea, se tiene noticia oficiosa de unos trabajos previos, que habría llevado a cabo el CEDEX, que pretendería introducir alguna modificación en la Instrucción para el proyecto de conducciones de vertidos desde tierra al mar, para contemplar específicamente el vertido de salmuera, pero que tampoco ha visto la luz, al menos por el momento.

V. CONCLUSIONES

– Existen diversas normas europeas, estatales y autonómicas, de diverso rango (incluso planes territoriales e hidrológicos), que se refieren de forma más o menos directa a este tipo de vertido y al incremento de salinidad puntual que se produce, y que puede afectar a la flora y fauna de la zona.

– A pesar de estas normas, que garantizan que mediante la declaración de impacto ambiental, y a través de la autorización de vertido, se impongan las medidas necesarias para evitar daños en general a las comunidades bentónicas, y en particular a la *Posidonia Oceánica,* en ninguna se establecen a priori reglas de vertido que contemplen las peculiaridades de este tipo de vertido, en el que la

---

10. Límites en psu (Unidad Práctica de Salinidad, por su nombre en inglés *P ractical S alinity U nit*).

solución es, precisamente, la dilución y que establezcan parámetros objetivos de salinidad, que se puedan tomar en consideración de antemano.

– Se conocen algunas iniciativas en el sentido de implementar una norma que considere esta singularidad, pero que no han salido adelante por el momento.

– En consecuencia, parece oportuna una regulación estatal que, al amparo del título competencial sobre medioambiente y, sin perjuicio de las normas adicionales de protección que pudieran a su vez aprobar las Comunidades Autónomas, establezca unos mínimos a exigir tanto en las técnicas de evacuación de salmuera como en unos límites de inmisión. Dicha disposición debería recoger el resultado de los estudios más avanzados para garantizar la no afección de la flora y fauna presente en la zona.

VI. BIBLIOGRAFÍA

CEDEX: «La Desalación de agua de mar y el vertido de salmuera. Ministerio de Medio Ambiente». Informe CEDEX «Banco de datos de las desaladoras españolas» 2006 (Clave CEDEX: 44-403-1-095).

Díaz-Romeral Gómez, A., y Jiménez Shaw, C.: «Consecuencias ambientales de la desalación. Régimen jurídico del vertido de salmuera». Alberto y Concepción Jiménez Shaw en *Nuevo Derecho de Aguas* (coord. Santiago González-Varas), pp. 301 a 328, Civitas, 2007.

Jiménez Shaw, C.: «Agua y desarrollo sostenible, trascendencia ambiental de la desalación», en *Desarrollo sostenible y protección del medio ambiente*. Director: D. José Luis Piñar Mañas. Monografías Civitas. 2002.

– «Aspectos jurídicos de la desalación». Capítulo XIV de la obra colectiva *Desalación de aguas. Aspectos tecnológicos, medioambientales, jurídicos y económicos* (coordinador Prof. José A. Ibáñez Mengual), pp. 519 a 548. Fundación Instituto Euromediterráneo del Agua 2009.

– «Desalación y medio ambiente. Una perspectiva jurídica» Comunicación al III Congreso de ICITEMA *Agua, Biodiversidad e Ingeniería*. 25-27 octubre 2006.

– «Desalación y Territorio», en *Agua y Territorio* (Dir. Antonio Embid Irujo), pp. 249 a 264. Monografías Civitas. Thomson-Aranzadi. 2007.

- «La desalación. Cuestiones jurídicas que plantea», *Diario La Ley*. Especial día Mundial del agua, Lunes, 22 de marzo de 2010. Año XXXI · Número 7366.

- «Régimen jurídico de la desalación en España. Los problemas ambientales», en *Desalación de agua con energías renovables* (coord. Cesar Nava Escudero y Gerardo Hiriart Le Bert), pp. 81 a 101. UNAM México. 2008.

- Régimen *jurídico de la desalación del agua marina*, Editorial Tirant lo Blanch 2003, ISBN 8484427595.

- Voz «Desalación» en *Diccionario de Derecho de Aguas* (dir. Antonio Embid Irujo), pp. 631 a 648, Iustel 2007.

NAVARRO CABALLERO, T.: «La utilización de los recursos hídricos no convencionales. Carencias y disonancias de un régimen jurídico inconcluso», en *Usos del Agua* (dir. Antonio Embid Irujo), pp. 84 A 144, Aranzadi, Pamplona, 2013.

CAPÍTULO XVI

LA MAYOR PRECISIÓN DE LA ÚLTIMA JURISPRUDENCIA DEL TRIBUNAL SUPREMO SOBRE EL INFORME VINCULANTE DE LA ADMINISTRACIÓN HIDROLÓGICA ACERCA DE LA SUFICIENCIA Y DISPONIBILIDAD DE RECURSOS HÍDRICOS PARA LAS ACTUACIONES URBANÍSTICAS

José Antonio Tardío Pato

Profesor Titular de Universidad. Área de Derecho Administrativo
Universidad Miguel Hernández de Elche

SUMARIO: I. INTRODUCCIÓN Y RAZONES DE LA EXIGENCIA DEL CITADO INFORME DE LA ADMINISTRACIÓN HIDROLÓGICA. II. LA CONSOLIDACIÓN DE SUS CRITERIOS ANTERIORES Y LOS NUEVOS PRONUNCIAMIENTOS DE LA JURISPRUDENCIA DEL TS EN LA JURISPRUDENCIA MÁS RECIENTE. III. LA OMISIÓN POR LA LEY 39/2015 DE UNA REGULACIÓN MÁS COMPLETA DE LOS TIPOS DE INFORME A EVACUAR EN LOS PROCEDIMIENTOS ADMINISTRATIVOS. IV. CONCLUSIONES. V. BIBLIOGRAFÍA.

I. INTRODUCCIÓN Y RAZONES DE LA EXIGENCIA DEL CITADO INFORME DE LA ADMINISTRACIÓN HIDROLÓGICA

Recordemos brevemente que la exigencia de que la Administración hidrológica emita un Informe sobre los recursos hídricos existentes para el desarrollo de nuevas actuaciones urbanísticas tiene actualmente su base legal en el artículo 25.4 del Real Decreto legislativo 1/2001, de 20 de julio, que aprobó el Texto Refundido de la Ley de Aguas y en el artículo 15.3, letra a), del Real Decreto Legislativo 2/2008, de 20 de junio, por el que se aprueba el Texto Refundido de la Ley del Suelo (hoy artículo 22.3, letra a, del RDLeg. 7/2015, que deroga y sustituye el anterior).

Ya en nuestro estudio de 2012[1] destacamos la extensa gama de razones que sustentan tal exigencia: a) las propias del Derecho Urbanístico, en tanto en cuanto éste exige que el suelo en situación de urbanizado cuente con abastecimiento de agua en cantidad y calidad suficientes[2]; b) las derivadas del derecho constitucional «a la vivienda digna y adecuada», pues no puede hablarse de vivienda digna si no se cuenta con ese abastecimiento de agua en cantidad y calidad suficientes[3]; c) las vinculadas al principio de desarrollo sostenible, en su vertiente ambiental, porque dicho elemento natural no puede ser utilizado de forma que su aprovechamiento actual ponga en peligro su uso y disfrute por las generaciones futuras[4]; d) las conectadas con el cumplimento en España del Derecho de Aguas de la Unión Europea, dado que se ha invocado por el Parlamento Europeo que la acumulación de proyectos urbanísticos en gran escala que carecen de un informe positivo de la autoridad competente en materia de agua podrían imposibilitar la aplicación de la Directiva Marco de la Unión Europea[5]; e) como garantía del principio de interdicción de la arbitrariedad de los poderes públicos del artículo 9.3 de la Constitución, factor esencial del Estado de Derecho, en tanto en cuanto deben excluirse las decisiones de los poderes públicos que sean irracionales[6]; y f) como instrumento de la reducción de la discrecionalidad del planeamiento territorial y urbanístico[7], al actuar como un auténtico elemento reglado en el momento de su aprobación y, por ende, de su control.

---

1. J. A. Tardío Pato (2012, pp. 22 y ss.).
2. A. Embid Irujo (2007, p. 30). Y, en el mismo sentido, A. M. Moreno Molina (2008, p. 182).
3. Así, S. González-Varas Ibáñez (2005, p. 47) y A. Menéndez Rexach (2011, pp. 307-310).
4. Lo recoge claramente el punto 27 del Informe Pericial adjuntado a la demanda que dio lugar a la STJ Murcia 313/2010, de 26 de marzo (ROJ STSJ MU 1110/2010).
5. Lo resalta la Resolución del Pleno del Parlamento Europeo de 26 de marzo de 2009, titulada «Impacto de la urbanización extensiva en España en los derechos individuales de los ciudadanos europeos, el medio ambiente y la aplicación del Derecho Comunitario con fundamento en determinadas peticiones recibidas», que aprueba al denominado Informe Auken, de 10 de diciembre de 2008. En tal aspecto repara J. J. Díez Sánchez (2011, pp. 46-47).
   Anteriormente, también denunció este fenómeno el *Informe Fourtou* y el *Informe Libicki-Cashman*. Precisiones sobre ellos al respecto pueden verse en la nota al pie 6 de nuestro estudio de 2012.
6. STJ Murcia 313/2010, de 26 de marzo (ROJ STSJ MU 1110/2010), FJ 9°. Y sobre ello recala J. E. Serrano López (2011, p. 531) y reparó ya hace bastantes años, R. Martín Mateo (1991, p. 20).
7. Trayter Jiménez, J. M. (2009, p. 58).

Y, además, como resaltamos al final de nuestro trabajo, el control de tal requisito ha actuado en la práctica como el principal, si no único, resorte de limitación de la crisis económica de 2008 en el sector inmobiliario, ante la ausencia en España de otras barreras propiciadas desde el Derecho Urbanístico.

Las anteriores razones avalan con creces la oportunidad e incluso la necesidad de abundar en el estudio de la exigencia del informe de suficiencia y disponibilidad de recursos hídricos, como requisito imprescindible para las actuaciones urbanísticas que conlleven el incremento de consumo de dichos recursos.

En nuestro citado trabajo de 2012 ya reparamos en cuáles eran, en aquel momento, los criterios manejados por la jurisprudencia del Tribunal Supremo sobre el alcance del citado informe y los efectos del incumplimiento de su evacuación en los términos exigidos.

Pero todavía quedaban por precisarse por dicho Tribunal algunos aspectos controvertidos resaltados por la doctrina científica (p.ej., qué ocurría en las cuencas intracomunitarias) y por la jurisprudencia menor de las Salas de lo Contencioso-Administrativo de los Tribunales Superiores de Justicia de las Comunidades Autónomas (p. ej., si bastaba que quedase garantizada la suficiencia o también era necesaria la acreditación de la disponibilidad de dichos recursos).

Desde entonces hasta hoy, el Tribunal Supremo ha dictado, en términos estadísticos, un importante número de sentencias sobre el particular, porque, debido a la tardanza propia del recurso de casación, ha sido en los últimos años y meses cuando ha tocado a la Sala Tercera del TS resolver los problemas litigiosos procedentes de la vorágine constructora anterior al desencadenamiento de la crisis económica en el sector inmobiliario de 2008. Pues, el ansia edificadora generó la multiplicación de petición de informes de los que venimos estudiando o el intento de su elusión o sustitución por otros emitidos por entidades prestadoras del servicio de abastecimiento de agua, menos difíciles de ser influenciadas, por su mayor proximidad a la Administración urbanística y por depender de esta, en último término, la adjudicación del correspondiente contrato de gestión.

En estas últimas sentencias del TS ha habido ya un pronunciamiento directo sobre algunas de las cuestiones problemáticas resaltadas por la doctrina científica o abordadas en la jurisprudencia menor de las Salas de lo Contencioso-Administrativo de los TSJ de las Comunidades Autónomas, que faltaban por dilucidar en vía casacional, para su integración en la jurisprudencia del alto Tribunal.

II. LA CONSOLIDACIÓN DE SUS CRITERIOS ANTERIORES Y LOS NUEVOS PRONUNCIAMIENTOS DE LA JURISPRUDENCIA DEL TS EN LA JURISPRUDENCIA MÁS RECIENTE

A) En la fecha de cierre de mi trabajo de 2012 citado, los pronunciamientos de la jurisprudencia del TS al efecto se habían producido con ocasión del enjuiciamiento de recursos de casación sobre solicitudes de la medida cautelar de suspensión del planeamiento por la falta de solicitud del Informe de la Confederación Hidrográfica. Y los principales fueron los siguientes.

1. El Informe en cuestión es *preceptivo* y *no cabe aducir que, mientras no se apruebe el desarrollo reglamentario* al que se refiere, ab initio, el artículo 25.4 de la Ley de Aguas, *no hay obligación de requerir el informe* en análisis, porque la previsión de tal precepto para los planes de las Comunidades Autónomas o de las entidades locales «que comporten nuevas demandas de recursos hídricos» es tan precisa, clara y rotunda que adquiere plena virtualidad por sí misma y hace innecesaria y superflua una concreta previsión reglamentaria[8].

2. La ausencia del informe determina un *vicio procedimental en la elaboración del plan* como disposición de carácter general que determina su *nulidad de pleno derecho*, según el artículo 62.2 de la Ley 30/1992; lo que supone la apreciación de la apariencia de buen derecho del solicitante de medida cautelar a los efectos de su otorgamiento[9].

3. Partiendo de su calificación como «determinante»[10] por el artículo 15.3 del RDLeg. 2/2008, es *vinculante en sentido material*[11]; lo que se refuerza, en la Comunidad Valenciana, en tanto en cuanto afecta al ámbito competencial de la Confederación Hidrográfica, porque así lo dispone la Disposición Adicional 2ª de la Ley 13/2003, reguladora del contrato de concesión de obras públicas, en relación con el artículo 83.3 de la Ley 16/2005, Urbanística Valenciana, que se remite a tal Disposición Adicional[12].

---

8. Así se pronuncia la STS 3275/2012, de 24 de abril (ROJ: STS 3275/2012), FJ 7°.
9. Así lo indica en la STS 2245/2011, de 23 de marzo (ROJ: STS 2245/2011), FJ 2°.
10. La STS de 18 de febrero de 2004 (ROJ: STS 1059/2004) declara que *no hay que identificar informes determinantes con informes vinculantes*. A juicio del TS son determinantes aquellos informes que, sin ser vinculantes, tienen «aptitud necesaria para "determinar" el contenido de la resolución final, si entendemos por tal "determinación" la que procede de uno de los elementos clave para conformar la voluntad del órgano decisor» (FJ 2°).
11. Sobre ello, véase la STS 3275/2012, de 24 de abril (ROJ: STS 3275/2012), FJ 8°.
12. A tal respecto, véase la STS 3275/2012, de 24 de abril (ROJ: STS 3275/2012), FJ 7°.

4. Cuando el Informe de la Confederación Hidrográfica ha sido negativo y *en el expediente figura otro positivo de otra entidad, tiene preferencia el de la Confederación Hidrográfica*, ratificando la suspensión cautelar[13].

5. En realidad no se trata del defecto formal de falta de un informe, sino del *problema material* de existencia o no existencia de agua, de forma que, en definitiva, la aprobación del Plan se supedita a *que exista agua*, cosa que *debe acreditarse en todo caso y «sin informe de la Confederación, no puede decirse que exista agua»*[14].

6. *El interés general*, a los efectos de la ponderación de intereses que debe llevarse a cabo en el incidente de adopción de medidas cautelares, no sólo viene representado por el desarrollo urbanístico, sino *también por la suficiencia de recursos hídricos* necesarios por el desarrollo urbanístico, dado que el interés general exige el absoluto respeto a la normativa sectorial de aguas[15].

Y, junto a dichos pronunciamientos, destacamos que también debían tenerse en cuenta aquí las manifestaciones del Tribunal Supremo según las cuales rechaza «negar validez y eficacia jurídica a aquellos *Informes que, aun evacuados fuera de plazo, adviertan de una actuación del particular manifiestamente antijurídica que propicia una resolución ilícita de la Administración»*[16].

B) Las sentencias del TS más recientes, posteriores al trabajo citado parten de unas conclusiones consolidadas y sobre ellas se han efectuado, a su vez, nuevos pronunciamientos sobre otros aspectos debatidos en la doctrina científica[17] y recogidos en la jurisprudencia menor de los TSJ, especialmen-

---

13. Sobre ello son relevantes la STS 303/2011, de 11 de febrero (ROJ: STS 303/2011) FJ 1º, y la STS 3275/2012, de 24 de abril (ROJ: STS 3275/2012).

14. Así lo indica en la STS 7336/2011, de 11 de noviembre (ROJ: STS 7336/2011), FJ 7º.

15. Sobre ello son importantes la STS 6288/2010, de 17 de noviembre (ROJ: STS 6288/2010), FJ 6º y la STS 3195/2012, de 18 de mayo (ROJ: STS 3195/2012) sobre el *Plan Parcial de Mejora del Sector 16 Gargasíndi I, en el término municipal de Calpe (Alicante)*.

16. Así la STS de 29 de julio de 2004 (ROJ: STS 4547/2004, FJ 4º).

17. Sobre las cuestiones debatidas y las referencias doctrinales precisas nos remitimos a nuestro trabajo de 2012. Los autores citados en el examen de tales aspectos controvertidos son: F. DELGADO PIQUERAS y J.A. CARRILLO MORENTE (2006); I. CARO PATÓN-CARMONA (2006); B. MARINA JALVO (2008); A. PALLARÈS SERRANO (2007); J. AGUDO GONZÁLEZ (2007 y 2009); I. LASAGABASTER HERRARTE (2007); F. RENAU FAUBELL (2007); S. GONZÁLEZ-VARAS IBÁÑEZ (2007 y 2008, in totum); A. M. MORENO MOLINA (2009); L. MELLADO RUIZ (2010); y A. MOLINA GIMÉNEZ (2008).

te el de la Comunidad Valenciana, a la que en nuestro trabajo referenciado dedicábamos un extenso epígrafe[18].

Los nuevos pronunciamientos del TS sobre otros aspectos controvertidos debatidos anteriormente en la doctrina científica y enjuiciados en Sentencias de las Salas de lo Contencioso-Administrativo de los TSJ, especialmente el de la Comunidad Valenciana, son los siguientes.

1. El informe requerido *no tiene por qué necesariamente tratarse de la Administración hidrológica estatal, porque las Comunidades Autónomas disponen también de competencias en materia de aguas respecto de las cuencas intracomunitarias*: en tal caso, y en la medida en que dispongan asimismo de una Administración hidrológica propia configurada en los mismos o similares términos que la del Estado, el preceptivo informe que cumple evacuar a las Confederaciones Hidrográficas, de acuerdo con la normativa aplicable, podría no corresponder a las del Estado, sino a las que hayan venido a establecer las Comunidades Autónomas en el marco de sus competencias y *siempre que dicho informe provenga de la Administración hidrológica*, que es sobre la que recae la responsabilidad de preservar la suficiencia del recurso y, en última instancia, su integridad misma[19].

2. *Se rechaza el argumento de que el carácter vinculante de dicho informe sólo se produce cuando es la Administración hidrológica estatal la que ha de pronunciarse, pero no cuando se trata de cuencas intracomunitarias*, porque, en tales casos, la competencia es autonómica y la Comunidad Autónoma posee asimismo la competencia en materia de urbanismo, por lo que el informe continuaría constituyendo una exigencia previa y preceptiva, pero dejaría de tener carácter vinculante.

Por el contrario, se recuerda que es cierto que, de acuerdo con la argumentación expresada por la Sentencia de 24 de abril de 2012, el carácter vinculante del informe se justifica sobre todo en base a la necesidad de preservar de este modo el ámbito de las competencias estatales, configurándose así como un instrumento propio de las relaciones interadministrativas. Pero se añade que no cabe descartar que, pese a ello, el carácter vinculante del informe pueda igualmente asentarse en base a otro género de consideraciones: la preeminencia de los recursos hídricos y su carácter esencial como condición indispensable para el desarrollo del suelo y la preservación de su integridad y hasta de su propia existencia.

---

18. J. A. TARDÍO PATO (2012, pp. 36 y ss.).
19. SSTS de 11 de junio de 2015 (ROJ: 2801/2015, FJ. 10°, letra A) y 12 de junio de 2015 (ROJ: 2802/2015, FJ. 10°, letra A).

Por eso, muchas resoluciones de la Sala, como Sentencia de 10 de abril de 2014, han venido atribuyendo carácter vinculante al informe requerido en casos en los que la cuenca donde se proyectaba la indicada exigencia era intracomunitaria[20].

3. *Si no se produce un incremento en la demanda de los recursos hídricos, puede bastar que el Informe ponga dicho extremo de relieve*, porque, a falta de dicho incremento, la suficiencia puede entenderse de por sí asegurada. Pero, de un modo u otro, lo que en todo caso no puede faltar es la existencia misma del informe con el pronunciamiento correspondiente en los términos que acaban de indicarse: o bien, asegurando directamente la suficiencia de los recursos hídricos, o bien, afirmando cuando menos que la actuación proyectada no comporta un incremento en la demanda de tales recursos[21].

4. *Por suficiencia de recursos hídricos sobre la que debe recaer el Informe no sólo se entiende la existencia de ellos, sino también su disponibilidad*[22].

---

20. SSTS de 11 de junio de 2015 (ROJ: STS 2801/2015, FJ. 10°, letra C) y 12 de junio de 2015 (ROJ: STS 2802/2015, FJ. 10°, letra C).

21. SSTS de 11 de junio de 2015 (ROJ: STS 2801/2015, FJ. 10°, letra B) y 12 de junio de 2015 (ROJ: STS 2802/2015, FJ. 10°, letra B).

22. Lo afirman expresamente, sin detenerse, no obstante, en ello, las SSTS de 11 de junio de 2015 (ROJ: STS 2801/2015, FJ. 10°, letra B) y 12 de junio de 2015 (ROJ: STS 2802/2015, FJ. 10°, letra B).
Y lo vuelven a afirmar las SSTS de 16 de junio de 2015 (ROJ: STS 3582/2015, FJ 8°) y 17 de junio de 2015 (ROJ: STS 3599/2015, FJ 8°), del mismo Magistrado Ponente, que invocan el criterio interpretativo de la anterior STS de 25 de septiembre de 2012, reforzado por la STS de 21 de diciembre de 2012, según el cual, por suficiencia del artículo 25.4 de la Ley de Aguas, debe entenderse *no sólo existencia, sino también disponibilidad* de los recursos hídricos, sobre la cual debe producirse un pronunciamiento explícito del Informe en cuestión,.
Después hay una serie de sentencias que sin enjuiciar directamente este problema como motivo de casación, dan por bueno el enjuiciamiento basado en dicha cuestión realizado por la Sala del TSJ de instancia. Así, la STS de 10 de marzo de 2015 (ROJ: STS 931/2015, FFJJ 1° y 3°), que asume implícitamente el enjuiciamiento basado en dicha cuestión realizado por la STSJ de Andalucía, sede de Málaga, de 29 de octubre de 2012, que anuló el acuerdo de la Comisión Provincial de Urbanismo de aprobación del Plan General de Ordenación Urbana de Ronda de 1995, por la que se aprobó definitivamente el plan parcial de ordenación del sector «Los Merinos Norte». Pues, la anulación realizada por dicha Sentencia se fundamentó en la falta de suficiencia de recursos hídricos entendida en sentido amplio, inclusiva no sólo de la existencia, sino asimismo de la disponibilidad de tales recursos.
Igualmente, la STS de 21 de mayo de 2015 (ROJ: STS 2880/2015), menciona como

5. La suficiencia de los recursos tiene que estar garantizada con carácter

fundamento de la STJ de la Comunidad Valenciana que ratifica, de 30 de abril de 2013, el correspondiente a la disponibilidad de los recursos frente a la mera suficiencia, que fue *ratio decidendi* de dicha Sentencia. Pues, la misma anuló el acuerdo de la Comisión Territorial de Urbanismo de Valencia por el que se dispuso aprobar la Homologación y Plan de Reforma Interior «Ermita Santa Bárbara» de Beniparrell y la resolución del Director General de Urbanismo de 2 de octubre de 2009, por la que se tuvieron por subsanadas las deficiencias referidas en el precitado acuerdo de la Comisión Territorial de Urbanismo de Valencia y se declaró definitivamente aprobado lo anterior. Y dicha anulación giró sobre el fundamento siguiente: «[...] *aun cuando existiera suficiencia de recursos hídricos para satisfacer las nuevas demandas requeridas por la actuación aprobada, ésta no tiene recursos hídricos "disponibles"* –en cuanto la EMSHI carece de título concesional para la utilización de los recursos– para satisfacer tales demandas hídricas, hecho en el que se basó la Confederación Hidrográfica del Júcar para emitir los aludidos informes desfavorables. Ante ello, y siendo que tales informes, según pone de manifiesto la doctrina jurisprudencial transcrita, poseen carácter vinculante, ha de concluirse que la aprobación por la Administración autonómica del documento de homologación y PRI "Ermita Santa Bárbara" es contraria a derecho».

Y lo mismo hace la STS de 25 de septiembre de 2015 (ROJ: STS 3926/2015), en relación con la STJ de la Comunidad Valenciana de 15 de noviembre de 2013, que anuló el acuerdo de la Comisión Territorial de Urbanismo de Alicante por el que se dispuso aprobar definitivamente el sector P-6 «El Salobral» del plan general de ordenación urbana del municipio de Pinoso. Pues, en tal Sentencia se decía «que, aun cuando existiera suficiencia de recursos hídricos para satisfacer las nuevas demandas requeridas por la actuación aprobada, ésta no tiene recursos hídricos "disponibles" –en cuanto el Ayuntamiento de Pinoso carece de título concesional para la utilización de los recursos– para satisfacer tales demandas hídricas, hecho en el que se basó la Confederación Hidrográfica del Segura para emitir el aludido informe desfavorable. Ante ello, y siendo que tal informe, según pone de manifiesto la doctrina jurisprudencial transcrita, posee carácter vinculante, ha de concluirse que la aprobación definitiva por la Administración autonómica del sector P-6 "El Salobral" del plan general de ordenación urbana del municipio de Pinoso es contraria a derecho».

El enjuiciamiento directo del TS sobre el particular, que puede considerarse como parte indiscutible de la *ratio decidendi* del mismo, lo encontramos en la *STS de 17 de junio de 2015 (ROJ: STS 2791/2015, FJ. 7º)*, que tiene que pronunciarse sobre si realmente podían considerarse determinantes de Informe favorable los documentos generados por la Confederación Hidrográfica del Júcar en relación con Acuerdo de la Comisión Territorial de Urbanismo de Valencia, del 2006, relativo a la Homologación y Plan Parcial Masía de Porchinos de Riba-roja del Turia, y la Resolución de 2007 de la Directora General de Ordenación del Territorio que acordó su publicación y entrada en vigor.

Tras el examen pormenorizado de tales documentos, concluye sobre la ausencia de Informe favorable derivado de los mismos, porque: «no hay en el expediente actos previo a la aprobación del Plan, con independencia de que, en un futuro, puedan arbitrarse medidas alternativas que subsanen dicha insuficiencia (como puede ser la desalación de agua marina, de acuerdo con las previsiones a corto plazo del programa AGUA), cuestión que habría que acreditar en su momento[23].

---

posteriores de informe, de los que se tenga constancia, en un sentido favorable a la *apreciación de la suficiencia* de recursos hídricos, *ni tampoco otorgamientos de concesiones administrativas que acrediten la disponibilidad física y jurídica del agua en la cantidad y calidad necesarias* para hacer frente a las nuevas demandas de recursos que la ejecución del plan parcial comporta».

Continúa consignado lo siguiente: «Por lo demás, *tampoco se puede compartir la afirmación* expresada en el recurso de casación promovido por Litoral del Este, S.L., *conforme a la cual no cabría exigir las concesiones de aguas con anterioridad a la aprobación del plan de que se trate* –ni por tanto supeditar a la efectiva concesión el sentido favorable del informe preceptivo del artículo 25.4 TRLA–, pues tal solución pugnaría con las elementales reglas de la lógica, *dado que el riesgo temido por dicha entidad, el de obtener una concesión inservible para el desarrollo de una actividad futura e incierta, con privación del uso o aprovechamiento actual*, en caso de que finalmente no se aprobase el instrumento planificador que comportase la demanda de nuevos recursos hídricos, *sería en cualquier caso de menor gravedad –desde el punto de vista de la preservación del dominio público hidráulico que aquí interesa*, por ser el que justifica legalmente la existencia de un dictamen preceptivo y vinculante del Estado, a través de la CHJ, sobre la suficiencia de los recursos hídricos– *que la aprobación de planes urbanísticos con anterioridad a la acreditación sobre la suficiencia, en cantidad y calidad, de los recursos hídricos necesarios*, que es lo que, al margen de las opiniones subjetivas más o menos fundadas, la ley ordena inexcusablemente en el artículo 25.4 TRLA».

Y finaliza diciendo esto: «Nuestra reiterada jurisprudencia avala de hecho esta tesis, puesto que *el informe favorable supone la síntesis o conjugación de la suficiencia del recurso, en sentido material, con la suficiencia jurídica, que comporta la obtención de la concesión administrativa del dominio público*, con la consecuencia añadida de que, al otorgar tales concesiones, el órgano administrativo concedente verificará la concurrencia de las circunstancias necesarias para otorgarla y, en caso contrario, las denegará, todo lo cual hace precipitada y contraria a Derecho la resolución de subsanación de deficiencias de 4 de diciembre de 2007, que da por cumplido el requisito de un informe favorable aún no emitido, pese a estar además pendiente del otorgamiento de concesiones cuyo estado de tramitación no consta».

23.   STS de 19 de julio de 2015 (ROJ: 3583/2015, FFJJ 11 y 13), que ratifica la STSJ de Murcia de 4 de octubre de 2013, que anuló la Orden de Resolutoria del Consejero de Obras Públicas, Vivienda y Transportes de 2007 relativa a la aprobación definitiva parcial del Plan General Municipal de Ordenación de Puerto Lumbreras, por ser desfavorable el Informe de suficiencia hídrica de la Confederación Hidrográfica del Júcar. E invoca aquí tal Sentencia la anterior STS de 17 de noviembre de 2010, recurso 5206/2008).

6. *No es contrario al principio de proporcionalidad la anulación de la totalidad del planeamiento urbanístico, en lugar de sólo la parte que afecta a determinados sectores o espacios del mismo*, porque la ausencia del Informe desfavorable de la Administración Hidrológica determinan la nulidad del planeamiento en su conjunto y no de una concreta determinación[24].

7. *No son los recursos hídricos los que han de ajustarse a los planeamientos urbanísticos generales proyectados y simplemente aprobados. Es al contrario, son los planes de urbanismo los que deben tener en cuenta, antes de su aprobación*, como dispone el citado artículo 25.4 del RDLeg. 1/2001, de la Ley de Aguas, la suficiencia de recursos hídricos que comportan sus actuaciones[25].

III. LA OMISIÓN POR LA LEY 39/2015 DE UNA REGULACIÓN MÁS COMPLETA DE LOS TIPOS DE INFORME A EVACUAR EN LOS PROCEDIMIENTOS ADMINISTRATIVOS

De los artículos 82 y 83 de la Ley 30/1992 tan sólo se deriva la distinción entre informes preceptivos y no preceptivos (o facultativos), por un lado, y entre vinculantes y no vinculantes, por otro. Aunque después hable de dictamen favorable (a la nulidad de pleno derecho), en su artículo 102.2, al regular el procedimiento de revisión de oficio de actos nulos.

Sin embargo, como consecuencia de que otras leyes hayan incluido sintagmas distintos (así, el artículo 15 del RDLeg. 2/2008, de la Ley del Suelo, habla de «informe determinante» –hoy artículo 22 del RDLeg. 7/2015– y el artículo 25.4 del RDLegis. 1/2001, de la Ley de Aguas, de «informe favorable», cuando haya incremento del consumo de agua), la jurisprudencia

---

24. STS de 19 de julio de 2015 (ROJ: 3583/2015) citada (FJ 14), que invoca a su vez como precedente la STS de 4 de julio de 2014.
25. STS de 6 de marzo de 2015 (ROJ: STS 924/2015, FJ 4°), que añade a continuación que «no parece necesario insistir, a estos efectos, en que la razón de ello es que el agua es un bien escaso y esencial para la vida, que no puede incrementarse por la simple voluntad del hombre. Y desde luego no está en cuestión que el abastecimiento de las poblaciones ocupa el primer lugar en el orden de preferencia del uso de las aguas, ex artículo 60.3 del TR de la Ley de Aguas. Los crecimientos de población, en definitiva, que fundamentan las demandas futuras han de ser ciertas y racionales, evaluadas por la Administración hidráulica, y ajustadas a criterios objetivos, ajenos a los vaivenes económicos. Téngase en cuenta que las previsiones de la recurrente se basan en el Plan de Ordenación del Territorio de Andalucía de 2006, en el que el contexto económico podía augurar unas previsiones que la realidad luego ha desmentido».

del Tribunal Constitucional[26] y del Tribunal Supremo[27] han respaldado esos otros tipos de informe, en sentencias dispersas, como suele ser habitual en la jurisprudencia, e intentado aclarar su concepto.

De este modo, se distingue, en resumidas cuentas, entre las siguientes cinco categorías de informe: a) facultativos, cuando es voluntaria su solicitud; b) preceptivos, cuando es obligatoria su solicitud; c) determinantes, cuando es obligatoria su solicitud y su rechazo debe ser motivado; d) favorables, cuando han de seguirse necesariamente sólo en el caso de que sean negativos; y e) vinculantes, cuando han de seguirse necesariamente, tanto en el caso de que sean negativos como en el supuesto de que sean positivos[28].

En mi trabajo de 2012, propuse, en las conclusiones, que se recogiese dicha diferenciación, con claridad, en la Ley 30/1992, como Ley que cumple con la función constitucional de regular el «procedimiento objetivo común», al que se refiere el artículo 149.1.18 de la Constitución, en pro de la seguridad jurídica, evitando así tener que acudir a la procelosa y no siempre nítida jurisprudencia citada[29].

Sin embargo, la reciente Ley 39/2015, de 1 de octubre, de procedimiento administrativo común de las Administraciones públicas, que sustituirá a la Ley 30/1992, el 2 de octubre de 2016, mantiene, en sus artículos 79 y 80, una regulación de los informes idéntica a la de la ley que sustituirá (y en su artículo 106.2, la referencia a la exigencia de dictamen favorable para la revisión de oficio de actos nulos), sin haber provisto a la inclusión de los otros tipos de informe citados, con especificación de su significado y alcance concreto.

Tan sólo cabría citar como elemento adicional a tener en cuenta la previsión, en su artículo 1.2, de que «sólo mediante ley, cuando resulte eficaz, proporcionado y necesario para la consecución de los fines propios del pro-

---

26. La previsión de «informe favorable» ha sido interpretada ya por el Tribunal Constitucional como la introducción de un tipo de informe que sólo es vinculante cuando es negativo (STC 133/2006, FJ 18). Y el carácter vinculante del informe previsto en la Disposición Adicional Segunda, punto 4, de la Ley 13/2003, ha sido calificado expresamente como conforme a la Constitución por la jurisprudencia del Tribunal Constitucional (STC 46/2007, FJ 10).
27. Recordemos la STS de 18 de febrero de 2004 (ROJ: STS 1059/2004, FJ 2º), que define como «determinantes» aquellos informes que, sin ser vinculantes, tienen «aptitud necesaria para "determinar" el contenido de la resolución final, si entendemos por tal "determinación" la que procede de uno de los elementos clave para conformar la voluntad del órgano decisor».
28. M. A. Blanes Climent (2011, pp. 67-73).
29. J. A. Tardío Pato (2012, p. 59).

cedimiento, y de manera motivada, podrán incluirse trámites adicionales o distintos a los contemplados en esta Ley. Reglamentariamente podrán establecerse especialidades del procedimiento referidas a los órganos competentes, plazos propios del concreto procedimiento por razón de la materia, formas de iniciación y terminación, publicación e informes a recabar».

Ello enturbia más que despeja la problemática que estamos abordando, pues parece dar cobertura a la introducción de esos otros tipos de informe distintos de los contemplados en la Ley 39/2015, en normas con rango de ley, y su exigencia, por mera norma reglamentaria. El único correctivo laudable al efecto es el requerimiento del cumplimiento de los criterios de eficacia, proporcionalidad y necesidad.

IV. CONCLUSIONES

El Tribunal Supremo, en sus nuevas sentencias, ha seguido dando muestras de su rigor en el tratamiento de la garantía de la racionalidad y sostenibilidad que supone el requerimiento de informes de la Administración hidrológica acreditativos no sólo de la suficiencia, sino también de la disponibilidad, de los recursos hídricos para las actuaciones urbanísticas que comporten un incremento de su consumo. Por ello, los últimos pronunciamientos sobre la materia han aumentando la precisión de los criterios jurisprudenciales para la resolución de los conflictos planteados en este ámbito, como hemos expuesto atrás.

Pero, seguimos manteniendo que quizá el criterio más equilibrado sería que, comprobada por la Confederación la suficiencia de agua para el nuevo uso, ésta verificase, a su vez, si no existirían problemas de disponibilidad de la misma si se aprobase el nuevo instrumento planificador y se estableciese una reserva por un determinado plazo, con vistas al otorgamiento de una concesión para el referido uso[30]. El Informe debería referirse a ambos aspectos (el atinente a la suficiencia y el concerniente a la disponibilidad) y la legislación de aguas debería regular tales reservas de futura disponibilidad.

Y, por otro lado, también se ha pronunciado sobre la cuestión de que la planificación territorial y urbanística ha de estar en función de la planificación hidrológica y no al revés. Porque eso es, por lo demás, lo que se colige de los artículos 43.3 y 99 bis, apartado 5, del RDLeg. 1/2001 y de diversos textos normativos de nuestras Comunidades Autónomas, al igual que de los

---

30. En la línea apuntada por E. Narbona Laínez, en sus Votos Particulares a las SSTS-JCV 2301/2011, de 7 de octubre (ROJ: STSJ CV 8791/2011) y 2570/2011, de 11 de noviembre (ROJ: STSJ CV 9208/2011).

ordenamientos de Estados de nuestro entorno[31]. Como, asimismo, es lo que se deriva de ser el agua un elemento indispensable para los asentamientos de población y ubicación de actividades, a la vez que bien natural escaso en determinados territorios. Pero es que, igualmente, tal prevalencia se infiere de la exigencia del Informe objeto de nuestro análisis, sin el cual no es posible la aprobación definitiva, ni siquiera supeditada, del instrumento de planeamiento por el órgano autonómico[32].

Aunque, como ya destaqué, en el estudio de 2012, sería deseable todavía que se exigiese más explícitamente que el Informe de la Administración Hidrológica sobre la suficiencia y disponibilidad de los recursos hídricos se apoyase expresamente en las previsiones de futuro de la planificación hidrológica; lo que conduce necesariamente a una coordinación pro futuro de ambas planificaciones: la hidrológica y la espacial.

Y, por último, hay que constatar que la Ley 39/2015, de procedimiento administrativo común de las Administraciones públicas, no ha completado la regulación de los informes administrativos que veníamos postulando, para evitar problemas interpretativos en el ámbito analizado y contribuir a la seguridad jurídica deseable.

V. BIBLIOGRAFÍA

AGUDO GONZÁLEZ, J. (2007): «Urbanismo y gestión del agua». Ed. Iustel. Madrid.

– (2009) «Disponibilidad de agua y nuevos desarrollos urbanísticos». *Justicia Administrativa*, núm. 45, pp. 23-72.

BLANES CLIMENT, M. A. (2011): «La acreditación de la suficiencia de recursos hídricos en los desarrollos urbanísticos». *Revista de Derecho Urbanístico y Medio Ambiente*, núm. 265, pp. 45-88.

CANTÓ LÓPEZ, Mª. Teresa (2013): «La garantía de disponibilidad de recursos hídricos en la aprobación definitiva de los planes urbanísticos». *Actualidad Jurídica Ambiental*, 1 de julio de 2013.

CARO-PATÓN CARMONA, I. (2006): «La disponibilidad de agua como requisito de la aprobación de los planes urbanísticos. Algunas reflexiones al hilo

---

31. En Italia, los planes de uso del suelo, dentro de los que están comprendidos los urbanísticos, que deben adecuarse a los hidrológicos de cuenca (*piani di bacino*), los cuales ostentan fuerza prevalente –forza prevalente– (F. SALVIA-F. TERESI, 2002, p. 330).

32. Así lo destaca M. T. CANTÓ LÓPEZ (2013, p. 19).

de la Sentencia del Tribunal Superior de Justicia de Castilla y León de 14 de febrero de 2005». *Revista de Derecho Urbanístico y Medio Ambiente*, núm. 227, pp. 53 y ss.

Díez Sánchez, J. J. (2011): «Comentarios y valoraciones a propósito de los informes del Parlamento Europeo en relación con la actividad urbanística en España y su negativa afectación al medio ambiente (en particular en la Comunidad Valenciana)». *Revista Aranzadi de Derecho ambiental*, núm. 19, año 2011, pp. 13-73.

Embid Irujo, A. (2007): «Impactos territoriales de la política hidráulica. Algunas reflexiones». En el libro colectivo *Aguas, residuos y territorio: estudios jurídicos sobre la política ambiental en España y Colombia*. Universidad Externado de Colombia-Universidad de Zaragoza.

González-Varas Ibáñez, S. (2005): «El derecho subjetivo al agua», en la obra colectiva *Agua y Urbanismo*, Fundación Instituto Euromediterráneo del Agua. Murcia.

– (2007) «¿Abastecimiento municipal de agua potable para asentamientos residenciales irregulares en suelo rústico?». *Revista Aranzadi Urbanismo y Edificación*, núm. 15, año 2007, pp. 13-28.

– (2008) «Informes emitidos durante la tramitación de los instrumentos de planeamiento, en especial sobre el agua». En *Comentarios a la legislación urbanística de la Región de Murcia*, coordinados por él y por J. E. Serrano López. Ed. Thomson-Aranzadi. Cizur Menor (Navarra).

Marina Jalvo, B. (2008): «Consideraciones sobre las demandas de agua derivadas del crecimiento urbanístico», en *El Derecho Urbanístico del S. XXI. Ordenación del territorio y urbanismo. Homenaje a M. Bassols Coma*. Ed. Reus. Madrid, pp. 373-389.

Martín Mateo, R. (1991): «Administración de los recursos hídricos. Aspectos institucionales y modalidades gestoras». *Revista de Administración Pública*, núm. 124, pp. 7 y ss.

Mellado Ruiz, L. (2010): *Aguas y ordenación del territorio en el contexto de la reforma estatutaria*. Ed. Comares. Granada.

Menéndez Rexach, A. (2011): «El derecho al agua que la legislación española», en la obra colectiva *Derechos y garantías del ciudadano. Estudios en homenaje al profesor Alfonso Pérez Moreno*. Ed. Iustel. Madrid.

Molina Giménez, A. (2008): «Comentarios sobre la naturaleza del informe sobre disponibilidad de recursos hidráulicos en actuaciones urbanísticas, a la luz de la jurisprudencia cautelar y sustantiva valenciana». *Revista Aranzadi de Derecho ambiental*, núm. 14, año 2008, pp. 125 y ss.

Moreno Molina, A. M. (2008): *Urbanismo y Medio Ambiente. Las claves jurídicas del planeamiento urbanístico sostenible.* Ed. Tirant lo Blanch. Valencia.

– (2009) «La ley estatal del suelo de 2008 y la evaluación ambiental del planeamiento como técnica de garantía de la sostenibilidad urbanística: algunas consideraciones críticas». *Revista Aranzadi Urbanismo y Edificación*, núm. 19, año 2009, pp. 73-104.

Salvia, Filippo; Teresi, Francesco (2002): *Diritto Urbanistico.* 7ª edizione. CEDAM. Padova.

Serrano López, J. E. (2011): «Algunas de las limitaciones impuestas al planeamiento urbanístico, al *ius variandi,* motivadas por la protección del medio ambiente», pp. 447 y ss. En el libro colectivo *Derecho Ambiental en la Región de Murcia,* codirigido por él junto a F. Victoria Jumilla y G. Alarcón García. Ed. Civitas-Thomson-Reuters.

Tardío Pato, J.A. (2012): «Suficiencia y disponibilidad de agua para los desarrollos urbanísticos y la ineludible coordinación entre la planificación hidrológica y la planificación del territorio», en *Revista Aranzadi de Derecho Ambiental,* núm. 22, pp. 21 a 63.

Trayter Jiménez, J. M. (2009): «Urbanismo y agua», en *El agua: estudios interdisciplinares,* coordinado por M. J. Montoro Chiner. Ed. Atelier. Barcelona.

CAPÍTULO XVII

AGUA Y DESARROLLO URBANO: LA INTERVENCIÓN DE LA ADMINISTRACIÓN HIDROLÓGICA EN LA ORDENACIÓN DEL TERRITORIO

Carlos Mínguez

Abogado. Counsel. Uría Menéndez. Profesor Asociado de Derecho Ambiental. Universidad Católica de Valencia;

Carlos Morales

Abogado. Uría Menéndez

I. INTRODUCCIÓN

La intervención de las Administraciones hidrológicas, en particular de las confederaciones hidrográficas[1], resulta decisiva para aprobar cualquier plan de ordenación del territorio y urbanístico. Nuestra jurisprudencia ha convertido estos instrumentos en actos complejos al definir como vinculante el informe sobre existencia de recursos hídricos que instituye el artículo 25.4 del Real Decreto Legislativo 1/2001, de 20 de julio, por el que se aprueba el texto refundido de la Ley de Aguas («**LA/2001**»). En este trabajo estudiaremos este marco legal y jurisprudencial como soporte de un análisis crítico

---

1. En aras a la brevedad, haremos mención a las confederaciones hidrográficas, aunque la referencia del artículo 25.4 de la LA/2001 se hace a las Administraciones hidrológicas, ya que como ha señalado el TS en su sentencia de 11 de junio de 2015 (RJ 2015, 2937) no cabe hacer distingos sobre qué administración –la autonómica o la estatal– ejerce las competencias hidrológicas.

que justifique una propuesta de modificación legal que mejore este mecanismo de colaboración interadministrativa[2].

II. MARCO CONSTITUCIONAL

La comprensión del marco constitucional de distribución de competencias entre la Administración General del Estado («**AGE**») y las comunidades autónomas («**CCAA**») es esencial para entender la causa del informe preceptivo del artículo 25.4 de la LA/2001.

El Estado tiene reconocido en el artículo 149.1.22ª de la Constitución («**CE**») la competencia exclusiva sobre la «*legislación, ordenación y concesión de recursos y aprovechamientos*» de cuencas intercomunitarias. Por otro lado, todas las CCAA han asumido desde su creación la ordenación del territorio[3] como competencia exclusiva.

La interacción de competencias[4] que disciplinan la ordenación del medio físico ha dado lugar a una prolija jurisprudencia del Tribunal Constitucional («**TC**»). Este fijó primariamente su posición sobre la gestión de recursos hídricos en su sentencia 227/1988 (RTC 1988, 227) sobre la Ley 29/1985, de 2 de agosto, de Aguas, que define el principio de colaboración como elemento esencial en la resolución de cualquier conflicto competencial en la materia sobre la base de lo ya proclamado en el preámbulo de la citada Ley donde se declara que el ejercicio de las competencias de las distintas Administraciones debe producirse en el obligado marco de colaboración de forma que se logre una utilización racional y una protección adecuada del recurso. Ello supone que la AGE debe garantizar esta coordinación sin que pueda valerse de su competencia exclusiva prevista en el artículo 149.1.22ª para atraer para sí competencias exclusivas de las CCAA.

---

2.   Como señalan DELGADO PIQUERAS y CARRILLO MORENTE el informe del artículo 25.4 de la LA/2001 es una técnica de cooperación interadministrativa y no un acto de control.
3.   La sentencia del TC 149/1998 (RTC 1998, 149) definió la competencia sobre ordenación del territorio como «*la actividad consistente en la delimitación de los diversos usos a que puede destinarse el suelo o espacio físico territorial*». En esta sentencia se advertía que en esta competencia de enorme amplitud «*no se incluyen todas las actuaciones de los poderes públicos que tienen incidencia territorial y afectan a la política de ordenación del territorio, puesto que ello supondría atribuirle un alcance tan amplio que desconocería el contenido específico de otros títulos competenciales*».
4.   No sólo la relativa a la gestión de recursos intercomunitarios sino también otras como las de carreteras, puertos y aeropuertos de interés general (artículos 149.1.20ª y 24ª respectivamente).

Por tanto, cualquier interpretación del artículo 25.4 de la LA/2001 debe partir de la premisa de que la facultad estatal de coordinación nunca puede vaciar de contenido o suplantar las competencias autonómicas. Como señalaba el Tribunal Supremo («**TS**») en su sentencia de 9 de marzo de 2011 (RJ 2011, 1297) «*los tres niveles de Administraciones públicas territoriales* [...] *ostentan títulos competenciales que repercuten en esa ordenación* [del territorio]» y precisamente por ello se impone un mecanismo de coordinación que armonice el ejercicio de las competencias. Si bien este sistema permite, en última instancia, que la competencia exclusiva del Estado se imponga para que no quede vacía por mor de las competencias autonómicas concurrentes[5], ya que ésta es la Administración que representa el mayor interés general[6].

El Estado puede condicionar la competencia autonómica de ordenación del territorio (sentencia del TC 61/1997, RTC 1997, 61) en el marco del legítimo ejercicio de sus competencias. En el caso que nos ocupa, esta intervención se concreta en el mecanismo de coordinación previsto en el artículo 25.4 de la LA/2001 cuya implementación supone el reconocimiento de los planes urbanísticos, entre otros, como actos jurídicos complejos que requieren la concurrencia de la voluntad de distintas administraciones.

III. EL INFORME DEL ARTÍCULO 25.4 DE LA LEY DE AGUAS

1. SU CARÁCTER VINCULANTE

La mejorable redacción de la LA/2001 y las distorsiones resultantes de la falta de coherencia de lo dispuesto en ella con lo previsto en otros preceptos legales explican los esfuerzos de nuestra doctrina[7] y jurisprudencia por determinar la naturaleza y eficacia de este informe.

Además del artículo 25.4 de la LA/2001, el artículo 22 del Real Decreto Legislativo 7/2015, de 30 de octubre, por el que se aprueba el texto refundido de la Ley de Suelo y Rehabilitación Urbana («**TRLS/2015**») y

---

5. En este sentido, entre otras muchas, las sentencias del TC 191/1994 (RTC 1994, 191) y 56/1986 (RTC 1986, 56).

6. Como señala la sentencia del TC 46/2007 (RTC 2007, 46) «*cuando la Constitución atribuye al Estado una competencia exclusiva lo hace porque bajo la misma subyace –o, al menos, así lo entiende el constituyente– un interés general, interés que debe prevalecer sobre los intereses que puedan tener otras entidades territoriales afectadas*».

7. Entre otros, Pallarès Serrano, Tardío Pato, Escrivà Chordà o Delgado Piqueras.

la Disposición Adicional 2ª de la Ley 13/2003, de 23 de mayo, reguladora del contrato de concesión de obra pública (en adelante, la «**Ley 13/2003**») prevén directa o indirectamente que las confederaciones hidrográficas informen sobre la existencia de recursos hídricos cuando se aprueben actos o disposiciones que puedan afectar a una competencia estatal.

Las tres normas tienen un objetivo común: garantizar la coordinación entre administraciones que tienen títulos competenciales concurrentes sobre un mismo espacio. Sin embargo la regulación no es la misma: la LA/2001 define un informe preceptivo sin calificarlo como vinculante; el TRLS/2015 remite a un informe determinante que se incorpora a la memoria ambiental del plan; y la Ley 13/2003 lo califica como vinculante. De este modo, la norma sectorial –la LA/2001– no caracteriza el informe con la eficacia propia de otras normas y que sí que se predica en otros ámbitos[8].

Esta evidente falta de coordinación entre normas ha sido corregida por el TS, aunque pudiera plantearse si dicho esfuerzo del Alto Tribunal no ha supuesto a la vez una interpretación forzada del propio tenor literal de la ley.

La primera resolución del TS que sentó su actual posición sobre esta cuestión es la sentencia de 24 de abril de 2012 (RJ 2012, 6224). En su reciente sentencia de 15 de julio de 2015 (RJ 2015, 3486) se recoge sintéticamente su principal conclusión: «*En efecto, esta Sala ha declarado de forma constante y reiterada, en relación con el omitido informe de la Confederación Hidrográfica que exige el artículo 25.4 del Texto Refundido de la Ley de Aguas, que se trata de un trámite no sólo legalmente preceptivo –característica que acepta la Sala juzgadora– sino también vinculante –de cuya categoría prescinde la sentencia–*».

El Tribunal califica el informe como vinculante, aun en contra del tenor literal del artículo 22 del TRLS/2015 y del propio articulado de la LA/2001, ya que entiende que (i) la Disposición Adicional 2ª de la Ley 13/2003 no va referida en exclusiva al ámbito de la concesión de obra pública y señala claramente que se trata de un informe vinculante; (ii) la voluntad del legislador al definir en el TRLS/2015 el informe como determinante[9] –aunque no formalmente vinculante– era, en realidad, predicar su carácter vinculante materialmente; y (iii) la posibilidad de apartarse de los informes de la confe-

---

8. Así por ejemplo la Ley de Carreteras 37/2015, de 29 de septiembre (artículo 16).
9. El TS ha definido estos informes en su sentencia de 8 de marzo de 2010 (RJ 2010, 2460) como «*necesarios para que el órgano que ha de resolver se forme criterio acerca de las cuestiones a dilucidar. Precisamente por tratarse de informes que revisten una singular relevancia en cuanto a la configuración del contenido de la decisión, es exigible que el órgano competente para resolver esmere la motivación en caso de que su decisión se aparte de lo indicado en aquellos informes*».

deración sólo es factible si se motiva en «*consideraciones propias del legítimo ámbito de actuación y competencia del órgano decisor (autonómico en este caso) y no puede basarse en consideraciones que excedan de ese ámbito e invadan lo que sólo a la Administración del Estado y los órganos que en ella se insertan corresponde valorar, pues no está en manos de las Comunidades Autónomas disponer de la competencia exclusiva estatal. Por eso, el informe estatal sobre suficiencia de recursos hídricos, en cuanto se basa en valoraciones que se mueven en el ámbito de la competencia exclusiva estatal, es, sin ambages, vinculante*».

La posición del TS es clara y no tiene fisuras, cohonesta los intereses en juego y está en la línea de la jurisprudencia del TC que permite que la competencia estatal concurrente se imponga a la competencia autonómica.

Sin embargo, no puede desconocerse que aunque el razonamiento del Alto Tribunal tenga lógica y persiga una finalidad perfectamente defendible, realiza una interpretación que trasciende de la voluntad explícita del legislador.

En primer lugar, la normativa sectorial no señala que el informe sea vinculante sino preceptivo, cuando era una opción del legislador predicar tal carácter vinculante, tal y como en otros ámbitos había sucedido. Debemos recordar que en materia de costas[10], el TC validó un informe de carácter vinculante muy similar al que nos ocupa[11].

---

10. El artículo 112 de la LC/1988 dispone: «*Corresponde también a la Administración del Estado emitir informe, con carácter preceptivo y vinculante, en los siguientes supuestos: a) Planes y normas de ordenación territorial o urbanística y su modificación o revisión, en cuanto al cumplimiento de las disposiciones de esta Ley y de las normas que se dicten para su desarrollo y aplicación*».

11. La sentencia 149/1991 (RTC 1991, 149) señala que: «*La existencia de un informe previo, y preceptivo, en tales casos, es así un medio razonable para asegurar que la realización de los planes y proyectos no encuentre al final un obstáculo insalvable.* Cosa distinta es, naturalmente, el carácter vinculante que a tales informes preceptivos se otorga y que, como más tarde veremos, se encuentra considerablemente atenuado, en lo que respecta a los planes y normas de ordenación territorial o urbana, por lo dispuesto en el artículo 117 de la propia Ley , *pues la fuerza que así adquieren esos informes convierte, de hecho, la aprobación final del plan o proyecto en un* **acto complejo en el que han de concurrir dos voluntades distintas, y esa concurrencia necesaria sólo es constitucionalmente admisible cuando ambas voluntades resuelven sobre asuntos de su propia competencia.** *[...] Cuando, por el contrario, el informe de la Administración estatal proponga objeciones basadas en el ejercicio de facultades propias, incluida la de otorgar títulos para la ocupación o utilización del demanio o* **preservar las servidumbres de tránsito o acceso, para referirnos sólo a las derivadas de la titularidad dema-**

En segundo lugar, el Tribunal pretende interpretar el artículo 25.4 de la LA/2001 a la luz de la Disposición Adicional de la Ley 13/2003. El artículo 25.4 fue introducido por una ley posterior[12] en 2005, y es la norma sectorial en materia de aguas. Es un argumento, en nuestra opinión, débil y que soslaya las reglas de la buena exégesis normativa ya que la omisión de una referencia expresa a su eficacia vinculante lo convierte en no vinculante[13]. Por último, el razonamiento que permite sostener que es vinculante aquello que el legislador ha definido como determinante (artículo 22.3 del TRLS/2015) no acaba de parecer aceptable. El TRLS/2015 es claro y no vemos cómo su interpretación a la luz del artículo 25.4 de la LA/2001 puede llevar a proclamar sin ambages el carácter vinculante del informe.

El legislador podría haber definido el informe como vinculante y no lo hizo. La interpretación del TS condiciona el ejercicio de las competencias autonómicas apartándose de la voluntad del legislador estatal, que ha manifestado que los informes de las confederaciones sean preceptivos y determinantes. Esto significa que motivadamente se podrá apartar de ellos y el control del ejercicio de esta competencia corresponderá a los Tribunales, no a la AGE.

No resulta arriesgado afirmar que si la voluntad del legislador hubiera sido vincular los planes autonómicos al contenido de los informes de la Administración hidrológica lo habría dicho expresamente (como ha hecho en otros ámbitos cercanos) y no habría calificado el informe como determinante. De hecho, esta interpretación podría estar en los límites de lo que el TC definió en su sentencia 149/1991 (RTC 1991, 149) como aceptable[14] al pronunciarse sobre los informes vinculantes en materia de costas.

---

nial, a las que, como es lógico, cabe añadir las que derivan de otras competencias sectoriales (defensa, iluminación de costas, puertos de interés general, etc.), su voluntad vinculará, sin duda, a la Administración autonómica, que habrá de modificar en concordancia los planes o normas de ordenación territorial o urbanística».

12. En concreto mediante la Disposición Final Primera, apartado 3, de la Ley 11/2005, de 22 de junio, por la que se modifica la Ley 10/2001, de 5 de julio, del Plan Hidrológico Nacional.

13. El artículo 83.1 de la Ley 30/1992, de 26 de noviembre, de Régimen Jurídico de las Administraciones Públicas y de Procedimiento Administrativo Común dispone que: «Salvo disposición expresa en contrario, los informes serán facultativos y no vinculantes».

14. La sentencia concluyó que: «Una consecuencia esta última por lo demás perfectamente obvia, pues como sucede en todos aquellos casos en los que la titularidad competencial se establece por referencia a una "política" (v. gr.: protección del medio ambiente, protección del usuario, etc.), y no por sectores concretos del ordenamiento o de la actividad pública, *tal competencia no puede ser entendida en*

Este criterio convierte *de facto* el informe en un certificado administrativo cuando sus efectos vinculantes se proyectan sobre su objeto, como se verá en el siguiente punto. La confederación *certifica* que existen recursos hídricos suficientes y que jurídicamente están ya dispuestos a favor de la entidad promotora del plan, por lo que la ésta y sus agentes colaboradores no hallarán ningún obstáculo en el futuro de disponibilidad de agua para acometer las previsiones que el plan contempla en el corto, medio y largo plazo.

2. EL OBJETO DEL INFORME

El análisis del objeto del informe es clave para comprender su necesidad, su alcance y contenido y cómo desde la posición actual podría plantearse un cambio legislativo que contribuyera a cohonestar la correcta distribución de competencias y su ejercicio coordinado, con la eficiente y sostenible asignación de un recurso natural demanial no renovable.

El informe debe ser evacuado por la Administración hidrológica competente sin que en ningún caso pueda ser completado ni sustituido por entidades que colaboren con la administración promotora[15].

El informe deberá emitirse aunque no haya un incremento en la demanda[16] ya que como ha señalado el TS en su sentencia de 12 de junio de 2015

términos tales que la sola incardinación del fin perseguido por la norma (o por el acto concreto) en tal política permita desconocer la competencia que a otras instancias corresponde si la misma norma o acto son contemplados desde otras perspectivas. De otra parte, y como también es obvio, la ordenación del territorio es, en nuestro sistema constitucional, un título competencial específico que tampoco puede ser ignorado[...] Para que el condicionamiento legítimo no se transforme en usurpación ilegítima, es indispensable , sin embargo, _que el ejercicio de esas otras competencias se mantenga dentro de sus límites propios, sin utilizarlas para proceder, bajo su cobertura, a la ordenación del territorio en el que han de ejercerse_ ».

15. El TS en su sentencia de 19 de diciembre de 2013 (RJ 2014, 1243), entre otras, ha señalado que «[el marco legal aplicable] *no ha contemplado la posibilidad de que el informe de la Confederación Hidrográfica pueda verse sustituido por el de esas "entidades colaboradoras", que no tienen la posición institucional ni la competencia técnica, la objetividad, los conocimientos y la visión panorámica de los intereses implicados que tienen las Confederaciones*».

16. El propio Tribunal ha señalado en su sentencia de 15 de marzo de 2013 (RJ 2013, 4005) que el informe debe emitirse cuando se trata de la aprobación de planes de desarrollo de otros jerárquicamente superiores previamente informados, ya que sólo el organismo de cuenca *«puede informar válidamente sobre si las cosas son así o si por el contrario se ha producido cualquier alteración sobrevenida»*.

(RJ 2015, 2940) «*aun en el caso de que no hubiera un incremento en la demanda de recursos hídricos, la exigencia de incorporar a la ordenación el correspondiente informe de la administración hidrológica competente no puede soslayarse*». Esta afirmación se compadece con el tenor literal del artículo 25 aunque éste señale que el informe sólo procede cuando los actos o planes de las CCAA comporten nuevas demandas. Consideramos acertada la conclusión del Tribunal ya que su interpretación tiene cabida en la norma y obedece, en este caso, al criterio constitucional de atribución de competencias que determina que quien debe pronunciarse, mediante la emisión del correspondiente informe, sobre si el acto o plan incrementa la demanda de recursos hídricos es la Administración Hidrológica y no la administración urbanística.

El objeto material del informe es determinar la existencia de recursos hídricos suficientes para sostener el aumento de la demanda que puede implicar la aprobación del plan. El TS ha fijado un contenido material mínimo que puede suponer la nulidad del acto[17] si no se respeta. Como señala la sentencia de 14 de noviembre de 2014 (RJ 2014, 5927) el informe «*ha de versar sobre el aprovechamiento y disponibilidad de los recursos hídricos, y esa disponibilidad no puede verse circunscrita a la mera existencia física del recurso, sino también a su disponibilidad jurídica*» ya que, a juicio del Alto Tribunal, de nada serviría constatar que hay agua si luego resulta que no es jurídicamente viable su obtención, por lo que, como indica en su sentencia de 11 de junio de 2015 (RJ 2015, 2937) «*el ámbito competencial de las Confederaciones Hidrográficas se extiende con toda legitimidad no sólo a la constatación técnica de la existencia del recurso sino también a la ordenación jurídica de los títulos de aprovechamiento (de su obtención, disponibilidad y compatibilidad)*» ya que «*no puede dejar de asegurar la suficiencia de los recursos hídricos existentes para atender las necesidades de la actuación urbanística proyectada*». Coincidimos con el Tribunal en el alcance que predica del artículo 25.4 de la LA/2001 al señalar que se debe pronunciar sobre la existencia y disponibilidad física y jurídica. Sin embargo, creemos que dicho pronunciamiento debería ir más allá de un análisis formal que se limite a contrastar la demanda planteada con la realidad registral hídrica del recurso.

---

17. Véase, entre las más recientes, la sentencia de 12 de junio de 2015 (RJ 2015, 2940): «*las prescripciones impuestas por el ordenamiento jurídico continuarán sin ser atendidas si dicho informe carece del contenido material a que acabamos de referirnos que le es propio y no garantiza la existencia y disponibilidad de recursos hídricos suficientes para atender el desarrollo urbanístico proyectado*».

En nuestra opinión, el informe es tratado por la jurisprudencia desde una perspectiva excesivamente formalista[18] y estática. Corolario de lo anterior resulta ser la afirmación contenida en la citada sentencia del TS de 25 de febrero de 2009 (RJ 2009, 3690): *«no se trata del defecto formal de falta de un informe, sino del problema material de existencia o no existencia de agua»*.

La confederación, según la doctrina del TS, debe emitir el informe tras consultar el Registro de Aguas –y no tanto la planificación hidrológica[19]– pero sin hacer un ejercicio analítico prospectivo. De este modo, el informe se centra en su disponibilidad jurídica inmediata y con este planteamiento –mantenido por el TS–, se impide que la Administración promotora pueda plantear alternativas que permitan disponer, a juicio técnico de la confederación, de nuevos recursos hídricos o reordenar los ya existentes. El propio TS ha rechazado expresamente esta posibilidad en su sentencia de 20 de julio de 2015 (RJ 2015, 3943), en la que sentó un concepto estático e inamovible de suficiencia: *«tales actuaciones a futuro no integran el concepto de suficiencia al que se refiere el artículo 25.4 de la Ley de Aguas (RCL 2001, 1824, 2906), en tanto que este requisito ha de darse en el momento en que se aprueba el Plan [...] lo trascendente es si en el momento de la aprobación del Plan, los recursos hídricos eran suficientes, con independencia de que, en un futuro, puedan arbitrarse medidas alternativas que subsanen dicha insuficiencia, cuestión que habría que acreditar en su momento»*.

Este planteamiento obvia además los mecanismos que el propio LA/2001 y el Reglamento de Planificación Hidrológica recogen en garantía de la prioridad del abastecimiento humano que, como de sobra es conocido, *«no compite con otros usos»*. La suficiencia de agua es un postulado prejurídico como subraya el informe del Defensor del Pueblo sobre *Agua y Ordenación del territorio* (pág. 10). La LA/2001 prevé la expropiación forzosa de aprovechamiento a favor del uso prioritario[20], la transmisión de concesiones y la cesión contractual de derechos de uso (artículo 67.1 de la LA/2001) como instrumentos de redistribución de recursos, en la mayoría de los casos en be-

---

18. La sentencia del TS de 25 de febrero de 2009 (RJ 2009, 3690) señala que *«sin informe de la Confederación, no puede decirse que exista agua»*.

19. Tardío Pato apunta a la necesidad de reforzar la coordinación entre la ordenación del territorio y la planificación hidrológica para que ésta sea parte transcendental del contenido de los informes de las confederaciones. Señala que se *«debería haber realizado previsiones sobre las posibilidades de los asentamientos y actividades humanos en las distintas partes del territorio»* (p. 55).

20. Agudo González, desde una perspectiva crítica por la situación de insostenibilidad que puede generar el abuso de esta prerrogativa, señala que la preferencia de uso del abastecimiento consagrada en el artículo 60.2 de la LA/2001 puede permitir superar la indisponibilidad manifestada en el informe de la Confederación (p. 604).

neficio de los usos declarados como prioritarios (como es el abastecimiento). De este modo, si el agua existe y se puede conseguir el reconocimiento de un derecho a favor de la entidad promotora, no debería impedirse la aprobación del plan, siempre y cuando se garantizara la disponibilidad jurídica mediata de los recursos hídricos suficientes para atender las demandas futuras que la ejecución del plan supone. En caso contrario, la confederación debería manifestar la imposibilidad de disponer jurídicamente del recurso por ser inexistente, insuficiente y, por ende, indisponible.

IV. UNA PROPUESTA DE REVISIÓN LEGAL

La jurisprudencia del TS califica como vinculantes los informes que deben emitir las Administraciones Hidrológicas con motivo de la aprobación de planes urbanísticos. Estos informes deben emitirse sobre la base de los derechos de aprovechamiento de que dispongan las entidades promotoras del plan en el momento en que éste se apruebe. Esta calificación halla su razón en una técnica legislativa de partida que podría mejorarse por medio de una reforma legal.

El carácter del informe debería ir unido al alcance de su contenido. Si el objeto del informe es el que define materialmente el TS, la reforma legislativa debería sustituir su emisión por la exigencia de un certificado acreditativo de la disponibilidad de recursos, que emitiera la Administración hidrológica competente con carácter previo a la aprobación del plan, e incluso antes de solicitarse la aprobación del plan.

Sin embargo, no creemos que sea éste el camino que el legislador debiera seguir. Si lo que se pretende, alineados con la jurisprudencia de nuestro TC, es instaurar un verdadero mecanismo de colaboración entre administraciones, el objeto del informe debería ir más allá del carácter estático que del mismo predica hoy la jurisprudencia del TS.

A nuestro juicio, el nuevo marco legal debiera prever que el informe de la Administración Hidrológica versara sobre la existencia de recursos y su disponibilidad física en cantidad y calidad, y en su caso sobre la jurídica. De no darse todavía esta última circunstancia por ausencia de título o por insuficiencia de su contenido y una vez constatada la existencia de recursos, la administración promotora del plan debería exponer qué mecanismos va a emplear para disponer de los recursos sobre cuya existencia y disponibilidad física ya se ha pronunciado la confederación[21], pues como apunta el Defen-

---

21. Como medida unida a esta modificación, se debería estrechar la relación entre planificación urbana e hidrológica, como señala Tardío Pato para el planeamiento hidrológico previera, si fuera necesario, reservas en garantía de estos desarrollos (p. 57).

sor del Pueblo, no puede confundirse disponibilidad de agua con disponibilidad de derechos sobre el agua.

De este modo, el contenido del informe de la confederación debería versar, no solo sobre el contenido de la concesión ya otorgada, sino además sobre la propuesta de la entidad promotora acerca de cómo va a garantizarse, a lo largo de la vigencia del plan, el abastecimiento de los nuevos desarrollos urbanísticos. Un informe que despejara técnicamente, y de manera cohonestada con las previsiones del plan hidrológico, la viabilidad del plan y de su memoria económica y ambiental. En definitiva, un informe vinculante sobre las propuestas con las que su promotor, por medio de estos documentos, prevé atender la satisfacción de las nuevas demandas hídricas que a lo largo de la vigencia del plan esté previsto que surjan y que condicionara su propia eficacia.

En otro orden, resultaría por ejemplo impensable admitir que el informe sobre movilidad que debe realizar la administración del Estado en relación con la demanda de infraestructuras viarias que plantee un nuevo desarrollo urbano debiera emitirse exclusivamente a la vista de las infraestructuras existentes y no a resultas del juicio que merezca las actuaciones propuestas en este ámbito por la Administración promotora del plan. Por otro lado, no puede descartarse el riesgo especulativo que genera la solución dada por el Alto Tribunal, por cuanto obliga a patrimonializar a años vista unos recursos cuyo uso efectivo puede quedar diferido una o más décadas. Un riesgo –el de la inmovilización del recurso– que atentaría de esta manera contra la eficiente asignación de los bienes públicos que proclama la propia Constitución.

Así pues, si la Administración Hidrológica entendiera que la entidad promotora está en condiciones de disponer legalmente de recursos hídricos suficientes, asumiendo el coste, repercutible o no, que ello supone –a modo de carga territorial– para garantizar el abastecimiento, deberá emitir un informe favorable, condicionado a la materialización de esa expectativa-compromiso y a la asunción del coste que su financiación requiera.

Por el contrario, una vez agotada la posibilidad de entendimiento entre administraciones y constatada la imposible reordenación de los recursos hídricos afectados de acuerdo con los mecanismos legalmente previstos, la Administración Hidrológica debería emitir un informe vinculante sobre la imposibilidad de garantizar el abastecimiento del nuevo desarrollo.

V. BIBLIOGRAFÍA

Agudo González, J.: «La regulación de los usos del agua en el derecho», en la *Revista española de derecho administrativo*, núm. 151/2011. Pamplona, Civitas, 2011.

Defensor del Pueblo: *Agua y ordenación del territorio*, Madrid, Defensor del Pueblo, 2009.

Delgado Piqueras, F., y Carrillo Morente, J. A.: «El informe de las confederaciones hidrográficas en la tramitación de Planes y programas de actuación urbanizadora», en *Práctica Urbanística*, núm. 55, Madrid, La Ley, 2006.

Escrivà Chordà, R.: «Los informes de las confederaciones hidrográficas para la aprobación de planeamientos urbanísticos que impliquen incrementos de demanda de agua», en *El Consultor de los Ayuntamiento*, núm. 24, Madrid, La Ley, 2014.

Pallarès Serrano, A.: «La coordinación de los planes que ordenan el medio físico: el papel de la planificación hidrológica», en las *XIX Jornadas de derecho de aguas: El Plan Hidrológico en la parte española de la demarcación hidrográfica del Ebro*, Zaragoza, 2015.

Tardío Pato, J. A.: «Suficiencia y disponibilidad de agua para los desarrollos urbanísticos y la ineludible coordinación entre la planificación hidrológica y la planificación del territorio», en la *Revista Aranzadi de derecho ambiental*, núm. 22, Cizur Menor, Aranzadi, 2012.

CAPÍTULO XVIII

LA RESPONSABILIDAD DE LAS EMPRESAS PARA GARANTIZAR EL DERECHO AL AGUA POTABLE Y AL SANEAMIENTO

M. C. Gómez Navarro

Profesora asociada del Departamento de Sociología y Trabajo Social. Gerente de la Asociación Educandum y de Iniciativas para la Acción Social Consultoría, y Trabajadora Social de la Asociación RETIMUR;

R. Albacete Balaguer

Ingeniero Civil del Departamento Técnico de Ambientalia Levante, s.l. Vinculado a la Plataforma de Innovación Social y a la Cátedra del Agua y la Sostenibilidad de la Universidad de Murcia como miembro investigador

SUMARIO: I. INTRODUCCIÓN. II. DERECHO AL AGUA POTABLE Y AL SANEAMIENTO. 1. *Estado, empresa y derecho al agua*. III. CONCLUSIONES. IV. BIBLIOGRAFÍA.

I. INTRODUCCIÓN

A finales del siglo xx, han aparecido nuevos Derechos Humanos en derecho internacional. Son los denominados derechos de tercera generación, derechos de la solidaridad o «derechos humanos emergentes», y se encuentran vinculados a nuevas necesidades surgidas de la evolución de la sociedad internacional, y que conectan en la actualidad con los Objetivos de Desarrollo del Milenio según la Resolución 55/2 de la Asamblea General, de 18 de septiembre de 2000. Uno de tales derechos es el Derecho al agua o, más precisamente, el Derecho al agua potable y al saneamiento.

Los derechos al agua potable y al saneamiento son Derechos Fundamentales correlacionados que suponen la expresión del mismo derecho.

II. DERECHO AL AGUA POTABLE Y AL SANEAMIENTO

El agua potable es un recurso esencial e imprescindible para la vida convirtiéndose por ello en un Derecho Humano Universal, indivisible e imprescindible junto al saneamiento. El principal objetivo de este comunicado es explorar el papel que juegan las empresas en relación a este Derecho y de qué manera se está garantizando el mismo a través del análisis de políticas de RSC y de buenas prácticas de algunas de las empresas europeas concesionarias de la gestión del suministro público del agua.

Según el Informe de 2014 de los Objetivos de Desarrollo del Milenio publicado por las Naciones Unidas, en 2012, el 89% de la población mundial estaba usando fuentes mejoradas de agua potable, cifra que en 1990 era del 76%. En Asia oriental, Asia meridional y Asia sudoriental se registraron los mayores aumentos en la proporción de la población con acceso a una fuente mejorada de agua potable. El resto de la población utilizaba pozos abiertos y sin protección, o manantiales naturales escasamente protegidos Además, los progresos han sido desiguales en las diferentes regiones, entre las zonas urbanas y rurales, y entre ricos y pobres.

Como decíamos, los derechos al agua potable y al saneamiento suponen la expresión del mismo derecho. El agua como recurso permite la satisfacción de las necesidades vitales (como el derecho a alimentarse o a respirar) mientras que el saneamiento conlleva la prestación de un servicio y es, por tanto, «*responsabilidad de los poderes públicos lo que obliga a los poderes públicos a garantizar determinadas prestaciones imprescindibles para satisfacer las necesidades vitales*» (MENÉNDEZ REXACH , 2011:60*)*

Sin un acceso óptimo al agua potable la salud de la población general está en peligro, y consecuentemente se pone en riesgo la posibilidad de desarrollo de la misma. Problemas como enfermedades y falta de acceso al agua conlleva a que niños y niñas no puedan acudir a escuelas en un primer término, y en situaciones más severas la falta de higiene influye en el aumento de mortalidad infantil y materna.

Esto refleja con claridad la conexión del derecho al agua con otros derechos como son el derecho a la salud, a una vivienda adecuada y, por encima de todos, a la vida. El Comité de Derechos Económicos, Sociales y Culturales de las Naciones Unidas[1] reconoce que la obligación de asegurar a todo individuo un nivel de vida adecuado implica necesariamente el acceso básico al agua y a la alimentación. Así, en su Observación General núm.14 reconoce la relación entre el Derecho a la salud y el Derecho a una vivienda

---

1. Observación General núm. 15 sobre el Derecho al Agua.

adecuada, lo que supone la obligación de unos servicios de saneamiento salubre.

En la Conferencia Anual de ONU-Agua del año 2015 ya se habla del derecho a la higiene en materia de agua, reconociendo la necesidad de ampliar la ambición de la agenda del agua e incluyendo la gestión de aguas residuales, calidad del agua y los ecosistemas que protegen: En sus conclusiones recoge como propósitos a alcanzar:

- Evitar la defecación al aire libre

- Acceso básico al agua potable, el saneamiento y la higiene de los hogares, las escuelas y los centros de salud.

- Servicios de seguridad administrados con el fin de reducir a la mitad la proporción de población sin acceso a casa para controlar con seguridad servicios de agua potable y saneamiento.

- Eliminación progresiva de desigualdades en el acceso a los servicios por parte de grupos de población (por ejemplo, ricos/pobres, urbano/rural; tugurios/asentamientos formales).

Una de las formas de visualizar la importancia del acceso al agua potable y al saneamiento en la población es a través del Índice de Desarrollo Humano (IDH). Dicho índice pondera, generalmente por países, el nivel de desarrollo y bienestar en función de tres parámetros básicos: la salud (a través de la esperanza de vida al nacer), la educación (mediante la tasa de alfabetización) y la economía (utilizando el PIB per cápita).

La correlación entre el acceso al agua potable y el IDH y en lo referido a los saneamientos viene recogida en los siguientes gráficos.

Gráfico 1: Acceso al agua y su relación con el IDH

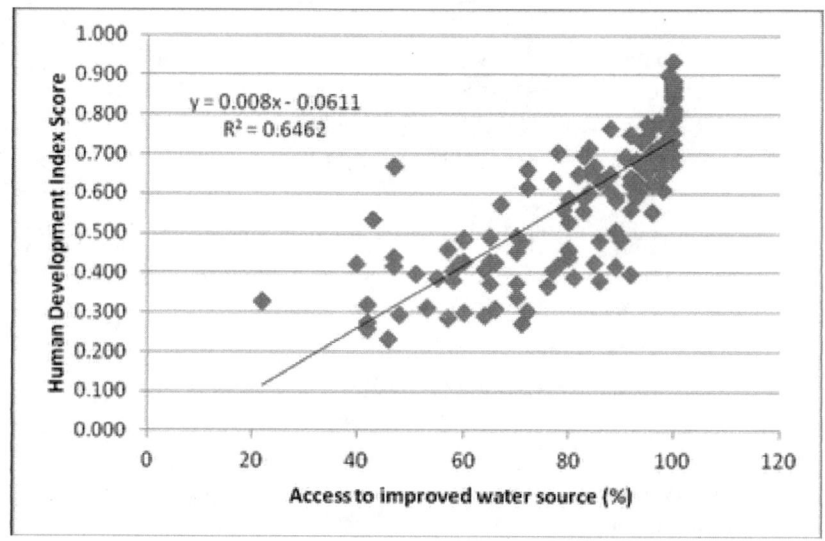

Fuente: Aguanomics, 2010

Gráfico 2: Acceso al saneamiento y su relación con el IDH

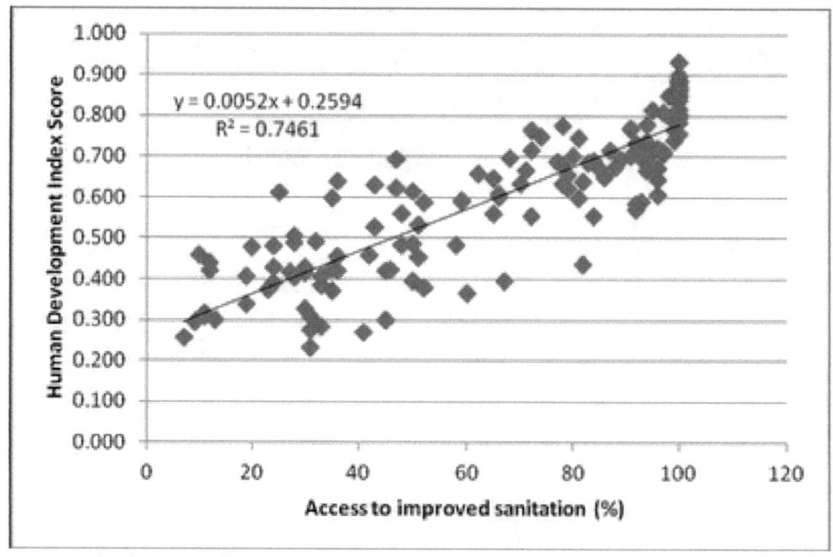

Fuente: Aguanomics, 2010

1. ESTADO, EMPRESA Y DERECHO AL AGUA

Si hacemos un rápido repaso de la historia del Derecho de Aguas debemos comenzar señalando que no fue hasta la década de 1980 cuando comenzó en Estados Unidos y en Reino Unido la desregularización de mercados y la privatización de los servicios públicos locales, y algunos países facilitaron la participación privada en la gestión de los servicios urbanos de agua. En Inglaterra y Gales la privatización de la industria es completa. En Francia, Chile o la República Checa, las empresas privadas suministran servicios urbanos de agua a una proporción significativa de la población.

España no fue ajena a esta privatización. A través de los artículos 18.1.g) y 26.1 de la Ley de Bases de Régimen Local de 1985 se determinó el carácter obligatorio de la prestación y su suministro domiciliario.

En la legislación vigente, las dotaciones de agua para el consumo humano vienen determinada por la Ley de Aguas de 1985 que no contempló la dotación mínima por habitante como hicieron las leyes anteriores. Esto se debe a que el señalamiento de las dotaciones diarias no tiene un sentido de acotar un contenido mínimo del derecho al agua y su uso es como referencia para estudios de mejora de demanda de aguas o de planificación hidrográfica.

Menéndez Rexach (2012) hace hincapié en que el problema no se resuelve intentando precisar el concepto de «abastecimiento de población», que en la legislación vigente comprende, además del consumo doméstico, las industrias de bajo consumo conectadas a la red municipal. Dada la imposibilidad de establecer distintas redes de abastecimiento para los distintos usos, lo que importa es priorizar claramente los usos comprendidos en el concepto genérico de abastecimiento. Siendo la prioridad absoluta la alimentación, la higiene y la salud, es decir, el contenido genuino del Derecho agua.

La regulación destinada a asegurar el acceso, la calidad y la asequibilidad del agua es un pilar básico. Proveer de agua a asentamientos en zonas urbanas es una tarea sencilla que se complica al tratarse de zonas marginales o asentamientos informales. Dicha problemática conlleva a situaciones donde se acrece de un sistema adecuado de tratamiento y eliminación de residuos.

Cuando el suministro y distribución del agua se realiza a través de un binomio público-privado es necesario que se creen medidas para que se asegure el acceso a este Derecho. Dichas medidas se deben tomar ya sea a través de políticas de Responsabilidad Social Corporativa o a través de un sistema de buenas prácticas.

Una solución a adoptar es el garantizar el servicio, dándole un empaque universal, proveyéndolo de obligatoriedad a los proveedores.

LenaSTRANDBERG (2010) realiza una serie de reflexiones sobre la responsabilidad social de las empresas aplicada al uso del agua:

1. el reconocimiento de la importancia de ésta para la vida humana, económica, social y política, y la urgencia de este asunto sobre todo en algunos países y zonas;

2. la conveniencia, y a menudo también la necesidad, de medir el impacto que tiene la empresa en el uso responsable del agua, tanto en la actualidad como en el futuro;

3. el desarrollo de orientaciones concretas y experiencias de otras empresas y organizaciones, públicas y privadas, sobre cómo actuar ante los problemas derivados del uso del agua, y

4. el impulso, derivado de las demandas de la sociedad y de los deberes éticos de la empresa, para ponerse a actuar con eficiencia, responsabilidad y magnanimidad.

En diferentes países se han tomado medidas para garantizar dicho acceso. Este acceso puede ser bien ofreciendo servicios a los clientes de las empresas concesionarias, bien a través de la Cooperación al desarrollo acercando este Derecho a las comunidades donde las empresas tienen intereses.

Así, siguiendo la primera de las fórmulas, mejorar el servicio o el acceso al mismo a los clientes podemos destacar algunas empresas:

– ERSAR, la autoridad reguladora de Portugal posee un conjunto de normas que determina que cualquier persona que viva a menos de veinte metros de un sistema público tiene derecho a que este le preste servicio, y que los proveedores deben responder a las solicitudes de servicio en un plazo máximo de cinco días (Consejo Regulador de los Servicios de Abastecimiento de Agua, 2010: 25)

– En Bélgica, el Tribunal de arbitraje reconoció el derecho de todos los ciudadanos a un suministro de agua potable sobre la base del artículo 23 de la Constitución belga que habla de un medio ambiente. En Argentina, los tribunales han ordenado al Gobierno y a los proveedores de servicios de abastecimiento de aguas que proporcionasen una cantidad mínima de agua (entre 50 y 100 litros por persona y día) independientemente de la capacidad de pago que tenga la persona[2]. Los Tribunales de Brasil y Sudáfrica se han

---

2. Menores Comunidad Paynemil. Acción de amparo, Expediente 311-Ca 1997, sala II, Cámara de apelaciones de los Civil, Neuquen (Argentina), 19 de Mayo de 1997; Valentina Norte Colony, Defensoría de Menores núm. 3 contra el Poder ejecutivo Municipal. Acción de amparo. Expediente 46-99. Acuerdo % del Tribunal Superior

pronunciado en contra de las decisiones de los proveedores de los servicios de agua de cortar el suministro, basándose en el Derecho al Agua.

– OFWAT, la autoridad reguladora de Inglaterra y Gales responsable de garantizar la sostenibilidad del funcionamiento de los servicios de abastecimiento de agua y de saneamiento establece unos criterios relativos a los ingresos anuales en periodos de cinco años, posibilitando así´ la aplicación de incrementos asociados a la inflación en un año cualquiera (*op. cit.*: 26).

– En Berlín, tras la remunicipalización de la empresa de agua, el movimiento civil Berliner Wassertric creó el Consejo del Agua de Berlín (Berliner Wasserrat) en 2013, abierto a todos los ciudadanos que quieran participar en la planificación y operación de los servicios de agua de la ciudad.

– Según el PNUD, el coste del agua no debería superar el 3% de los ingresos de una unidad familiar, en base a esto, en Murcia, la empresa municipal de agua y saneamiento, EMUASA, posee una «tarifa de fondo social». En dicha tarifa, se establece una dotación de 110 litros por habitante y día exenta de pago, lo que garantiza un abastecimiento mínimo domiciliario. A nivel económico el precio de la tarifa, en el año 2014 es de cinco euros, no superando así las estimaciones del PNUD[3], ya que es inferior al 2% del subsidio de desempleo en España. Respecto a la dotación mínima de agua garantiza, es superior a la que históricamente se ha recogido en las leyes de agua.

Otra forma de entender la RSC en materia de Agua y Saneamiento es trabajando a través de la cooperación para el desarrollo. Así se están desarrollando programas de infraestructuras sociales básicas en abastecimiento de agua y saneamiento, con un innovador sistema de voluntariado corporativo, en colaboración con las autoridades locales y Organizaciones no Gubernamentales sin fines de lucro.

Ejemplo de ello son las acciones que realizan algunas empresas:

---

de Justicia, neuquen, 2 de Marzo de 1999 y Quevedo, Miguel Ángel y otros Vs Aguas Cordobesas S.A. Expediente de amparo Córdoba City, Juez sustituto de 1ª instrucción y 51 nominación en lo Civil y comercial de la ciudad de Córdoba (Argentina), 8 de Abril de 2002

3. El Programa de las Naciones Unidas para el Desarrollo (PNUD) sugiere que el coste del agua no debería superar el3% de los ingresos del hogar.

- **El Canal Voluntarios del Canal de Isabel II dedicado a la Cooperación al desarrollo en agua potable y saneamiento permite colaborar con las entidades sociales que realizan actividades de cooperación al desarrollo en el acceso al agua potable y al saneamiento a través de sus profesionales, la tecnología disponible y la experiencia en el sector del Canal de Isabel II Gestión.**

- **Cadagua participa en el Programa Infraestructuras Sociales, desarrollado por Ferrovial. Ferrovial apuesta por su participación en proyectos de cooperación internacional como un actor y no un simple donante. El programa establece las siguientes posibilidades de colaboración con organizaciones de cooperación al desarrollo:**

  • Asesoría profesional: Poniéndose a disposición de las ONGs de desarrollo para aportar su trabajo y sus conocimientos a los proyectos que desarrollen la ONG.

  • Proyectos de cooperación activa: A través de una convocatoria de ayudas, la compañía apoyó y financió proyectos de abastecimiento de agua y saneamiento de organizaciones no lucrativas que operaban en África y América Latina.

- Desde 2004, Coca-Cola ha devuelto a las comunidades y a la naturaleza una cifra estimada en 153.600 millones de litros de agua a través de 209 proyectos comunitarios de agua en 61 países gracias a proyectos de reabastecimiento, mejorando la eficiencia en el uso del agua en sus plantas, y devolviendo el agua a cuencas y municipios mediante el tratamiento de aguas residuales[4].

- Procter & Gamble (P&G) se ha marcado el objetivo de distribuir a través de su Programa Children's Safe Drinking Water (CSDW) un total 15.000 millones de litros de agua potable hasta 2020, que van a permitir reducir las enfermedades derivadas del consumo de agua contaminada, ayudando a salvar vidas en países en desarrollo. Desde la puesta en marcha de este programa, hace más de una década, P&G y su red de socios globales han repartido 9.000 millones de litros de agua potabilizada a personas que la necesiten en todo el mundo, según informa la compañía.

---

4. Datos ofrecidos por la compañía Coca-Cola http://www.coca-colacompany.com/collaborating-to-replenish-the-water-we-use.

III. CONCLUSIONES

El Derecho al agua como derecho social es un principio de justicia social. El acceso de toda persona al agua potable no debería estar sujeto a restricciones en ningún lugar y en ningún momento. La Conferencia Internacional sobre el Agua y el Medio Ambiente de 1992, recogió la necesidad de establecer el acceso al agua como un derecho básico de todos los seres humanos a tener acceso al agua salubre y servicios de saneamiento a precios asequibles.

El Derecho a disponer de agua potable exige que todos tengan derecho a servicios de saneamiento adecuados, lo que implica que los Estados garanticen a toda persona el acceso a un servicio de saneamiento seguro, accesible, aceptable, asequible, en su hogar, cerca o en instituciones públicas. Ese derecho implica factores de disponibilidad, calidad, accesibilidad, asequibilidad, no discriminación y acceso a la información.

El uso del agua sigue creciendo a un ritmo superior que la tasa de crecimiento de la población y las estrategias eficaces para gestionar las aguas residuales, su tratamiento y reutilización, se requieren con urgencia. La escala de crecimiento de la población y su concentración en las ciudades hace que la dilución, la regeneración natural y la dispersión de las aguas residuales sea insuficiente por lo que la preservación de los recursos hídricos únicamente es posible si se realiza un enfoque global no sólo de tratamiento de aguas residuales, tratadas y recicladas sino incluyendo medidas para la disminución de agua en procesos desde un punto de vista no sólo técnico sino también de concienciación social.

Como recoge Albacete Balaguer (2014) frente a esta problemática mundial en torno al agua aparece la necesidad de tratar sus aguas residuales para evitar o controlar la contaminación de su recurso hídrico y garantizar su disponibilidad para los diferentes usos. El reuso y recirculación son operaciones que hacen parte de las estrategias de manejo del agua, por lo que es importante desarrollar técnicas innovadoras sostenibles económica y ambientalmente.

Respecto a la manera de gestionar más eficientemente los recursos y los servicios de acceso al agua y saneamiento, no hay unicidad de criterio respecto a si debe ser de forma pública o privada. Los partidarios de la privatización defienden que se ofrece una mejor gestión y un mejor servicio de calidad. Por el contrario, los detractores argumentan que la gestión pública es la mejor opción para asegurar el acceso universal a la vez que se evita que las empresas privadas concesionarias de un bien natural abusen de su posición dominante. Sin embargo, en el campo teórico existe una falta de consenso sobre la posible superioridad de un tipo de gestión sobre el otro. Esto se debe a la falta de información clara, transparente, homogeneizada y accesible sobre el alcance e impacto de las empresas, públicas o privadas, concesionarias de los correspondientes servicios.

IV. BIBLIOGRAFÍA

AGUDO GONZÁLEZ , J.: *Urbanismo y gestión del agua*, Iustel, Madrid, 2007.

ALBACETE BALAGUER , R.: *Empleo de la tecnología de Electrocoagulación: Soluciones de partida*, Universidad Católica San Antonio, Murcia, 2014.

Consejo Regulador de los Servicios de Abastecimiento de Agua: *Informe anual 2010: Hacia la regulación mediante incentivos*, Madrid, 2011.

DE ALBUQUERQUE , C.: *Derechos hacia el final. Buenas prácticas en la realización de los derechos al agua y al saneamiento*, ONGAWA, Lisboa, 2012.

Fondo de las Naciones Unidas para la Infancia y Organización Mundial de la Salud, *Progress on Drinking Water and Sanitation: Special Focus on Sanitation*, Geneva, *2008*.

GÓMEZ ISA , F.: *El derecho al desarrollo como derecho humano en el ámbito jurídico internacional*, Universidad de Deusto. Departamento de Publicaciones, Bilbao, 1999.

GONZÁLEZ-GÓMEZ , F.; GARCÍA-RUBIO, M. A., y GONZÁLEZ-MARTÍNEZ , J.: *Más allá de la controversia pública-privada en la gestión del agua urbana en España*, Política de Servicios, diciembre, vol. 31, 2014, pp. 1-9.

MENÉNDEZ REXACH , A.: *El derecho al agua en la legislación española*, Anuario da Facultade de Dereito da Universidade da Coruña 15, 2014, pp. 53-84.

– *El agua como bien jurídico global: el derecho humano al agua*, Anuario da Facultade de Dereito da Universidade da Coruña 16, 2012, pp. 187-202.

MESEGUER , V., y AVILÉS , M.: *Empresas, derechos humanos y RSC: una mirada holística desde las ciencias sociales y jurídicas*. Aranzadi, Murcia.

Programa de las Naciones Unidas para el Desarrollo, *Human Development Report 2006: Beyond Scarcity-Power, poverty and the Global Water Crisis,* Basingstoke (Reino Unido), Macmillan, 2007.

SAURA ESTAPÁ , J.: *El derecho humano al agua potable y al saneamiento*, Perspectiva jurídica internacional derechos y libertades, número 26, Época II, enero, 2013, pp. 145-180.

SILVA ARDANUY, F. M.: *El Derecho al agua posible. Dimensión social del derecho al agua y al saneamiento*, Lex Social, vol. 3. núm. 1/2013, 2013, pp.75-95.

STRANDBERG , L.: *La escasez de agua y la RSC*, Cuadernos de la Cátedra «la Caixa» de Responsabilidad Social de la Empresa y Gobierno Corporativo, núm. 8. Barcelona, 2010

Resolución 55/2 de la Asamblea General de las Naciones Unidas, de 18 de septiembre de 2000, Declaración del Milenio.

Resolución 64/292 de la Asamblea General de las Naciones Unidas, de 28 de julio de 2010, El derecho humano al agua y el saneamiento.

Observación General núm. 14 del Comité de Derechos Económicos, Sociales y Culturales de las Naciones Unidas, El derecho al disfrute del más alto nivel posible de salud (artículo 12).

Observación General núm. 15 del Comité de Naciones Unidas de Derechos Económicos, Sociales y Culturales. Noviembre de 2002. El derecho al agua (artículos 11 y 12 del Pacto Internacional de Derechos Económicos, Sociales y Culturales).

Ley 7/1985, de 2 de abril, Reguladora de las Bases del Régimen Local.

Código de Aguas de 1856.

Ley de Aguas de 1866.

Ley de Aguas de 1879.

Ley de Aguas de 1985.

Dirección General de las Relaciones Económicas Internacionales, *Las empresas españolas crean valor Responsabilidad Social Corporativa en Iberoamérica*, Madrid, Ministerio de Asuntos Exteriores y de Cooperación, D.G. de Relaciones Económicas Internacionales, 2015.

United Nations Secretariat, UN-Water or the United Nations Office: *Water and Sustainable Development From vision to action, Report of the 2015*, Zaragoza, UN-Water Zaragoza Conference, 2015.

CAPÍTULO XIX

UN NUEVO INSTRUMENTO PARA CUMPLIR ADECUADAMENTE CON LOS OBJETIVOS AMBIENTALES DE LA DIRECTIVA MARCO DE AGUAS: LA CUSTODIA FLUVIAL Y EL BUEN ESTADO ECOLÓGICO DE LAS AGUAS

Elisa Pérez de los Cobos Hernández

Profesora asociada de la Universidad de Murcia

I. INTRODUCCIÓN: EL BUEN ESTADO ECOLÓGICO DE LAS AGUAS Y LA CUSTODIA FLUVIAL COMO MEDIDA PARA SU CONSECUCIÓN

La Directiva 2000/60/CE (DMA) especifica, entre sus objetivos a alcanzar, el buen estado ecológico de las aguas para el 2015. Sin embargo, la comprobación de la política de agua dulce de la UE, realizada en 2012, confirmó que a pesar de que los Estados miembros abordan los retos a los que se enfrentan las aguas dulces, aproximadamente la mitad de las aguas superficiales de la UE tenían pocas probabilidades de alcanzar este objetivo[1]. En el caso de España, se ha fijado el objetivo de alcanzar el buen estado de aquí

---

1. COM (2015) 120 final, p. 3.

a 2015 para 3.159 masas de agua superficial (61%), con un incremento del 18% en comparación con las cifras de 2009[2].

El escenario creado por la DMA evidencia la necesidad de un nuevo enfoque en la gestión y aprovechamiento de las masas de agua en España más acorde con los principios de desarrollo sostenible y de conservación de la biodiversidad, coincidentes con los objetivos de la Directiva. Para ello, se precisa la creación de equipos multidisciplinares que aborden esta nueva planificación y gestión, «así como crear foros de encuentro y de debate que fomenten la participación ciudadana y la complicidad de los agentes sociales en la gestión de los sistemas fluviales y sus recursos naturales»[3].

Para lograr esta meta, la Directiva apuesta, entre otras medidas, por la participación pública[4]. Al hablar de participación social se identifican distintos niveles, entre ellos, el de la custodia del territorio[5]. Se trata de una herramienta innovadora que implica a usuarios del territorio, además de propietarios públicos y privados en la conservación y el buen uso de los valores y los recursos naturales, culturales y paisajísticos para conseguirlo, promueve acuerdos y mecanismos de colaboración continua entre propietarios,

---

2. Documento de trabajo de los servicios de la comisión. Informe sobre la aplicación de los Planes Hidrológicos de Cuenca de la Directiva Marco del Agua Estado miembro: ESPAÑA que acompaña como Anexo a la Comunicación de la Comisión al Parlamento Europeo y al Consejo *La Directiva Marco del Agua y la Directiva sobre Inundaciones: medidas para lograr el «buen estado» de las aguas de la UE y para reducir los riesgos de inundación*, de 9 de marzo de 2015, p. 70.

3. SÁNCHEZ MARTÍNEZ, F.J.: «La Estrategia Nacional de Restauración de Ríos», *V Congreso Forestal Español, Montes y sociedad: saber que hacer»*, Ávila, 2009, p. 2.

4. Como señala GARCÍA ASENJO, «en la Directiva Marco del Agua, la participación pública es uno de los pilares fundamentales para el conocimiento de los diversos elementos constituyentes de los espacios además de ser fuente de solución de problemas y conflicto». GARCÍA ASENJO, C.: «Algunas experiencias de participación ambiental para la conservación fluvial aplicadas en la cuenca del Duero», *Centro Nacional de Educación Ambienta – Boletín único*, 2015, p. 2.

5. En materia de participación de la sociedad civil en la gestión del agua y los ríos se distinguen diferentes niveles de participación: a) *información pública:* obligatoria para proyectos públicos y privados; ii) *consulta pública:* obligatoria en los procesos de planificación; iii) *participación pública*: por el que se informa y consulta a la sociedad sobre la gestión haciéndola partícipe; iv) *la custodia del territorio:* se trata de una herramienta para cuidar el territorio que determina una mayor implicación de los actores clave presentes en el mismo. *Cfr.* WWF España con el apoyo de la Fundación Biodiversidad del Ministerio de Agricultura, Alimentación y Medio Ambiente, *Recomendaciones y buenas prácticas de gestión en espacios fluviales*, WWF España, Madrid, 2015, p. 23.

entidades de custodia y otros agentes públicos y privados[6]. A su través, la responsabilidad de conservar el medio no descansa únicamente en la Administración Pública sino que se convierte en una responsabilidad compartida entre todos los afectados. Este instrumento de conservación, trasladado a la preservación de los ecosistemas fluviales nos permite hablar de la custodia fluvial (CF). Se propone un nuevo modelo de gestión que permita la recuperación progresiva de los espacios de libertad de los ríos, su vegetación, los caudales ecológicos, esto es, el patrimonio fluvial en su conjunto. Una estrategia complementaria no sustitutiva de otros medios de gestión.

II. LA PROGRESIVA INCORPORACIÓN DE LA CUSTODIA FLUVIAL EN ESPAÑA

Este nuevo modelo ha tenido una acogida progresiva en España. En primer lugar debe señalarse, de aplicación estatal, la Estrategia Nacional de Restauración de Ríos, puesta en marcha en el 2006, hoy integrada en los Planes Hidrológicos 2015-2021. Tiene como objetivo la mejora del estado ecológico de todos los cursos fluviales españoles[7]. Se concibe como un proceso

---

6. Si bien en España la custodia del territorio, y por ende, la custodia fluvial es una medida innovadora, ésta ya es tradicional en países de nuestro entorno. Original de Estado Unidos, la primera entidad de custodia data de 1891, fundada en Massachussets por Charles Eliot bajo la denominación de *The Trustees of Reservation.* En Europa, fue pionero Reino Unido donde en 1895 se constituyó *Nacional Trust.* En España, el primer documento que formaliza el concepto y movimiento de custodia del territorio es la *Declaración de Montesquiu de Custodia del Territorio* de 2000 ratificado por entidades e instituciones de Cataluña y Baleares, aun cuando gracias a organizaciones como Wwf, Andenex o Gob, estas iniciativas existían en nuestro territorio 20 años antes. *Vid.* BASORA ROCA, X., X3 Estudis Ambientals (coords.): *Custodia del Territorio en la práctica. Manual de introducción a una nueva estrategia participativa de conservación de la naturaleza y el paisaje,* Fundació Territori i Paisatge – Obra Social Caixa Catalunya, Xarxa de Custodia del territorio, Barcelona, 2006.

7. Sirva de ejemplo la Demarcación Hidrográfica del Guadalquivir que en el Anejo núm. 10, Planes y programas relacionados, diciembre de 2014, recoge en su apartado 2.1.2, la Estrategia Nacional de Restauración de Ríos señalando que: «esta estrategia nace con el objeto genérico de cambiar la percepción social de los ríos siendo sus objetivos básicos los siguientes: realización de un diagnóstico objetivo del estado actual de nuestros ríos, analizando las causas de su degradación; diseñar estrategias de actuación para proteger, restaurar y mejorar nuestros ríos, con el objetivo de que puedan alcanzar los objetivos fijados en la Directiva Marco, definiendo proyectos iniciales que sirvan de formación y demostración inicial de las actuaciones a acometer; contribuir al mejor conocimiento del funcionamiento natural de los ríos, y a la conservación y valoración de nuestro Patrimonio Natural y Cultural asociado a los ríos.

de cambio en la gestión de los sistemas fluviales», a través del cual lograr la mejora del estado ecológico de los ríos e integrar, cada vez en mayor medida, la participación social. Para ello incorpora los Planes de voluntariado y custodia del territorio fluvial y se pretende incentivar la participación pública en la gestión de los ríos, compartiendo la responsabilidad de su estado ecológico entre los responsables administrativos, los hábitos y costumbres de los ciudadanos y los intereses de los agentes económicos y sociales de mayor importancia en cada cuenca vertiente. También, con el objetivo de promover la implicación de los ciudadanos en la conservación del litoral y las zonas que integran las cuencas hidrográficas intercomunitarias, la Fundación Biodiversidad del Ministerio de Agricultura, Alimentación y Medio Ambiente inició en 2012 el Programa Playas, Ríos, Voluntariado y Custodia del Territorio con el que se han desarrollado actividades de voluntariado a través de cerca de 60 entidades diferentes de custodia del territorio, llegando a movilizar más de 16.000 voluntarios, lo que ha permitido constituir una red de voluntarios estable para el mantenimiento y la mejora de dichos espacios naturales[8].

Por su parte, las Confederaciones Hidrográficas (CHs) han mostrado un gran interés en fomentar alianzas con la sociedad civil en la protección del medio ambiente asumiendo activamente su participación en la custodia fluvial a través de acuerdos y convenios celebrados con Entidades de custodia. La CH del Duero fue pionera en colaborar con una entidad privada. En concreto, el 4 de marzo del 2013, se firmó el primer convenio de colaboración entre la CH del Duero y la Fundación Tormes para la protección del río de mismo nombre[9]. A este le han seguido varios, sirviendo de ejemplo por todos, el firmado el 20 de mayo de 2014 entre la CH del Duero y la Asociación La Barcaza para la custodia del Canal de Castilla a su paso por el término municipal de Valladolid, o el de 15 de julio de 2014, firmado entre esta misma CH y WWF para trabajar por la conservación de las Hoces del río Riaza, Segovia[10]. Siguiendo esta iniciativa, la CH del Júcar firmó, el pasado 5 de junio de 2015, el acuerdo con la fundación Limne[11]. Por su

8. Periodo de ejecución del programa para el 2015 abarca desde el 9 de marzo-30 de noviembre de 2015
9. El área objeto del Convenio de custodia se encuentra en Red Natura 2000 y los valores ambientales que alberga hacen de ella un lugar estratégico para el seguimiento de las especies de flora y fauna y del estado del río en este tramo bajo del Tormes. *Vid.* GARCÍA ASENJO, C.: «Custodia fluvial en la cuenca del Duero: una herramienta eficiente de participación ciudadana en la restauración y conservación de ríos», *Programa de visitas institucionales: La aplicación y el desarrollo de la custodia del territorio en Cataluña*, Manlleu, 2015, p. 8.
10. *Vid.* GARCÍA ASENJO, C.: «Custodia fluvial en...», cit., p. 12.
11. El convenio contempla como zona de actuación la totalidad de la Demarcación Hi-

parte, la CH del Segura ha suscrito un convenio con Earth Plan Association para la realización de acciones de custodia fluvial en los términos municipales murcianos de Moratalla y Calasparra, en la Reserva Natural de Sotos y Bosques de Ribera de Cañaverosa. A través de estos acuerdos de custodia fluvial, las entidades de custodia, más allá de su participación a través del ya referido Programa de Voluntariado en Ríos, plantean iniciativas cada vez ambiciosas, que incluyen desde proyectos de restauración ecológica y paisajística, seguimiento, conservación y mantenimiento del Dominio Público Hidráulico (DPH), hasta estudios técnicos y propuestas sobre aspectos clave para la conservación de las especies fluviales, como la recuperación de los caudales ecológicos[12].

Cada vez son más las iniciativas de custodia fluvial en marcha en nuestro país, si bien, hasta no hace mucho la mayor parte de las actuaciones han sido promovidas por parte de entidades de custodia, que han logrado firmar acuerdos para conservar los ríos y espacios fluviales sobre todo con propietarios privados o con ayuntamientos. Estos acuerdos son principalmente sobre terrenos ribereños no sobre DPH[13].

III. UNA APROXIMACIÓN AL MARCO NORMATIVO DE LA CUSTODIA FLUVIAL

La progresiva conciencia ambiental de los últimos años ha motivado la aprobación de un elevado número de disposiciones centradas tanto el espacio fluvial como los aspectos ambientales a éste asociados. Se pretende aquí sintetizar, si bien de forma meramente indiciaria, un posible marco jurídico para la CF que abarque los niveles comunitario, estatal y autonómico.

A nivel comunitario, y sin perjuicio de otras Directivas, la DMA ocupa un lugar privilegiado en materia de CF. No solo fija entre sus objetivos alcanzar el buen estado ecológico de las masas de agua, sino que, además, apuesta para por mecanismos como la participación pública[14]. Junto con esta, los Estados miembros deben tomar las medidas adecuadas para coordinar la aplicación de la DMA y la Directiva 2007/60/CE del Parlamento

---

drográfica del Júcar, pero para este año ya se han delimitado los 11 primeros tramos de río en los que se actuará: el río Seco a su paso por Burriana, Mijares a la altura de esta localidad, de Villarreal y de Almasora, el río Turia en Manises, Paterna, Chulilla, Quart de Poblet y Ribarroja, el Albaida en Villanueva de Castellón, el Vinalopó en Elche, el Serpis en L'Alqueria d'Asnar y Alcoy, y el río Tarafa en Aspe.

12. WWF España, *Recomendaciones y buenas prácticas de...*, cit., p. 25.

13. *Ibidem.*

14. *Vid*. Consid. 14; Consid. 46; y en especial el artículo 14 de la Directiva por el que se regula la Información y consulta públicas.

Europeo y del Consejo, de 23 de octubre de 2007, relativa a la evaluación y gestión de los riesgos de inundación, que viene a reforzar los principios de la Directiva de aguas[15]. Además, la CF pretende la consecución de los objetivos de estado de conservación de los hábitats y especies fluviales que establece la Directiva 92/43/ CEE del Consejo, de 21 de mayo de 1992, relativa a la conservación de los hábitats naturales y de la flora y la fauna terrestres[16]. Por último, destaca la Directiva 79/409/CEE, do 2 de abril de 1979, relativa a la conservación des aves silvestres.

De acuerdo con esto, la CF se nutre de las Directivas europeas Marco del Agua y de Inundaciones, así como en las Directivas de Hábitat y Aves, especialmente en espacios protegidos fluviales que integran la Red Natura 2000. A lo anterior podemos añadir el Convenio de la Comisión Económica para Europa de Naciones Unidas sobre acceso a la información, la participación del público en la toma de decisiones y el acceso a la justicia en materia de medio ambiente, hecho en Aarhus el 25 de junio de 1998, conocido como Convenio de Aarhus[17].

A nivel Nacional debe tenerse en cuenta, en primer lugar, la Ley 42/2007, de 13 de diciembre, del Patrimonio Natural y de la Biodiversidad por la que se incorpora a nuestro ordenamiento jurídico la definición de custodia del territorio. Junto con la anterior, el Decreto Legislativo 1/2001, de 20 de julio, por el que se aprueba el texto refundido de la Ley de Agua, entre cuyos objetivos destaca el establecimiento de las normas básicas de protección de las aguas continentales, costeras y de transición, sin perjuicio de su calificación jurídica y de la legislación específica que les sea de aplicación, da cabida a la participación pública. Asimismo, la Ley 27/2006, de 18 de julio, por la que se regulan los derechos de acceso a la información pública y de acceso a la justicia en materia de medio ambiente define el marco jurídico por medio del cual se responde a los compromisos asumidos con la ratificación del Convenio Aarhus y se lleva a cabo la transposición de las dos Directivas al

---

15. Directiva 2007/60/CE del Parlamento Europeo y del Consejo, de 23 de octubre de 2007, relativa a la evaluación y gestión de los riesgos de inundación (DOE 288/27, de 6 de noviembre de 2007.
16. Directiva 92/43/ CEE, del Consejo de 21 de mayo de 1992, relativa a la conservación de los hábitats naturales y de la flora y la fauna terrestres (DOCE L 206/7, de 22 de julio de 1992).
17. El Convenio fue firmado el 25 de junio de 1998 en la ciudad danesa de Aarhus y entró en vigor el 30 de octubre de 2001. En julio de 2012, había sido firmado por 51 Estados de Europa y Asia Central (además de por la Unión Europea) y había sido ratificado por 46 Estados (además de la UE). España ratificó el Convenio el 15 de diciembre de 2004 y dos años después, en 2006, aprobó la Ley 27/2006, que aplica en España las disposiciones del Convenio.

ordenamiento interno. Por último, otras normas que deben tenerse en cuenta serían la Ley 21/2013, de 9 de diciembre, de evaluación ambiental, por la que entre otras cosas se someten los Planes hidrológicos de cuentas a una evaluación ambiental o el Real Decreto 817/2015, de 11 de septiembre, por el que se establecen los criterios de seguimiento y evaluación del estado de las aguas superficiales y las normas de calidad ambiental.

Finalmente, el especial sistema de distribución constitucional de competencias Estado y las CCAA tanto en materia de agua como de medio ambiente previsto en la CE amplía el marco normativo también a la legislación autonómica tanto en materia de aguas como en materia de medio ambiente[18]. A modo de ejemplo, atendiendo al limitado espacio de una comunicación, se establece, por todos, el marco normativo autonómico en materia de custodia fluvial en la CA de Galicia, que puede sintetizarse en los siguientes hitos normativos[19]: en materia de aguas deberán tenerse en cuenta, entre otras, la Ley 9/2010, de 4 de noviembre, de aguas de Galicia[20]; Ley 5/2006, de 30 de junio, para la protección, la conservación y la mejora de los ríos gallegos[21]; el Real Decreto 1332/2012, de 14 de septiembre, por el que se aprueba el Plan Hidrológico de la Demarcación Hidrográfica de Galicia-Costa[22]. En materia de medio ambiente se tendrá en cuenta la Ley 9/2001, de 21 de agosto, de conservación de la naturaleza[23]; el Decreto 167/2011, de 4 de agosto, por el que se modifica el Decreto 88/2007, do 19 de abril, por el que se regula el Catálogo gallego de especies amenazadas[24]. El Decreto 127/2008,

---

18. La distribución de competencias entre el Estado y las CCAA establecida en materia de aguas por la CE (artículos 149.1.22ª, y 148.1.10ª CE), según la cual las cuencas compartidas por más de una CA son competencia exclusiva del Estado, y las cuencas intracomunitarias son competencia exclusiva de las CCAA. Asimismo, en materia de medio ambiente *ex* artículos 149.1.23ª y 148.1.9ª de acuerdo con los cuales corresponde al Estado las competencias referidas a la legislación básica, siendo competencia de las CCAA las funciones de gestión y las funciones normativas tendentes al desarrollo de las bases más el dictamen de normas dirigidas a incrementar la protección dada por la legislación de bases.
19. Y ello por entender que la CA de Galicia reúne el total de características para establecer un marco normativo autonómico en el que puedan verse reflejadas las demás Autonomías. Se parte para ello, como instrumento base salvando las actualizaciones, ADEGA, *Manual de custodia fluvial. Proxecto ríos,* Galicia, 2012.
20. DOG núm. 222 de 18 de noviembre de 2010 y BOE núm. 292 de 03 de diciembre de 2010.
21. DOG núm. 137 de 17 de julio de 2006 y BOE núm. 198 de 19 de agosto de 2006.
22. BOE núm. 223, de 15 de septiembre de 2012.
23. DOG núm. 171 de 4 de septiembre de 2001 y BOE núm. 230 de 25 de septiembre de 2001.
24. DOG núm. 155 de 12 de agosto de 2011.

de 5 de junio, por el que se desarrolla el régimen jurídico de los humedales protegidos y se crea el inventario de humedales de Galicia[25]. Destacando por ultimo en materia de voluntariado la Ley 10/2011, de 28 de noviembre, de acción voluntaria[26].

Por tanto, si bien deviene compleja su concreción si puede hablarse de un marco normativo para la CF.

IV. BENEFICIOS Y DEBILIDADES DE LA CUSTODIA FLUVIAL

Las políticas tradicionales de protección de los espacios naturales han venido siempre dirigidas por las Administraciones competentes sin que el resultado de su actividad haya sido plenamente efectivo. Para hacer frente a esta limitada eficacia surgen nuevos mecanismos complementarios como la CF, que incrementa el número de agentes implicados favoreciendo también la protección de los espacios privados. Para ello, la CF recurre a la celebración de acuerdos voluntarios entre entidades de custodia, CHs, propietarios privados y usuarios de los ríos, como regantes y pescadores. Se trata de una estrategia complementaria a la acción pública que propone soluciones a algunas de las limitaciones de la Administración, ya sean de tipo competencial o por la insuficiencia de recursos económicos y humanos. Como denunció la UE, «las CHs no cuentan con suficientes recursos para ejercer un control eficaz de los usos del agua en las demarcaciones hidrográficas»[27]. Para corregir esta situación la CF resulta un elemento esencial al poner al servicio de la Administración, con el fin de garantizar la protección y conservación, un mayor número de recursos. Además, en muchas ocasiones las entidades de custodia resultan directos conocedoras de las problemáticas específicas de los paraje custodiados lo que repercute en un mejor logro de los propósitos ambientales. Por tanto, las ventajas que ofrece la CF a la Administración Pública son evidentes siendo éste el motor del cada vez mayor número de iniciativas de CF.

De otra parte, las entidades de custodia también resultan beneficiadas. El mayor número de recursos materiales de la Administración Pública facilitan en un claro beneficio para éstas, no solo por el asesoramiento, sino también por su utilización para la ejecución de sus actuaciones (mediciones de calidad de agua, cesión gratuita de planta certificada de los viveros, etc.). Además, las entidades también ven minimizadas sus cargas administrativas reduciendo por ejemplo los trámites para adquirir los distintos permisos.

---

25. DOG Núm. 122 de 25 de junio de 2008.
26. DOG Núm. 242 miércoles, 21 de diciembre de 2011.
27. *Informe sobre la aplicación de los Planes Hidrológicos...*, cit., p. 11.

Luego, la CF facilita y mejora la actividad desarrollada por las entidades generando un beneficio para la sociedad civil. Por último, la CF conlleva grandes beneficios para los propietarios. En España aun no se ha llegado al nivel de otros países en los que existen beneficios fiscales para aquellos propietarios que acojan este tipo de programas[28]. No existe un marco legislativo y fiscal específico que permita promover la CF pero si existen otras ventajas que pueden motivar a los propietarios, como el asesoramiento que se ofrece por la entidad de custodia a los propietarios, la planificación futura de la finca que puede abarcar incluso la elaboración de un plan de gestión[29].

Sin embargo, pese a las indudables ventajas que la CF presenta, existen una serie de barreras que dificultan su desarrollo. De este modo, utilizando como punto de partida el análisis DAFO de la Custodia Fluvial en España, elaborado por WWF, se analizan a continuación las que entendemos son algunas de las debilidades y las fortalezas de la custodia fluvial[30]. En primer lugar, procede destacar la existencia de masas de aguas muy degradadas y situaciones aparentemente irreversibles[31]. Greenpace ya puso de manifiesto que las aguas en España presentan un estado de calidad muy deficiente. En concreto señalaba que, en 2005 «tan sólo el 11% de las aguas superficiales y el 16% de las subterráneas están en condiciones de cumplir los objetivos medioambientales a los que obliga la Directiva. Esto marca un horizonte poco esperanzador a la hora de lograr cumplir los requerimientos de la DMA antes del año 2015»[32]. La UE ha puesto de manifiesto que, en 2015, «las lagunas en materia de caracterización y las deficiencias de los programas de control y de los métodos de evaluación del estado han hecho que no se conozca el estado de muchas masas de agua o que el que se presenta sea poco fiable. Esto socava el proceso de planificación en su conjunto y compromete la determinación de las medidas necesarias y el logro de los objetivos ambientales»[33]. Pese a lo anterior, parece oportuno hacer referencia a las recientemente publicadas declaraciones ambientales estratégicas (DEAs) de los Planes Hidrológicos de Cuenca y de Gestión del Riesgo de Inundación de la parte española de la Demarcación Hidrográfica del Duero, del Júcar, del Guadalquivir, del Cantábrico occidental y oriental, del Ebro, del Miño

---

28. Como senalan BASORA ROCA, X., X3 Estudis Ambientals «en Estado Unidos, por ejemplo, existen deducciones fiscales por el hecho de firmar acuerdos con entidades con fines conservacionistas, o para dejar en herencia propiedades a este tipo de entidades». BASORA ROCA, X. / X3 Estudis Ambientals (coords.): *Custodia del Territorio en...*, cit., p. 21.

29. En este sentido, *ibidem*, p. 22.

30. WWF España, *Recomendaciones y buenas prácticas...*, cit.

31. *Ibidem*, p. 38.

32. Greenpace: *La calidad de las aguas en España. Un estudio por Cuencas*, 2005.

33. *Informe sobre la aplicación de los Planes Hidrológicos de...*, p. 10.

Sil, del Segura, del Guadiana y del Tajo para el 2016-2021[34]. Estas incluyen las determinaciones ambientales dirigidas a asegurar que el Plan define
correctamente los objetivos ambientales de la DMA y, en especial, que las
medidas que se establecen para alcanzar éstos no acarreen efectos desfavorables que pudieran desvirtuarlos[35]. Las DEAs proporcionan una perspectiva
mucho más optimista en cuanto al futuro estado de nuestras aguas como

---

34. Las DEAs de la Demarcación Hidrográfica del Duero, del Júcar, del Guadalquivir,
del Cantábrico occidental y oriental, del Ebro, del Miño Sil, del Segura, del Guadiana y del Tajo para el 2016-2021, fueron publicadas en el BOE los días 18, 21 y
22 de septiembre de 2015.

35. A modo de ejemplo, entre las medidas señaladas en la DEAs para alcanzar los
objetivos ambientales de la DMA se prevén las siguientes: i) reducción de la contaminación puntual; ii) incremento de recursos disponibles: recursos convencionales;
no convencionales desalación; obras de conducción; recursos de menor calidad; iii)
medidas de protección frente a inundaciones: optimización de caudales y obras de
cauce, costas o llanuras de inundación; iv) medidas para satisfacer otros usos asociados al agua; si bien, de estas pueden derivarse efectos contraproducentes como,
entre otros, el aumento de las emisiones del GEI y del consumo energético por la
construcción de nuevas instalaciones de tratamiento de aguas residuales urbanas o
industriales; afecciones al paisaje por la construcción de nuevas infraestructuras;
introducción de barreras transversales en ríos, como presas o azudes; afección a la
biodiversidad por la pérdida de continuidad longitudinal de los ríos; descensos de la
superficie piezométrica, desconexión de sistemas superficiales de su alimentación
hipogénica y otros efectos inducidos (salinización, contaminación de las aguas,
etc.); aumento del consumo de agua derivado de una expectativa de aumento de
la disponibilidad de recursos hídricos o por nuevas transformaciones en regadíos
o incremento de las superficies regables; dificultad para establecer y mantener los
regímenes de caudales ecológicos. Para afrontar los impactos señalados se propone
por parte de las Confederaciones hidrográficas una serie de medidas correctoras
específicas que pueden sintetizarse del siguiente modo: (medidas comunes a todas
las Demarcaciones Hidrográficas: i) someter los proyectos a evaluación de impacto
ambiental; ii) valorar la posibilidad de adaptar las instalaciones existentes antes de
promover la construcción de unas nuevas; iii) incluir, donde resulte procedente,
tratamientos de regeneración y reutilización de las aguas depuradas con la finalidad
de incrementar la disponibilidad de recursos hídricos; iv) implantar las mejores
técnicas disponible en aras de la mejor eficiencia; v) implantar medidas de gestión
de la demanda que incrementen la eficiencia; vi) eliminar o adaptar barreras transversales para mitigar los efectos de las presas y azudes sobre la ictiofauna y el transporte de sedimentos; vii) establecimiento y mantenimiento del régimen de caudales
ecológicos; viii) priorizar medidas no estructurales de protección frente a las inundaciones (recuperación de la llanura de inundación) frente medidas estructurales;
ix) (a excepción de la DH del Duero), seleccionar preferentemente emplazamientos
que no afecten a las zonas protegidas, en especial a la Red Natura 2000 terrestre y
marina.

consecuencia de la aproximación a los objetivos ambientales de la DMA en este segundo ciclo de planificación.

En segundo término, destaca la dificultad añadida por el ámbito de aplicación de la CF, el DPH. La CF presenta, respecto a la custodia del territorio, una peculiaridad marcada por el hecho de que la mayoría de los terrenos sobre los que se va a actuar pertenecen al DPH y por tanto no tienen dueño. Estos ecosistemas están adscritos a un uso general, al servicio público o al fomento de la riqueza nacional y se encuentran incursos a un régimen especial de uso y protección, competencia de las CHs. Una de las mayores dificultades asociadas al DPH, y que afecta directamente a la CF, deriva de su falta de definición. Como señala WWF «es fundamental definir claramente los límites del DPH y sus zonas asociadas, así como realizar su deslinde, como medida esencial para garantizar su protección y para poder evitar o minimizar riesgos potenciales en áreas adyacentes de propiedad privada, especialmente en los espacios naturales protegidos. Sólo mediante el deslinde del DPH y la delimitación de zonas inundables se podrán poner en valor los bienes y servicios que aportan los ecosistemas fluviales ante la sociedad». Corresponde al Estado, a través de los organismos de cuenca, impulsar el deslinde del DPH, dando prioridad a las áreas protegidas y espacios de la Red Natura 2000. En este sentido, se han de tener en cuenta pequeños avance como el Real Decreto 9/2008 de modificación del Reglamento del Dominio Público Hidráulico, que mejora la definición del DPH, basándose en criterios hidrológicos, hidráulicos, geomorfológicos e históricos, regula los usos de las zonas de servidumbre y policía, y crea el Sistema Nacional de Cartografía de Zonas Inundables como elemento básico en la planificación territorial para la identificación y gestión adecuada de las zonas inundables, con el objetivo de disminuir los futuros daños frente a inundaciones a la vez que se preserva el espacio fluvial para lograr un estado ecológico óptimo de nuestros cauces.

Otra de las cuestiones fundamentales en materia de CF es la concurrencia competencial de Administraciones Públicas en un mismo espacio. La competencia sobre los espacios fluviales y el DPH corresponde a los organismos de cuenca, directamente responsables del cumplimiento de los objetivos ambientales de la DMA. Por su parte, las CCAA tienen reconocidas las competencias en gestión de medio ambiente y ordenación del territorio y, concretamente, la gestión de los espacios que forman parte de la Red Natura 2000, muchos de ellos LIC fluviales que atraviesan ríos o humedales. De acuerdo con esto, deviene esencial que las distintas Administraciones competentes cooperen y se coordinen, y en especial, que se dé cabida a la participación de la sociedad civil en aras de alcanzar un nuevo modelo de gestión que permita la consecución de los objetivos ambientales en materia de aguas y en biodiversidad.

En tercer lugar, han de señalarse los problemas de financiación para hacer efectiva la CF. Existe un limitado apoyo económico a iniciativas de custodia. Las Administraciones deben ofrecer su apoyo económico a las entidades si quieren contribuir al desarrollo del sector[36]. Dejando de lado otras fuentes de financiación propias, que garantizan una diversificación equilibrada y no dependiente de las ayudas públicas, estas últimas deben incrementarse. La UE ha puesto de manifiesto que de la documentación facilitada por España las medidas que abordan los objetivos ambientales de la DMA representan el 46% de los presupuestos de los PDM. Por tanto, de este porcentaje debería implementarse el que de destina a un nuevo modelo de gestión como la CF[37].

V. CONCLUSIONES

1. La Directiva 2000/60/CE recoge, entre sus objetivos a alcanzar, un buen estado ecológico de las aguas para el 2015. Para garantizar su existo, la DMA apuesta por incrementar la participación pública a través de mecanismos como la custodia fluvial. Se trata de una herramienta innovadora que implica a las Administraciones públicas con competencias en la planificación y gestión de los sistemas hídricos, a las entidades de custodia, y a los propietarios privados y usuarios de los ríos, como regantes y pescadores. De este modo, se rompe con el paradigma tradicional que hace descansar la responsabilidad de conservar el medio ambiente únicamente en la Administración. Se trata ahora de una responsabilidad compartida entre todos los afectados.

2. Este nuevo modelo ha tenido una acogida progresiva en España. En primer lugar destaca la Estrategia Nacional de Restauración de Ríos puesta en marcha en el 2006 hoy integrada en los Planes Hidrológicos en este segundo ciclo 2015-2021. También, con el objetivo de promover la implicación de los ciudadanos en la conservación del litoral y las zonas que integran las cuencas hidrográficas intercomunitarias, la Fundación Biodiversidad del Ministerio de Agricultura, Alimentación y Medio Ambiente, inició en 2012 el Programa Playas, Ríos, Voluntariado y Custodia del Territorio. Por su parte, las CHs han mostrado un gran interés en fomentar alianzas con la sociedad civil dirigidas a mejorar la protección del medio ambiente. Asumen activamente su participación en la CF a través de acuerdos y convenios cele-

---

36. En este sentido, BASORA ROCA, X., X3 Estudis Ambientals (coords.), *Custodia del Territorio...*, cit., p. 64.
37. *Informe sobre la aplicación de los Planes Hidrológicos...*, cit., p. 76.

brados con entidades de custodia. Cada vez son más las iniciativas de CF en marcha en nuestro país, si bien, hasta no hace mucho la mayor parte de las actuaciones fueron únicamente promovidas por parte de entidades de custodia a través de acuerdos para conservar los ríos y espacios fluviales firmado sobre todo con propietarios privados o con Ayuntamientos.

3. La CF presenta grandes beneficios para los agentes implicados pero aun se detectan determinadas limitaciones que dificultan un mayor desarrollo de este instrumento. Entre los beneficios, la CF propone soluciones a algunas de las limitaciones de la Administración, ya sean de tipo competencial o por la insuficiencia de recursos económicos y humanos. Asimismo, los mayores recursos materiales de la Administración Pública repercute en beneficio para las entidades de custodia no solo en el asesoramiento sino en la utilización de éstos para llevar a cabo sus acciones simplificando, además, los trámites administrativos. Por último, la CF conlleva grandes beneficios para los propietarios, si bien no fiscales si genera para estos ventajas como el asesoramiento que se ofrece por la entidad de custodia o la planificación futura de la finca.

4. Sin embargo, pese a las indudables ventajas que la custodia presenta, existen una serie de barreras que dificultan un mayor desarrollo de la CF. En primer lugar, la existencia de masas de agua muy degradadas y situaciones aparentemente irreversibles. Como se ha visto, el estado de las aguas en España aún está lejos de ser el deseable. Si bien, pese a un tradicional uso intensivo de sus recursos, España se ha fijado el objetivo de alcanzar el buen estado de aquí a 2015 para 3.159 masas de agua superficial (61%), con un incremento del 18% en comparación con las cifras de 2009. Existe una perspectiva optimista en cuanto al futuro estado de nuestras aguas como consecuencia de la aproximación a los objetivos ambientales de la DMA en este segundo ciclo de planificación. En segundo lugar, una de las mayores dificultades asociadas al DPH, que afecta directamente a la CF, deriva de su falta de definición. Corresponde al Estado, a través de los organismos de cuenca, impulsar el deslinde del DPH dando prioridad a las áreas protegidas y espacios de la Red Natura 2000. Otra de las cuestiones fundamentales en materia de CF es la concurrencia competencial de Administraciones Públicas en un mismo espacio. Por un lado, la competencia sobre los espacios fluviales y el DPH de las CHs y, de otro, las competencias de las CCAA sobre la gestión de medio ambiente y ordenación del territorio, y concretamente, la gestión de los espacios que forman parte de la Red Natura 2000, muchos de ellos LIC fluviales que atraviesan ríos o humedales. Por tanto, deviene esencial modificar el sistema tradicional de gestión de los ríos hacia un medio basado en la cooperación y la coordinación que permita la consecución de los objetivos ambientales en materia de aguas y en biodiversidad. Por

último, los problemas de financiación para hacer efectiva la CF y el limitado apoyo económico a iniciativas de custodia dejan patente la necesidad de financiación para garantizar el funcionamiento de estas entidades y garantizar con ello las actividades de conservación propuestas.

VI. BIBLIOGRAFÍA

Adega: Manual de custodia fluvial. Proxecto ríos, Galicia, 2012.

BASORA ROCA, X./X3 Estudis Ambientals (coords.): *Custodia del Territorio en la práctica. Manual de introducción a una nueva estrategia participativa de conservación de la naturaleza y el paisaje*, Fundació Territori i Paisatge – Obra Social Caixa Catalunya, Xarxa de Custodia del Territorio, Barcelona, 2006.

GARCÍA ASENJO, C.: «Algunas experiencias de participación ambiental para la conservación fluvial aplicadas en la cuenca del Duero», *Centro Nacional de Educación Ambiental – Boletín único*, 2015.

–   «Custodia fluvial en la cuenca del Duero: una herramienta eficiente de participación ciudadana en la restauración y conservación de ríos», *Programa de visitas institucionales: La aplicación y el desarrollo de la custodia del territorio en Cataluña*, Manlleu, 2015.

Greenpace: *La calidad de las aguas en España. Un estudio por Cuencas*, 2005.

JORDÁN BENAVENTE, F. M.; MARTÍNEZ ÁLVAREZ, C., y CUELLAS GUNDÍN, O., (coord.): *Custodia del territorio: Modelos de existo para la conservación de los valores naturales «VII encuentro del Día Forestal Mundial»*, Ayuntamiento de Ponferrada, León, 2012.

SÁNCHEZ MARTÍNEZ, F. J.: Dirección General del Agua. Ministerio de Medio Ambiente y Medio Rural y Marino, «La Estrategia Nacional de Restauración de Ríos», *V Congreso Forestal Español, «Montes y sociedad: saber que hacer»*, Ávila, 2009.

WWF España con el apoyo de la Fundación Biodiversidad del Ministerio de Agricultura, Alimentación y Medio Ambiente: *Recomendaciones y buenas prácticas de gestión en espacios fluviales*, WWF España, Madrid, 2015.

CAPÍTULO XX

ESTUDIO ECONÓMICO COMPARATIVO DEL CANON DE SANEAMIENTO EN ESPAÑA. EJEMPLO DE ÉXITO EN LA COMUNIDAD VALENCIANA

J. Melgarejo Moreno
S. Esteve Marhuenda
Instituto Universitario del Agua y de las Ciencias Ambientales de la
Universidad de Alicante

SUMARIO: I. OBJETO DEL ESTUDIO. II. INTRODUCCIÓN. III. CANON DE SANEAMIENTO EN LA COMUNIDAD VALENCIANA. IV. EL CANON DE SANEAMIENTO EN LAS DIFERENTES COMUNIDADES AUTÓNOMAS. V. EJEMPLO DE GESTIÓN DEL CANON: EPSAR. VI. BIBLIOGRAFÍA.

I. OBJETO DEL ESTUDIO

El objetivo de este estudio es realizar un análisis del canon de saneamiento, explicando de qué partes se compone este recurso tributario destinado al mantenimiento, operación y construcción de las diferentes infraestructuras hidráulicas de saneamiento y tratamiento de aguas. Se pretende realizar un análisis comparativo del canon adoptado en cada una de las comunidades autónomas y analizar más detalladamente su gestión en la Comunidad Valenciana a través de la EPSAR (Entidad Pública de Saneamiento de Aguas Residuales).

II. INTRODUCCIÓN

La EPSAR es la entidad encargada de la gestión, la explotación de instalaciones y servicios y la ejecución de obras de tratamiento y depuración de aguas residuales, y, en su caso, reutilización de las aguas depuradas, así como la gestión recaudatoria del canon de saneamiento en todo el territorio de Comunidad Valenciana.

La creación de la misma fue aprobada en marzo de 1.992 en las Cortes Valencianas a través de la Ley 2/1992 de 26 de marzo, generando de este modo un nuevo impulso en actuaciones que en materia de saneamiento y depuración se venían desarrollando desde que en 1985 fueron transferidas a la Comunidad Autónoma las competencias estatales en la materia. La EPSAR se creó como una entidad de Derecho Público, con personalidad jurídica propia e independiente de la Comunidad Valenciana y plena capacidad pública y privada. Además, está sujeta al ordenamiento jurídico privado y goza de autonomía en su organización y de patrimonio propio para realizar el cumplimiento de sus fines.

La relación de la EPSAR con el gobierno de la Comunidad Valenciana inicialmente fue a través de la Consellería de Obras, Públicas, Urbanismo y Transportes, siendo en la actualidad (2014) a través de la Conselleria de Presidencia y Agricultura, Pesca, Alimentación y Agua.

La Ley 2/1992, de 26 marzo, a su vez preveía la redacción de un Plan Director de Saneamiento y Depuración como documento en el que se recogía de forma efectiva las medidas para la coordinación entre las Administraciones Públicas. El Plan fue aprobado definitivamente por el Gobierno Valenciano en el año 1994, y posteriormente, en el año 2003 se redactó y aprobó el segundo Plan Director de Saneamiento y Depuración de la Comunidad Valenciana.

Con la creación de la EPSAR y del Plan Director de Saneamiento y Depuración se daba respuesta al objetivo medioambiental prioritario marcado por el gobierno valenciano: la protección del patrimonio hidráulico mediante el saneamiento de las aguas residuales. Para ello el modelo anterior se había mostrado insuficiente, ya que la transferencia a la Comunidad Valenciana de las funciones de ayuda técnica y financiera a los municipios que ejercía el Estado, no habían resuelto el problema, tanto por los limitados programas de inversión como por el abandono en que quedaban gran parte de las infraestructuras construidas, al no asegurarse la conservación y explotación de las instalaciones.

Desde el punto de vista jurídico, la EPSAR se rige por las leyes y disposiciones especiales que regulan la Ley de Hacienda Pública de la Comunidad Valenciana en los aspectos económico-administrativos, por la legislación sobre contratos del Estado en cuanto a la ejecución de obras y explotación de infraestructuras hidráulicas, por el estatuto aprobado por el gobierno valenciano en cuanto a estructura organizativa interna, funcionamiento y relación con otras instituciones y por el Derecho Civil Mercantil y Laboral en cuanto su funcionamiento como empresa mercantil.

III. CANON DE SANEAMIENTO EN LA COMUNIDAD VALENCIANA

El canon de saneamiento, creado por la Ley de la Comunidad Valenciana 2/1992 de 26 marzo, es un recurso tributario de la Hacienda Pública de la Comunidad Valenciana que se exige en el ámbito territorial de la Comunidad Valenciana, y se destina a la financiación de los gastos de gestión y explotación de las instalaciones de evacuación, tratamiento y depuración de aguas a que se refiere la Ley 2/1992 de 26 de marzo, así como, en su caso, de las obras de construcción de las mismas. El hecho imponible está constituido por la producción de aguas residuales, manifestada a través del consumo medido o estimado de aguas de cualquier procedencia.

El canon es incompatible con otras tasas o precios públicos de carácter local satisfechos para la explotación de los sistemas de saneamiento, sin embargo no es incompatible con las tasas que cubran los gastos ocasionados por los alcantarillados locales. Igualmente el canon de saneamiento es compatible con el canon de vertido que establece la Ley de Aguas.

En la ley se establece el valor del canon como suma de dos componentes: una cuota de servicio anual (€/año) y una cuota de consumo (€/m³). La razón de tal diferenciación entre cuota de servicio y cuota de consumo hay que buscarla en la importancia que para la Comunidad tiene la población estacional, que precisa de grandes inversiones en infraestructuras de saneamiento que quedan ociosas la mayor parte del año, mientras que la cuota de consumo satisfecha por esa población sería mínima, al corresponder únicamente al período en que la vivienda está ocupada.

La Ley distingue entre los consumos de agua de tipo doméstico y los industriales. Los primeros se refieren a los consumos en viviendas, pudiendo variar el canon en función del número de habitantes del municipio. De hecho, en la ley se exceptúa la aplicación del canon en municipios menores de 500 habitantes, y se establecen cuatro grupos de tarifas: para municipios de menos de 3.000 habitantes, entre 3.000 y 10.000, entre 10.000 y 50.000 y los mayores de 50.000 habitantes.

Para los consumos industriales (incluyendo en ellos los locales comerciales) cuyo consumo sea inferior a 3.000 m³ al año el valor del canon se calcula como si se tratase de un consumo doméstico. Para consumos industriales superiores a 3.000 m³ al año se determinará en función del calibre del contador. En este último caso las cuotas de consumo y servicio para usos industriales podrán ser incrementadas o disminuidas en función de los coeficientes correctores que se establecen en dicha Ley y que se determinan, principalmente, en función de la carga contaminante del agua vertida. Inicialmente, en esta ley, se estableció un valor unitario para estos usos superior en un 25% aproximadamente a los usos domésticos, reflejando en esa cuota diferenciada las mayores inversiones en colectores y plantas depuradoras de tratamiento conjunto, aunque en la actualidad los cálculos se realizan como se ha indicado.

IV. EL CANON DE SANEAMIENTO EN LAS DIFERENTES COMUNIDADES AUTÓNOMAS

El canon de saneamiento es un recurso tributario de la Hacienda que han adoptado la mayoría de las comunidades autónomas en España con el fin de gestionar la explotación, operación, mejora y construcción de las diferentes infraestructuras hidráulicas destinadas al saneamiento y depuración de las aguas de consumo urbano e industrial para proteger patrimonio hidráulico y medioambiental.

Cada comunidad autónoma, a través de entidades públicas o de las consejerías de Hacienda, establece un valor y un cálculo del canon de saneamiento y se encarga de su recaudación e inversión en diferentes infraestructuras hidráulicas. En la mayoría de casos este canon de saneamiento, al igual que pasa en la Comunidad Valenciana, está compuesto por dos cuotas: cuota fija y cuota variable, y además es usual la distinción entre consumo urbano y consumos industriales.

En el caso de consumos urbanos, es frecuente encontrar que la cuota variable del canon aumenta considerablemente en función del consumo que se realiza en una vivienda. Esto perjudica a aquellas familias con mayor número de residentes, por lo que algunas comunidades autonómicas refieren este consumo al número de personas por vivienda (véase el caso de Galicia), en otros casos, el consumo para el cálculo de la cuota variable se realiza sobre el consumo total de la vivienda. Incluso en algunos casos la cuota variable es diferente en función del número de habitantes de la población (véase el caso de la Comunidad Valenciana).

En el caso estudiado de la Comunidad Valenciana, la recaudación del canon de saneamiento de consumos industriales no alcanza el 10% de la recaudación del canon de saneamiento total. Por tanto el canon de saneamiento de consumo urbano supone la mayor parte de los ingresos del canon de saneamiento. Este aspecto es muy relevante a la hora de analizar todos los datos obtenidos y de realizar la actualización del canon de saneamiento que se ejecuta anualmente.

A continuación se muestran las gráficas comparativas de la diferencia existente entre la cuota fija, cuota variable y canon de saneamiento de las diferentes comunidades autónomas (año 2014) para dos casos diferentes de consumos por vivienda. Un primer caso de un consumo de 5 m³/mes por vivienda y un segundo caso con un consumo de 30 m³/mes por vivienda. Se suponen cuatro personas por vivienda. Finalmente se muestra una única gráfica comparativa por colores en la que se muestran todos los parámetros antes mencionados y en la que se incluye además el valor del canon de saneamiento para el caso de un consumo de 15 m³/mes y por vivienda.

COMPARATIVA CANON SANEAMIENTO USO DOMÉSTICO PARA UN CONSUMO POR VIVIENDA DE 5 M³/MES

Grafica 1: Cuota Fija Canon de Saneamiento de uso doméstico de las diferentes comunidades autónomas en España en el año 2014 para un consumo de 5 m³/mes. Referencia: Internet.

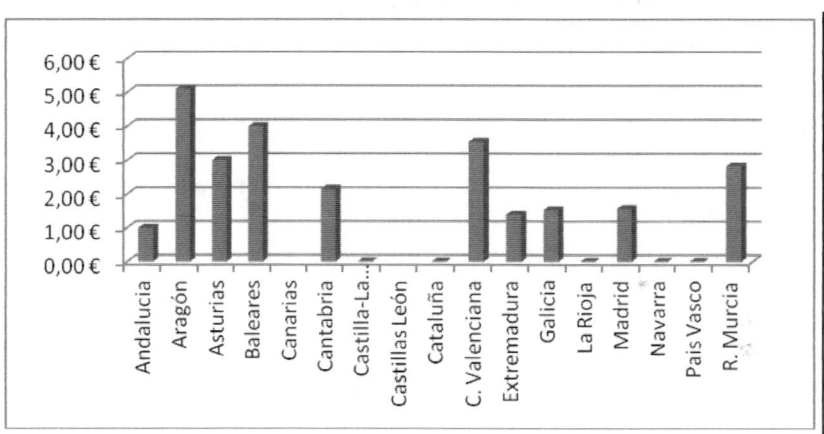

Fuente: Elaboración propia

Grafica 2: Cuota Variable Canon de Saneamiento de uso doméstico de las diferentes comunidades autónomas en España en el año 2014 para un consumo de 5 m³/mes. Referencia: Internet.

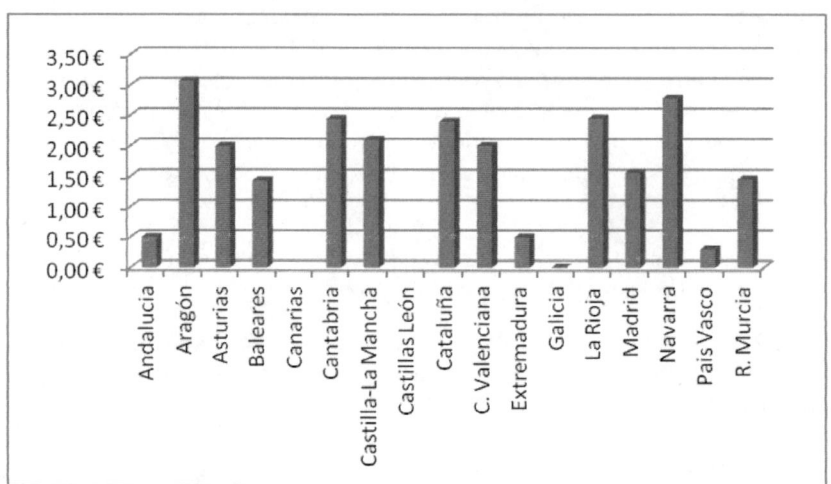

Fuente: Elaboración propia

Grafica 3: Canon de Saneamiento de uso doméstico de las diferentes comunidades autónomas en España en el año 2014 para un consumo de 5 m³/mes. Referencia: Internet.

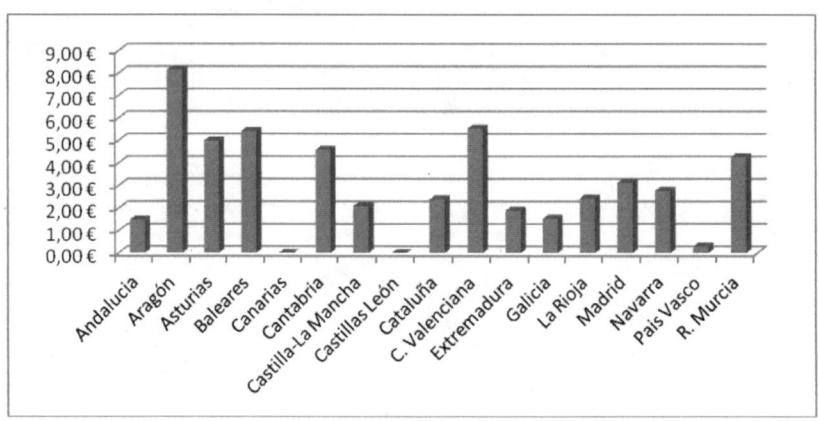

Fuente: Elaboración propia

418

COMPARATIVA CANON SANEAMIENTO USO DOMÉSTICO PARA UN CONSUMO POR VIVIENDA DE 30 m³/MES

Grafica 4: Cuota Fija Canon de Saneamiento de uso doméstico de las diferentes comunidades autónomas en España en el año 2014 para un consumo de 30 m³/mes. Referencia: Internet.

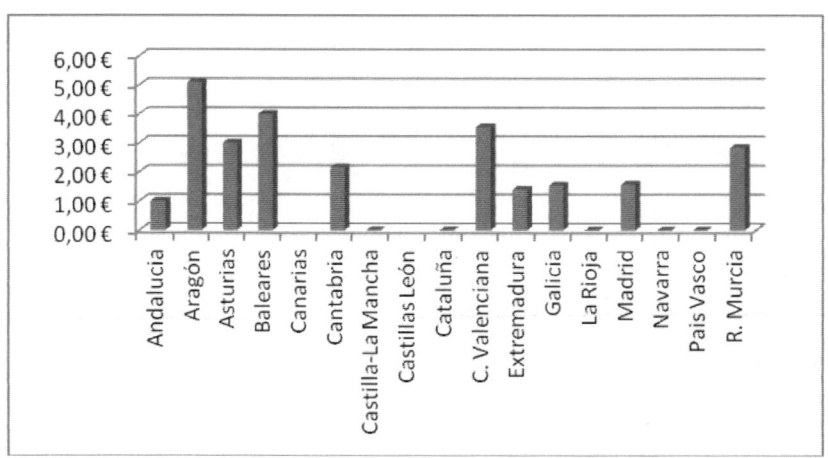

Fuente: Elaboración propia

Grafica 5: Cuota Variable de Canon de Saneamiento de uso doméstico de las diferentes comunidades autónomas en España en el año 2014 para un consumo de 30 m³/mes. Referencia: Internet.

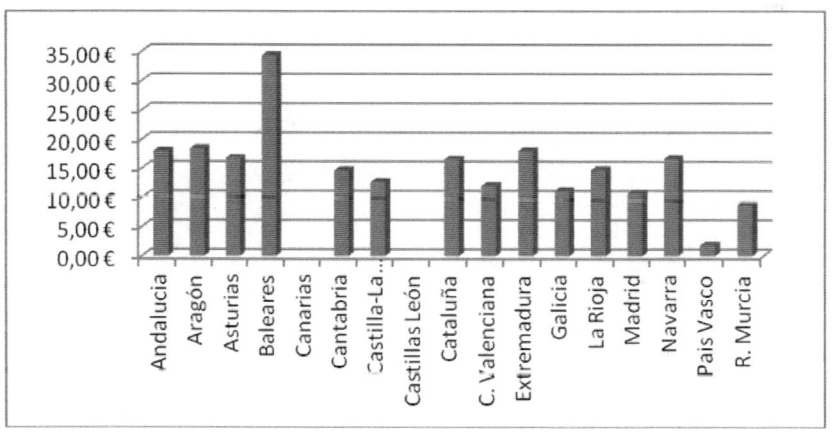

Fuente: Elaboración propia

Grafica 6: Canon de Saneamiento de uso doméstico de las diferentes comunidades autónomas en España en el año 2014 para un consumo de 30 m³/mes. Referencia: Internet.

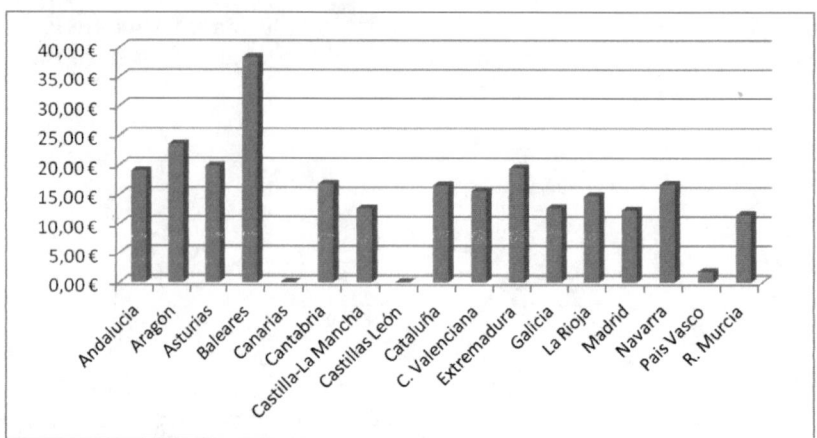

Fuente: Elaboración propia

Grafica 7: Gráfica comparativa del canon de saneamiento de uso doméstico de las diferentes comunidades autónomas en España en el año 2014 según consumo mensual. Referencia: Internet.

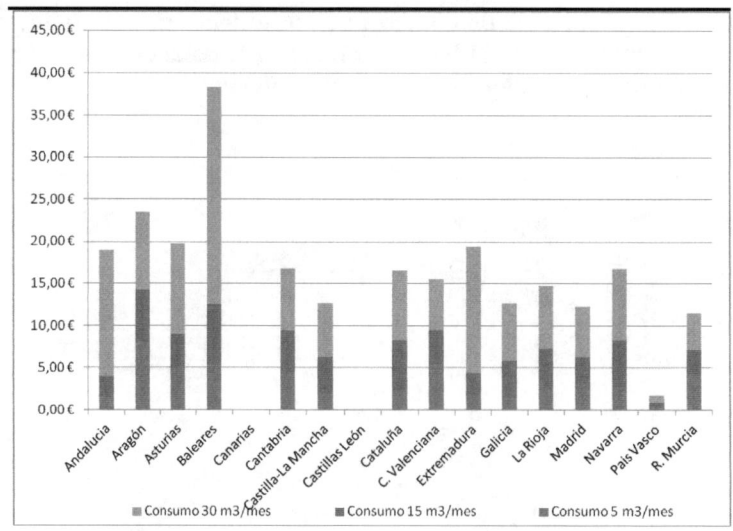

Fuente: Elaboración propia

Como se desprende de todas las gráficas, no se han conseguido datos sobre el canon de saneamiento en las comunidades autónomas de las Islas Canarias y de Castilla León, lo que no significa que estas dos comunidades contemplen algún tipo de tasa tributaria para la gestión y construcción de sus diferentes infraestructuras hidráulicas de saneamiento y tratamiento de agua.

Si pasamos a analizar aquellas comunidades autónomas en las que sí se han conseguido datos se aprecia que el País Vasco presenta el canon de saneamiento más bajo de toda España con seis céntimos de euro por m³ consumido, sin realizar distinción entre canon de saneamiento doméstico e industrial.

En varías comunidades autónomas (Navarra, La Rioja,...) no existe la parte de cuota fija estando gravado solamente el consumo o base imponible y por tanto solamente existe la cuota variable. En los casos en que sí existe cuota fija, ésta varía considerable dependiendo de la comunidad, siendo más elevada en aquellas comunidades que presentan una mayor estacionalidad de turismo, aunque este factor de estacionalidad relacionado con el turismo no siempre es el más determinante para el cálculo de la cuota fija (véase el caso de Aragón).

La cuota variable oscila mucho en función de la comunidad autónoma, y sobre todo penaliza a aquellos consumos elevados por vivienda (por encima de 25 m³/mensuales) y de forma más destacada en aquéllas comunidades donde los recursos hídricos son escasos, como es el caso de las Islas Baleares o Andalucía.

En todos los casos analizados, para consumos medios de 10 m³/mes o superiores, la parte de la cuota variable es superior a la cuota fija mensual. Con consumos inferiores a 10 m³/mes la parte correspondiente a la cuota fija es superior, lo que a priori parece lógico ya que de esta manera las comunidades autónomas se garantizan un canon de saneamiento mínimo para destinar a la operación, mantenimiento y construcciones de infraestructuras hidráulicas.

Si pasamos a analizar el canon de saneamiento industrial comprobamos que este supone menos del 10% del canon de saneamiento total en comunidades autónomas como la Comunidad Valenciana, pero no por ello deja de suponer una parte importante del mismo. Para este estudio se ha supuesto el ejemplo de una empresa industrial de desarrollo de maquinaria y equipos mecánicos con una media de 360 trabajadores. La calidad del agua vertida a la red de saneamiento es buena (bien porque su proceso productivo no produce una gran contaminación del agua o bien porque la propia empresa realiza un tratamiento previo antes de verterla a la red de saneamiento), asimilable a aguas residuales urbanas.

Para el cálculo del canon de saneamiento industrial se han tenido en cuenta los siguientes datos:

Tabla 1: Parámetros físico-químicos para el cálculo del canon de saneamiento de consumo industrial de las diferentes comunidades autónomas en España en el año 2014. Referencia: Internet.

Nº Trabajadores		360			
Consumo por trabajador		2,75			
Diámetro contador:		15	mm		
Comparativa mensual:		990	m³		
Carga SS:		270	mg/l	267,3	kg
Carga DQO:		600	mg/l	594	kg
Conductividad		300	ms/cm		
Metales pesados		0	kg		
DBO5		180	mg/l	178,2	kg
Nitrógeno orgánico (NTK)		39,6	mg/l	39,204	kg
Fósforo (P)		9	mg/l	8,91	kg

Fuente: Elaboración propia

Los vertidos industriales, por norma general, suelen ser vertidos con altas cargas contaminantes del medio hidráulico y por tanto el canon de saneamiento industrial está ligado directamente a estos parámetros contaminantes, siendo los más destacados aquellos que se reflejan en la tabla anterior. En algunas comunidades autónomas estas cargas contaminantes no se ven reflejadas directamente sobre el canon de saneamiento sino sobre un índice corrector que afecta al canon de saneamiento. Otras comunidades autónomas (véase el caso de las Islas Baleares) apremian en uso de agua regenerada realizando un descuento de hasta el 50% del canon saneamiento del agua consumida.

El índice corrector anteriormente comentado puede ser a la baja en algunas comunidades (véase la Comunidad Valenciana) si el vertido de agua de la industria posee menos carga contaminante que la estipulada como carga contaminante media.

Todas estas variables hacen que el canon de saneamiento industrial sea complicado de calcular si no se dispone de analíticas continuas del agua y si no se realiza un buen seguimiento de los vertidos. Además, esto nos lanza una gran multitud de casos que serían imposible de analizar, y es por ello que aquí solamente se expone uno que podría asimilarse a una industria pequeña/media con un vertido de carga contaminante «bajo».

COMPARATIVA CANON SANEAMIENTO USO INDUSTRIAL PARA UN CONSUMO DE 1100 m³/MES Y UN VERTIDO DE CARGA CONTAMINANTE ASIMILABLE A UN USO URBANO

Grafica 8: Cuota Fija Canon de Saneamiento de consumo industrial de las diferentes comunidades autónomas en España en el año 2014 para una carga contaminante asimilable a un uso urbano. Referencia: Internet.

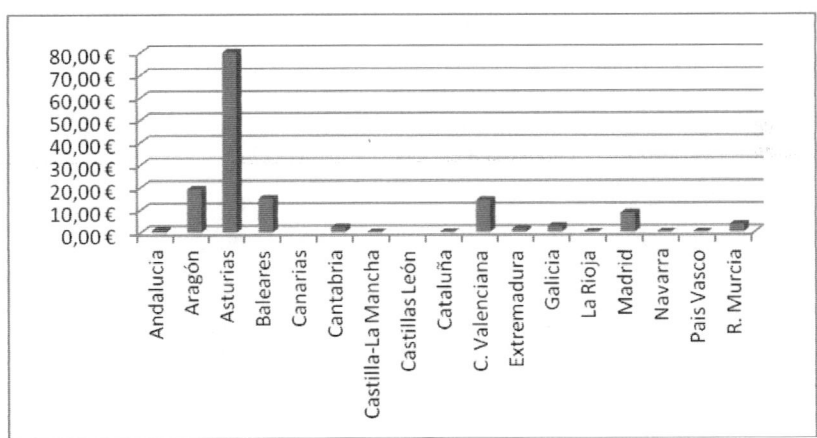

Fuente: Elaboración propia

Grafica 9: Cuota Variable Canon de Saneamiento de consumo industrial de las diferentes comunidades autónomas en España en el año 2014 para una carga contaminante asimilable a un uso urbano. Referencia: Internet.

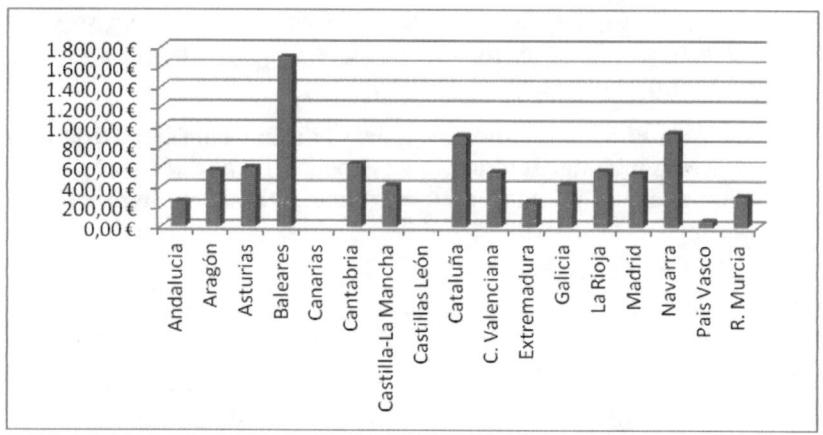

Fuente: Elaboración propia

Grafica 10: Canon de Saneamiento de consumo industrial de las diferentes comunidades autónomas en España en el año 2014 para una carga contaminante asimilable a un uso urbano. Referencia: Internet.

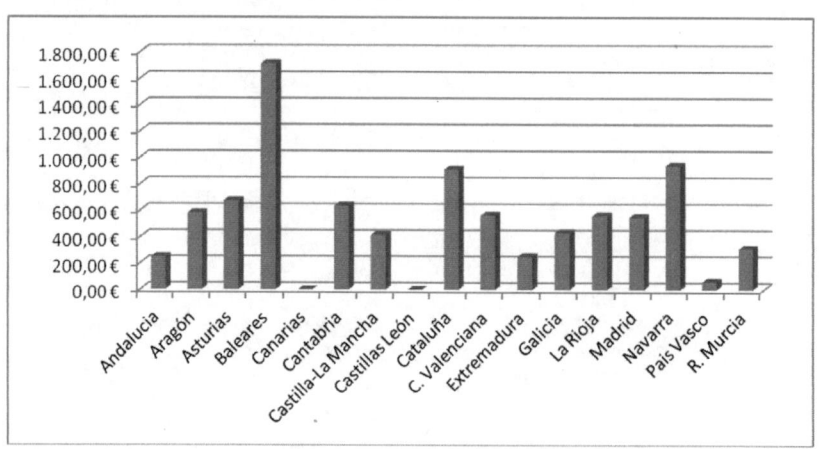

Fuente: Elaboración propia

V. EJEMPLO DE GESTIÓN DEL CANON: EPSAR

Como se ha comentado anteriormente, la EPSAR es la entidad encargada de la gestión, la explotación de instalaciones y servicios y la ejecución de obras de tratamiento y depuración de aguas residuales, y, en su caso, reutilización de las aguas depuradas, así como la gestión recaudatoria del canon de saneamiento en todo el territorio de la Comunidad Valenciana.

Desde que se aprobó su ley de creación en 1992 hasta la actualidad viene realizando y ejecutando estas acciones. Aunque se puede realizar un análisis más profundo de la gestión llevada a cabo hasta el momento, a continuación se muestran los gráficos de los ingresos frente los costes desde el año 2002 hasta la actualidad, y seguidamente un gráfico que muestra la inversión de dichos costes:

INGRESOS/GASTOS DE GESTIÓN DE LA EPSAR 2002-2014

Grafica 11: Ingresos y Gastos de la EPSAR desde el año 2002 hasta el año 2014. Referencia: memorias de gestión anual de la EPSAR año 2002-2014.

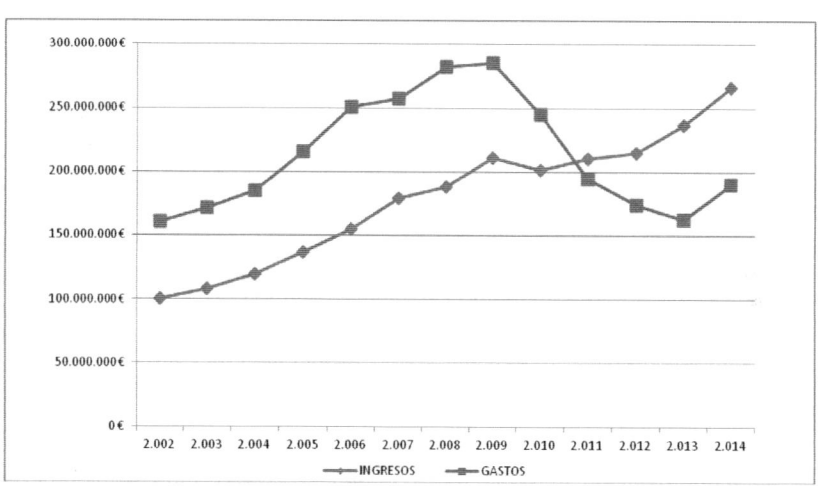

Fuente: Elaboración propia

GASTOS DE GESTIÓN DE LA EPSAR 2002-2014

Grafica 12: Inversión EPSAR desde el año 2002 hasta el año 2014. Referencia: memorias de gestión anual de la EPSAR año 2002-2014.

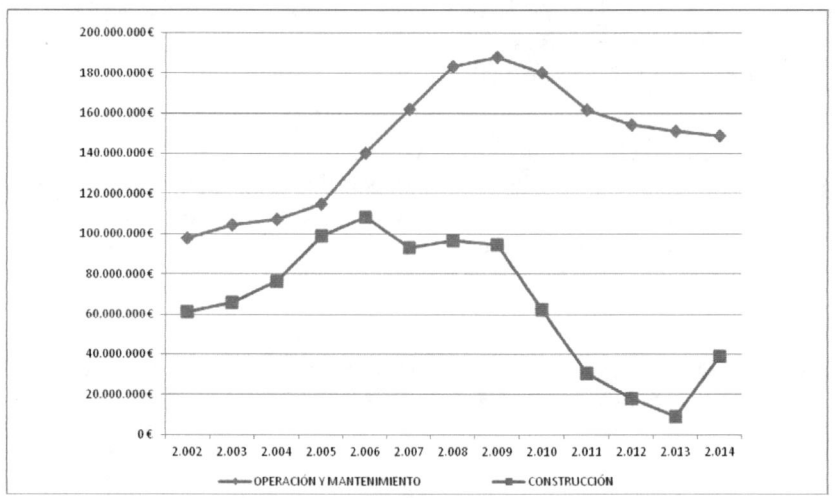

Fuente: Elaboración propia

Analizando la evolución de los gastos e ingresos de la EPSAR desde el año 2.002 hasta el 2014 la primera conclusión a la que se llega es que durante estos primeros años los ingresos fueron superiores a los costes, debido principalmente a la necesidad de construir nuevas infraestructuras de tratamiento de agua, ya que durante estos primeros años existía un importante déficit de estas infraestructuras y fue necesario adaptar el parque de infraestructuras hidráulicas a lo que la normativa europea exigía. Por tanto, durante este periodo de importante inversión los gastos superaron a los ingresos. Según estas infraestructuras se pusieron en marcha los costes de operación y mantenimiento también aumentaron hasta alcanzar la estabilización de costes de operación y mantenimiento actual.

Desde el año 2009 en adelante, con todo el parque de infraestructuras de tratamiento hidráulico modernizado y actualizado a la normativa europea, junto con la desaceleración económica sufrida en todo el territorio español, las inversiones disminuyeron considerablemente, llegando al 2013 donde la inversión en la construcción de nuevas infraestructuras fue mínima.

Los ingresos de la EPSAR se han mantenido constantes hasta la actualidad, alcanzando máximos históricos en los años 2008 y 2009. Estos ingresos mantuvieron una tendencia similar a la de los gastos hasta el año 2009, cuando los ingresos continuaron aumentando, aunque en este caso de manera menos pronunciada que años anteriores, mientras que los gastos disminuyeron considerablemente hasta alcanzar el superávit anual existente en la actualidad. Este mantenimiento del aumento de los ingresos se debe principalmente a la actualización económica del canon de saneamiento, tanto la cuota fija como la cuota variable en consumos domésticos e industriales. Esto ha provocado que, a pesar de que la población en la Comunidad Valenciana ha descendido en los últimos años y consecuentemente el consumo de agua, los ingresos por canon de saneamiento han podido seguir en aumento.

VI. BIBLIOGRAFÍA

– Entidad Pública de Saneamiento de la Comunidad Valenciana (EPSAR): Memoria anual de gestión de la EPSAR años 2002-2014.

– Ley 2/1992, de 26 de marzo, del Gobierno Valenciano, de saneamiento de aguas residuales de la Comunidad Valenciana.

– Decreto 266/1994, de 30 de diciembre, del Gobierno valenciano, por el que se aprueba el Reglamento sobre el Régimen Económico-Financiero y Tributario del Canon de saneamiento.

– Decreto 7/1994, de 11 de enero, del Gobierno Valenciano. Directrices del Plan Director de Saneamiento de la Comunidad Valenciana.

– Decreto 197/2003, de 3 de octubre, del Consell de la Generalitat, por el que se aprueba el II Plan director de Saneamiento y Depuración de la Comunidad Valenciana.

CAPÍTULO XXI

SITUACIÓN ACTUAL Y PERSPECTIVAS DE FUTURO DE LAS COMUNIDADES DE REGANTES EN LA CUENCA DEL SEGURA

Amparo Melián Navarro
Dra. Ingeniero Agrónomo. Profesora Titular
Universidad Miguel Hernández

David Antonio Costa Botella
Dr. por la Universidad Miguel Hernández de Elche

SUMARIO: I. COMUNIDADES DE REGANTES EN LA CUENCA DEL SEGURA. UNA BREVE PERSPECTIVA HISTÓRICA. II. EL ANÁLISIS CUALITATIVO COMO METODOLOGÍA DE INVESTIGACIÓN SOBRE LA SITUACIÓN ACTUAL Y PROYECCIONES DE FUTURO DE LAS COMUNIDADES DE REGANTES EN LA CUENCA DEL SEGURA. 1. *Metodología*. 2. *Procedimiento en la investigación*. 3. *Características y distribución del cuestionario*. III. SITUACIÓN ACTUAL Y RETOS DE LA COMUNIDADES DE REGANTES EN LA CUENCA DEL SEGURA. IV. DEBILIDADES Y FORTALEZAS DE LAS COMUNIDADES DE REGANTES EN LA CUENCA DEL SEGURA. V. ÍNDICE BIBLIOGRÁFICO.

I. COMUNIDADES DE REGANTES EN LA CUENCA DEL SEGURA. UNA BREVE PERSPECTIVA HISTÓRICA

La disponibilidad de agua ha sido a lo largo de la historia el factor limitante que ha determinado el desarrollo territorial del sureste español. La necesidad de este recurso para el progreso socioeconómico ha llevado a los pobladores de esta parte del territorio nacional a ingeniar estrategias que les permitieran garantizar la disponibilidad de agua a pesar de los difíciles condicionantes de la naturaleza.

Como es natural, estas estrategias se han ido adaptando a la vez que la tecnología avanzaba siendo el pasado siglo xx el período de mayores avances en materia de garantía en la disponibilidad de agua desde la época musulmana. En todo este tránsito temporal, casi mil años, existe un denominador común en la gestión del recurso, el establecimiento de reglas, de ordenanzas, por las que se regían los diferentes Juzgados Privativos de Aguas que debían velar por el correcto reparto del agua.

Hoy, ya en el siglo xxi, los Juzgados Privativos de Agua (JPA) y las Comunidades de Regantes (CCRR), son los principales depositarios del uso consultivo del agua en España. Su papel es indiscutible y por ello parece oportuno analizar el presente y futuro de estas instituciones en el ámbito geográfico determinado por la Cuenca del Segura y la labor que realizan destacando sus fortalezas y debilidades a fin de avanzar en la gestión eficiente del recurso.

II. EL ANÁLISIS CUALITATIVO COMO METODOLOGÍA DE INVESTIGACIÓN SOBRE LA SITUACIÓN ACTUAL Y PROYECCIONES DE FUTURO DE LAS COMUNIDADES DE REGANTES EN LA CUENCA DEL SEGURA

1. METODOLOGÍA

La metodología empleada en el siguiente estudio consiste en una técnica de análisis cualitativo basado en la opinión de 74 expertos pertenecientes a ámbitos relacionados con la gestión del agua, como usuarios y gestores de comunidades de regantes, profesores universitarios e investigadores del ramo, responsables de empresas vinculadas a la gestión del recurso hídrico o miembros de la Administración Pública a nivel regional y estatal.

Esta metodología complementa las clásicas aproximaciones cuantitativas, pero no las sustituye, ofreciendo una primera aproximación al tratamiento de una cuestión compleja como es esta, a fin de que se puedan tomar las decisiones oportunas por los responsables cualificados (los gestores de las Comunidades de Regantes) en aras de una mejor gestión del recurso hídrico en la Cuenca del Segura.

Las técnicas de investigación cualitativas con base en la opinión de expertos y usuarios cualificados son especialmente adecuadas para abordar con un primer enfoque temáticas determinadas por una alta incertidumbre (Cos-

TA, 2015; LANDETTA, 1999), por lo que la consideramos aplicable al caso de todo lo concerniente a la gestión del agua.

Resulta evidente que este grupo de expertos aportará una información más completa y contrastada que un único individuo, pero la obtención de dicha información no estará exenta de dificultades para que sea realmente representativa y se obtenga una opinión grupal. La presión social ejercida por el grupo a sus componentes puede llevar a la obtención de conclusiones erróneas y el sesgo de opinión que manifieste un grupo de participantes, por ejemplo, en función de su origen u orientación profesional puede generar problemas de aplicación de esta metodología de investigación. En este trabajo, se han tomado medidas que minimicen la influencia negativa de estos factores, así como se ha garantizado el anonimato de los participantes en la investigación para corregir la posible presión que uno de los miembros pudiera ejercer sobre el resto.

2. PROCEDIMIENTO EN LA INVESTIGACIÓN

Para el desarrollo de este trabajo se configuró el grupo coordinador formado por los autores cuyas funciones principales, y atendiendo a lo determinado por LANDETTA en 1999, fueron las siguientes: estudiar y aprobar el protocolo de trabajo, confeccionar la lista de expertos participantes en la investigación, elaborar el cuestionario e impulsar la participación de los expertos, analizar las respuestas, interpretar los resultados, y plantear las correspondientes medidas correctoras si fueran necesarias.

El primer contacto con los expertos se produjo mediante contacto telefónico, electrónico (vía correo electrónico) o personal y a través del cual se les explicó el fin de la investigación y se les garantizó el anonimato.

3. CARACTERÍSTICAS Y DISTRIBUCIÓN DEL CUESTIONARIO

Sobre un universo de 294 personas englobadas en diferentes categorías profesionales, políticos, responsables de Administraciones Públicas, personal investigador y profesorado universitario, personal usuario y técnicos del sector, se distribuyó un cuestionario on-line, que debía ser respondido telemáticamente.

Las preguntas propuestas permiten la matización de las repuestas pudiendo los expertos optar por diferentes opciones, las cuales se van a jerarquizar mediante una escala Likert de intensidad del 1 al 5, siendo normalmente los valores cercanos al 1 aquellos asociados a respuestas del tipo «totalmente improbable», «totalmente en desacuerdo» o «nada importante» y al 5 aquellas respuestas similares a «totalmente probable», «totalmente de acuerdo» o «muy importante».

Cuantificadas las respuestas se procederá a tratarlas con estadísticos calculado medidas de centralización como la media y el intervalo de confianza (95%), y medidas de dispersión como la deviación típica o estándar, y el error estándar.

Finalmente, se obtuvieron 74 respuestas de expertos válidas lo que supone un 25,5% de los inicialmente seleccionados. De estos 74 expertos 58 son hombre y 16 mujeres. En cuanto a la edad de los participantes (distribuida por grupos) se observa que los más activos son los correspondientes al grupo de menos de 30 años (15 respuestas) y los menos los del grupo de edad mayor de 60 años (3 respuestas). La distribución porcentual por grupos es la siguiente: menores de 30 años 20%, de 31 a 35 años 18 %, de 36 a 40 años 15%, de 41 a 45 años 16%, de 46 a 50 años 15%, de 51 a 60 años 12 y más de 60 años 3%.

En cuanto al sector del que provienen los expertos destaca la participación de investigadores y profesores universitarios con un 52% de la muestra, le siguen los responsables de empresas relacionadas con la gestión o tratamiento del agua con un 22% y finalmente los funcionarios de Administraciones Públicas a nivel Central y Autonómico que junto con los usuarios pertenecientes a comunidades de regantes supusieron una cuota de participación del 13%.

El cuestionario aborda diferentes aspectos para su posterior análisis. Se estructura en cuatro bloques y veinte preguntas. Uno de estos bloques versa sobre el papel desempeñado por las CCRR objeto de esta comunicación que consta de tres preguntas, la primera es una toma de contacto sobre la percepción que los usuarios del agua y los técnicos tienen sobre el papel de las CCRR y la valoración respecto a ciertas aplicaciones concretas, la segunda sobre los aspectos que mejorarían de la gestión y eficiencia de las mismas, y en la tercera se particulariza sobre los motivos que propician esa eficacia. Por su importancia y responsabilidad en la gestión del recurso hídrico se exponen los resultados de una cuestión clave que es la opinión de los expertos sobre el grado de Cumplimiento de los objetivos de la DMA que inicia el primer bloque del cuestionario.

III. SITUACIÓN ACTUAL Y RETOS DE LA COMUNIDADES DE REGANTES EN LA CUENCA DEL SEGURA

Uno de los principales retos a los que se enfrentan las CCRR es el cumplimiento de la Directiva 2000/60/CE del Parlamento Europeo y del Consejo de 23 de octubre de 2000, por la que establece un marco comunitario de actuación en el ámbito de la política de aguas, comúnmente conocida como Directiva Marco del Agua (en adelante DMA) previsto para 2015 (22 de diciembre). Por ello, la primera cuestión que se les pregunta a los expertos es su opinión sobre la probabilidad de que se llegue al cumplimiento de los distintos objetivos de la DMA en el plazo previsto (horizonte 2015), y en especial en aquellos aspectos en los que la DMA ha puesto más énfasis como son los económicos (recuperación de costes) y los medioambientales (PERNI, MARTÍNEZ PAZ, 2011; PERNI, 2013; PELLICER, 2014) (reducción de contaminación, conservación humedales...), con los siguientes resultados (tabla 1).

Tabla 1. Perspectivas de cumplimiento de lo dispuesto en la DMA para el horizonte 2015

	Media	Intervalo de confianza (95%)	Des-viación típica	Error están-dar
Recuperación de todos los costes del suministro de agua	2,014	[1,799-2,228]	0,944	0,110
Evitar el deterioro de las aguas superficiales	2,378	[2,169-2,587]	0,917	0,107
Reducción de la contaminación de las aguas subterráneas	2,527	[2,323-2,731]	0,895	0,104
Explotación racional y equilibrada de los acuíferos	2,351	[2,143-2,559]	0,913	0,106
Conservación de humedales	2,838	[2,661-3,015]	0,777	0,090
Paliar los efectos de inundaciones y sequías	2,595	[2,392-2,797]	0,890	0,103

Fuente: Elaboración propia.

Respecto de la visión global que tienen los expertos del cumplimiento total de la DMA, estos se muestran sustancialmente escépticos. De las seis opciones planteadas, sólo tres superan el 2,5 (de media) que determina que los expertos están de acuerdo o totalmente de acuerdo con la probabilidad de cumplimiento de ese ámbito concreto de la DMA. Pero son escépticos en el cumplimiento de lo dispuesto en la DMA respecto de la explotación racional de los acuíferos poniendo de manifiesto la necesidad de una regulación más racional de los mismos (ÁLVAREZ, 2011; NAVARRO CABALLERO, 2013; MOLINA Y MELGAREJO, 2013). Respecto de la reducción de la contaminación de las aguas subterráneas los expertos se muestran ligeramente optimistas (2,527) lo que contrasta con la dificultad a la hora de aplicar la legislación Europea y Española tendente a proteger el buen estado de conservación de los acuíferos (COSTA, 2015). Del mismo modo son escépticos en lo referente a la recuperación de los costes del suministro de agua, así como en lo relativo a evitar el deterioro de las aguas superficiales. Por otra parte, los expertos son más optimistas respecto de la conservación de los humedales y con las medidas relativas a paliar los efectos de las inundaciones y de las sequías. Considerando que este es el escenario en el que las CCRR deben trabajar es interesante conocer la situación en la que se mueve el sector.

Ciñéndonos ya, en la visión que tienen los expertos de la propia labor de gestión de las CCRR y partiendo de la base de la importancia de estas en cuestiones tales como la implantación de medidas de ahorro de agua a gran escala, la mejora tanto en la eficiencia en el uso del agua y de la eficiencia en el gasto energético que provoca dicho uso (ABADÍA et al., 2008; ABADÍA et al., 2012; RODRÍGUEZ-DÍAZ et al., 2011; RUIZ et al., 2007; MORENO et al., 2009; ROCAMORA et al., 2008; ROCAMORA, ABADÍA, 2010), es importante saber y justifica este estudio la detección de las fortalezas y debilidades tanto desde el punto de vista de la gestión del recurso como del funcionamiento mismo de estas instituciones.

En una primer aproximación, los expertos fueros preguntados por tres aspectos fundamentales de la gestión realizada por las CCRR. Concretamente en lo relativo a la gestión propia del recurso, a como resuelven la Aplicación de la DMA para la recuperación de los costes asociados al suministro del agua y a lo relativo a la aplicación de políticas medio ambientales. Los resultados que se obtuvieron de sus respuestas quedan resumidos en la tabla 2.

Tabla 2. Aspectos generales en la gestión de las Comunidades de Regantes.

	Media	Intervalo de confianza (95%)	Desviación típica	Error estándar
Gestión del recurso	2,288	[2,008-2,569]	1,099	0,143
Aplicación de la (DMA) para la recuperación de los costes	2,051	[1,789-2,312]	1,024	0,133
Aplicación de políticas medioambientales	1,966	[1,734-2,198]	0,909	0,118

Fuente: Elaboración propia.

De la anterior tabla cabe destacar, como idea general, que los expertos no valoran bien ninguno de los tres aspectos por los que han sido preguntados (valor inferior a 2,5). Son especialmente críticos en lo concerniente a la adopción de políticas medioambientales por parte de la CCRR (1,966) con valores muy alejados de la centralidad, siendo la opinión más común la de «algo deficiente» seguida por la de «deficiente». En el otro extremo, se muestra el aspecto relativo a la gestión del recurso. Sin llegar a sobrepasa el umbral de 2,5, la opinión de los expertos se muestra más acorde y varios de ellos la consideran adecuada.

Como consecuencia de lo reflejado se plantea otra cuestión relativa a incidir en los aspectos considerados de mayor importancia para mejorar la eficacia en la gestión del agua. Los resultados obtenidos y la valoración de estos factores se exponen en la tabla 3.

Tabla 3. Aspectos para la mejora en la gestión del agua por parte de las CCRR.

	Media	Intervalo de confianza (95%)	Desviación típica	Error estándar
Necesidad de mejoras de infraestructura	3,638	[3,398-3,878]	0,931	0,122
Dedicación de gestores más profesionalizada	4,276	[4,051-4,501]	0,874	0,115
Participación de socios y usuarios en la toma de decisiones	3,569	[3,323-3,815]	0,957	0,126
Incrementar la formación de socios y usuarios	4,017	[3,779-4,256]	0,927	0,122
Incremento de prestación de servicios a socios	3,724	[3,465-3,983]	1,005	0,132

Fuente: Elaboración propia.

Las seis propuestas de mejora son percibidas como necesarias presentado valores muy por encima de 2,5. Sobresale la necesidad de una dedicación de gestores más profesionalizada (4,27), la mayoría de las respuestas obtenidas las valoran como «importante» o «bastante importante». Les sigue la necesidad de una mayor formación a socios y usuarios (4,017) siendo en este caso las respuestas más comunes «bastante importante» y «muy importante». También importante pero en menor intensidad se percibe la participación de los socios y usuarios en la toma de decisiones (3,569) así como la necesidad en la mejora de la infraestructuras (3,638).

A la vista de lo expuesto en la tabla 2 donde los expertos manifestaban, dentro de las consideraciones generales en la gestión de la CCRR que la gestión del agua era la mejor valorada y con el fin de seguir identificando fortalezas y debilidades en el funcionamiento y gestión de estas entidades, fueron preguntados sobre los motivos que propiciaban esa buena gestión del recurso por parte de las CCRR. Los resultados son los que se muestran en la tabla 4.

Tabla 4. Factores que determinan la eficacia en la gestión del agua en las CCRR

	Media	Intervalo de confianza (95%)	Desviación típica	Error estándar
Adopción de innovaciones en la gestión y explotación	3,466	[3,228-3,703]	0,922	0,121
Abundancia de técnicos	2,845	[2,600-3,090]	0,951	0,125
Rapidez en la toma de decisiones	2,914	[2,686-3,141]	0,884	0,116
Socios en régimen de agricultura a tiempo total o completo	2,983	[2,735-3,231]	0,964	0,127
Participación de jóvenes agricultores y bien formados	3,172	[2,867-3,478]	1,187	0,156

Fuente: Elaboración propia.

Desde el punto de vista de los expertos, todos los motivos puestos de manifiesto son susceptibles de favorecer la mejora en la gestión del recurso por parte de las CCRR. En opinión de los expertos prevalece la adopción de innovaciones en la gestión y la explotación (FEDER *et al.*, 1985; KARSHENAS y STONEMAN, 1995; SUNDING y ZILBERMAN, 2001; ALARCÓN, 2003; ALCÓN, 2007; GARCÍA-MARTÍNEZ, 2009). Llama la atención que destaque la participación de jóvenes agricultores bien formados, Esto se podría explicar por el retorno a la agricultura de individuos de entre 35 y 45 años motivada por la situación de crisis que ha afectado especialmente a otros sectores muy presentes en el sureste español y frente a la cual la agricultura se ha mostrado más resistente (COSTA, 2015).

IV. DEBILIDADES Y FORTALEZAS DE LAS COMUNIDADES DE REGANTES EN LA CUENCA DEL SEGURA

En atención a lo expuesto, podemos afirmar que las Comunidades de Regantes no son percibidas como excelentes en ninguno de los aspectos generales planteados a los expertos (Tabla 1). Dentro de este escepticismo, la gestión del recurso hídrico es percibida como la mejor de las consideraciones generales. Profundizando en los aspectos que mejorarían la gestión, tanto la gestión interna como externa, destaca la necesidad de tener gestores más profesionalizados, la necesidad de incrementar la formación de socios y usuarios, y la de incrementar servicios a sus socios y usuarios. Llama la atención que la necesidad de mejorar las infraestructuras sea el último de los aspectos de mejora para los expertos, pues consideramos que la existencia de unas buenas infraestructuras son vitales en la distribución y en la aplicación del recurso con eficiencia.

En la misma línea y buscando identificar las potencialidades que facilitan esa gestión del recurso hídrico, se pone de manifiesto que, según los *stakeholders* consultados, las CCRR son instituciones abiertas a la adopción de innovaciones en la gestión y explotación, y están experimentando un incremento de agricultores provenientes de otros sectores productivos trayendo consigo un nuevo enfoque para la actividad agraria, sobre todo desde el punto de vista empresarial. Es destacable también la valoración positiva de la rapidez en la toma de decisiones de los gestores de las CCRR en momentos puntuales. Esto puede explicarse por la abundancia de técnicos presentes en las CCRR, los cuales facilitarían este proceso de toma de decisiones.

Por último, hay que destacar el reto que supone la aplicación de la Directiva Marco del Agua, sobre todo desde en el aspecto económico. De aplicarse de forma estricta lo dispuesto en lo que a recuperación de costes por suministro de agua se refiere dejaría a los usuarios (CCRR) y al sector agrícola en particular en franca desventaja respecto a otros sectores que por sus márgenes en beneficios sí podrían asumir ese nuevo coste.

V. ÍNDICE BIBLIOGRÁFICO

ABADÍA SÁNCHEZ, R.; ROCAMORA OSORIO, M. C., y RUIZ CANALES, A. (2008): *Protocolo de auditoría energética en Comunidades de Regantes*. IDEA. Ministerio de Industria, Turismo y Comercio. Madrid. 2008.

ABADÍA SÁNCHEZ, R.; ROCAMORA OSORIO, C., y VERA MORALES, J.: «Energy efficiency in irrigation distribution networks II: Applications». *Biosystems Engenieering*, núm. 111 (4), pp. 398-411, Elsevier, Amsterdam, 2012.

ALARCÓN VERA, A.: «Innovación y tecnología en la producción agrícola murciana». En: *Libro Blanco de la Agricultura y Desarrollo Rural*. Ministerio de Agricultura, Pesca y Alimentación, Madrid, 2003.

ALCÓN PROVENCIO, F. J.: «Adopción y difusión de tecnologías de riego en la Región de Murcia». *Serie Técnica y de Estudios*, núm. 33, pp. 223,

Ed. Consejería de Agricultura y Agua de la Región de Murcia, Murcia, 2007.

ÁLVAREZ CARREÑO, S.: «Actividad agrícola y contaminación de aguas subterráneas: régimen jurídico». En: EMBID IRUJO, A. (dir.). *Agua y agricultura*, Civitas, Pamplona, 2011.

COSTA BOTELLA, D. A.: *Estudio de gestión hídrica en la comarca de la Vega Baja del Segura. Especial incidencia en el uso agrario del agua.* Tesis doctoral, Universidad Miguel Hernández, Orihuela, 2015.

FEDER, G.; JUST, R. E., y ZIBERMAN, D.: «Adoption of agricultural innovations in developing countries: a survey». *Economic Development & Cultural Change*, núm. 33, pp. 255, New York, 1985.

GARCÍA MARTÍNEZ, M.C.: *La adopción de tecnología en los invernaderos hortícolas mediterráneos.* Tesis Doctoral, Universidad Politécnica de Valencia, Valencia, 2009.

KARSHENAS, M., y STONEMAN, P. L.: «Technological Diffusion». En: *Handbook of the economics of innovation and technological change*, pp. 265-296. Ed. Blackwell, Oxford, 1995

LANDETA, J.: *El método Delphi: una técnica de previsión para la Incertidumbre*, Ed. Ariel, Barcelona, 1999.

MOLINA GIMÉNEZ, A., y MELGAREJO MORENO, J.: «Reflexiones sobre el control de la contaminación de las aguas por actividades agrarias de irrigación». En: *XXXI Congreso Nacional de Riegos. Asociación Española de Riegos y Drenajes*, Texto completo Publicación electrónica, Orihuela, 2013.

MORENO HIDALGO, M. A.; MORALEDA JIMÉNEZ, D.; CÓRCOLES TENDERO, J. I.; TARJUELO MARTÍN-BENITO, J. M.; ABADÍA SÁNCHEZ, R.; ROCAMORA OSORIO, M. C.; RUIZ CANALES, A.; MORA GÓMEZ, M.; VERA MORALES, J.; PUERTO MOLINA, H.; ANDREU RODRÍGUEZ, J., y MELIÁN NAVARRO, A.: « *Estudio comparativo sobre medidas de ahorro energético en Comunidades de Regantes* ». En: *XXVII Libro Resúmenes Congreso Nacional de Riegos.* pp. 123-124 (213), Asociación Española de Riegos y Drenajes, Texto completo Publicación electrónica, Murcia, 2009.

NAVARRO CABALLERO, T.M.: «Las últimas reformas en materia de aguas subterráneas. Reflexiones sobre su efectividad para contribuir a la mejor calidad de los acuíferos». En: *XXXI Congreso Nacional de Riegos. Asociación Española de Riegos y Drenajes,* Texto completo Publicación electrónica, Orihuela, 2013.

–   «Reflexiones sobre la última reforma en materia ambiental. La quimera de la simplificación administrativa y la inadecuación del decreto-ley para su instrumentación», *Revista Aragonesa de Administración Pública*, núm. 41, 2013.

PELLICER MARTÍNEZ, F.: *Huella Hídrica y Planificación Hidrológica: Ampliación en la Demarcación Hidrográfica del Segura*, Tesis Doctoral, Universidad de Murcia, Murcia, 2014.

PERNI LORENTE, A. y MARTÍNEZ PAZ, J.M.: *Análisis coste-eficacia del programa de medidas para la mejora ambiental del Mar Menor*. Ed. Fundación Séneca. Murcia. 2011.

PERNI LORENTE, A.: *Evaluación y análisis de la implementación de los aspectos económicos de la Directiva Marco del Agua: el caso de la Demarcación Hidrográfica del Segura*, Tesis Doctoral, Universidad de Murcia, 2013.

ROCAMORA OSORIO, M. C.; ABADÍA SÁNCHEZ, R.; RUIZ CANALES, A.; PUERTO MOLINA, H. y MELIÁN NAVARRO, A.: *Energy efficiency in irrigation: Energy audits and qualification of Water Users' Associations*. En: International Conference on Agricultural Engineering. Agricultural & Biosystems Engineering for a Sustainable World. AgEng 2008. Hersonissos, Creta, (Grecia), Texto completo Publicación electrónica. 2008.

ROCAMORA OSORIO, M. C., y ABADÍA SÁNCHEZ, R. (coord.): *Manual de Auditorías Energéticas en Comunidades de Regantes*, Ed. Editorial Club Universitario, Alicante, 2010.

RODRÍGUEZ DÍAZ, J. A.; CAMACHO POYATO, E. y BLANCO PÉREZ, M.: «Evaluation of water and energy use in pressurized irrigation networks in southern Spain». *Journal of Irrigation and Drainage Engineering*, núm. 137(10), pp. 644-650, American Society of Civil Engineers, Reston (Virginia), 2011.

RUIZ CANALES, A.; ABADÍA SÁNCHEZ, R.; ROCAMORA OSORIO, M. C.; CÁMARA ZAPATA, J. M.; PUERTO MOLINS, H.; ANDREU, J.; VERA MORALES, J. y MELIÁN NAVARRO, A. «Indicadores de Gestión en comunidades de regantes». En: *XXV Congreso Nacional de Riegos*. Asociación Española de Riegos y Drenajes, Texto completo Publicación Electrónica, Pamplona, 2007.

SUNDING, D.; ZILBERMAN, D.: «The agricultural innovation process: research and technology adoption in a changing agricultural sector». En: GARDNER, B.L., RAUSSER, G. C. (ed.): *Handbook of agricultural economics*, pp. 207-26, Elsevier, Amsterdam, 2001.

CAPÍTULO XXII

RETOS DE LA DESALACIÓN DE AGUAS SALOBRES

R. Murcia Molina

Abogada. Profesora asociada de la Facultad de Derecho de la Universidad de Murcia.

SUMARIO: I. INTRODUCCIÓN. HACIA UNA GESTIÓN INTEGRADA DE LOS RECURSOS HÍDRICOS. II. DE LOS RECURSOS HÍDRICOS NO CONVENCIONALES: LA DESALACIÓN DE AGUAS SALOBRES ANTE LA PLANIFICACIÓN HIDROLÓGICA. 1. *Real Decreto 356/2015, de 8 de mayo, por el que se declara la situación de sequía en el ámbito territorial de la Confederación Hidrográfica del Segura, adoptándose medidas excepcionales para la gestión de los recursos hídricos.* 2. *El Proyecto de Revisión del Plan Hidrológico de la Cuenca del Segura. 2015/2021.* III. CONCLUSIÓN. UNA REFLEXIÓN INACABADA. IV. BIBLIOGRAFÍA.

I. INTRODUCCIÓN. HACIA UNA GESTIÓN INTEGRADA DE LOS RECURSOS HÍDRICOS

La realidad hídrica de nuestro país, un país atormentado por la escasez crónica de agua y el desequilibrio de precipitaciones al que se somete, caprichosamente determina la riqueza o pobreza de sus territorios, como un péndulo arbitrario de desarrollo al que, más allá de nuestra voluntad, nos vemos sometidos. Por ello, el agua bien escaso de incalculable valor, es un patrimonio que debe ser cuidadosamente preservado y gestionado, pues su degradación, conllevará nuestra propia degradación. De ahí que como pilar básico de crecimiento, la garantía del suministro de agua, se impone como ángel custodio de prosperidad. Y en este convencimiento, la Directiva Marco 2000/60, de Aguas ofrece la consideración del agua como servicio público, y que como tal, debe ser garantizado y prestado por el Estado a través de la existencia de un sistema de planificación y gestión de los recursos hídricos, que garantice el suministro en cantidad y calidad suficiente, y se demuestre eficaz y sostenible[1].

El Sistema Español de Gobernanza del Agua, afronta los nuevos retos que plantea el siglo XXI –mayor demanda de agua, menor disposición de recursos, aumento de los estándares de calidad– desde la planificación hidrológica por Demarcaciones Hidrográficas, siendo en el marco de la planificación donde se estudian las nuevas demandas y los recursos disponibles y donde se priorizan y planifican las acciones que se llevarán a cabo, entre otras, la incorporación de nuevos recursos no convencionales al ciclo del agua, tales como la desalación, ofreciendo con ello una gestión integrada de los recursos de agua, que obedezca a un uso eficiente del recurso que afiance un modelo sostenible, garante de suministro para todos los usos, en todas las partes del territorio y medioambientalmente respetuoso de acuerdo con los requerimientos más exigentes de la legislación europea. En este marco pues, debemos sopesar la oportunidad de estos otros medios de abastecimiento de agua, compatibles e integrados en una adecuada planificación hidrológica definida tanto en los Planes Hidrológicos de cada demarcación hidrográfica como en el Plan Hidrológico Nacional, cuya exigencia se muestra prioritaria ante la desertificación pronosticada, y cuya intensidad se verá agravada ante una ineficiente ordenación global del recurso[2].

A día de hoy, resulta indiscutible que el aprovechamiento de aguas «no convencionales»o artificiales, ya es una realidad que necesita y encuentra su refrendo en la planificación hidrológica y cuya expansión práctica en regiones de claro déficit hídrico como las Islas Canarias, Baleares o el sureste ibérico, más allá de constituir meros medios subsidiarios de abastecimiento, se erigen como una fuente esencial de suministro[3].

1. *La nueva administración del agua. Informe sobre los efectos de aplicación en España de la Directiva Marco de Aguas*, coordinado por Pérez Pérez, E., y rubricado por Álvarez Carreño, S., Fernández Salmerón, M. y Soro Mateo, B., presentado en el marco del Foro del Agua sobre Agua, Ahorro, y Futuro en el Sureste español, organizado por la Caja de Ahorros del Mediterráneo, en Murcia (nov/dic, 2003).
2. El Sistema Español de Gobernanza del Agua, contempla en su catálogo de capacidades y servicios, la desalación, recogiendo que en un país con escasez de precipitaciones hay que incorporar recursos de agua no convencionales para atender a las demandas. En territorios insulares o en la cercanía de las costas, la desalación de aguas marinas o salobres supone acceder a un recurso en cantidad, que mediante una mejora de la tecnología, cada vez será económicamente más competitivo. http://www.magrama.gob.es/es/agua/temas/sistema-espaniol-gestion-agua/.
3. Olcina Cantos, J.: «Nuevos retos en depuración y desalación de aguas en España», *Investigaciones Geográficas*, núm.27, Instituto Universitario de Geografía, Alicante, 2002, p. 18 y 28 y ss., señala la importancia de estos recursos no convencionales de abastecimiento. Así la desalación de aguas salobres aparecía reflejado en el Plan

Sea pues un definitivo reconocimiento de los recursos hídricos no convencionales en la planificación hidrológica, junto con su viabilidad económica y por ende, su adecuada gestión, el reto al que nos enfrentamos, y en particular el reto al que se enfrenta la demarcación hidrográfica de la Cuenca del Segura en la que centramos nuestro esfuerzo.

II. DE LOS RECURSOS HÍDRICOS NO CONVENCIONALES: LA DESALACIÓN DE AGUAS SALOBRES ANTE LA PLANIFICACIÓN HIDROLÓGICA

La desalación es un recurso hídrico no convencional que podríamos calificar de inagotable, pues ofrece la obtención de agua dulce a partir de agua de mar o salobre, y cuyo reconocimiento definitivo como bien integrante en el Dominio Público del Estado es ya cuestión pacífica. Sentada definitivamente la demanialidad de la categoría de las aguas continentales (tanto las superficiales como las subterráneas renovables), así como las procedentes de la desalación de agua de mar, quedará sometida la actividad de desalación de agua marina o salobre al régimen general dibujado en el Texto Refundido de la Ley de Aguas para el uso privativo del dominio público hidráulico, sin perjuicio de las autorizaciones y concesiones demaniales que sean procedentes conforme a la legislación sectorial aplicable[4].

Hidrológico de la Cuenca Sur, que lo propone como recurso permanente de aprovechamiento en el subsistema del Campo de las Dalias. Asimismo, en algunas comarcas de Murcia y sur de Alicante, las desalobradoras son un fenómeno en expansión hasta el punto de convertir las aguas desaladas en recursos básicos para las áreas no beneficiadas por el Trasvase Tajo-Segura. Concretamente en Mazarrón, planta explotada por la Comunidad de Regantes «Virgen del Milagro», con 10 Hm^3/año, para regar 3.000 Ha; existencia en el Campo de Cartagena, afectas a los cultivos de Cartagena, San Javier, Torre Pacheco y Los Alcázares de pequeñas y medianas plantas de desalación para un volumen aprox. de 12 Hm^3/año; En Bajo Segura de Alicante, el Plan PLAYDES, 16 plantas desaladoras, con un volumen de 14,8 Hm^3/año, para dar riego a 10.000 Ha. Igualmente, destaca las 98 plantas desaladoras de agua salobre, con volumen de 35 Hm^3/año, para riego de plataneras y tomateras y otros cultivos frutícolas y hortícolas; o la prevista mayor planta desalobradora de España, en El Atabal (Málaga), por la que mediante ósmosis inversa, se tratarán 165.000 m^3/día de agua salobre del embalse de uso múltiple de Guadalhorce-Guadalteba, en el cauce del río Guadalhorce, cuyas aguas adolecen de elevado grado de salinidad al aflorar un manantial salino en su vaso en contacto con el Trías salífero.

4.   Artículo 13.1 RD Leg. 1/2001. De la desalación, concepto y requisitos. 1. Con carácter general, la actividad de desalación de agua marina o salobre, queda sometida al régimen general establecido en esta Ley para el uso privativo del dominio público hidráulico, sin perjuicio de las autorizaciones y concesiones demaniales

Así pues, la valorización del recurso se muestra evidente en el reconocimiento que definitivamente ha obtenido con su positivación legal, incorporación en la planificación hidrológica y gestión sostenible arbitrada mediante concesión administrativa y que como veremos, se articula como garante de disponibilidad de recursos en situaciones de escasez, si bien, para que dicha gestión integrada de los recursos hídricos alcance su definitivo éxito, será precisa la revisión de los costes de producción que inexorablemente repercute en las tarifas de uso.

1. REAL DECRETO 356/2015, DE 8 DE MAYO, POR EL QUE SE DE-CLARA LA SITUACIÓN DE SEQUÍA EN EL ÁMBITO TERRITORIAL DE LA CONFEDERACIÓN HIDROGRÁFICA DEL SEGURA, ADOP-TÁNDOSE MEDIDAS EXCEPCIONALES PARA LA GESTIÓN DE LOS RECURSOS HÍDRICOS

Como hemos apuntado, evidencia de la relevancia de este recurso no convencional, resulta de la actual situación hidrológica en la que se encuentran los aprovechamientos vinculados al trasvase Tajo-Segura y la cabecera del Tajo, como consecuencia de la falta de precipitaciones durante el año

---

que sean precisas de acuerdo con la Ley 22/1988, de 28 de julio, de Costas, y las demás que procedan conforme a la legislación sectorial aplicable. 2. Las obras e instalaciones de desalación declaradas de interés general del Estado podrán ser explotadas directamente por los órganos del Ministerio de Medio Ambiente, por las Confederaciones Hidrográficas o por las sociedades estatales a las que se refiere el capítulo II del Título VIII de esta Ley. Igualmente y de acuerdo con lo previsto en el artículo 125, las comunidades de usuarios o las juntas centrales de usuarios podrán, mediante la suscripción de un convenio específico con los entes mencionados en el inciso anterior, ser beneficiarios directos de las obras e instalaciones de desalación que les afecten. 3. Las concesiones de aguas desaladas se otorgarán por la Administración General del Estado en el caso de que dichas aguas se destinen a su uso en una demarcación hidrográfica intercomunitaria. En el caso de haberse suscrito el convenio específico al que se hace referencia en el último inciso del apartado 2, las concesiones de aguas desaladas se podrán otorgar directamente a las comunidades de usuarios o juntas centrales de usuarios. 4. En la forma que reglamentariamente se determine, se tramitarán en un solo expediente las autorizaciones y concesiones demaniales que deban otorgarse por dos o más órganos u organismos públicos de la Administración General del Estado. 5. En el supuesto de que el uso no vaya a ser directo y exclusivo del concesionario, la Administración concedente aprobará los valores máximos y mínimos de las tarifas, que habrán de incorporar las cuotas de amortización de las obras. 6. Los concesionarios de la actividad de desalación y de aguas desaladas que tengan inscritos su derechos en el Registro de Aguas podrán participar en las operaciones de los centros de intercambio de derechos de uso del agua a los que se refiere el artículo 71 de esta Ley.

hidrológico 2013/2014, que ha puesto de manifiesto que no se encuentren garantizadas las demandas de agua de la Demarcación Hidrográfica del Segura, con la inevitable declaración de situación de sequía en virtud del Real Decreto 356/2015, de 8 de mayo, por el que se declara la situación de sequía en el ámbito territorial de la Confederación Hidrográfica del Segura, adoptándose medidas excepcionales para la gestión de los recursos hídricos y revelando así la desalobración, como apoyo y complemento a una dotación escasa.

A tal fin, el artículo 8 del Real Decreto prevé que la Presidencia de la Confederación queda facultada para autorizar con carácter temporal y durante la vigencia de dicho Real Decreto, instalaciones de desalobración de aguas subterráneas como apoyo y complemento a una dotación escasa, quedando dicha autorización condicionada a la evacuación de las salmueras al mar, así como a cuantas otras condiciones pudieran imponer las administraciones competentes. Por supuesto, las solicitudes de autorización para la utilización de instalaciones de desalobración, deberán hacer constar todos los datos necesarios para la adopción de la correspondiente resolución y acompañadas de un croquis detallado o proyecto justificativo de las obras de toma, del punto previsto para la evacuación del rechazo generado y del resto de las instalaciones, así como de una memoria descriptiva en la que se justifique el volumen a desalinizar de acuerdo con el derecho al aprovechamiento de aguas subterráneas del que se disponga[5].

Así pues, la excelencia de este recurso no convencional se hace patente en momentos excepcionales para paliar los efectos de la sequía durante la campaña de riegos.

2. EL PROYECTO DE REVISIÓN DEL PLAN HIDROLÓGICO DE LA CUENCA DEL SEGURA. 2015/2021

En este contexto que nos es permanente, constituye un reto para este recurso hídrico no convencional, que la revisión del Plan Hidrológico de la Cuenca del Segura, correspondiente al proceso de planificación hidrológica de la Demarcación Hidrográfica del Segura 2015-2021, refleje la significancia que la desalación de aguas salobres presenta en nuestra Región, inte-

---

5. Según la Disposición final tercera del Real Decreto 365/2015, de 8 de mayo, por el que se declara la situación de sequía en el ámbito territorial de la confederación Hidrográfica del Segura y se adoptan medidas excepcionales para la gestión de recursos hídricos, este real decreto tendría vigencia hasta el 31 de diciembre de 2015, si bien su vigencia se ha visto prorrogada hasta el 30 de septiembre de 2016 en virtud de acuerdo de Consejo de Ministros de 11 de septiembre de 2015.

grándola en los instrumentos necesarios para la racional explotación global de los recursos disponibles y protección de los mismos, y dotándola de los mecanismos precisos para su rentabilidad ambiental.

Este Proyecto de Plan Hidrológico de la Demarcación del Segura 2015/2021, informado favorablemente el pasado 3 de septiembre de 2015 por el Consejo del Agua, expresamente recoge en su inventario de recursos hídricos, los recursos hídricos no convencionales como la desalinización tanto de aguas saladas o salobres, para usos como el de abastecimiento a poblaciones o los riegos.

Expresamente contempla que la desalinización de agua de mar puede jugar un papel significativo en el suministro urbano de poblaciones costeras, si bien de forma parcial pues sus costes actuales, aunque a la baja en los últimos años, aun se encuentran lejos de los de otras posibles fuentes alternativas convencionales de suministro. Así, para los regadíos, estas aguas presentan un elevado coste por lo que tan solo son competitivas en situaciones puntuales de muy grave escasez, producciones de alta rentabilidad o en caso de disponibilidad de agua con otro origen y a coste interior para su mezcla[6].

Frente a ello, en lo relativo al agua salobre, los costes de producción y transporte resultan apreciablemente inferiores pero presentan problemas de su posible agotamiento y cambios de características derivados del incremento de la salinidad por fenómenos de intrusión y de la evacuación de las salmueras generadas en el proceso. Por todo ello, se sugiere que el estudio de su viabilidad y costes, precise análisis pormenorizados en cada caso concreto.

Pues bien, poco satisface esta última declaración, por cuanto posterga un debate de soluciones necesario, que definitivamente posicione la desalobración dentro del mapa de gestión integrada de recursos, que como hemos visto anteriormente se erige en complemento imprescindible y de gran valor en momentos excepcionales de sequía. De ahí que la planificación hidrológica de la Cuenca del Segura, necesita definir adecuadamente la integración de estos recursos no convencionales y enfrentarse a las dificultades económicas que presenta.

---

6. Como señala NAVARRO CABALLERO, T., en su trabajo «La utilización de los recursos hídricos no convencionales. Carencias y Disonancias de un régimen jurídico inconcluso», pp. 123 y ss., (realizado con cargo al proyecto DER2011-27765 y 11880/ PHCS/09), a día de hoy esta técnica sigue siendo la misma y el caballo de batalla se sigue encontrando en la dificultad d producir agua desalada a un precio competitivo y asequible a sus destinatarios.

III. CONCLUSIÓN. UNA REFLEXIÓN INACABADA

Si bien es cierto que la planificación hidrológica computa como recursos disponibles a fin de atender las demandas de agua, los recursos no convencionales, también lo es que deja un debate abierto y no resuelto sobre el coste que representa para los usuarios dicho uso, con lo que la finalidad de la gestión integrada de recursos hídricos, no alcanzará el éxito esperado cuando la disponibilidad del recurso previsto para dar satisfacción a las demandas generadas, se vea mermada por el elevado coste para sus usuarios. Por ello, tanto desde la planificación nacional como desde la planificación de cada demarcación hidrográfica, deberá no sólo computarse el recurso, sino dotarlo de su viabilidad económica y sostenibilidad ambiental, para que dicha gestión sea una realidad y atienda la función de servicio público que preconiza la Directiva Marco del Agua. Esta es la asignatura pendiente que el régimen no maduro y finito del artículo 13 del Texto Refundido de Aguas cede a la gobernanza del agua y al que nuestra planificación hidrológica de cuenca deberá otorgar una reflexión más profunda, si ciertamente deseamos que los recursos no convencionales sean más que una declaración de intenciones.

IV. BIBLIOGRAFÍA

ÁLVAREZ FERNÁNDEZ, M.: *El abastecimiento del agua en España*, Thomson-Civitas, Madrid, 2004.

BLANQUER, D.: *La iniciativa privada y el ciclo integral del agua*, Tirant lo Blanch, Valencia, 2003.

CEDEX: http://hercules.cedex.es/Aguas «Las aguas continentales en los países mediterráneos de la Unión Europea», octubre 2000.

GALLEGO ANABITARTE, A.: «Evolución del Derecho de Aguas en España. Del sistema ribereño basado en la propiedad al sistema ribereño territorial», *Derecho de Aguas,* Fundación Instituto Euromediterráneo del Agua, Murcia, 2006.

KRÄMER, L.: «El Derecho de Aguas. Situación actual y perspectivas visto desde España», *Derecho de Aguas*, Fundación Instituto Euromediterráneo del Agua, Murcia, 2006.

JIMÉNEZ SHAW, C.: *Régimen jurídico de la desalación del agua marina*, Tirant lo Blanch, Valencia, 2003.

LÓPEZ MENUDO, F.: «La concesión de aguas públicas y sus posibles modificaciones», *Revista Española de Derecho Administrativo*, núm. 77, 1993.

MARTÍN MATEO, R.: *Manual de Derecho Ambiental*, Aranzadi, Navarra, 2003.

- *Tratado de Derecho Ambiental*, Vol. II, Trivium, Madrid, 1992.
- «El agua como mercancía», *Revista de Administración Pública*, núm. 152, 2000.

MARTÍN RETORTILLO, S.: *Derecho de Aguas*, Civitas, Madrid, 1997.

- *Las obras hidráulicas en la Ley de Aguas*, Civitas, Madrid, 2000.
- «Desarrollo sostenible y recursos hidráulicos. Reflexiones en el entorno de la reciente Directiva estableciendo un marco comunitario de actuación en el ámbito de la política de aguas», *Revista de la Administración Pública,* núm. 153, 2000.

MARTÍNEZ MARÍN, A.: «El Plan Hidrológico de la Cuenca del Segura», *Derecho de Aguas*, Fundación Instituto Euromediterráneo del Agua, Murcia, 2006.

MENÉNDEZ REXACH, A.: «La concesión demanial: su significado histórico y actual», *Homenaje al Profesor Dr. Gonzalo Rodríguez Mourullo*, Thomson-Civitas, Navarra, 2005.

- «Reflexiones sobre un mercado de derechos de aguas en el Ordenamiento Jurídico español», *Precios y mercados del agua*, Civitas, Madrid, 2005.

MOLINA GIMÉNEZ, A.: «La cesión de derechos de aprovechamiento de aguas en España. Análisis crítico y propuestas», *Los mercados del agua. Análisis jurídicos y económicos de los contratos de cesión y bancos de agua*, Thomson-Civitas, Navarra, 2005.

MOREU BALLONGA, J. L.: «La desalación de las aguas marinas en la Ley 46/1999», *Revista de Administración Pública,* núm. 152, 2000.

NAVARRO CABALLERO, T.: *Los instrumentos de gestión del dominio público hidráulico. Estudio especial del contrato de cesión de derechos al uso privativo de las aguas y de los bancos públicos del agua*, Tirant lo Blanch, Valencia, 2007.

- «La utilización de los recursos hídricos no convencionales. Carencias y Disonancias de un régimen jurídico inconcluso», *Usos del agua. Concesiones, Autorizaciones y Mercados*, Embid Irujo (Dir.), Aranzadi, Pamplona, 2013.

OLCINA CANTOS, J.: «Nuevos retos en depuración y desalación de aguas en España», *Revista de Investigaciones geográficas,* núm. 27, Instituto Universitario de Geografía, Alicante, 2002.

Pérez Pérez, E. (coord.)/Álvarez Carreño, S./Fernández Salmerón, M./Soro Mateo, B.: *La nueva administración del agua. Informe sobre los efectos de aplicación en España de la Directiva Marco de Aguas*, Caja de Ahorros del Mediterráneo, España, Foro del Agua, Murcia, 2003.

Rosa Moreno, J.: «Evaluación de impacto ambiental de las obras hidráulicas», *Gestión del Agua y Medio Ambiente*, Civitas, Madrid, 1997.

Sastre Beceiro, M.: *Leyes de Aguas y Política Hidráulica en España. Los mercados del agua*, Comares, Granada, 1999.

– «Sistema concesional de derechos de aguas y sus aprovechamientos», *Derecho de Aguas*, Fundación Instituto Euromediterráneo del Agua, Murcia, 2006.

Troyano Lobatón, F.: «Reutilización de aguas salobres dentro del programa ACUAMED para la aportación de nuevos recursos», Congreso Nacional de Medio Ambiente, Cumbre del Desarrollo Sostenible, CONAMA 2006.

www.chsegura.es

www.magrama.go.es

CAPÍTULO XXIII

LOS RETOS DEL USO DEL AGUA DEPURADA Y DESALADA EN EL SURESTE ESPAÑOL: APLICACIÓN A LA AGRICULTURA

David Antonio COSTA BOTELLA
Dr. por la Universidad Miguel Hernández de Elche

Amparo MELIÁN NAVARRO
Dra. Ingeniero Agrónomo. Profesora Titular. Universidad Miguel Hernández

SUMARIO: I. CONTEXTUALIZACIÓN DEL USO DEL AGUA DESALADA Y DE-PURADA EN EL SURESTE ESPAÑOL. II. FUNDAMENTACIÓN DE LA INVESTIGACIÓN. METODOLOGÍA EMPÍRICA. 1. *Metodología de la investigación*. III. SITUACIÓN ACTUAL DEL USO DEL AGUA DEPURADA Y DESALADA EN EL SURESTE ESPAÑOL. IV. DEBILI-DADES Y FORTALEZAS DEL USO DEL AGUA DEPURADA Y DESA-LADA EN EL SURESTE ESPAÑOL. V. ÍNDICE BIBLIOGRÁFÍCO.

I. CONTEXTUALIZACIÓN DEL USO DEL AGUA DESALADA Y DE-PURADA EN EL SURESTE ESPAÑOL

Desde la segunda mitad del siglo xx se ha puesto de manifiesto la ca-restía del agua para uso agrario en el sureste español, concretamente en la demarcación hidrográfica del río Segura. Sería objeto de otros trabajos de investigación estudiar si la citada escasez es estructural o no, lo que sigue generando cierta controversia. No obstante, lo cierto y verdad es que la cuenca no posee hoy en día recursos propios suficientes para abastecer las necesidades existentes en el sector agrícola de la zona. Ante estas «reglas de juego» referentes a escasez hídrica, que han sido impuestas por el binomio naturaleza-hombre, las Administraciones Públicas han reaccionado impulsando importantes planes de infraestructuras destinados a resolver esta falta de agua. Durante la décadas de los 70 y 80, la Administración General del Estado, puso en marcha una infraestructura que hoy se muestra vital para el desarrollo del sector agrícola de la zona objeto de estudio, el Acueducto Tajo-Segura (MELGAREJO, 2014). Posteriormente, durante las décadas 80-90, las Administraciones Murciana y Valenciana, en colaboración con el Gobierno de España y la Administración Europea, iniciaron ambiciosos planes de saneamiento de aguas residuales (que aún hoy se desarrollan) con la doble finalidad de, por un lado ordenar todos aquellos vertidos ya sean de origen urbano o industrial, y por otro, a partir de esos caudales depurados generar un complemento hídrico que sirviera para intentar paliar las deficiencias que en materia hídrica sufren las dos regiones (COSTA, 2015).

En fechas posteriores, ya en la primera década del siglo XXI, desde la Administración General del Estado se puso en marcha un ambicioso plan basado en la desalación a fin de acabar definitivamente con las carencias hídricas no sólo para uso agrícola sino también para uso urbano. Con estos antecedentes, la realidad de los caudales aportados por estas alternativas (desalación y depuración) según el vigente plan hidrológico de la cuenca del Segura establece que en 2007 la cifra de caudales depurados reutilizados directa e indirectamente asciende a 136,7 hm^3/año, para el 2010, 142,2hm^3/año, para 2015 143,6 hm^3/año y para el horizonte temporal 2027, 167,7 hm^3/año (CHS, 2014. PHCS 2009-2015).

Lo previsto para los caudales para uso agrícola cuyo origen es la desalación en el vigente plan de cuenca queda resumido con los siguientes datos y sus respectivos horizontes temporales, siempre y cuando se mantengan las actuales condiciones tarifarias. Para el año 2015 se prevé una generación de caudales de 89 hm^3/año y para el horizonte temporal 2027, 112 hm^3/año (RD 594/2014).

Conociendo estos datos, con la perspectiva que da el tiempo transcurrido y queriendo abordar la cuestión de la escasez hídrica en el sureste de España desde un punto de vista estrictamente científico y huyendo de toda polémica, parece oportuno analizar la situación actual y las perspectivas de futuro que presentan el uso de los caudales provenientes tanto de la desalación como de la depuración. Se pretende contrastar el nivel de uso de los recursos depurados y desalados así como la viabilidad técnica y económica de los mismos (MELIÁN, 2005; NAVARRO CABALLERO, 2010; NICOLÁS et al., 2011).

Para ello, en este trabajo se plantea una investigación basada en la aplicación de una metodología empírica que consiste en realizar una consulta a expertos o «stakeholders» de diferentes campos relacionados con la gestión del agua en la cuenca y que permita obtener un primer enfoque de la cuestión objeto de análisis, que no es otra que determinar las posibilidades de uso de aguas regeneradas y desaladas en agricultura, y realizar una primera aproximación respecto del presente y el futuro de su aplicación en este campo, sus potencialidades reales, pero sobre todo cuales son los inconvenientes que detectan los expertos.

II. FUNDAMENTACIÓN DE LA INVESTIGACIÓN. METODOLOGÍA EMPÍRICA

1. METODOLOGÍA DE LA INVESTIGACIÓN

El presente estudio se fundamenta en una metodología empírica mediante consulta a expertos. Amplia es la bibliografía que recomienda el uso de técnicas cualitativas para una primera aproximación al estudio de una cuestión sujeta a alta incertidumbre, como es el caso de la gestión hídrica, y como complemento ideal a las clásicas técnicas cuantitativas. Concretamente PEDRET (2003), resalta como principales las siguientes características en la metodología cualitativa: 1) Las técnicas cualitativas resultan convenientes para abordar temas de difícil acceso. 2) Los expertos participantes de ellas pueden observar la realidad social de la cuestión objeto de estudio. 3) Resulta una técnica más barata que la cuantitativa y son técnicas que resultan idóneas como complemento a las cuantitativas. Nos encontramos por tanto ante un método, el cualitativo, que utiliza como fuente de información a un grupo de expertos seleccionado por su amplio conocimiento o vinculación a la materia a estudiar, cuya opinión será tratada posteriormente de forma cuantitativa suponiendo esta metodología una herramienta importante en la ayuda a la toma de decisiones (DELBECQ et al., 1989).

Para llevar a cabo la presente investigación se estableció un grupo coordinador, formado por los autores de la presente comunicación, encargados de seleccionar el universo de expertos necesarios para obtener la información requerida los cuales han de ser expertos, estudiosos, interesados o afectados por la materia objeto de análisis (KONOV Y PÉREZ 1990; LANDETA, 1999). En el caso que nos ocupa, se seleccionó un universo de 294 expertos pertenecientes a diferentes ámbitos relacionados con la gestión del agua como investigadores y profesorado universitario, políticos relacionados con la gestión de agua, funcionarios de las Administraciones Central y Autonómica, usuarios de Comunidades de Regantes, técnicos de las mismas, así como responsables de empresas relacionadas con la gestión del recurso. A esta muestra se le circuló un cuestionario cuyas preguntas ofrecían diferentes posibilidades de respuesta, las cuales se solicita al experto que jerarquice atendiendo a una escala de intensidad Likert entre los valores uno y cinco. En la mencionada escala los valores más bajos (uno) están asociados a respuestas del tipo «nada importante» o «totalmente en desacuerdo» mientras que los valores altos (cinco) están asociados a respuestas del tipo «totalmente de acuerdo» o «muy importante». La encuesta fue respondida por un 22% de la muestra inicial. Una vez jerarquizadas y cuantificadas las respuestas se tratan estadísticamente calculando medidas de centralización (media e intervalo de confianza) y medidas de dispersión (desviación típica y error estándar).

Estudiar las posibles ventajas, inconvenientes de aplicación y consecuencias o efectos medioambientales del uso de aguas depuradas y desaladas en agricultura, objeto de este trabajo, se abordó mediante cuatro preguntas, cuyos resultados procedemos a analizar.

III. SITUACIÓN ACTUAL DEL USO DEL AGUA DEPURADA Y DESALADA EN EL SURESTE ESPAÑOL

La primera de la cuestiones planteada se centra en las perspectivas globales que para los expertos supone el uso de estos recursos (agua depurada) y las posibilidades que tiene en la agricultura. Se les plantea un total de cinco alternativas que van desde un uso sin restricciones de esta agua a la no recomendación de uso. El resultado de la opinión de los expertos queda reflejado en la figura 1.

Figura 1. Recomendaciones de utilización de aguas depuradas para uso agrícola.

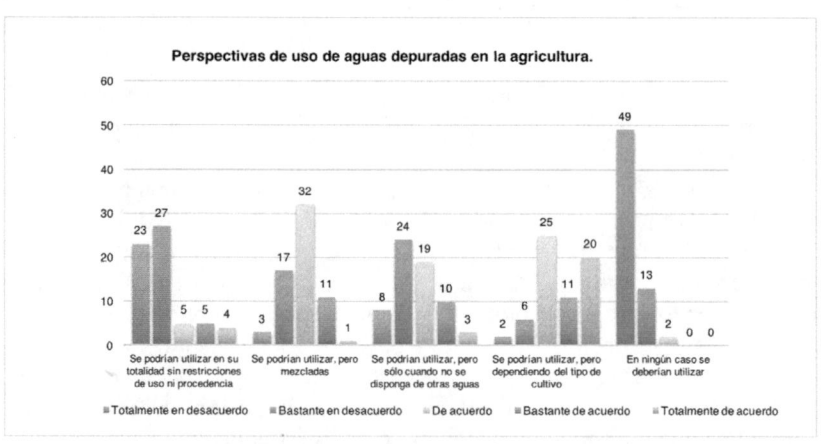

Fuente: Elaboración propia.

De los resultados arriba expuestos resaltar en primer lugar que lo expertos no descartan de forma tajante el uso del agua depurada, ya que 49 expertos se muestran totalmente en desacuerdo con la restricción total de su uso. Una vez asumida la viabilidad del uso de las aguas depuradas para uso agrícola se analizan los condicionantes de uso que platea este tipo de recurso. En primer lugar, merece la pena destacar que 27 de los 64 expertos encuestados se muestra «bastante en desacuerdo» con el uso sin restricciones de este recurso, mientras que 23 de los 64 encuestados se muestra «Totalmente en desacuerdo». Existe un importante consenso relativo a la limitación de uso de este recurso. Avanzando en el análisis, 32 y 11 de los expertos se muestran «de acuerdo» y «bastante de acuerdo» respectivamente en el uso de aguas depuradas siempre que estas se encuentren mezcladas con otras aguas de mayor calidad. Como consecuencia de esto, 25 expertos se muestran «de acuerdo» en condicionar el uso del agua depurada al tipo de cultivo al que se vaya a destinar. Esta misma opción suscita en 20 expertos la opción de «totalmente de acuerdo»

Partiendo de la visión general, que los «*stakeholders*» tienen sobre el uso del agua depurada, cabe preguntarse sobre los inconvenientes que puede suponer el uso de las mismas (Figura 2).

Figura 2. Principales inconvenientes del uso de agua depurada.

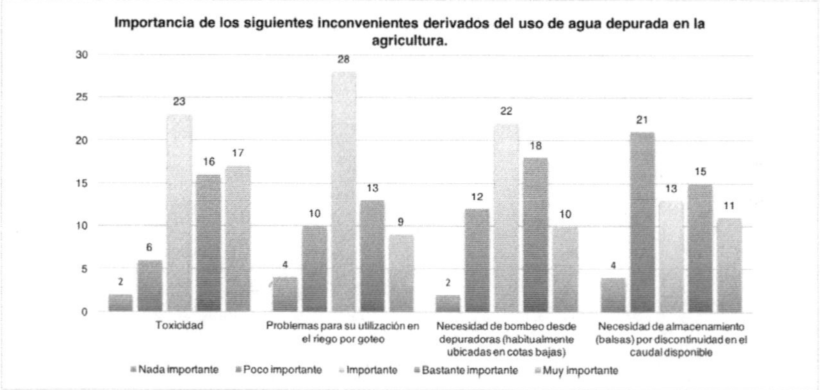

Fuente: Elaboración propia.

A los expertos les fueros planteados cuatro inconvenientes que podrían derivarse del uso de aguas depuradas y que son la toxicidad, los problemas que podrían causar en la instalaciones de riego por goteo, la necesidad de bombearlas desde depuradoras (incremento del coste) y la necesidad de almacenamiento en balsas por discontinuidad del caudal disponible. A la vista de los resultados destacar que todos los supuestos son percibidos como importantes problemas (si se asignan los valores de la escala Likert y se calculan las medias todas las respuestas superan ampliamente el valor 2,5). De las cuatro opciones la que más consenso genera en la toxicidad, dado que 23 expertos lo consideraron como un problema importante, 16 como «bastante importante» y 17 como «muy importante».

A la toxicidad le siguen los posibles inconvenientes económicos que supondría el bombeo desde las estaciones depuradoras al lugar de aplicación del recurso. A este respecto 22 expertos piensan que es un problema «importante» 18 «bastante importante» y 10 «importante». Cabe destacar que 28, 13, y 9 expertos consideran «importante», «muy importante» y «bastante importante», respectivamente, los posibles problemas que este tipo de agua pudieran causar en las instalaciones de riego por goteo. Por último el inconveniente que menos consenso genera es la necesidad de almacenar el recurso depurado en balsas por discontinuidad del caudal disponible (21 expertos consideran que es «poco importante» y 4 «nada importante»).

En cuanto al análisis específico del uso y las proyecciones a futuro que presenta el agua desalada para riego se plantea una primera pregunta que hace referencia al porvenir de este recurso, ofreciendo como respuesta un total de cinco alternativas y cuyos resultados se exponen en la figura 3.

Figura 3. Perspectiva de uso del agua desalada en el sector agrícola.

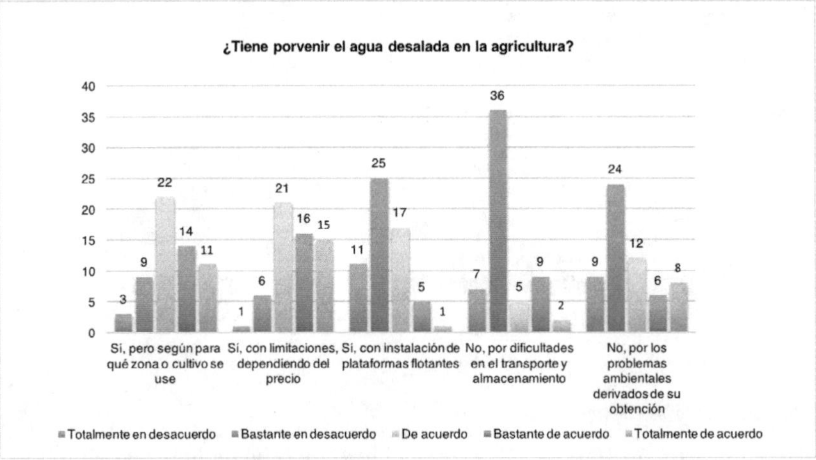

Fuente: Elaboración propia.

Los *stakeholders* no son en absoluto reticentes al uso de guas desaladas pero sí determinan que este uso está limitado por la zona o el cultivo (algunos cultivos son más sensibles por los problemas de toxicidad, GARCÍA-TRUJILLO, 2004) de modo que con esta opción están «de acuerdo» 22 expertos,

14 «bastante de acuerdo» y 11 «totalmente de acuerdo». El uso de la misma está también supeditado al coste económico (MONTESINOS, 2004) que genera la producción del recurso agua desalada como así lo indican las 52 respuestas emitidas que se mueven en el espectro del «de acuerdo» al «totalmente de acuerdo». Como la tercera opción que genera más consenso, los expertos no recomiendan el uso de aguas desaladas por los posibles problemas ambientales (GARCÍA Y BALLESTEROS, 2003; HERNÁNDEZ, 2003) que genera su obtención con 26 respuestas positivas. Incidiendo en esta temática, en la ambiental, se plantea una siguiente pregunta. Se solicita a los expertos que jerarquicen en función de su gravedad los problemas ambientales que podría generar la obtención de agua desalada de entre las siguientes opciones: a) emisión de salmuera al mar, b) introducción de salmuera en la tierra, c) elevado coste energético de la producción, d) ocupación por parte de la plantas desaladoras de importantes enclaves medioambientales costeros, y e) el impacto visual que estas instalaciones pudieran tener. El resultado se resume en la figura 4.

Figura 4. Problemas medioambientales generados por la obtención del agua desalada.

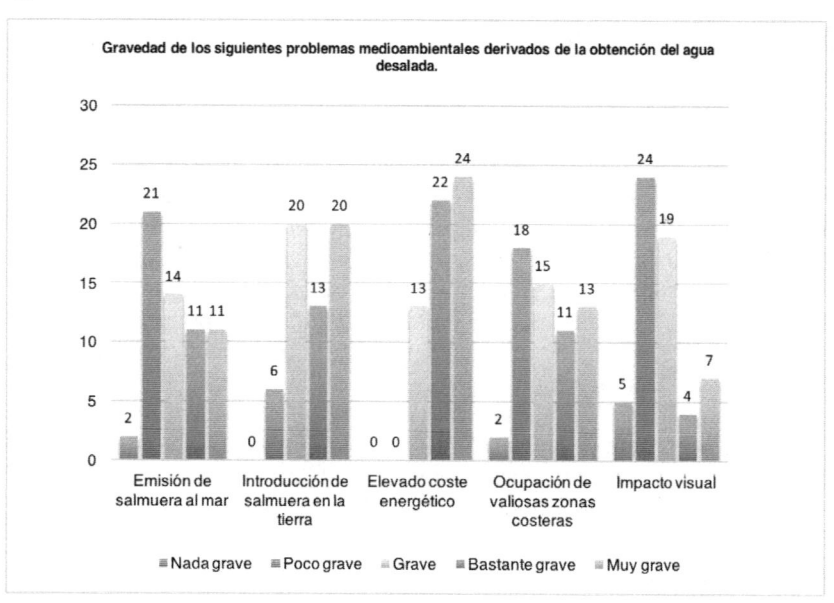

Fuente: Elaboración propia.

En concordancia con lo anterior, existe un elevado consenso a la hora de determinar que el principal problema medioambiental generado por la desalación es el elevado coste energético (MEDINA, 1999; MARTÍNEZ VICENTE,

2003; GARCÍA-TRUJILLO, 2004; PRATS, 2014) que genera 13 de los expertos lo consideran como «grave», 22 como «bastante grave» y 24 como «muy grave». Llama la atención que el segundo problema que más consenso genera es la introducción de salmuera en la tierra (20 expertos lo consideran «grave», 13 «bastante grave» y 20 «muy grave») y no en el mar tal y como está instalado en el imaginario colectivo, seguido muy de cerca por la ocupación de zonas costeras de alto valor ambiental (15 *stakeholders* los consideran «grave», 11 «bastante grave» y 13 «muy grave»). Como cuarto problema medioambiental generado por la desalación, 21 expertos consideran que es «poco grave» la introducción de salmuera al mar, 14 lo califican como «grave», 11 como «bastante grave» y 11 como «muy grave».

IV. DEBILIDADES Y FORTALEZAS DEL USO DEL AGUA DEPURADA Y DESALADA EN EL SURESTE ESPAÑOL

Como conclusiones principales destacar la reticencia que aún hoy existe al uso de aguas depuradas y desaladas, teniendo en cuenta la importancia que el actual plan de cuenca otorga a estos caudales como herramienta para la recuperación de las masas de agua sobreexplotadas en toda la cuenca del Segura y como ayuda a la garantía de suministro del recurso hídrico para uso agrario. Dichas reticencias siguen centradas en las dudas que genera la calidad del agua obtenida por los procesos de depuración y desalación, y las posibles afecciones que estos caudales puedan causar a las instalaciones que en las explotaciones agrarias permiten la aplicación de técnicas ahorradoras de agua, así como los costes económicos y los problemas ambientales que generan las aguas obtenidas mediante estas técnicas. Ante estas circunstancias puestas de manifiesto por los *stakeholders* consultados, desde las mismas Administraciones Públicas, que con buen criterio, decidieron acometer importantes planes en la reducción y ordenación de vertidos fundamentalmente urbanos, se debería seguir insistiendo en la renovación y mejora de instalaciones de depuración que garantizarán un incremento en la calidad del agua depurada obtenida a fin de que, sin ningún género de dudas, pueda ser utilizada en el sector agrícola. Como alternativa-complemento tanto a la aportación externa de recurso hídrico a la cuenca (trasvase Tajo-Segura) y a los caudales aportados por la depuración en el contexto de la cuenca surge de la desalación. A este respecto destacar que los expertos perciben la desalación como una alternativa aún hoy cara, lo cual limita su uso para la agricultura, así como se señala que es de uso limitado atendiendo a los cultivos a los que se va a aplicar. Del mismo modo se concluye que desde el punto de vista ambiental resulta un recurso muy mejorable por el elevado coste energético de su producción y el impacto que pueda causar en la tierra la producción de salmueras. Dicho lo cual, la tendencia a futuro debería estar en la mejora de la calidad y en la reducción de los costes de obtención del recurso, el cual, tal y como indica el vigente plan de cuenca 2009-2015, ganará protagonismo en los horizontes temporales 2021 y 2027.

V. ÍNDICE BIBLIOGRÁFÍCO

Costa Botella, D.A.: *Estudio de Gestión Hídrica en la Comarca de la Vega Baja del Segura. Especial Incidencia en el Uso Agrario del Agua.* Tesis Doctoral, Universidad Miguel Hernández, Orihuela, 2015.

Delbecq, A. L.; Van de Ven, A., y Gustafson, D.: *Técnicas grupales para la planeación.* Ed. Trillas. México. 1989.

García Passola, E., y Ballesteros Sagarra, E.: *El impacto de las plantas desalinizadoras sobre el medio marino: la salmuera en las comunidades bentónicas mediterráneas.* Centre d' Estudis Avançats de Blanes. CSIC. Blanes. 2003.

García Trujillo, J. A.: *Aspectos técnicos y económicos de la desalación de agua marina mediante ósmosis inversa y su aplicación para riego agrícola.* Memoria de Suficiencia Investigadora. Universidad Miguel Hernández. Escuela Politécnica Superior de Orihuela. Orihuela. 2004.

Hernández Suárez, M.: «Problemas de sostenibilidad: cara y cruz de la desalación», en *Tecnología del agua,* Bilbao, Infoedita, 2003, núm. 242, pp. 56-58.

Konow, I., y Pérez, G.: *Método Delphi en Métodos y Técnicas de investigación prospectiva para la toma de decisiones.* Fundación de Estudios Prospectivos, Universidad de Chile, Santiago de Chile, 1990.

Landeta, J.: *El método Delphi: una técnica de previsión para la Incertidumbre.* Ed. Ariel. Barcelona, 1999.

Martínez Vicente, D.: *Estudio de la viabilidad técnico económica de la desalación de agua de mar por ósmosis inversa.* Consejería de Agricultura, Agua y Medio Ambiente, Murcia, 2003.

Medina San Juan, J. A.: *Desalación de aguas salobres y de mar. Osmosis inversa.* Ed. Mundi-Prensa, Madrid, 1999.

Megarejo Moreno, J.: «El trasvase Tajo Segura como modelo de sostenibilidad». En: *Jornada Hispano-brasileña. Sostenibilidad en la gestión del agua y garantía de suministro.* Universidad de Alicante, Publicación interna. 9 de abril 2014.

MELIÁN NAVARRO, A.: «El costo del agua desalada». En: *X Semana Agrícola de Guardamar. El Agua y los Riegos*. Publicación interna. Guardamar del Segura (Alicante). 2005.

MONTESINOS NAVARRO, A.: *Estudio de la depuración del agua en España y en la Región de Murcia*. Proyecto Fin de Carrera, Universidad Politécnica de Cartagena, Cartagena, 2004.

NAVARRO CABALLERO, M.T.: *Reutilización de aguas regeneradas: aspectos tecnológicos y jurídicos*. Ed. Fundación Instituto Euromediterráneo del Agua, Murcia, 2010.

–   «Cuestiones jurídico-ambientales de la reutilización de aguas regeneradas». En A. EMBID (ed.), *Agua y ciudades* (pp. 389-425). Ed. Civitas, Pamplona, 2012.

–   «La utilización de los recursos hídricos no convencionales. Carencias y disonancias de un régimen jurídico inconcluso». En A. EMBID (ed.), *Usos del Agua. Concesiones, Autorizaciones y Mercados del Agua* (pp. 83-144). Ed. Aranzadi, Pamplona, 2013.

NICOLÁS NICOLÁS, E.; PEDRERO, F.; ALARCÓN CABAÑERO, J. J.; MOUNZER, O.; MARTÍNEZ ÁLVAREZ, V.; NORTES TORTOSA, P. A.; ALCÓN PROVENCIO, F. J.; GALINDO EGEA, A., y DE MIGUEL GÓMEZ, M. D.: *Estudio de la viabilidad de uso de las aguas regeneradas procedentes de la EDAR de Jumilla en la Comunidad de Regantes Miraflores,* Consejería de Agricultura y Agua de la Región de Murcia, Murcia, 2011.

PEDRET YEBRA, R. (coord.): *Investigació de mercats*, Universitat Oberta de Catalunya, Barcelona, 2003.

PRATS RICO, D.: «Recursos no convencionales: la desalación y reutilización como tecnologías de optimización e incremento de los recursos propios». En: *Jornada Hispano-Brasileña. Sostenibilidad en la gestión del agua y garantía de suministro.* Universidad de Alicante. Publicación interna. 2014.

Real Decreto 594/2014, de 11 de julio, por el que se aprueba el Plan Hidrológico de la Demarcación Hidrográfica del Segura.

CAPÍTULO XXIV

INFLUENCIA DEL CAMBIO CLIMÁTICO EN EL EXCEDENTE DE ESCORRENTÍA DE LA CUENCA DEL SEGURA. APROXIMACIÓN AL CASO DE ESTUDIO MEDIANTE LOS MODELOS HIDROLÓGICOS DE THORNTHWAITE Y TÉMEZ

Antonio Jódar Abellán
Investigador en formación (Universidad de Murcia)

Pedro Jiménez Guerrero
Investigador Ramón y Cajal (Universidad de Murcia)

José Luis García Aróstegui
Científico Titular del Instituto Geológico y Minero de España y Profesor Asociado de la Universidad de Murcia

SUMARIO: I. INTRODUCCIÓN: CAMBIO CLIMÁTICO Y SOBREEXPLOTACIÓN DE ACUÍFEROS EN LA CUENCA DEL SEGURA. II. METODOLOGÍA: MODELOS HIDROLÓGICOS DE THORNTHWAITE Y TÉMEZ. III. RESULTADOS Y DISCUSIÓN. 1. *Análisis de las principales componentes relacionadas con el excedente Ti*. 2. *Modificación de la Precipitación, Temperatura y ETP bajo diferentes escenarios de cambio climático*. 3. *Modificación del excedente Ti a partir del cambio en las variables climáticas bajo diferentes escenarios de cambio climático*. IV. CONCLUSIONES: TENDENCIAS DE CAMBIO CLIMÁTICO EN EL EXCEDENTE DE ESCORRENTÍA. V. AGRADACIMIENTOS. VI. BIBLIOGRAFÍA.

ABREVIATURAS

CHS: Confederación Hidrográfica del Segura.

Ti: Excedente de Escorrentía o Lluvia Útil.

MAGRAMA: Ministerio de Agricultura, Alimentación y Medio Ambiente.

ETR: Evapotranspiración Real.

Gretl: Gnu Regression, Econometrics and Time-series Library.

IPCC: Panel Intergubernamental de Expertos sobre el Cambio Climático.

ETP: Evapotranspiración Potencial.

I. INTRODUCCIÓN: CAMBIO CLIMÁTICO Y SOBREEXPLOTACIÓN DE ACUÍFEROS EN LA CUENCA DEL SEGURA

En el presente estudio se analiza la posible influencia a corto plazo del cambio climático sobre la lluvia útil en la cuenca del Segura y cómo las modificaciones de ésta podrían afectar a la sobreexplotación de acuíferos, uno de los principales problemas existentes hoy día en la gestión de los recursos hídricos de la misma. Dicha cuenca presenta una de las mayores tasas de sobreexplotación de aguas subterráneas a nivel europeo (WADA *et al.*, 2012).

Por lo general, se entiende que existe sobreexplotación de acuíferos cuando las extracciones de agua superan significativamente los recursos hídricos (KONIKOW Y KENDY , 2005). Tradicionalmente se considera «recurso» al volumen de agua contenido en un acuífero que sobrepasa la cota a la que se sitúa el nivel piezométrico del manantial (surgencia natural en superficie), mientras que el volumen de agua almacenado bajo dicha cota se denomina «reserva». El origen de esta situación en la citada cuenca data de los años 60 con la expansión de los regadíos propiciados por una agricultura pujante, el desarrollo tecnológico de mediados del siglo xx, y una legislación de aguas de 1879 que no contemplaba una posible explotación intensiva para uso agrícola de las aguas subterráneas entonces consideradas privadas (SENENT-ALONSO y GARCÍA-ARÓSTEGUI , 2014).

En la actualidad de las 63 Masas de Agua Subterránea identificadas en la cuenca del Segura (Fig.1) 40 de ellas han sido declaradas en riesgo seguro de sobreexplotación (CHS, 2014).

Fig. 1. Área de estudio: cuenca del Segura. Ubicación y límites de las 63 masas de agua subterránea existentes en la Demarcación Hidrográfica del Segura.

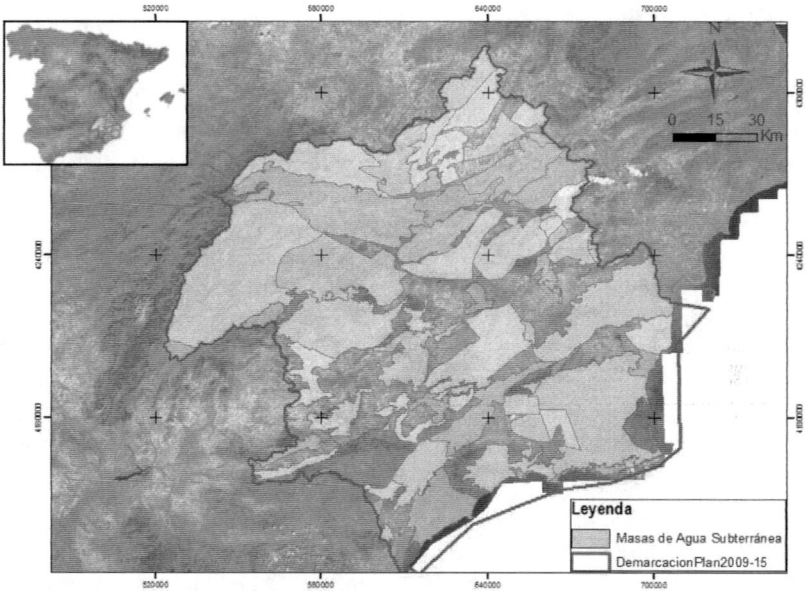

De este modo, no se podrán alcanzar los objetivos medioambientales fijados por la Directiva 2000/60/CE, de 23 de octubre, en cuanto al buen estado de las masas de agua en el año 2015. Probablemente tenga lugar una situación similar en las prórrogas adicionales que la directiva concede (años 2021 y 2027).

Por lo tanto, se hace patente la necesidad de ahondar en el estudio de los factores que pueden modificar positiva o negativamente el actual grado de sobreexplotación de acuíferos en la cuenca del Segura, y el cambio climático es uno de los aspectos que pueden influir (GREEN *et al.*, 2011). De hecho, la Instrucción de Planificación Hidrológica exige considerar los efectos del cambio climático en el establecimiento de balances entre recursos y demandas para el año 2027. Concretamente se estima que la reducción global de las aportaciones naturales de referencia en la cuenca del Segura alcanzará un 11% como consecuencia de dicho cambio, aunque los efectos en la recarga de los acuíferos no han sido estudiados lo suficiente (CEDEX, 2012; PULIDO-VELÁZQUEZ *et al.*, 2015; SENENT-ALONSO y GARCÍA-ARÓSTEGUI, 2014). De este modo, el objetivo básico del estudio consiste en determinar, a corto plazo y bajo diferentes escenarios de cambio climático, su posible influencia en la sobreexplotación de acuíferos de la cuenca del Segura a través de la repercusión de éste en el excedente de escorrentía (Ti) o lluvia útil, el cual representa el volumen de agua de posible recarga a los acuíferos.

II. METODOLOGÍA: MODELOS HIDROLÓGICOS DE THORN-THWAITE Y TÉMEZ

La investigación pretende establecer en primera aproximación la futura evolución de la recarga natural a los acuíferos de la cuenca del Segura frente a diferentes escenarios de cambio climático. Sin embargo, dado que dicha recarga depende estrechamente de la litología, tipo de sustrato, etc. de cada formación acuífero únicamente se pudo hallar la variación media del excedente (Ti) partiendo del cambio registrado en determinadas variables hidroclimáticas (precipitación, temperatura y evapotranspiración potencial) en la cuenca del Segura para el periodo 2010-2050. Además quedan al margen del análisis infinidad de factores como la frecuencia del régimen de precipitaciones, los cambios en la cubierta vegetal, la retención por parte de ésta del agua de escorrentía, que suele favorecer su infiltración en el terreno, etc. Tales observaciones no pueden ser abordadas a nivel de cuenca, sino que requieren una escala de trabajo menor, a nivel de Masa de Agua Subterránea.

Para llevar a cabo dicha tarea en primer lugar se exportaron del Sistema Integrado de Información del Agua disponible en la web del Ministerio de Agricultura, Alimentación y Medio Ambiente (MAGRAMA)[1], en el periodo 1940-2010 y en la cuenca del Segura, las series de datos mensuales de las variables hidroclimáticas que determinan el excedente Ti. Este excedente, denominado habitualmente lluvia útil, se entiende como la diferencia de las entradas al sistema por precipitación y las pérdidas en el mismo por evapotranspiración real (ETR). En una segunda fase se demostró la correlación existente entre las citadas variables. Para ello se empleó el software de acceso libre, en base R, «Gnu Regression, Econometrics and Time-series Library (Gretl)» utilizado con frecuencia en análisis econométricos (Cottrell y Lucchetti, 2015).

Por otro lado se extrajeron dichas variables de la base de datos climática «KNMI Climate Explorer», para los escenarios de cambio climático establecidos por el quinto informe del Panel Intergubernamental de Expertos sobre el cambio climático (IPCC), el RCP2.6, RCP4.5, RCP6.0 y RCP8.5, en el periodo 2005-2050 introduciendo además las coordenadas de la Península Ibérica (IPCC, 2013). En concreto se exportaron en forma de mapas posteriormente georreferenciados con el software «ArcGIS10», considerándolos

---

1. Fuente: http://servicios2.marm.es/sia/visualizacion/descargas/series.jsp.

como capas base sobre las que se ubicaron los límites y Masas de Agua Subterránea de la Demarcación Hidrográfica del Segura.

Por último, se calculó la variación del Excedente Ti, o lluvia útil, en términos medios mensuales, para la cuenca del Segura a lo largo del horizonte temporal 2010-2050 bajo los mencionados escenarios de cambio climático. En primer lugar se extrajeron de Climate Explorer los datos de precipitación, temperatura y evaporación para los cuatro escenarios, en el periodo seleccionado, introduciendo además las coordenadas de la cuenca del Segura. A partir de ellos se hallaron determinadas variables hidrológicas necesarias para el cálculo del excedente Ti. Sin embargo, dado que Climate no provee datos de evapotranspiración potencial (ETP), dicha variable se obtuvo de los datos de temperatura, mediante el cálculo de la ETP propuesto por Thornthwaite (1948). En la versión de Almorox (2014), se obtiene en primer lugar la evapotranspiración potencial mensual sin ajustar [Eq. (1)]:

$$e = 16 \left(10 \cdot \frac{tm}{I}\right)^a$$

donde:

e: ETP mensual sin corregir (mm/mes); tm: temperatura media mensual (°C).

I: índice de calor anual: suma de los 12 índices de calor mensuales [Eq. (2)]:

$$I_j = \left(\frac{tm}{5}\right)^{1,514}$$

a: parámetro obtenido a partir de I según la siguiente expresión [Eq. (3)]:

$$a = 6,75 \cdot 10^{-7} \cdot I^3 - 7,71 \cdot 10^{-5} \cdot I^2 + 0,02 \cdot I + 0,49$$

Se obtiene así la evapotranspiración mensual pero no ajustada a la latitud de la cuenca del Segura. Para ello «e» debe multiplicarse por un coeficiente que considere el número de días del mes, así como las horas de luz de cada día, según la latitud [Eq. (4)]:

$$ETP_{tho} = e \cdot L$$

donde:

ETP_{tho}: evapotranspiración potencial (mm/mes) ajustada a la latitud según Thornthwaite.

L: factor de corrección del núm. días del mes (Ndi) y la duración astronómica del día Ni-horas de sol según la latitud. Se ha considerado para «L» 37,5 °N ya que el grueso de la cuenca del Segura se sitúa en torno a dicho valor.

Una vez obtenida la ETP ajustada a la latitud de la zona de estudio se calculó el excedente Ti (Fig.2) en términos medios para la cuenca del Segura, en el periodo y escenarios descritos, mediante el modelo hidrológico de Témez (1977). Se trata de un modelo agregado conceptual mensual, determinístico y de parámetros ajustados, aunque también se ha desarrollado desde un punto de vista espacialmente semidistribuido o distribuido como demuestra el modelo hidrológico SIMPA (Estrela-Monreal et al. 1999). En la metodología de Estrela-Monreal et al (1999) se obtiene dicho excedente con la condición [Eq. (5)]:

$$\Rightarrow \quad P_i > P_i^0 \quad T_i = \frac{(Pi-Pi^0)^2}{Pi + \delta i - 2*Pi^0}$$

$$\Rightarrow \quad Pi \leq P_i^0 \, T_i = 0$$

donde:

Pi: precipitación total en el mes considerado (mm).

P_i^0: precipitación inicial o umbral de escorrentía, es decir la precipitación a partir de la cual se produce escorrentía (mm), calculada del siguiente modo [Eq. (6)]:

$$P_i^0 = C_i \, (H_{ij}^{max} - H_{i,t-1})$$

Siendo C_i el parámetro de excedente, H_i^{max} la humedad o capacidad máxima de almacenamiento (mm), $H_{i,t-1}$ la humedad o almacenamiento del mes anterior (mm).

Ti: excedente de escorrentía o lluvia útil (mm).

δi: parámetro obtenido de la Eq. (7): $\delta i = H_i^{max} - H_{i,t-1} + ETP_i$

siendo ETP_i la evapotranspiración potencial del mes considerado (mm).

La humedad o almacenamiento del suelo, que será considerado recursivamente como la humedad del mes anterior, procede de la siguiente expresión [Eq. (8)]:

$$H_i = max \, (0, H_{i,t-1} + P_i - T_i - ETP_i)$$

Fig. 2. Representación de las variables que integran el modelo de Témez.

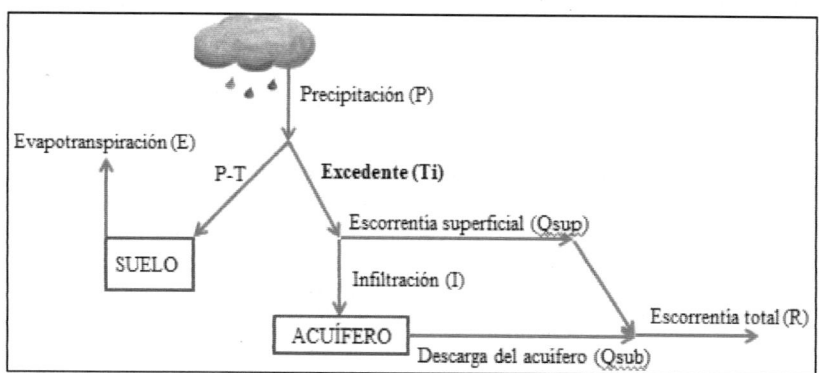

III. RESULTADOS Y DISCUSIÓN

1. ANÁLISIS DE LAS PRINCIPALES COMPONENTES RELACIONA-
   DAS CON EL EXCEDENTE TI

En este apartado se muestra la correlación existente entre determinadas variables hidroclimáticas y el excedente de escorrentía Ti. Concretamente los valores anuales del excedente en el área de estudio se consideran similares a los de la escorrentía total media anual (Fig. 3).

Fig. 3. Escorrentía total media anual (mm) sobre la cuenca del Segura. Serie histórica 1940-2010. Elaborada a partir de las series de datos del Sistema Integrado de Información del Agua (MAGRAMA).

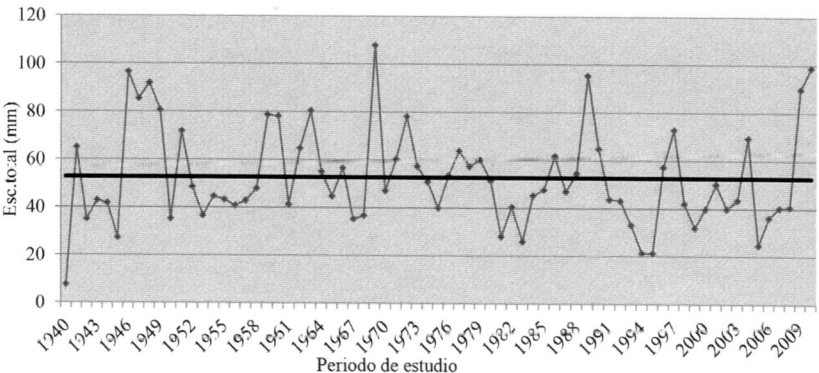

Como se puede observar en la serie histórica analizada la escorrentía total de la cuenca del Segura presenta valores medios anuales muy dispares entre sí, situándose el promedio en los 53 mm lo que denota el carácter marcadamente semiárido de la cuenca.

La escorrentía total media mensual (mm) en la cuenca fue modelizada, con Gretl, a partir de los valores medios mensuales de determinadas variables hidroclimáticas. Las especificaciones utilizadas (cuadrática, cobb-douglas, semilogarítmica cuadrática, logarítmica cuadrática, cuadrática saturada y lineal) presentan valores significativos atendiendo principalmente al p valor (estadístico de probabilidad) y al coeficiente de regresión lineal. El coeficiente varía entre 0 (resultado pésimo) y 1 (resultado óptimo). En este caso los valores del mismo no se aproximan a la unidad en ninguna de las especificaciones utilizadas (ninguna supera el 0,8), aunque teniendo en cuenta el elevado volumen de datos, los cuales incluyen lógicamente eventos extremos como tormentas, avenidas y sequías (valores outlayers en la nube de puntos), se estima que al menos en la forma funcional finalmente seleccionada el coeficiente de regresión lineal sí alcanza valores significativos. Dicha forma funcional ha sido la cuadrática saturada (Tabla 1) con el siguiente ajuste [Eq. (9)] al realizar sobre la misma un análisis de componentes principales (excluyendo variables cuyos valores muestran un p valor superior a 0,05):

$$\text{Escorren.total} = b_0 + b_1 (P) + b_2 (ETR) + b_3 (P \cdot ETR) + b_4 (P \cdot T) + b_5 (ETR \cdot T) + b_6 (ETR \cdot Hu) + b_7 (T \cdot Hu) + b_8 (P \cdot ETR \cdot T \cdot Hu)$$

donde P: precipitación; ETR: evapotranspiración real; T: temperatura; Hu: humedad.

Tabla 1. Modelización de la Escorrentía total media (mm) por Mínimos Cuadrados en función de la temperatura (ºC), la humedad del suelo (mm), la precipitación (mm) y la ETR (mm) con la especificación cuadrática saturada. El análisis de componentes principales excluye, del resto de variables de entrada, la temperatura (mm), humedad (mm) y precipitación*humedad (mm) al presentar un p valor > 0,05.

Variable Dependiente: Escorrentía total media (mm)					
Variables independientes	*Coeficiente*	*Error estándar*	*t-ratio*	*p-valor*	
constante	2,1782	0,1578	13,8063	<0,00001	***
P	0,1674	0,0108	15,4986	<0,00001	***
ETR	-0,1628	0,0180	-9,0398	<0,00001	***
P · ETR	0,0004	0,0002	2,5769	0,01014	**
P · T	-0,0136	0,0010	-13,2793	<0,00001	***
ETR · T	0,0132	0,0011	11,7455	<0,00001	***
ETR · Hu	-0,0012	0,0003	-4,0064	0,00007	***
T · Hu	0,0089	0,0010	9,2148	<0,00001	***
P · ETR · T · Hu	$1,3383^{-06}$	$1,6296^{-07}$	8,2121	<0,00001	***
R-cuadrado 0,7266					

Como se observa (Tabla 1), el ajuste cuadrático saturado es óptimo, debido al adecuado valor del coeficiente de regresión lineal ($R^2 = 0,727$). De este modo queda demostrada la evidente correlación existente entre la escorrentía mensual y el resto de variables analizadas. La función de la escorrentía total adoptaría la siguiente expresión [Eq. (10)] a partir de los valores mostrados en la tabla 1:

$$\text{Escorren.total} = 2,18 + 0,17 (P) - 0,16(\text{ETR}) + 0,0004(P \cdot \text{ETR}) - 0,014(P \cdot T) + 0,013(\text{ETR} \cdot T) - 0,001(\text{ETR} \cdot \text{Hu}) + 0,009(T \cdot \text{Hu}) + 1,34^{-0,6} (P \cdot \text{ETR} \cdot T \cdot \text{Hu})$$

2. MODIFICACIÓN DE LA PRECIPITACIÓN, TEMPERATURA Y ETP BAJO DIFERENTES ESCENARIOS DE CAMBIO CLIMÁTICO

En este apartado se analizan, para los escenarios de cambio climático definidos por el quinto informe del IPCC, las variables hidroclimáticas precipitación, temperatura y evapotranspiración potencial (ETP) cuyas modificaciones influirán en el excedente Ti disponible en la cuenca del Segura y por ende en la posible infiltración (recarga natural) del agua en los acuíferos. Los citados escenarios se denominan RCP2.6, RCP4.5, RCP6.0 y RCP8.5 debido a la magnitud del forzamiento radiativo que cada uno aporta al sistema climático natural. El forzamiento radiativo expresa el cambio neto en el balance de energía del planeta en respuesta a determinadas perturbaciones externas. Por ello, un forzamiento positivo conlleva un calentamiento neto del planeta y un forzamiento negativo un enfriamiento. Actualmente el forzamiento radiativo que alcanza la atmósfera se sitúa en los 340 W/m^2, mientras que la irradianza procedente del sistema solar se estima en 1.400 W/m^2 (IPCC, 2001; IPCC, 2013).

Los resultados obtenidos en el régimen de precipitaciones indican que dicha variable sufriría modificaciones en las diferentes proyecciones de cambio climático. Por ejemplo, en el escenario con un menor incremento del forzamiento radiativo, el RCP2.6, la pluviometría descendería, con respecto a la actual, unos 36 mm/año de media en la Península Ibérica (periodo 2005-2050). Así mismo, la reducción de la escala de trabajo a la cuenca del Segura, analizando los periodos 2010-2020 y 2040-2050 en los escenarios RCP2.6y RCP8.5, muestra que las precipitaciones medias disminuirían en el segundo periodo y en especial en el escenario RCP8.5. Concretamente en el RCP2.6 las precipitaciones medias se situarían en torno a los 418 mm/año en la serie 2010-2020 y en los 412 mm/año en el periodo 2040-2050. En el escenario RCP8.5 descenderían de los 403 mm/año del periodo 2010-2020 a los 366 mm/año del 2040-2050 (Fig. 4).

Fig. 4. Variación de la precipitación (media anual) en la cuenca Segura bajo diferentes escenarios de cambio climático en los periodos 2010-2020 y 2040-2050.

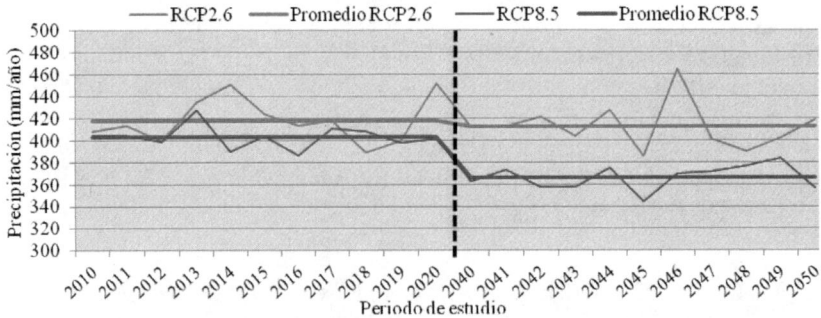

En el escenario RCP2.6 (Fig. 4) se observa una pequeña sobreestimación en los valores medios de las precipitaciones en la cuenca del Segura, ya que en este escenario se sitúan entre los 418 y 412 mm/año, mientras que actualmente la pluviometría de la cuenca ronda los 380 mm/año de media (CHS, 2014). Dicha sobreestimación es debida en parte a la resolución de Climate Explorer, de 80 km, y a la dificultad de predecir las precipitaciones estivales principalmente de origen convectivo.

En cuanto a la temperatura media, bajo el escenario RCP2.6, dicha variable no cambia en la cuenca del Segura, y en el resto de la Península Ibérica, hasta el año 2050 prácticamente en absoluto con respecto a la registrada en el periodo utilizado como referencia (1986-2005). Ello se debe a que el forzamiento radiativo introducido en este escenario es considerablemente similar al actual (tan sólo lo excede en 2.6 W/m²). Sin embargo, si el forzamiento aumenta se percibe un claro incremento de la temperatura media sobre el área de estudio, sobrepasando a la actual entre 1,5 °C y 2 °C (Fig. 5).

Fig. 5. Variación de la temperatura media en la Península Ibérica durante la serie temporal 2005-2050 bajo el escenario de cambio climático RCP8.5.

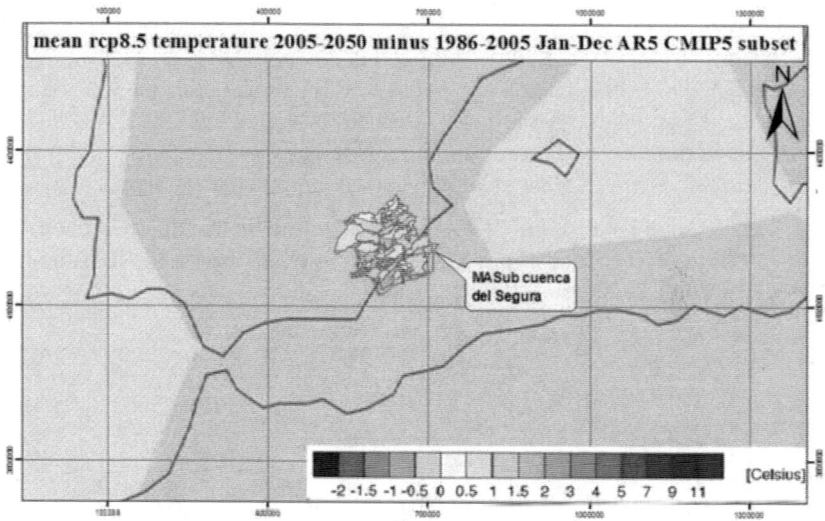

La figura 5 demuestra además cómo el citado incremento de las temperaturas, en el escenario RCP8.5, probablemente sea mayor en la vertiente continental (2 °C) que en la atlántica y mediterránea (entre 1 y 1,5 °C).

Por último, la ETP, estimada según Thornthwaite (1948), presenta en la cuenca del Segura, para los periodos 2010-2020 y 2040-2050, unos valores medios de 819 mm/año en el primer periodo y de 848 mm/año en el segundo ambos en el escenario RCP2.6. En el RCP8.5 aumenta a 816 mm/año en el primero y a 879 mm/año en el segundo.

3. MODIFICACIÓN DEL EXCEDENTE TI A PARTIR DEL CAMBIO EN LAS VARIABLES CLIMÁTICAS BAJO DIFERENTES ESCENARIOS DE CAMBIO CLIMÁTICO

En este apartado se determina, a partir de proyecciones de futuro de las variables precipitación, temperatura y ETP en los escenarios de cambio climático RCP2.6, RCP4.5, RCP6.0 y RCP8.5, la evolución del excedente de escorrentía Ti en términos medios mensuales para la cuenca del Segura en el horizonte 2010-2050.

Los resultados obtenidos en el cálculo del excedente Ti, indican que éste presenta por lo general valores discretamente inferiores en los escenarios que introducen mayores forzamientos radiativos (RCP4.5, RCP6.0 y RCP8.5). Tras analizar la variación del excedente bajo los escenarios RCP2.6 y RCP8.5, contemplados en diferentes periodos de tiempo (2010-2020 y 2040-2050), se pueden observar cambios, tanto al alza como a la baja, en los valores futuros del excedente en ambos escenarios durante los dos horizontes temporales fijados (Fig. 6). Concretamente en el escenario RCP2.6 para el primer periodo los valores medios del excedente Ti se sitúan en los 41 mm/año, mientras que aumentan a 42 mm/año en el segundo. En el escenario RCP8.5 para el primer periodo se sitúan en 38 mm/año disminuyendo a 26 mm/año en el segundo.

Fig. 6. Variación del excedente de escorrentía Ti (media anual) en la cuenca Segura bajo diferentes escenarios de cambio climático en los periodos 2010-2020 y 2040-2050.

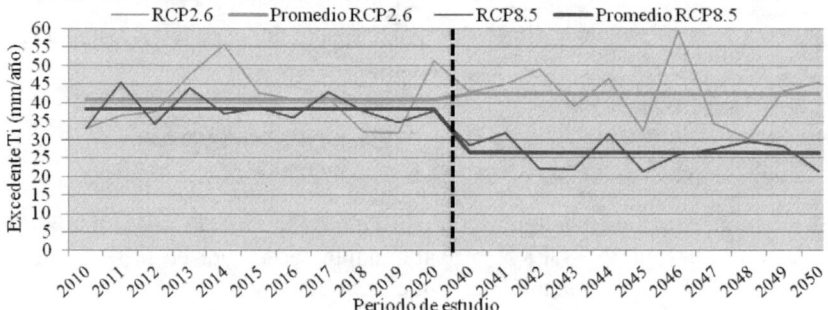

En consecuencia, las diferencias entre las series temporales permiten determinar la existencia de una tendencia a la baja en los valores de dicho excedente en el periodo 2040-2050 con respecto al 2010-2020 para el escenario RCP8.5 durante los próximos 35 años.

IV. CONCLUSIONES: TENDENCIAS DE CAMBIO CLIMÁTICO EN EL EXCEDENTE DE ESCORRENTÍA

A lo largo del estudio ha quedado patente la estrecha relación existente entre variables climáticas como la precipitación, temperatura, evapotranspiración, etc. y el excedente de escorrentía Ti o lluvia útil disponible en el terreno para poder infiltrarse en el mismo y recargar los acuíferos. Concretamente la especificación que aportó mayor significancia a dicha relación fue la cuadrática saturada.

Por otro lado, a partir de los mapas de Climate Explorer se constató la evolución, para los diferentes escenarios de cambio climático del quinto Informe del IPCC, de las variables analizadas (precipitación, temperatura, etc.) sobre la Península Ibérica. Los resultados mostraron un aumento de las temperaturas medias (de hasta 2 °C) en el escenario que introduce un mayor forzamiento radiativo, el RCP8.5, y una disminución media de las precipitaciones, con respecto a las actuales, de 36 mm/año en el escenario RCP2.6. Evidentemente la repercusión de esta última cifra difiere de la España húmeda (con pluviometrías superiores a los 800 mm/año) a la seca (con precipitaciones inferiores a los 300 mm/año). En concreto para la cuenca del Segura las precipitaciones oscilarían durante los próximos 35 años entre los 418 y los 366 mm/año según el escenario de cambio climático considerado. Sin embargo, en la estación estival Climate Explorer suele sobreestimar los datos de precipitación. Así mismo, en dicho periodo de tiempo la ETP se situaría entre los 819 y los 879 mm/año según el escenario estimado.

En cuanto al cálculo del excedente de escorrentía Ti, a partir de los datos de Climate Explorer para diferentes escenarios de cambio climático en el periodo 2010-2050, se determinó que dicho excedente posee en general valores discretamente inferiores en los escenarios con mayores forzamientos radiativos (RCP4.5, RCP6.0 y RCP8.5). Ello permite establecer una tendencia a la baja en los valores medios del mismo sobre la cuenca del Segura en el horizonte 2010-2050. No obstante se debe investigar detalladamente si la disminución del excedente Ti afectaría negativamente a la recarga de acuíferos de la cuenca del Segura y al estado de sobreexplotación que numerosas formaciones de la misma presentan.

Con respecto a la periodicidad de la información de partida, cabe destacar que se ha dispuesto de los valores medios mensuales de determinadas variables para toda la cuenca del Segura, hecho que, junto a las necesarias simplificaciones realizadas para poder proporcionar datos a nivel de cuenca, ocasionan que los resultados mostrados en el estudio únicamente puedan ser contemplados como meras estimaciones. Debería tenerse en consideración por ejemplo que en las regiones áridas y semiáridas la escala o rango de análisis de la información ha de ser diaria puesto que es en dicha escala donde ocurren los grandes eventos climático-hidrológicos (tormentas, avenidas, etc.), cuyos valores quedan enmascarados tras una simple media aritmética a nivel mensual.

En sucesivas investigaciones se pretenderá determinar la influencia de la disminución registrada en el excedente de escorrentía Ti, de la cuenca del Segura para diferentes escenarios de cambio climático, sobre la recarga de acuíferos en dicha cuenca. Para ello se aplicarán modelos regionales de cambio climático a escala diaria u horaria, así como modelos lluvia-escorrentía distribuidos como SWAT o RENATA.

V. AGRADECIMIENTOS

Este trabajo ha sido parcialmente realizado en el marco de la Beca de Iniciación a la Investigación de la Universidad de Murcia concedida al primer autor (R-628/2015), con el apoyo de la Oficina de Murcia del Instituto Geológico y Minero de España. Adicionalmente, uno de los autores (JLGA) agradece el apoyo parcial del Proyecto GESINH-IMPADAPT (CGL2013-48424-C2-2-R) del Ministerio de Economía y Competitividad (Plan Estatal I+C+T+I 2013–2016).

VI. BIBLIOGRAFÍA

ALMOROX, J.: *Métodos de estimación de las evapotranspiraciones ETP y ETR. Evapotranspiración Potencial según Thornthwaite*. Disponible en http://ocw.upm.es/ingeni eria-agroforestal/climatologia-aplicada-a-la-ingenieria-y-medioambiente/contenidos/evapotranspiraciones/metodosevapotranspiraciones.pdf. 2014.

CEDEX: *Estudio de los impactos del cambio climático en los recursos hídricos y las Masas de Agua. Efecto del cambio climático en los recursos hídricos disponibles en los sistemas de explotación*. Centro de Estudios y Experimentación de Obras Públicas. Disponible en: http://www.magrama.gob.es/es/agua/temas/planificacion-hidrologica/ImpactoCCSistemasEx plotacion_tcm7-310164.pdf. 2012.

CHS: *Memoria del Plan Hidrológico de la cuenca del Segura para el ciclo de planificación 2009-2015*. Informe elaborado por la Confederación Hidrográfica del Segura. Ministerio de Agricultura, Alimentación y Medio Ambiente, 2014.

COTTRELL, A., y LUCCHETTI, R. J.: *Gretl User's Guide. Gnu Regression, Econometrics and Time-series Library.* Disponible en: http://ricardo.ecn.wfu.edu/pub//gretl/manual/en/gretlgui de.pdf. 2015.

ESTRELA-MONREAL, T.; CABEZAS CALVO-RUBIO, F., y ESTRADA-LORENZO, F.: «La evaluación de los recursos hídricos» en *El Libro Blanco del Agua en España, Ingeniería del Agua*, 1999, pp. 125-138.

GREEN, T.R.; TANIGUCHI, M.; KOOI, H.; GURDAK, J. J.; ALLEN, D. M.; HISCOCK, K. M.; TREIDEL, H., y AURELI, A.: «Beneath the surface of global change: Impacts of climate change on groundwater», *Journal of Hydrology*, Elsevier, 2011, pp. 532-560.

IPCC: *Anexo B. Glosario de términos del Tercer Informe de Evaluación del IPCC.* Disponible en: https://www.ipcc.ch/pdf/glossary/tar-ipcc-terms-sp.pdf. 2001.

– *Cambio Climático 2013. Bases físicas. Resumen para responsables de políticas, Resumen técnico y Preguntas frecuentes.* Informe del Grupo de trabajo I del IPCC. Disponible en: http://www.ipcc.ch/pdf/assessment-report/ar5/wg1/WG1AR5_SummaryVolu me_FINAL_SPA NISH.pdf. 2013.

KONIKOW, L. F., y KENDY, E.: «Groundwater depletion: A global problem», *Hydrogeology Journal*, Springer, 2005, pp. 317-320.

PULIDO-VELÁZQUEZ, D.; GARCÍA-ARÓSTEGUI, J. L.; MOLINA, J. L., y PULIDO-VELÁZQUEZ, M.: «Assessment of future groundwater recharge in semi-arid regions under climate change scenarios (Serral-Salinas aquifer, SE Spain). Could increased rainfall variability increase the recharge rate?», *Hydrological Processes*, 2015, pp. 828-844.

SENENT-ALONSO, M., y GARCÍA-ARÓSTEGUI, J. L. *Sobreexplotación de acuíferos en la cuenca del Segura. Evaluación y perspectivas.* Murcia, Instituto Euromediterráneo del Agua, 2014.

TÉMEZ, J. R. *Modelo Matemático de trasformación «precipitación-escorrentía»*, Madrid, Asociación de Investigación Industrial Eléctrica (ASINEL), 1977.

THORNTHWAITE, C. W.: «An Approach toward a Rational Classification of Climate», *Geographical Review*, 1948, pp. 55-94.

WADA, Y.; VAN BEEK, L. P. H., y BIERKENS, M. F. P.: «Nonsustainable groundwater sustaining irrigation: A global assessment», *Water Resources Research*, 2012, pp. 1-18.

CAPÍTULO XXV

LA LEGISLACIÓN DEL AGUA EN MÉXICO Y SU PROYECTO DE REFORMA DE 2015

Alma Patricia DomínGUEZ Alonso
Profesora Ayudante Doctor Universidad de Castilla-la Mancha (Ac. Titular)

SUMARIO: I. RÉGIMEN CONSTITUCIONAL Y LEGAL VIGENTE DEL AGUA EN MÉXICO. II. LA LEY FEDERAL DE AGUAS DE 1992 COMO PRIMERA NORMA DEL GRUPO NORMATIVO DEL AGUA EN MÉXICO: SU REFORMA DE 2004 Y SU DESARROLLO REGLAMENTARIO. III. EL PROYECTO DE DECRETO DE LA LEY GENERAL DE AGUAS 2015 Y SUS PRINCIPALES OBJETIVOS. CONSIDERACIONES CRÍTICAS.

I. RÉGIMEN CONSTITUCIONAL Y LEGAL VIGENTE DEL AGUA EN MÉXICO

La dispersión de leyes que regulan el agua en general, y el agua potable en lo particular, así como la participación plural y heterogénea de dependencias de los tres niveles de Gobierno y de organismos descentralizados y la falta de una verdadera administración por cuencas hidrográficas, han provocado que en México existan muchos problemas en cuanto a la gestión del agua y que haya confusión respecto a la naturaleza de la prestación de servicio y al régimen legal del agua potable[1].

Al referirnos al régimen legal de las aguas en México, tenemos que partir de lo dispuesto por la Constitución Política de Estados Unidos Mexicanos[2],

---

1. Véase al respecto DomínGUEZ Alonso, A.P.: *La Administración Hidráulica Española e Iberoamericana*, Instituto Euromediterráneo del Agua, Murcia, 2008.

2. El texto actualizado de la Constitución y todas sus reformas, la última de las cuales fue publicada en el Diario Oficial de la Federación el 10 de julio de 2015, pueden consultarse en la web de la Cámara de Diputados de la Federación (www.diputados. gob.mx).

cuyo artículo 27 reglamenta la propiedad originaria[3] de la nación sobre las aguas. De acuerdo con éste artículo, el derecho de propiedad es inalienable e imprescriptible, y el derecho de beneficiarse de las aguas se hará a través de la concesión que otorgue el Poder Ejecutivo a través de la Comisión Nacional del Agua[4].

La Ley de Aguas Nacionales de 1992, que fue reformada en su mayor parte en 2004, es reglamentaria del artículo 27 constitucional. Sus disposiciones se complementan con lo dispuesto en las leyes que reseñaremos a continuación. La última reforma importante de la norma se publicó en el Diario Oficial de la Federación de 7 de junio de 2013 y afectó entre otras disposiciones a la fracción III y IV del artículo 14 BIS 4; al artículo 96 BIS; y al primer párrafo del artículo 96 BIS 1.

La Ley General del Equilibrio Ecológico y la Protección del Ambiente es reglamentaria de las disposiciones de la Constitución que se refieren a la preservación y restauración del equilibrio ecológico, así como a la protección al ambiente. Por lo que respecta al tema de las aguas, con esta ley se trata de prevenir y controlar la contaminación del agua en toda la Nación, así también preservarla y aprovecharla.

En cuanto a la Ley Federal de Derechos, regula los pagos por derechos de uso o aprovechamiento de los bienes del dominio público de la Nación,

---

3. El precepto ha generado a lo largo de la historia cierta polémica respecto al término «propiedad originaria». Véase acerca de este debate BURGOA ORIHUELA, I.: *Las garantías individuales*, edit. Porrúa, México, 1982 y Urbano Farías: *Derecho Mexicano de Aguas Nacionales*, edit. Porrúa México, 1993.

4. En el artículo 27 de la Constitución, como hemos visto, se hace referencia a que el recurso del agua es propiedad de la nación, y se entiende que es con la finalidad de ser administrada por el Estado, no obstante, el gobierno federal puede otorgar concesiones a grupos privados para su explotación y aprovechamiento a través de la CONAGUA sin que con ello se adquiera la propiedad como se ha visto también. La cuestión es que de acuerdo con lo establecido en la Constitución, se supone que garantiza que el agua no se pueda monopolizar por la gente más poderosa económicamente dentro de la sociedad perjudicando a los pobres; pero por el contrario, tal parece que las leyes no han ayudado lo suficiente porque en la realidad sucede lo contrario, la gente pobre suelen ser los que padecen más por la falta del recurso y también los que pagan más por el agua potable, en muchas ocasiones tienen que recurrir a la compra del agua embotellada e incluso solicitan el servicio de camiones cisterna para abastecerse, todo esto también es debido a la falta de obras hidráulicas en zonas más marginadas obviamente.
    Así, también la Carta Magna establece en su artículo 115 que los Municipios estarán facultados para regular el servicio de agua potable, drenaje, alcantarillado, tratamiento y disposición de sus aguas residuales.

así como por recibir servicios que presta el Estado en sus funciones de derecho público, excepto cuando se presten por organismos descentralizados u órganos desconcentrados y en este último caso, cuando se trate de contraprestaciones que no se encuentren previstas en esta Ley. También son derechos las contribuciones a cargo de los organismos públicos descentralizados por prestar servicios exclusivos del Estado.

De acuerdo con esta Ley están obligadas al pago del derecho sobre agua, las personas físicas y las morales que usen, exploten o aprovechen aguas nacionales, bien sea de hecho o al amparo de títulos de asignación, concesión, autorización o permiso, otorgados por el Gobierno Federal.

Por su parte, la Ley de Contribución de Mejoras por Obras Públicas Federales de Infraestructura Hidráulica, tiene como objeto las mejoras por obras públicas federales de infraestructura hidráulica construidas por dependencias o entidades de la Administración Pública Federal, que benefician en forma directa a personas físicas o morales. Las obras públicas a que se refiere esta Ley, son las que permiten usar, aprovechar, explotar, distribuir o descargar aguas nacionales, sean superficiales o del subsuelo, así como la reparación, terminación, ampliación y modernización de las mismas.

Los ingresos que se perciban por la aplicación de esta Ley, se destinarán a la Comisión Nacional del Agua para la construcción, reparación, ampliación, terminación o modernización de las obras públicas federales de infraestructura hidráulica.

La Ley General de Bienes Nacionales establece los bienes que constituyen el patrimonio de la Nación, y establece en su artículo 6 que están sujetos al régimen de dominio público de la federación, los bienes señalados en los artículos 27 párrafos cuarto, quinto y octavo.

Pero también existen muchas leyes que son reglamentarias del artículo 27 constitucional y están relacionadas de alguna manera también con la regulación del agua en México, como son la Ley Agraria, la Ley de Desarrollo Rural Sustentable, la Ley de Energía para el Campo, la Ley de Pesca, la Ley Federal del Mar, la Ley General de Desarrollo Forestal Sustentable, la Ley General de Vida Silvestre, la Ley General para la Prevención y Gestión Integral de los Residuos y la Ley Minera.

Junto a las normas anteriores, es preciso tener en cuenta las Leyes Estatales en materia de agua promulgadas en las entidades federativas. Se trata de leyes comprendidas dentro del marco legal de cada Estado federal en todo el país en materia del agua.

En mi opinión, actualmente existe en México una proliferación de leyes relacionadas con el agua, que complica sobremanera al propio operador jurídico y, por supuesto, al ciudadano, el poder conocer la regulación aplicable. Sería por ello muy importante el unificar en lo posible esta legislación y crear un Código de Aguas cuya norma principal sería la Ley de Aguas.

II. LA LEY FEDERAL DE AGUAS DE 1992 COMO PRIMERA NORMA DEL GRUPO NORMATIVO DEL AGUA EN MÉXICO: SU REFORMA DE 2004 Y SU DESARROLLO REGLAMENTARIO

La Ley de Aguas Nacionales es una norma reglamentaria del artículo 27 constitucional; es, por tanto, una ley que emana material y formalmente de la Constitución.

Se trata de la norma, publicada en el Diario Oficial de la Federación el 1 de diciembre de 1992, cabecera del grupo normativo del agua en México. En su desarrollo se dictó el Reglamento de la Ley de Aguas Nacionales de 1992, que fue modificado posteriormente en 1997 y 2002.

Ahora bien, la Ley de Aguas fue reformada en 2004 en más de un 90%, ya que fueron reformados 114 artículos de un total de 124, se adicionaron 66 y se derogaron 2.

Pues bien, a lo dispuesto por la Ley de Aguas, en el texto resultante tras su reforma de 2004, hay que añadir la aprobación y publicación en el Diario Oficial de la Federación con fecha 30 de noviembre de 2006 del Reglamento Interior de la Comisión Nacional del Agua, norma con un total de 91 artículos, más 11 transitorios, que ocupa nada menos que 128 páginas del Diario Oficial.

De forma muy cuestionable, la Ley de Aguas lleva a cabo una remisión en blanco cuando señala que además de las facultades que otorga se añadirán otras más en los reglamentos que la desarrollen.

En este sentido, resulta importante destacar la sentencia de la Suprema Corte de Justicia de la Nación (Quinta Época[5], Segunda Sala, Amparo administrativo en revisión 2488/43)[6], que concluye que las normas reglamentarias

---

5. Las Épocas son los periodos en los que la Suprema Corte de Justicia de la Nación agrupa por fecha sus criterios.
   Se dividen en dos grandes períodos: antes y después de la Constitución de 1917. Los criterios de la Primera a la Cuarta Época, (antes de 1917), hoy son inaplicables (no vigentes), y por ello se agrupan dentro de lo que se ha dado en llamar «jurisprudencia histórica». Los criterios de las Épocas Quinta a la Novena (de 1917 a la fecha), comprenden lo que se considera el catálogo de la «jurisprudencia aplicable» o vigente.
6. Semanario Judicial de la Federación. Tomo: LXXXI. Página: 2691 Número de Registro: 323,319.

impugnadas del Reglamento de Aguas de Jurisdicción Federal, concernientes al Río Aguanaval, «son violatorias de garantías, debiendo confirmarse la sentencia que otorgó el amparo a la parte quejosa».

La Suprema Corte también ha insistido en que «además de la existencia de una autoridad administrativa, debe constar expresamente en el cuerpo de leyes que contempla a las unidades administrativas que integran tal secretaría de Estado y no inferirse su existencia», como exige expresamente el artículo 18 de la Ley Orgánica de la Administración Pública Federal (Novena Época, Instancia: Tribunales Colegiados de Circuito, Revisión fiscal 2/97)[7].

Pues bien, junto a otros aspectos de menor calado, el citado Reglamento lleva a cabo una reforma de la Ley como el cambio de denominación de las Gerencias Regionales con las que contaba la Comisión Nacional del Agua por la de Organismos de Cuenca, y la atribución a éstos de las funciones de aquéllas conferidas por la Ley de Aguas Nacionales. El Reglamento Interior también aumenta las competencias del Consejo Técnico de la CONAGUA, de su Director General y de los funcionarios auxiliares de la Comisión.

III. EL PROYECTO DE DECRETO DE LA LEY GENERAL DE AGUAS 2015 Y SUS PRINCIPALES OBJETIVOS. CONSIDERACIONES CRÍTICAS

El 5 de marzo de 2015, se emitió por parte de la LXII Legislatura de la Cámara de Diputados en México, un «Proyecto de Decreto de la Ley General de Aguas» cuyo objeto es establecer la participación de la Federación, los Estados, el Distrito Federal, los municipios y la ciudadanía para garantizar el derecho al acceso, disposición y saneamiento de agua para consumo personal y doméstico, así como regular las aguas nacionales. La iniciativa consta de once títulos y parte de la declaración en su exposición de motivos de que México enfrenta una situación hídrica compleja y crítica.

Actualmente el Proyecto se encuentra suspenso en su tramitación parlamentaria, por lo que resulta muy complicado que pueda aprobarse en la presente Legislatura.

En el año 2012, se reconoció en el derecho jurídico mexicano, a través de la Constitución Política de los Estados Unidos Mexicanos, el derecho humano al agua[8], en su artículo 4° donde establece «... Toda persona tiene de-

---

7. Semanario Judicial de la Federación y su Gaceta Tomo: VI, octubre de 1997. Tesis: II.A J/1 Página: 698 Número de Registro: 197, 547.
8. Véase la monografía coordinada por el Profesor EMBID IRUJO A.: *Agua y ciudades*, Civitas, Madrid, 2012, pp. 40 y ss.

recho al acceso, disposición y saneamiento de agua para consumo personal y doméstico en forma suficiente, salubre, aceptable y asequible. El Estado garantizará este derecho y la ley definirá las bases, apoyos y modalidades para el acceso y uso equitativo y sustentable de los recursos hídricos, estableciendo la participación de la Federación, las entidades federativas y los municipios, así como la participación de la ciudadanía para la consecución de dichos fines»[9]. Este mismo precepto estableció en su régimen transitorio la obligación para que el Congreso de la Unión emita una Ley General de Aguas.

El proyecto de la Ley define en primer término cuáles son las aguas y bienes nacionales a los que les resultan aplicables sus disposiciones, para luego mencionar quienes son sujetos de la ley, y de entre éstos quiénes son autoridades[10].

---

9. El Proyecto de iniciativa de Ley General de Aguas, garantiza el derecho humano al agua en su artículo 40 «Es responsabilidad de la Federación, estados, Distrito Federal y municipios, en el ámbito de sus respectivas competencias, garantizar el derecho al acceso, disposición y saneamiento de agua para consumo personal y doméstico en forma suficiente, salubre, aceptable y asequible, con la participación que corresponda a la ciudadanía». También lo hace en los artículos subsiguientes 41,... y 53. Se hace la aclaración en este punto, que el derecho al acceso no quiere decir que es gratuito, ya que se tienen que pagar tarifas por la prestación de los servicios.
10. En el artículo 10 fracción XXXII define lo que considera el mínimo vital. «El volumen de agua para consumo personal y doméstico que se otorga con la periodicidad que permite al individuo cubrir sus necesidades básicas que corresponde a cincuenta litros diarios por persona», (este es uno de los aspectos criticados por la ciudadanía y yo lo comparto con algunos matices que explicare al final de esta nota) sin embargo, recordemos que la Organización Mundial de la Salud, recomienda en su documento de Ginebra, del año 2003 (La cantidad de Agua domiciliaria, el nivel de servicio y la salud) datos sobre la cantidad de agua domiciliaria que se requiere para promover una buena salud, con una cifra mínima que permita satisfacer las necesidades de consumo (para bebida y preparación de alimentos e higiene básica) por lo que, indica la cantidad de agua que se usa en los diferentes niveles del servicio. Las cantidades de agua en cada nivel pueden ser menores si el abastecimiento de agua es intermitente, lo que incrementaría el riesgo de que ingrese agua contaminada a los sistemas de abastecimiento de agua. Si el acceso es óptimo pero el abastecimiento es intermitente, la operación de los sistemas de saneamiento relacionados con el abastecimiento de agua podría verse afectada y generar mayores riesgos de salud. Por lo que es recomendable que el nivel de servicio óptimo para poder abastecer a varios grifos de manera continuada sea de cien litros por persona diarios y más, de esta manera se atenderían todas las necesidades de higiene y como consecuencia el nivel del efecto en la salud sería muy bajo. Pág. web consultada: www.who.int/water-sanitation de fecha 15 de agosto de 2015.
    Como lo mencione con anterioridad, también comparto la critica que en los medios

Considero que es importante resaltar algunos de los aspectos de esta iniciativa de Ley que han ocasionado más polémica, así como inconformidades de la ciudadanía y colectivos sociales, motivos por lo que no se llegó a aprobar el proyecto (incluidos aspectos políticos que no voy a mencionar por no corresponder a un trabajo de esta naturaleza). Pero sobre todo quiero hacer hincapié en el punto que considero que es la base y origen de la problemática tan grave por la que atraviesa México en su derecho de aguas y que requeriría de un verdadero cambio, el cual lamentablemente no se ha podido ni siquiera plasmar en esta iniciativa: me refiero a la «unidad de gestión por cuencas». En la propuesta de nueva ley general se mantiene el modelo de gestión y administración del agua vigente, no se aborda un cambio de modelo, por lo tanto, en mi opinión no generaría un cambio radical, una restructuración para mejorar de manera notable el actual sistema de administración y gestión del agua, como veremos a continuación.

El artículo 10 fracción XXVIII de la iniciativa de Ley, define lo que es la gestión integrada de los recursos hídricos, como un «proceso coordinado y sustentable del sector hídrico que permite maximizar equitativamente el bienestar social y económico sin comprometer el ambiente». Sin embargo, aunque se habla de una gestión integrada, en mi opinión está aún muy lejos de conseguirla, ya que el modelo que establece este Proyecto de Ley sigue manteniendo la misma organización administrativa del agua desde la vigente Ley tras su reforma en 2004, tal y como se establece en las fracciones XXXVII y XXXVIII, donde se define la Región Hidrológica como un «área territorial cuya finalidad es el agrupamiento y sistematización de la información, análisis, diagnósticos, programas y acciones en relación con la ocurrencia del agua en cantidad y calidad, así como su uso. Una región hidrológica está integrada por una o varias cuencas...» y la Región Hidrológico-Administrativa como «área territorial integrada por una o varias regiones hidrológicas, en la cual se considera a la cuenca como la unidad básica para la gestión de los recursos hídricos y el municipio representa, como en otros instrumentos jurídicos, la unidad mínima de gestión administrativa en el país». De la ausencia de una gestión por cuencas hidrográficas derivan muchos de los problemas que se mencionan en la exposición de motivos como la sobre explotación de acuíferos, la contaminación de aguas, proble-

---

de información se hicieron al respecto, pero considero que independientemente del volumen garantizado y recomendado por la ONU, me atrevo a decir que lamentablemente en México aún no tenemos la educación y cultura necesarias para ahorrar y no desperdiciar la poca o mucha agua que se nos pueda otorgar con el servicio de agua potable y su respetivo saneamiento, no valoramos este vital liquido y considero que se debería de reflexionar más en este punto.

mas socioeconómicos y climatológicos, concentración de la población en localidades urbanas que incrementan la demanda del agua, la sequía, etc.

Otro de los aspectos más criticados de la reforma legal propuesta y que quisiera resaltar, es la novedad que se establece en el artículo 88 del Proyecto, donde norma que la explotación, uso o aprovechamiento de las aguas nacionales se realiza mediante asignación, concesión que otorga el Ejecutivo Federal a través de la Comisión en los términos de la presente Ley y su Reglamento; para tramitar entre otros la Concesión para la explotación, uso o aprovechamiento de materiales pétreos. En el artículo 108 explica las obligaciones de los concesionarios, asignatarios y permisionarios, entre ellos los Concesionarios de materiales pétreos quienes tendrán que realizar la cuantificación de los materiales pétreos extraídos mediante los procedimientos que establezca el Reglamento, y reportar los volúmenes cuantificados de la extracción de materiales pétreos con la periodicidad y por los medios que establezca la Comisión...

Cabe resaltar que en este Proyecto de Iniciativa de Ley de Aguas 2015, dedica un capítulo VIII a los Bienes Nacionales y materiales pétreos donde deja claramente establecido que la Comisión será la encargada de su explotación, uso o aprovechamiento de los bienes nacionales y materiales pétreos a que refiere la Ley, la cual se realiza mediante concesión que otorga el Ejecutivo Federal a través de la Comisión así como su prórroga, transmisión, suspensión, extinción y revocación se sujetarán a lo dispuesto en esta y su Reglamento[11] en materia de concesiones para la explotación, uso o aprovechamiento de aguas nacionales, en lo que resulte aplicable. La vigencia de la concesión para la explotación, uso o aprovechamiento de materiales pétreos debe establecerse hasta por doce meses. A su vencimiento, el concesionario está obligado a limpiar y liberar de cualquier obra, equipo o desecho el cauce y la zona federal.

Desde mi punto de vista considero que es grave, el hecho de que con esta regulación de normas que pretende llevar a cabo este Proyecto, se regularice o legalice el método conocido como *fracking* (fractura hidráulica), que bien es sabido es considerado uno de los métodos o técnicas que se utiliza para la obtención de gas natural o petróleo, pero que causa una gran contaminación al medio ambiente y en espacial a las aguas subterráneas[12] y el cual se

---

11. Es importante mencionar, que hasta la fecha sigue vigente el Reglamento de la Ley de Aguas Nacionales de 1992, ya que desde la reforma de la Ley de 2004 no se llegó a modificar, reformar o derogar este.
12. Véase al respecto, DELGADO PIQUERAS, F., y GALLEGO CÓRCOLES, I.: *Aguas subterráneas privadas, teledetección y riego*, Bomarzo, Albacete, 2007.

ha prohibido en algunos países como Francia y Bulgaria[13]. Con fecha 9 de abril de 2014, fue presentada una Iniciativa de «Ley General para la prohibición de la fractura hidráulica», por los Senadores Raúl Cervantes Andrade, Benjamín Robles Montoya y Layda Sansores San Román, así como por los Diputados Ricardo Mejía Berdeja y Rodrigo González Barrios, y suscrito por 60 Diputados más. Donde se manifiesta claramente en su exposición de motivos la inconformidad con dicha técnica[14].

Sin embargo, la nueva Ley de Hidrocarburos publicada en el Diario Oficial de la Federación el 11 de agosto de 2014, enmarcada en la reforma energética impulsada por el Ejecutivo federal[15], prevé la aplicación de la técnica del *fracking*, lo que sin duda afecta gravemente a los recursos hídricos, por lo que se contemplaba una concesión por parte de la Administración del agua en el Proyecto de la Ley de Aguas.

En este sentido, el artículo 5 de la Ley de Hidrocarburos establece con carácter general que las actividades de exploración y extracción de hidrocarburos, a que se refiere la fracción I del artículo 2 de la Ley, se consideran estratégicas en los términos del párrafo cuarto del artículo 28 de la Constitución Política de los Estados Unidos Mexicanos. El Ejecutivo Federal, por conducto de la Secretaría de Energía, podrá otorgar y modificar a Petróleos Mexicanos o a cualquier otra empresa productiva del Estado, de manera

---

13. En España, hay que tener en cuenta al respecto lo dispuesto por la Ley 8/2015, de 21 de mayo, por la que se modifica la Ley 34/1998, de 7 de octubre, del sector de hidrocarburos y por la que se regulan determinadas tributarias y no tributarias en relación con la exploración, investigación y explotación de hidrocarburos.
    Acerca de la distribución de competencias sobre régimen energético y medio ambiente, es importante la Sentencia 208/2014, de 15 de diciembre de 2014, que resuelve el recurso de inconstitucionalidad 4983-2014 interpuesto por el Presidente del Gobierno en relación con diversos preceptos de la Ley Foral 30/2013, de 15 de octubre, por la que se prohíbe en el territorio de la Comunidad Foral de Navarra el uso de la fractura hidráulica como técnica de investigación y extracción de gas no convencional.
14. Véase más información al respecto en pág. web de «Alianza mexicana contra el Fracking» www.nofrackingmexico.org, fecha de consulta: 15 de agosto de 2015.
15. Consta de 21 leyes (9 nuevas y 12 modificadas), agrupadas en 9 bloques. Entre ellas se encuentran las Leyes de Inversión Extranjera, Minera, de Asociaciones Público Privadas, Eléctrica, de Energía Geotérmica, de Petróleos Mexicanos, de Adquisiciones, Arrendamientos y Servicios del Sector Público, de Obras Públicas y Servicios Relacionados con las Mismas, Federal de Presupuesto y Responsabilidad Hacendaria y General de Deuda Pública (véase la web oficial http://www.presidencia.gob.mx/reformaenergetica/#!leyes-secundarias, fecha de consulta 19 de diciembre de 2015).

excepcional, asignaciones para realizar la exploración y extracción de Hidrocarburos.

Conforme a lo dispuesto en el artículo 32 de la Ley de Hidrocarburos, pertenece a la Nación la información geológica, geofísica, petrofísica, petroquímica y, en general, la que se obtenga o se haya obtenido de las actividades de reconocimiento y exploración Superficial, así como de exploración y extracción, llevadas a cabo por parte de Petróleos Mexicanos, cualquier otra empresa productiva del Estado o por cualquier persona. Las actividades de reconocimiento y exploración superficial de las áreas para investigar la posible existencia de hidrocarburos, requerirán autorización de la Comisión Nacional de Hidrocarburos[16].

Por último, dos temas que aborda el Proyecto de Ley General de Aguas y de los cuales quiero dar alguna referencia son los trasvases y la gestión privada de las aguas.

Respecto a los trasvases, resulta criticable la regulación planteada ya que el Proyecto de Iniciativa de la Ley General de Aguas en su artículo 116, establece que el Trasvase es la explotación, uso o aprovechamiento de las aguas nacionales trasladadas de una cuenca para ser utilizadas en una cuenca distinta con la que no haya conexión natural, que realiza la Federación, los asignatarios o los concesionarios, mediante obras de infraestructura hidráulica, para concesionarlas o para explotarlas, usarlas o aprovecharlas en un lugar distinto a la cuenca de extracción, pero añade que éste puede ser directo, que es el que realizan los asignatarios o concesionarios con autorización de la Comisión, o indirecto, el que efectúa la Federación en beneficio de los concesionarios con inversión federal o con participación de inversión estatal, municipal, social o privada. Dicho beneficio tiene lugar cuando el asignatario o concesionario explota, usa o aprovecha aguas nacionales trasvasadas previamente por la Federación.

No estoy de acuerdo con esta definición, ya que los trasvases deben estar en primer lugar contemplados o establecidos dentro de una planificación hidrológica o programa (como se denomina en México) y ser gestionados directamente por el organismo gubernamental correspondiente, en este caso sería la Comisión Nacional del Agua, no por un concesionario, o en caso que se quiera realizar por una empresa privada, su gestión debería de recaer directamente en esta, con la finalidad de establecer responsabilidades en caso necesario. Para mí un trasvase además de lo comentado con anterioridad, debe ser viable y reunir los requisitos técnicos para que se pueda llevar a

---

16. Artículo 37 de la Ley de Hidrocarburos.

cabo[17]. Y este punto quiero unirlo con el que mencione con anterioridad, que es el relativo a la privatización de la gestión de las aguas. Tal vez en general se tiene un concepto erróneo en algunos estudiosos del derecho de aguas en México, o incluso en ciudadanos en general, respecto a que es malo o se encarece el servicio si la gestión de las aguas se privatiza, y yo considero que la gestión pública o privada puede ser buena o mala indistintamente, lo importante es que la gestión sea eficiente y que no se encarezca el servicio y los costes puedan llegar a ser asequibles para cualquier ciudadano, en este sentido comparto lo defendido por el profesor Embid Irujo[18].

Sería importante sobre todo que la nueva Ley abordara un cambio en lo que la ley actual y/o esta iniciativa llaman «gestión integral», ya que como se puede comprobar no existe lo que en España o la Unión Europea se denomina «unidad de gestión por cuencas»[19].

---

17. Véase al respecto FANLO LORAS, A.: «El trasvase Tajo-Segura y su instrumentación jurídica», en *La ordenación jurídica del trasvase Tajo-Segura*, 2008, pp. 25 y ss.
18. EMBID IRUJO, A.: *Agua y ciudades...*, *op. cit.*, pp. 44 y 45.
19. Véase DOMÍNGUEZ ALONSO, A. P.: *La Administración Hidráulica Española e Iberoamericana*, Instituto Euromediterráneo del Agua, Murcia, 2008.

CAPÍTULO XXVI

POLÍTICA INSTITUCIONAL PARA LOS ACUEDUCTOS RURALES EN COLOMBIA

Judith Sofía Echeverría Molina
Profesora de Derecho y Ciencia Política, Universidad del Norte, Colombia

SUMARIO: I. INTRODUCCIÓN. 1. *La Constitución de 1991 en el marco institucional en el servicio de agua potable colombiano. 2. Panorama actual. 3. ¿Qué pasa en el sector rural colombiano?. 4. ¿Es posible que haya otro modelo de gestión del agua para el sector rural en Colombia?.* II. BIBLIOGRAFÍA.

I. INTRODUCCIÓN

Este artículo presenta los rasgos de la política institucional para el abastecimiento de agua potable en el área rural de Colombia, entendido como aquellos centros poblados no cabeceras de municipios o las ares rurales dispersas[1].

Se mostrará, cómo la política de servicios públicos domiciliarios que ha regido el país en estas dos últimas décadas, ha favorecido a las áreas urbanas, en especial a las cabeceras municipales[2] y grandes ciudades del país, así

---

1. «Área rural o resto municipal: se caracteriza por la disposición dispersa de viviendas y explotaciones agropecuarias existentes en ella. No cuenta con un trazado o nomenclatura de calles, carreteras, avenidas, y demás. Tampoco dispone, por lo general, de servicios públicos y otro tipo de facilidades propias de las áreas urbanas». Tomado de https://www.dane.gov.co/files/inf_geo/4Ge_ConceptosBasicos.pdf.

2. Área urbana: se caracteriza por estar conformada por conjuntos de edificaciones y estructuras contiguas agrupadas en manzanas, las cuales están delimitadas por calles, carreras o avenidas, principalmente. Cuenta por lo general, con una dotación de servicios esenciales tales como acueducto, alcantarillado, energía eléctrica, hospitales y colegios, entre otros. En esta categoría están incluidas las ciudades

como las áreas metropolitanas[3], donde existe un mercado atractivo para los inversionistas privados, quienes, bajo la política pública de coparticipación con el estado han logrado gestionar y operar las infraestructuras públicas.

1. LA CONSTITUCIÓN DE 1991 EN EL MARCO INSTITUCIONAL EN EL SERVICIO DE AGUA POTABLE COLOMBIANO

Para abordar esta problemática es necesario tener en cuenta el contenido de los artículos de la Constitución Política de Colombia que delimitan o rigen la política pública en materia de servicios públicos domiciliarios y que, en desarrollo de esos lineamientos constitucionales, ha desarrollado el marco legal que ya cuenta con más de 20 años, con la expedición de la Ley 142 de 1994.

Vale resaltar, qué de la lectura del artículo 365 de la Carta se colige todo el panorama legal e institucional de los servicios públicos en Colombia, ya que este artículo reza:

«*Los servicios públicos son inherentes a la finalidad social del Estado. Es deber del Estado asegurar su prestación eficiente a todos los habitantes del territorio nacional.*

Los servicios públicos estarán sometidos al régimen jurídico que fije la ley, podrán ser prestados por el Estado, directa o indirectamente, por comunidades organizadas, o por particulares. En todo caso, el Estado mantendrá la regulación, el control y la vigilancia de dichos servicios...»

En desarrollo de este artículo que precisa las bases de la política pública en el sector de los servicios públicos domiciliarios en el país se expide la Ley 142 de 1994, que en desarrollo de la norma anterior establece quienes pueden prestar servicios públicos domiciliarios en el país, y específicamente quienes pueden operar, gestionar y administrar los acueductos[4].

---

capitales y las cabeceras municipales restantes. Tomado de https://www.dane.gov.co/files/inf_geo/4Ge_ConceptosBasicos.pdf.

3. Área metropolitana: entidad administrativa, formada por un conjunto de dos o más municipios integrados alrededor de un municipio núcleo o metrópoli, vinculados entre sí por estrechas relaciones de orden físico, económico y social, que para la programación y coordinación de su desarrollo y para la racional prestación de sus servicios públicos requiere una administración coordinada (Artículo 1, Ley 128 de 1994). https://www.dane.gov.co/files/inf_geo/4Ge_ConceptosBasicos.pdf.

4. La Ley 142 de 1994 en su artículo 17 establece que son las empresas de servicios públicos domiciliarios bajo la forma de sociedades por acciones las únicas que pueden prestar (en principio los servicios públicos domiciliarios) http://www.secretariasenado.gov.co/senado/basedoc/ley_0142_1994.html.

Lo anterior permitió la entrada al mercado de los servicios públicos domiciliarios del sector privado, y en gran medida el sector privado extranjero, que luego de negociaciones con los entes territoriales, se establecen en las más importantes ciudades de Colombia, sobre todo en Barranquilla y Cartagena, en el Caribe Colombiano, las cuales se encuentran muy cerca de generosas fuentes de agua, como es el Rio Magdalena y el Canal del Dique. A manera de ejemplo, en estas dos ciudades se dieron procesos de coparticipación con el sector privado que en «en esencia, se trata de procesos de privatización, uno más radical que el otro, que implicaron fracturas significativas en el poder burocrático público, dado que a partir de este modelo de concesiones, si bien es cierto, se conserva la naturaleza estatal de las infraestructuras, se privatiza de manera radical la gestión de este tipo de empresas» VARELA (2007).

Así mismo en otras regiones del país, el sector privado nacional y extranjero fue entrando en la gestión de las empresas de servicios públicos domiciliarios, pero como ya se advirtió, en el sector urbano o grandes centros poblados, donde existe un mercado atractivo para los propósitos de esas empresas.

2. PANORAMA ACTUAL

Las coberturas para de acueducto y alcantarillado en Colombia incluyendo datos de calidad alcanzan «un 97% y 92% respectivamente, cifras muy cercanas a las metas del 99% y 97% previstas para el año 2015» SALINA (2011).

Para el sector rural en cambio, el panorama, no es halagador. Ya se ha señalado que éste se encuentra rezagado en materia de coberturas por varias razones: Una de ellas porque al sector privado nacional o extranjero no ve atractivo operar sistemas con una clientela que no permite recuperar los costos para la operación y mantenimiento y de otro lado, podría ser que no existe una política efectiva que logre la integración de los pequeños sistemas de abastecimiento para hacerlos sostenibles financieramente. Es por ello que las coberturas de acueducto y alcantarillado para el sector rural «son del 72% y 69% respectivamente» SALINA (2011, p. 8)

Lo anterior muestra el evidente rezago que en materia de cobertura existe en el sector rural y el sector urbano, eso sin afectar o incluirle a esos indicadores la calidad del servicio, ya que la frecuencia, continuidad y las condiciones físico químicas del agua no son las más optimas en el país[5].

5.　«Según el análisis hecho por la Superintendencia de Servicios Públicos Domiciliarios (2006), los sistemas de tratamiento con que cuentan las empresas prestadoras del ser-

Colombia se ha distinguido por ser un país con una riqueza inmensa en recursos hídricos, pareciera tener fuentes inagotables como por ejemplo el río Magdalena que sirve a gran parte de los acueductos del país[6], pero a la vez «se hace presente la paradoja de la escasez en medio de la abundancia. Si bien es cierto que el agua no se distribuye en cantidades proporcionalmente iguales por el territorio nacional, también es cierto que Colombia es uno de los países más favorecidos a nivel mundial en cuanto a su inventario natural hídrico». Revollo & Londoño (2010, p. 147).

Lamentablemente, la contaminación, el desperdicio, las pérdidas operacionales y no operacionales de las empresas, el uso de agua para el agro sin límite, evidencian que en Colombia se ha trabajado en ofrecer sin control el servicio de agua y sin control a la demanda. Por tal razón, las inversiones para infraestructura serán una constante, agotando con esto toda la capacidad de inversión de los entes territoriales y de la nación dejando de atender otros sectores con necesidades insatisfechas.

Lo anterior es reflejo de una escaza, por no decir nula, política central o única del agua. En Colombia, muy a pesar que «entre los principios de Dublín se encuentra la recomendación de una gestión integrada del agua» Camdessus, Badré, Cheret & Teniere-Buchot (2004 p. 107), no existe una política centralizada del recurso hídrico. En el país, el agua no se mira como un solo recurso, para el agro, el turismo, la industria, el comercio y los servicios públicos domiciliarios, si no, como un insumo más de actividades dispersas. Esto es producto también de los «procesos de descentralización de fines de la década de los ochenta y los cambios implementados en los noventa (Constitución Política; ley 142 de 1994) que dieron a la vez autonomía

---

vicio público de alcantarillado, en las grandes ciudades (Bogotá, Medellín, Cali), permiten tratar sólo el 32% de las aguas residuales que se vierten a los cuerpos hídricos». Tomado de http://datateca.unad.edu.co/contenidos/358002/AVA_II-SEM-2014/Unidad_1/s.f._Estado_de_los_recursos_naturales_y_del_ambiente.pdf.

6. «El río Magdalena nace en el extremo suroccidental del país, a 3.685 metros de elevación, en la laguna de la Magdalena, localizada a los 01° 55' 40» de latitud norte y 76° 35' 08» de longitud oeste, ubicada en una pequeña planicie del Páramo de las Papas, correspondiente al Macizo colombiano, en el Departamento del Huila. Su longitud, según la fuente, varía de 1.528 a 1.600 km, de los cuales 886 son navegables. En el Estrecho, el lugar donde el río es más angosto, mide 2.20 metros de ancho y en el municipio de Plato, Magdalena, tiene una anchura de 1.073 metros. Vierte sus aguas en el mar Caribe, en el sitio conocido como Bocas de Ceniza, a los 11° 06' de latitud norte y 74° 51' de longitud oeste. El canal del Dique también le sirve como tributario de sus aguas, que llegan al mar en la bahía de Cartagena. En su trascurso recibe más de 500 ríos y numerosas quebradas. Su caudal promedio registra entre pocos metros cúbicos por segundo al comienzo, hasta 6.700 en su desembocadura» Bernal (2013).

a los entes territoriales sin tener capacidad para gestionar en debida forma las cuencas y recursos en su jurisdicción.

Es así como se puede observar que entes como el Ministerio de Agricultura, el Ministerio del Medio Ambiente y los institutos como el IDEAM[7], las Corporaciones Ambientales CARS[8] y la DIMAR[9], por citar algunos, trabajan dentro del marco de sus funciones en proteger y aprovechar el recurso agua, pero no existe un Ministerio del Agua o una autoridad nacional del agua que articule las funciones de todos estos entes, para ver el agua como bien estratégico[10] para que el aprovechamiento sea integrado y controlado desde el centro, sin que esto merme la autonomía de los entes territoriales.

Se propone que las comunidades organizadas y bajo los lineamientos del estado, sean las que respondan por el cuidado y aprovechamiento de la fuente de agua que abastece a su comunidad.

Vale recordar que Colombia pasó de una política centralista para la gestión y operación de los acueductos a una política que se consolidó en los años 90 con «la participación privada; sin embargo, las inversiones del sector público siguen siendo grandes, particularmente a través de las transferencias del Estado a los municipios» REVOLLO & LONDOÑO (2010, p. 169),

---

7. «El IDEAM es una institución pública de apoyo técnico y científico al Sistema Nacional Ambiental, que genera conocimiento, produce información confiable, consistente y oportuna, sobre el estado y las dinámicas de los recursos naturales y del medio ambiente, que facilite la definición y ajustes de las políticas ambientales y la toma de decisiones por parte de los sectores público, privado y la ciudadanía en general.» http://www.ideam.gov.co/web/entidad/acerca-entidad.
8. «Las Corporaciones Autónomas Regionales y de Desarrollo Sostenible (CAR) son entes corporativos de carácter público, integrados por las entidades territoriales, encargados por ley de administrar –dentro del área de su jurisdicción– el medio ambiente y los recursos naturales renovables, y propender por el desarrollo sostenible del país». https://www.minambiente.gov.co/index.php/component/content/article?id=885:plantilla-areas-planeacion-y-seguimiento-33.
9. «Autoridad Marítima Colombiana encargada de ejecutar la política del gobierno en esta materia, contando con una estructura que contribuye al fortalecimiento del poder marítimo nacional, velando por la seguridad integral marítima, la protección de la vida humana en el mar, la promoción de las actividades marítimas y el desarrollo científico y tecnológico de la nación». Tomado https://www.dimar.mil.co/content/que-es-dimar-0.
10. La constitución de Ecuador en su articulo 8 determina «el derecho humano al agua es fundamental e irrenunciable. El agua constituye patrimonio nacional estratégico de uso público, inalienable, imprescriptible, inembargable y esencial para la vida» Acosta (2010, p. 20).

transferencias que se utilizan para subsidiar la oferta y también la demanda y no para el control del uso y el abuso del recurso.

3. ¿QUÉ PASA EN EL SECTOR RURAL COLOMBIANO?

La Ley 142 de 1994 estableció que podían prestar servicios públicos las empresas de servicios públicos domiciliarios y que estas debían tener la forma de sociedades por acciones. También previó que la comunidad organizada podría hacerlo en aquellos lugares en que las condiciones técnicas y financieras lo permitan[11].

Es importante resaltar que no solo las áreas rurales como ya se mencionó anteriormente si no, los municipios menores es decir, aquellos que según la ley 136 de 1994 son clasificados en las categorías 5ª y 6ª también pueden ser servidos por las organizaciones comunitarias, Así mismo según la Ley 388 de 1997 en su artículo 93 la comunidad organizada pueden igualmente, administrar los servicios en áreas o zonas urbanas específicas, las cuales se entienden como aquellos núcleos poblacionales localizados en suelo urbano que se encuentren clasificados en los estratos 1 y 2 de la metodología de estratificación socioeconómica vigente.

Actualmente la zona rural de Colombia está servida por aproximadamente «4500 asociaciones de usuarios que tienen alcance esencialmente local» Salina (2011) pero no todas estas organizaciones pueden ofrecer los servicios con optimo grado de continuidad, calidad y de sostenibilidad financiera.

Estas organizaciones comunitarias no son novedosas en el país, «la historia del servicio de acueducto en Colombia, coincide con la forma como se dio la evolución histórica de otros servicios públicos domiciliarios, debido a que las comunidades para satisfacer sus necesidades en energía, agua potable, saneamiento básico y alumbrado público, lo hicieron de manera individual o constituyendo pequeñas empresas para abastecerse o servirse de ciertos servicios públicos y satisfacer las necesidades propias de su entorno histórico» ECHEVERRÍA (2014, p. 420).

Estas asociaciones tienen espacio en la legislación colombiana desde 1913. cuando el congreso por medio de la Ley 13 de ese año «autorizó crear las juntas municipales encargadas de controlar y planificar los servicios luego con las leyes 65 de 1936 y 126 del año 1938. Allí ya se observa en el país una

---

11. El artículo 15. No 4 de la Ley 142 de 1994 establece que pueden prestar servicios públicos «5.4. Las organizaciones autorizadas conforme a esta Ley para prestar servicios públicos en municipios menores en zonas rurales y en áreas o zonas urbanas específicas...».

fuerte intervención centralista en la operación de los servicios de agua potable y saneamiento básico, que se extendió hasta la década de los 60» Echeverría (2014, p. 421).

Los acueductos comunitarios han sobrevivido a varios cambios de la política pública de servicios públicos, pero ha sido un proceso agónico y no tendiente a su fortalecimiento. Estos «acueductos comunitarios son entidades complejas en sentido histórico, social, económico e institucional público, pues ante todo son construcciones populares en torno a la gestión del agua que hacen parte de los territorios sociales en veredas, resguardos indígenas, territorios de comunidades negras y barrios de las diferentes regiones y ciudades del país. Como tales son instituciones populares diversas integrantes del patrimonio público nacional por su condición socio-cultural y territorial, y por su objeto público, el agua como bien común y derecho fundamental». Correa (2006, p. 9), pero por la rigidez del marco legal y las condiciones de prestación del servicio, sumado al poco apoyo del estado, hacen de estas organizaciones, entes sin posibilidades de sostenibilidad técnica y financiera.

Por falta de esa política integrada que se propone, las comunidades al asumir la operación de sus acueductos se ven abocados a costos muy altos para la descontaminación del agua, ya que por ejemplo aún se vierten a las fuentes de agua, productos o desechos contaminantes, bien sea de la industria, de la agricultura o de los mismos acueductos donde «el agua es el vector elegido por el hombre para eliminar parte muy importante de sus desechos De Marsily (2003, p. 61).

Lo anterior es preocupante debido a que la contaminación del agua hace que los costos para potabilizarla sean enormes y no solo el agua dulce, sino también el agua que llega al mar, la cual con su contaminación, afecta toda la fauna y vida marina, «porque un litro de agua utilizada contamina ocho litros de agua dulce» Camdessus, Badré, Cheret & Teniere-Buchot (2004, p. 26),

4. ¿ES POSIBLE QUE HAYA OTRO MODELO DE GESTIÓN DEL AGUA PARA EL SECTOR RURAL EN COLOMBIA?

No se puede hablar de una política exclusiva para el sector rural sin pensar que debe haber un replanteamiento de toda la política pública de aguas, la cual debe ser única para todo el país.

Sin embargo, para el sector rural debe pensarse en fortalecer y /o rescatar el esquema de acueductos comunitarios que tanto éxito tuvo en otras décadas, pero con condiciones de gestión ajustadas a la realidad de cada fuente y de cada comunidad. Vale recordar el ejemplo que presenta De Marsily (2003, p. 62) cuando dice que si «¿resulta razonable «fabricar 250 litros de agua potable por día y por habitante, para beber dos litros y enviar 248 litros contaminados al desagüe?, lo anterior es importante tenerlo en cuanta, ya que los costos potabilización del agua para el sector rural y urbano son muy costosos, debido a la alta contaminación del agua por los distintos usos, lo cual hace impagables para las personas de menores ingresos de Colombia, las tarifas de dichos servicios, que están sustentadas en criterios de costos, como lo establece la Ley 142 de 1994.

Adicionalmente, a esto se le suma las responsabilidades que les cabe a los gestores del servicio por la calidad del agua, sobre la continuidad y frecuencia, cuando para dichas comunidades, bien se podría generar un régimen «excepcional» donde ellos puedan ofrecer agua de calidad acorde a sus necesidades lo que no implique altos costos de energía para la distribución constante las 24 horas al día los 7 días a la semana.

Para ello, el estado debe garantizar sistemas de almacenamiento y entregar a las comunidades elementos o accesorios de purificación individuales, para que, sin que se afecte el flujo de la empresa, ni la calidad del servicio, se pueda sostener la pequeña empresa de servicios para beneficio de la comunidad.

Lo anterior forma parte de la propuesta de cambiar el modelo de gestión que ha imperado por muchos años en el país, que es el modelo de subsidio a la oferta y a la demanda (o libre demanda) para entrar a proponer e implementar el modelo de gestión de control a la demanda, lo cual implica mayor participación de la comunidad para controlar y cambiar los hábitos de uso y abuso del servicio.

II. BIBLIOGRAFÍA

ACOSTA, Alberto: *El agua, un derecho fundamental*. Quito Ecuador. Editorial Abya-Yala. 2010.

BERNAL DUFFO, E.: «*El Río Magdalena: Escenario primordial de la patria*». *Revista Credencial Historia*, núm. 282. 2013.

CAMEDESSUS, Michel; BADR, Bertrand, CHERET, Iván y TENIERE-BUCHOT, P.: *Agua Para todos*. México Fondo de Cultura Económica. 2004.

CORREA ASSMUS, D.: *Acueductos comunitarios, patrimonio Público y Movimientos sociales. Notas y preguntas hacia una caracterización social y política*. Bogotá Ecofondo. 2006.

DE MARSILY GHISLAIN: *El agua. Una explicación para comprender. Un ensayo para reflexionar*. México Siglo veintiuno Editores 2003.

ECHEVERRÍA MOLINA, J.: *Los acueductos rurales frente a la política de co-participación– público-privada de los servicios públicos. Rezagos en materia de derechos fundamentales. Barranquilla* Ediciones Uninorte. Grupo Editorial Ibáñez. 2014.

PLATÓN: *Las leyes libro VIII, Obras completas*, Madrid Edición de Patricio de Azcárate, 1872.

REVOLLO Y LONDOÑO: «Análisis de las economías de escala y alcance en los servicios de acueducto y alcantarillado en Colombia». Bogotá, *Revista Desarrollo y Sociedad,* 2010.

VARELA BARRIOS, E.: «Las privatizaciones en Cartagena y Barranquilla Un paradigma mercantilista en la gestión de los servicios públicos domiciliarios en Colombia»* Barranquilla. *Revista Pensamiento y Gestión,* núm. 23, 2007.

SALINA RAMÍREZ, M.: *Retos a futuro en el sector de acueducto y alcantarillado en Colombia. Santiago de Chile,* CEPAL Colección Documentos de proyectos. 2011.

Páginas WEB de entidades oficiales consultadas

–   DEPARTAMENTO NACIONAL DE PLANEACIÓN COLOMBIA.https://www.dane.gov.co/files/inf_geo/4Ge_ConceptosBasicos.pdf

    http://datateca.unad.edu.co/contenidos/358002/AVA_II-SEM

    DIRECCIÓN GENERAL MARÍTIMA DE COLOMBIA https://www.dimar.mil.co/content/que-es-dimar-0

–   INSTITUTO DE HIIDROLOGÍA, METEOROLOGÍA Y ESTUDIOS AMBIENTALES http://www.ideam.gov.co/web/entidad/acerca-entidad

–   MINISTERIO DE AMBIENTE Y DESARROLLO SOSTENIBLE https://www.minambiente.gov.co/index.php/component/content/article?id=885:plantilla-areas-planeacion-y-seguimiento-33

Normas y leyes

Constitución/1991.http://www.secretariasenado.gov.co/index.php/leyes-y-antecedentes/constitucion-y-sus-reformas

Ley 142/94 http://www.secretariasenado.gov.co/senado/basedoc/ley_0142_1994.html

Periódicos

- UN PERIODICO. http://www.unperiodico.unal.edu.co/dper/article/el-50-del-agua-en-colombia-es-de-mala-calidad.html
- http://datateca.unad.edu.co/contenidos/358002/AVA_II-SEM

CAPÍTULO XXVII
SOBERANÍA HÍDRICA Y DERECHOS AMBIENTALES*

Gregorio Mesa Cuadros

Profesor Titular y Vicedecano Académico de la Facultad de Derecho,
Ciencias Políticas y Sociales de la Universidad Nacional de Colombia,
Sede Bogotá. Director del Grupo de Investigación en Derechos Colectivos
y Ambientales– GIDCA

SUMARIO: I. INTRODUCCIÓN. 1. *Conflictividad ambiental por apropiación injusta del agua y el ambiente.* 2. *Pensamiento y acción ambiental para resolver la conflictividad ambiental sobre las aguas.* 3. *El derecho al agua como una expresión principal de los derechos ambientales.* II. CONCLUSIONES. III. BIBLIOGRAFÍA.

I. INTRODUCCIÓN

Desde hace varios años se viene afirmando que el siglo XXI será el siglo de los conflictos por el agua en la medida que éste es quizás el elemento ambiental por excelencia de y para la vida; pues sin ella o con ella contaminada, los problemas humanos y ambientales y la indignidad humana y ambiental persiste y los conflictos y problemas humanos se intensifican.

Jurídicamente se viene insistiendo por la comunidad internacional, la academia y especialmente en Latinoamérica por parte de pueblos y comunidades tradicionales rurales y urbanas marginadas, así como desde diversas organizaciones de la sociedad civil, que es necesario elevar a derecho fundamental el acceso a agua potable disponible y accesible en cantidades específicas, habida cuenta de su persistente deterioro y contaminación de las aguas, que afecta directamente la producción de alimentos, la vida y la

---

* Presentado en el Congreso Desafíos del Derecho de Aguas: variables jurídicas, económicas y ambientales, Universidad de Murcia – España, durante los días 5 y 6 de noviembre de 2015. Algunos elementos de esta reflexión están en Mesa Cuadros (2015).

salud humana y ecosistémica. El derecho y la política ambiental deberían proponer alternativas para un uso y distribución adecuada de las aguas que contribuya a aminorar y superar la indignidad humana y ambiental.

Este escrito presenta en tres apartados debates de especial interés para concretar la idea de soberanía hídrica. En primer lugar, algunos elementos de la historia de la apropiación de las aguas como una de las expresiones principales de la apropiación de la naturaleza o el ambiente y el origen y persistencia de conflictos y problemas ambientales asociados al uso, acceso y apropiación de las aguas, bajo el entendido que acceder y usar el agua depende de teorías (formas de pensamiento histórico –tiempo y espacio determinado–) arraigadas en la cultura.

Posteriormente, desarrollamos algunas expresiones del pensamiento y la acción ambiental sobre la manera como usamos las aguas y otros elementos del ambiente/naturaleza, evidenciando la apropiación por desposesión de las aguas a sociedades, pueblos, comunidades y Estados, por parte de terceros poderes nacionales o transnacionales, que evidencian una de las últimas expresiones del despojo ambiental, que a su vez profundiza la conflictividad y desigualdad ambiental.

Finalmente, proponemos un análisis jurídico sobre el carácter como el derecho nacional e internacional asumen el uso de las aguas y su protección o desprotección (al formular autorizaciones legales más que límites ambientales para la conservación, disponibilidad y uso adecuado del agua) desde una nueva perspectiva de derechos ambientales que podría contribuir a resolver las problemáticas asociadas a usos inadecuados del ambiente y su elemento central, el agua; evidenciando la necesad de defender ideas de soberanía hídrica que garantice los derechos ambientales en general y el derecho fundamental al agua, en particular.

1. CONFLICTIVIDAD AMBIENTAL POR APROPIACIÓN INJUSTA DEL AGUA Y EL AMBIENTE

La historia de la apropiación del agua y de los demás elementos o componentes del ambiente (que la modernidad conoce genéricamente como «recursos naturales») va desde los usos tradicionales y sostenibles hasta la depredación y contaminación generalizada en el último siglo, aspecto que implica daños, deterioro, enfermedades y muerte de seres humanos y de componentes del ambiente, algunos de ellos descritos en la literatura ecologista como etnocidios y ecocidios[1].

---

1. Según la OMS en 2012, por lo menos el 11% de la población mundial –783 mi-

En los últimos tiempos algunas de esas prácticas inadecuadas de uso de las aguas se traducen en injusticia ambiental por violaciones sistemáticas a los derechos humanos y ambientales, principalmente de pueblos y sociedades tradicionales étnicas, campesinas y urbanas marginadas que cada vez cuentan con menores posibilidades de acceder al agua limpia para satisfacer sus necesidades básicas.

Tal historia está asociada al uso, depredación, contaminación y enfermedad, como consecuencia de usos insostenibles y apropiación injusta de la naturaleza por unos pocos a costa de otros, muchos o todos, que a su vez genera otros problemas y conflictos ambientales por efectos acumulativos y generalizados de esa depredación y contaminación.

Es reconocido el hecho de cómo el uso inadecuado e intensivo de las aguas para otras actividades humanas más allá de las prioridades establecidas por las normas ambientales[2] genera su disminución, disponibilidad, deterioro y contaminación por diversas prácticas antiguas y actuales y el uso de sustancias contaminantes (químicas, biológicas, bacteriológicas) y su conversión (de las aguas) en botadero de desechos humanos, comerciales e industriales, lo cual contribuye significativamente al deterioro de las aguas dulces y saladas, superficiales y subterráneas, lénticas (humedales, lagos y lagunas) o en movimiento (quebradas y ríos) y, por ende, afectaciones a la salud humana y ambiental.

Por todo lo anterior, aguas contaminadas, insuficientes, indisponibles para el uso humano que satisfaga necesidades básicas, favorece el desarrollo de múltiples enfermedades, es decir, es la causa de enfermedades y a su vez consecuencia de otros conflictos ambientales. El deterioro de las aguas representa, por tanto, amenazas serias a la salud humana y a la salud de los ecosistemas; afectando por supuesto los derechos humanos actuales y los de las generaciones futuras y las empresas, los Estados y algunos sectores de la academia y las nuevas organizaciones no gubernamentales de corte no tan «verde» de la cual son parte los escépticos del ecologismo o la conservación, como los «ecocapitalistas» se tiñen de verde para promover sus «particulares» visiones desarrollistas y extractivistas, usualmente asociadas al extrac-

---

llones de personas– no tenía acceso aún al agua potable, y miles de millones no recibían servicios de saneamiento.
2.   La ley colombiana (Decreto-Ley 2811 de 1974 o Código de Recursos Naturales) establece que los usos del agua deben guardar el siguiente orden de prioridades: humano, conservación y reserva y, por último si uso económico (entendiendo por ello los usos agrarios, comerciales o industriales), pero ese orden se ha invertido desde hacer varias décadas y el uso que estaba de último, hoy es la prioridad para Estados, gobiernos y empresas.

tivismo por «desposesión»[3], afectando el gobierno y el ejercicio autónomo de Estados, pueblos y sociedades concretas sobre cómo se accede y se usan las aguas, aspecto configurador de la soberanía hídrica.

Pero para que ello sea así, se requiere que exista una conceptualización específica sobre el agua, la cual depende de teorías específicas. A lo largo de la historia de la humanidad y dependiendo de cada cultura e, incluso, de cada disciplina del conocimiento, el agua puede conceptualizarse de manera diferenciada, para unos es H2O, para otros es un recurso natural a ser apropiado, para otros es un bien común y colectivo, para otros un elemento esencial para la vida y, en el último tiempo, los dos conceptos más generalizados son, por una parte, un recurso a ser intercambiado como mercancía en el mercado local, nacional o global y, por otra, viene defendiéndose como derecho fundamental de todos los sujetos, por tanto, requiere especial protección y cuidado.

2. PENSAMIENTO Y ACCIÓN AMBIENTAL PARA RESOLVER LA CONFLICTIVIDAD AMBIENTAL SOBRE LAS AGUAS

Toda cultura para sobrevivir como tal requiere resolver sus necesidades básicas y para ello demanda un conocimiento profundo de la oferta ambiental, empezando por la hídrica. Para su uso, acceso y conservación se requieren normas sociales y comunitarias que posteriormente se convierten en normas jurídicas que formalizan costumbres, usos y acuerdos iniciales. En los comienzos de la cultura, las sociedades hidráulicas logran unos desarrollos culturales importantes a partir de tecnologías adecuadas de uso y manejo de las aguas, especialmente a partir del control de inundaciones; por ello, los egipcios y el Nilo, los babilonios y el Tigris y el Éufrates, los chinos y el Amarillo, los mexicas en los lagos del altiplano mejicano o los Zenúes y el Sinú en el caribe colombiano lograron establecerse como cultura durante varios siglos e imponerse sobre otras culturas al desarrollar nuevos conocimientos de aprovechamiento de lo que el gran río o humedal les brindaba.

El agua es la base de la cultura donde se asientan los humanos por lo menos desde el surgimiento de la agricultura hace más de 14.000 años. Las reglas y normas para su uso y acceso se precisan, se actualizan, se mejoran

---

3. Como lo ha indicado el profesor HARVEY (2005), ésta es la nueva forma que usa el capital para expropiar lo que no le pertenece y lo puede hacer, incluso, haciendo que las leyes, así lo ordenen; tal es el caso en Colombia de la apropiación por parte del gran capital de los bienes baldíos, que deberían ser para sociedades tradicionales étnicas y campesinas y pobladores sin tierra.

y persisten en el tiempo, a través de una institucionalidad pertinente[4] y unas reglas que permitan resolver la conflictividad ambiental asociada a este bien ambiental. Reconocido en la historia del manejo de los conflictos por el uso de las aguas, se encuentran en España las costumbres valencianas, aragonesas, extremeñas, andaluzas y murcianas, entre otras; destacándose el Tribunal de Aguas de la Vega de Valencia y el Consejo de Hombres Buenos de la Huerta de Murcia. Para un análisis en profundidad, véase GIMÉNEZ CASALDUERO y PALERM VIQUEIRA (2007).

El denominado «ecocapitalismo», se «tiñe de verde» pero no puede serlo pues busca la generalización de la apropiación de la naturaleza por los principales agentes del capital y del mercado, las empresas transnacionales y nacionales. Esta visión es esencialmente «medioambientalista» pues ve al agua, a la naturaleza, los ecosistemas y las culturas como meros medios e instrumentos de los fines del capital, la acumulación basada en la extracción ilimitada de la naturaleza y su deterioro y contaminación, sin asumir los impactos negativos y los daños que genera para las actuales y futuras generaciones de humanos y no humanos.

De otra parte, otros movimientos ecologistas y ambientalistas promueven acciones limitadas en y con la naturaleza, del cual destacamos el «ambientalismo popular», desde su amplia gama de propuestas y acciones contra las formas de depredación y contaminación generalizada de las aguas. El «ambientalismo popular»[5] contiene en sus formulaciones ideas y prácticas específicas para cambiar el estado de cosas inconstitucional depredador y contaminador de las aguas. Esta clase de ambientalismo se caracteriza por corresponder a pueblos y sociedades tradicionales rurales y agrarias, quienes conservan el ambiente al vivir directamente de él y reconocer que sin él es imposible vivir como culturas de ese carácter y son conservacionistas, no por naturaleza como afirman algunos, sino por cultura, es decir, porque lo aprenden y lo viven reconociendo las potencialidades y limitaciones de los ecosistemas de los cuales viven y obtienen todo para satisfacer sus necesidades básicas; por oposición al «ecologismo de los ricos» que afirma

---

4.   Para un debate en profundidad sobre la diversidad de expresiones de los movimientos ambientalistas y ecologistas, véase DOBSON (1997), (1998) y MESA CUADROS (2007).

5.   Autores como MARTÍNEZ ALIER (1998) las han denominado como «ecologismo de los pobres», por oposición al «ecologismo de los ricos» formulado desde finales del siglo 19 en Europa occidental y en Norteamérica, que a su vez dio origen a la figura de parques nacionales bajo la fórmula del «preservacionismo» de ciertos lugares, espacios o territorios que deberían quedar intocados por la mano del ser humano; para ello, por supuesto, había que «desocupar» esos territorios, los cuales estaban habitados por sociedades tradicionales étnicas indígenas.

que solo ellos pueden conservar al haber superado las necesidades básicas. Desde nuestra perspectiva la soberanía y autonomía hídrica la defienden sociedades, pueblos y comunidades que no quieren que las aguas se reduzcan a valor precio, sino que esté disponible y accesible para todas y todos, especialmente para la satisfacción de sus necesidades básicas.

3. EL DERECHO AL AGUA COMO UNA EXPRESIÓN PRINCIPAL DE LOS DERECHOS AMBIENTALES

Un análisis jurídico de las normas que regulan el uso de las aguas requiere fundamentar desde dos componentes, el *material*, basado en la existencia y reconocimiento jurídico político de la diversidad natural y cultural (diversos ecosistemas precisan a su vez complejidad de sus elementos y componentes, incluyendo las aguas, conjuntamente con formas culturales específicas y diversas en tales territorios, las cuales usan o acceden de manera determinada a esos elementos de la naturaleza o el ambiente que cuando se encuentran –o desencuentran– generan la conflictividad ambiental por el uso o acceso a las aguas a favor de solo unos en contra de otros, muchos o todos) y el *formal*, basado en los principios ambientales[6] que rigen u orientan tales usos y, dentro de ellos, destacamos los principios de sostenibilidad, responsabilidad, solidaridad, prevención, prioridad de uso, integralidad, globalidad, interdependencia, sistemicidad y holismo.

Los anteriores principios orientan la producción de las normas ambientales que regulan tanto el acceso y uso de las aguas y la resolución de los conflictos por aguas. Según sea el nivel del estándar ambiental, tendremos la protección de las aguas disponibles además para todos los sujetos o, por el contrario, la contaminación de las aguas por usos inadecuados que contribuyen al incremento significativo de la conflictividad ambiental, donde las reglas sociales, la costumbre y el derecho nacional e internacional deberían dar respuestas adecuadas a los retos de contar en los tiempos actuales con reglas específicas en el ámbito local, regional, nacional, internacional y global que tramiten adecuadamente los conflictos por las aguas.

---

6. Los principios ambientales son valores o criterios jurídico-políticos de fines ambientales mayores que orientan la producción de las normas, su aplicación y su interpretación desde teorías específicas y, por ello, traducen un estándar ambiental, que será más riguroso o exigente si se piensa en límites ambientales desde la preservación o, menos riguroso si se piensa en autorizaciones ambientales que llevan a hablar de conservación, que si se excede el estándar ambiental, se convierte en impacto ambiental negativo (daño, depredación, deterioro o contaminación).

A pesar que no haya un Tratado Internacional expreso sobre el agua como derecho, el Derecho Internacional de los Derechos Humanos, el Derecho Internacional Humanitario y el Derecho Ambiental protegen expresamente el acceso al agua potable y el saneamiento básico, especialmente al indicar que ambos son vitales para la supervivencia con ocasión de conflictos armados internacionales e internos.

Diversos organismos de Naciones Unidas han producido informes que relatan los conflictos por apropiación del agua, los cuales generan distintos tipos de desigualdades con respecto a su acceso, y textos normativos, en donde se prescribe el contenido del derecho, como respuesta a dichas indignidades. Entre ellos se destaca el Informe de Desarrollo Humano de 2006, *Más allá de la escasez; poder, pobreza y la crisis mundial del agua* (PNUD, 2006), texto en el que se recoge un estudio sobre la crisis del agua a nivel global, con persistencia de hechos y situaciones reiteradas de afectación a buena parte de la población mundial en países del sur global.

La Asamblea General de la ONU reconoció en la Resolución 64/292 de 2010 el derecho al agua y el saneamiento, como «derecho humano esencial para el pleno disfrute de la vida y de todos los derechos humanos»; a partir de los desarrollos formulados a comienzos de la primera década del siglo xxi, cuando la *Observación General No. 15 de 2002*, del Comité de Derechos Económicos, Sociales y Culturales –CDESC– sobre el derecho al agua, desarrolló los contenidos básicos de este derecho (derivados de los artículos 11 y 12 del Pacto Internacional de Derechos Económicos, Sociales y Culturales –PIDESC–, donde se reconoce al agua como bien público, y condición para la garantía de otros derechos) entre ellos, lo previsto en su numeral 2, el derecho al agua como el derecho de todos «a disponer de agua suficiente, salubre, aceptable, accesible y asequible para el uso personal y doméstico», buscando la protección de sus diversos usos, dándose prioridad al consumo personal y doméstico, para evitar el hambre y las enfermedades y destacando además el papel de la protección del «acceso sostenible a los recursos hídricos» como garantía para la producción alimentaria, y la protección de la higiene ambiental.

De la misma manera y frente al contenido del derecho, se prescribe que debe tener en cuenta tres factores: a) *disponibilidad*, referente a un abastecimiento continuo y suficiente b) *calidad*, es decir, que sea salubre y apta para su consumo y, c) *accesibilidad*, física, económica y sin discriminación alguna. Igualmente, concibe obligaciones generales de aplicación progresiva, condenando cualquier medida regresiva, sobre todo con respecto a la no discriminación y el cumplimiento de obligaciones del PIDESC. Concibe además las obligaciones específicas de respeto[7], protección[8] y cumplimiento[9].

En el mismo sentido, la Organización de los Estados Americanos –OEA–, dio un paso sustantivo en el reconocimiento del derecho al agua como derecho, en su Resolución AG/RES. 2760 de 2012, como desarrollo de los compromisos asumidos en la Declaración de Santa Cruz +10, y en el Programa Interamericano para el Desarrollo Sostenible 2006-2009, frente a la «Gestión integrada de los recursos hídricos». Sin embargo, frente a la normatividad del sistema, podemos afirmar siguiendo a Elizabeth Salmón (2012, p. 251), que no se define el contenido del derecho al agua, ni se reconoce expresamente; sin embargo, este puede ser derivado de diversas disposiciones del Protocolo de San Salvador sobre DESC, de forma similar a la Observación General No.15 de 2002 anteriormente analizada, como los derechos a la salud –artículo 10–, a un ambiente sano –artículo 11– y a la alimentación –artículo 12–.

En la jurisprudencia de la Corte Interamericana de Derechos Humanos hay algunos desarrollos frente al derecho al agua, conectándolo con otros derechos, sobre los que la Corte tiene competencia; de ellos se destacan cuatro temas: reconocimiento del derecho al agua, protección de territorios ancestrales, protección y derecho a la vida digna, y acceso al agua a personas privadas de la libertad. (Mitre Guerra, 2012) (Salmón G., 2012).

De otra parte, algunos países como Ecuador, Bolivia, Congo, Sudáfrica, Uganda y Uruguay tienen expresamente en sus Constituciones el derecho al agua. Igualmente, diversos países tienen leyes especiales sobre el agua, entre ellos, Argentina que en 2007 consideró al agua como un derecho humano necesario para la vida, la paz, el desarrollo y los ecosistemas.

De otra parte, se destaca cómo el derecho al agua ha sido reconocido en diversos instrumentos jurídicos internacionales (tratados y declaraciones), tales como la *Convención sobre la eliminación de todas las formas de discriminación contra la mujer* donde se dispone que los Estados Partes asegurarán a las mujeres el derecho a «gozar de condiciones de vida adecuadas, particularmente en las esferas de [...] el abastecimiento de agua» y la *Convención sobre los Derechos del Niño* donde se exige a los Estados Partes que luchen contra las enfermedades y la malnutrición mediante «el suministro de alimentos nutritivos adecuados y agua potable salubre».

---

7. Obligación de abstención de injerencia en el goce del derecho.
8. Obligación de impedir la injerencia de terceros en detrimento del goce del derecho.
9. En la Resolución la dividen en tres: a) *facilitar* (o adopción de medidas positivas para el acceso); b) *promover* (es decir, brindar información para el ejercicio de su goce), y c) *garantizar* (o hacer efectivo el derecho para quienes por condiciones ajenas a su voluntad no pueden ejercerlo por sí mismos).

Por su parte, el Estado colombiano al clasificar las aguas en marítimas y no marítimas[10] según el Código de los Recursos Naturales de Colombia (Decreto-Ley 2811 de 1974) establece en uno de sus apartados una conceptualización esencialmente pública de las aguas, su acceso y protección. Al indicar que las aguas son de dominio público, inalienables e imprescriptibles (sin desconocer por supuesto los derechos privados que se puedan tener sobre las aguas), indica que son de propiedad estatal, el álveo o cauce natural de las corrientes, el lecho de los depósitos naturales de agua, las playas marítimas, fluviales y lacustres, la faja hasta de 30 metros paralela a la línea de mareas máximas o a la del cauce permanente de ríos y lagos, los nevados y cauces de los glaciares, los estratos o depósitos de las aguas subterráneas y, las aguas minerales y termales.

Jurídicamente hablando muchos no aceptan que el agua es un derecho y, si lo es, qué clase de derecho viene siendo. En cualquier caso, es clave acudir a interpretaciones sistémicas e integrales de las normas internas e internacionales para indicar que no necesariamente se requiere norma constitucional expresa si la norma internacional enuncia el agua como derecho (en atención a la teoría del bloque de constitucionalidad), como lo indica la Corte Constitucional en la Sentencia T-418 de 2010. Es pertinente precisar que será más fácil que el agua se convierta en un servicio privado que en un derecho, pues los poderes fácticos nacionales o internacionales (globales) así lo quieren. Es decir, la oposición a que el agua sea un derecho de principal protección estatal e internacional tiene en las empresas del agua (actuales o potenciales) teorías y poderes que acompañan a esas teorías para que no se acepte ni el mínimo vital, el acceso, la disponibilidad o cualquier otro criterio o valor jurídico que le proteja, pues su interés tiene que ver con la consagración constitucional o legal del agua como una mercancía más que regula el mercado y, a lo sumo, un servicio público que debe ser prestado privadamente, es decir, un servicio privado con un mercado privado del agua.

En tal sentido, la soberanía y autonomía hídrica para un acceso, uso y manejo sostenible de las aguas, viene siendo la práctica y el mandato que pueblos y sociedades tradicionales vienen promoviendo como nueva forma de «posesión» de las aguas en interés común y colectivo y esencialmente para satisfacer necesidades básicas y no solo deseos y preferencias de unos

---

10. Son aguas no marítimas en todos sus estados y formas, según el artículo 77 del Código de Recursos Naturales de Colombia, las meteóricas (son las que están en la atmósfera), las provenientes de lluvias naturales o artificiales, las corrientes superficiales que discurren por cauces naturales o artificiales, las de lagos, lagunas, ciénagas, humedales y embalses naturales o artificiales, las edáficas (son las aguas retenidas por capilaridad entre las partículas del suelo), las subálveas, las de nevados y glaciares y, las ya utilizadas o servidas.

cuantos humanos, usualmente agenciados por empresas nacionales y transnacionales.

La Corte Constitucional colombiana indicó en su Sentencia T-725 de 2011, que la efectividad del derecho al agua es una condición previa para la satisfacción de los derechos fundamentales a la vida, el ambiente sano y la salud y, por tanto, «es necesario garantizar su protección inmediata cuando el agua esté destinada al consumo humano»[11].

Desde nuestra perspectiva consideramos que el derecho al agua es un derecho individual y colectivo de los seres humanos que puede ser prestado por el Estado o por los particulares como un servicio público y no una mercancía que regula el mercado y los agentes privados desde sus servicios privados. En últimas, una perspectiva jurídica ambiental puede fundamentar una visión distinta para el reconocimiento y protección efectiva del derecho al agua y los demás derechos conexos (como el saneamiento básico, la salud o la alimentación).

Como lo vimos más arriba, buena parte de la jurisprudencia sobre la protección del derecho al ambiente sano y sus relaciones con la salud humana, reconocen la relación existente entre agua, salud y ambiente, de tal forma que aceptan que un ambiente contaminado es susceptible de afectar la salud humana; sin embargo, sigue siendo una visión antropocentrista (y, en ocasiones, solo androcentrista) que se pregunta especialmente por la salud humana y no aparecen conceptos como la salud de los ecosistemas u otros similares (es decir, es esencialmente una visión sectorial sanitaria de la relación ambiente/salud), especialmente desde el Consejo de Estado, con excepción de la Sentencia que resuelve la acción popular en defensa de Río Bogotá que habla directamente de la relación ambiente/agua/salubridad pública/salud.

De otra parte y desde nuestra teoría de la integralidad y procesualidad de los derechos ambientales, los criterios éticos, políticos y jurídicos ambientales deben incorporar el *«principio de solidaridad ambiental»*, como reconocimiento jurídico político de otro(s) ser(es) distintos a quien enuncia el derecho o la discriminación, en igualdad de condiciones de dignidad a las que se exigen para todos; principio que precisa la ampliación de la comuni-

---

11. Recuerda la Corte la Sentencia T-888 de septiembre 12 de 2008, MP. Marco Gerardo Monroy Cabra, que señaló cómo el tribunal constitucional manteniendo su línea jurisprudencial *« ha reiterado que el derecho al consumo de agua en condiciones de potabilidad tiene rango fundamental y puede ser protegido por vía de tutela cuando existe afectación particular del derecho fundamental o cuando existe un perjuicio irremediable que autorice la intervención urgente del juez de tutela, siempre y cuando el suministro de agua sea requerido para el consumo humano y no para otras necesidades »* .

dad moral no solo formal sino material a todos los seres humanos sino a los no humanos, hasta donde seamos capaces de fundamentar, defender y ganar en los escenarios jurídico políticos correspondientes para que el derecho al agua y la protección de la vida humana y no humana sea una realidad.

Igualmente, el «*principio de responsabilidad ambiental*», entendido como el conjunto de deberes y obligaciones con los otros y otras, ya sea entendido como responsabilidad compartida pero diferenciada (son responsables ambientalmente hablando tanto el Estado, como de las empresas y los particulares, pero diferenciadamente de acuerdo a sus respectivas conductas y acciones por los daños e impactos efectivamente causados) o como responsabilidad ambiental «de la cuna a la tumba», es decir, se es responsable desde el momento en que se incorpora algo en el ambiente (y se reconoce que quizás las aguas son el elemento de la naturaleza más deteriorado y contaminado junto a la atmósfera), hasta que ese elemento o componente deja de producir impactos negativos en el ambiente, criterio que amplía el aspecto temporal del daño ambiental por sus afectaciones materiales mientras duren las mismas y, por ello, se extiende hasta el mediano y el largo plazo tal responsabilidad, afectando no solo a una parte de las generaciones actuales de humanos y otros seres, sino generaciones futuras como extendido en el tiempo sea el impacto.

De los anteriores presupuestos de fundamentación de derechos ambientales hemos formulado nuestra teoría del *Estado Ambiental de Derecho* y la idea de *Justicia Ambiental*, a partir de tres componentes sustantivos. Nueva idea de *sujeto* de derechos (humanos y no humanos); *temporalidad* (perspectiva diacrónica –derechos de las generaciones futuras– y perspectiva sincrónica –derechos de las generaciones actuales que no pueden y no tienen–) y *espacialidad o territorialidad* (derechos en y más allá de los límites estrechos del Estado/Nación, responsable en buena parte del deterioro ambiental, es decir, derechos en el ámbito global o cosmopolita). Estos criterios deberían ayudar a conformar un corpus jurídico y político alrededor de la protección del ambiente en general, los derechos ambientales de los humanos en particular y dentro de ellos, el derecho al agua como el elemento esencial para la vida humana y no humana, presente y futura.

II. CONCLUSIONES

La apropiación inadecuada de la naturaleza es el origen y persistencia de conflictos y problemas ambientales e indica la continuidad del deterioro y contaminación ambiental. Una comprensión adecuada de las teorías que se esgrimen para usar/abusar de la naturaleza deben ser conocidas para precisar si sirven o no para contribuir a resolver los problemas y conflictos ambientales. Encontramos que pueblos y sociedades tradicionales étnicas y campesinas y algunas urbanas marginadas o desplazadas por el desarrollo inadecuado que pretende convertir las aguas en meras mercancías, tienen propuestas alternativas consistentes, las cuales englobamos en el concepto de «ambientalismo popular», pues con sus propuestas orientan una nueva perspectiva de derechos ambientales. La soberanía y autonomía hídrica que defienden estas sociedades puede contribuir a resolver los conflictos ambientales, empezando por los del agua, desde una nueva teoría de los derechos para los tiempos contemporáneos y futuros que ayude a resolver los grandes, graves y globales problemas y conflictos actuales, asociados al deterioro de las aguas, así como la salud humana y ecosistémica.

Insistimos en que a pesar de consagraciones constitucionales y legales y algunas decisiones jurisprudenciales, la protección efectiva del derecho al agua no se concreta y ello se debe a deficiencias estructurales en las teorías y en las prácticas y conductas humanas que las ejecutan; por ello, se requieren nuevas teorías actuales que propendan por superar tal déficit. Una garantía del derecho al agua debe partir del principio de prevención el cual es más exigente que el principio de precaución, ya que desde el punto de vista ambiental, al estar asociado a la preservación (no hacer, no tocar, es decir estándar ambiental más exigente que busca evitar la ocurrencia de daños o impactos ambientales negativos), a diferencia que la precaución está ligada a la conservación una vez se suceden los daños y se deben controlar, mitigar, restaurar y volver las cosas al estado anterior.

Las dimensiones del *agua como derecho fundamental* de especial protección y elevado a rango constitucional, debería superar esquemas legales de aguas, que siendo pertinentes en su momento, seguramente no son los más adecuados para resolver las conflictividades actuales y futuras sobre el uso o abuso de las aguas. En este sentido, reconocer la potencialidad de marcos regulatorios internacionales, continentales y globales que permitan ser llevados a planes de desarrollo nacionales, regionales o locales permita orientar una nueva política pública alrededor de las aguas.

Así mismo, la participación amplia, activa y propositiva de las comunidades y pueblos afectados, el reconocimiento de los conocimientos y saberes populares tradicionales en el manejo adecuado de las aguas, la incorporación de la dimensión ambiental en el manejo de las aguas y de los elementos de la naturaleza para la sostenibilidad de la vida presente y futura, así como la insistencia y persistencia en la idea de publificación de las aguas (tanto de dominio público, común, colectivo y comunitario) y prohibiciones expresas y concretas hacia su privatización y apropiación privatística. Lo anterior está aparejado con la idea de superar la mentalidad crematística y reduccionista de las aguas como mero «recurso natural» a ser extraído y comercializado.

De otra parte, la insistencia en el reconocimiento y respeto por las *funciones ambientales* de las aguas y la consideración de sus ciclos por la pervivencia de la vida humana y ecosistémica ayuda en ello, más allá de la tendencia actual de solo tener en cuenta los servicios ecosistémicos desde una visión sectorial las aguas como mercancía para intercambiar en el mercado y, en el caso de existencia de «mercados de aguas» de carácter regional o nacional, puedan orientarse desde criterios ambientales en estricto sentido y desde el interés general, común y colectivo y no sólo desde el privado.

Así mismo, es necesario profundizar y garantizar la *participación* decidida de las comunidades, pueblos y organizaciones que habitan bosques y defienden las aguas, además de los suelos, los territorios y las culturas; pues ellos pueden ser eventuales afectados directos por proyectos, obras o actividades que puedan poner en peligro la diversidad e integridad ecosistémica y cultural en general, y la calidad, cantidad, disponibilidad, acceso y conservación de las aguas y sus ciclos en particular.

Lo anterior, requiere a su vez el desarrollo de una *institucionalidad pública* del más alto nivel, adecuada, pertinente y con recursos cualificados, pertinentes y suficientes para los nuevos tiempos y las necesidades actuales y futuras, demandando creatividad y reconocimiento de iniciativas locales (rurales y urbanas), que a su vez tienen en cuenta contextos propios y atienden lo regional e internacional. Por tanto, una gestión adecuada de las aguas requiere instituciones públicas, comunitarias y colectivas orientadas desde unidades de gestión que se piensan y desarrollan materialmente desde la diversidad ecosistémica y cultural, es decir, no solo desde «unidades de cuenca», sino desde «unidades desde la diversidad de cuencas», por ejemplo, a partir del reconocimiento y promoción de las realidades ecosistémicas y culturales regionales y nacionales que potencian los principios y valores ambientales que enunciamos más arriba.

Para culminar, no está demás reiterar el compromiso con debates académicos amplio y el reconocimiento de conocimientos compartidos científicos y alternos implica escuchar las propuestas desde el ambientalismo popular (étnico, campesino y urbano marginado) que podrían ayudar a orientar debates y propuestas alternativas que conciben las aguas no solo como un recurso natural a ser intercambiado por las leyes del mercado. Una visión ambiental en estricto sentido y los principios que la desarrollan pueden orientar la toma de decisiones respecto de la ordenación ambiental de cuencas, territorios, campos y ciudades.

En tal sentido, las ideas de *Estado ambiental de derecho* y de *Justicia ambiental* pueden orientar los debates necesarios para que el derecho al agua, sea el escenario material para la concreción de la dignidad humana y ecosistémica; bajo el entendido que, de la misma manera que el derecho civil fue la norma básica en el siglo xix y el derecho constitucional el del siglo xx, las previsiones del derecho ambiental lo podrían ser del siglo xxi y los siglos venideros, en la medida que agua y derechos son la clave de solución de los conflictos contemporáneos, especialmente si se traduce en la materialización y protección efectiva de tal derecho para todas y todos los sujetos.

III. BIBLIOGRAFÍA

ARNOLD, David (2000): *La naturaleza como problema histórico. El medio, la cultura y la expansión de Europa*. México: FCE.

GENTES, Ingo Georg (2002): *Agua, poder y conflicto étnico? Legislación de recursos hídricos y reconocimiento de los derechos indígenas en los países andinos. Importancia, obstáculos, perspectivas y estrategias*. Santiago de Chile: CEPAL.

COLMENARES FACCINI, Rafael y MIRA SÁNCHEZ, J. C. (2007): «Paradojas del agua en Colombia. Privatización y alternativas públicas». En: *Colombia: ¿un futuro sin agua?* Bogotá: Ecofondo, Desde Abajo, Foro Nacional Ambiental.

Consejo de Estado. Sala Contencioso-Administrativo. Sección Primera (2014): *Sentencia de Acción Popular marzo 28 de 2014. Demanda de protección del Río Bogotá*. MP. Marco Antonio Velilla Moreno.

– (2009): *Sentencia de octubre 15 de 2009. Basuro de Navarro en Cali*. MP. Rafael Ostau de Lafont Pianeta.

– (2008): *Sentencia de mayo 15 de 2008. Quebrada Chorro Hondo – Medellín*. MP. Marco Antonio Velilla Moreno.

Corte Constitucional de Colombia: *Sentencia C-220 de 2011. Derecho fundamental al agua y tasa por uso de aguas*. MP. Jorge Ignacio Pretelt Chaljub.

– *Sentencia C-293 de 2002. Demanda contra algunas normas de la Ley 99 de 1993*. MP. Alfredo Beltrán Sierra.

– *Sentencia T-725 de 2011. Derecho al agua y mínimo vital de agua*. MP. Nilson Pinilla Pinilla.

– *Sentencia T-888 de 2008. Derecho al agua*. MP. Marco Gerardo Monroy Cabra.

– *Sentencia T-242 de 2013. Derecho fundamental al agua y mínimo vital*. MP. Luis Ernesto Vargas Silva.

Corte Interamericana de Derechos Humanos (2010): *Xákmok Kásek vs. Paraguay. Sentencia del 24 de agosto de 2010. Fondo, reparaciones y costas.*

- (2010a): *Caso Vélez Loors vs. Panamá. Sentencia del 23 de noviembre de 2010. Excepciones preliminares, fondo, reparaciones y costas.*

- (2007): *Caso del Pueblo Saramaka vs. Surinam. Sentencia del 28 de noviembre de 2007. Excepciones preliminares, fondo, reparaciones y costas.*

- (2006): *Caso López Álvarez vs. Honduras. Sentencia de 1 de febrero de 2006. Fondo, reparaciones y costas.*

- (2005): *Caso comunidad indígena Yakye Axa vs. Paraguay. Sentencia de 17 de junio de 2005. Fondo, reparaciones y costas.*

DALY, Herman E. (1991): «Criterios operativos para el desarrollo sostenible». En: *Debats*, 35-36 1991, pp. 39-41.

Defensoría del Pueblo (2009): *Derecho humano al agua. Clasificación municipal de la provisión de agua en Colombia.* Bogotá: Defensoría del Pueblo, Serie Estudios Especiales DESC.

DOBSON, Andrew (1998): *Justice and the Environment. Conceptions of Environmental Sustainability and Dimensions of Social Justice.* Oxford: Oxford University Press.

EHRENFELD, David (1989): «Life in the Next Millenium: Who Will Be Left in the Earth's Community». En: *Orion Nature Quaterly, vol. 8, primavera 1989*, p. 9.

EMBID, Antonio y MARTÍN, Liber (2015): *La experiencia legislativa del decenio 2005-2015 en materia de aguas en América Latina.* Santiago de Chile: Naciones Unidas – Cepal. Serie Recursos Naturales e Infraestructura 173.

Environmental Justice Atlas (2014): *Mapping ecological conflicts and spaces of resistance.* En: http://ejatlas.org/.

GARCÍA, Aniza (2008): *El derecho humano al agua.* Madrid: Trotta.

GIMÉNEZ CASALDUERO, María y PALERM VIQUEIRA, Jacinta (2007): «Organizaciones tradicionales de gestión del agua: importancia de su reconocimiento legal para su pervivencia. El caso de España». En: *Región y Sociedad,19*(38), 3-24. Recuperado en noviembre 1° de

2014, de http://www.scielo.org.mx/scielo.php?script=sci_arttext&pid=S1870-39252007000100001&lng=es&tlng=es.

GUERRERO, Manuel y SCHIFTER, Isaac (2014): *La huella del agua*. México: FCE.

GULH NANNETTI, Ernesto (2007): «El futuro del agua: equidad, desarrollo y sostenibilidad». En: *Revista de la Contraloría General de la República. Economía Colombiana, Edición 297*. Bogotá, julio/agosto 2007.

GUTIÉRREZ RIVAS, Rodrigo (s.f.): *El derecho fundamental al agua en México; un instrumento de protección para las personas y los ecosistemas*. México: Instituto de Investigaciones Jurídicas – UNAM. Disponible en. <http: www.blueoctobercampaign.org/wordpress/?p="27&lang_view=es" – 11k –>.

HARVEY, David (2005): *El «nuevo» imperialismo: acumulación por desposesión*. Buenos Aires: Clacso.

JONAS, Hans (1995): *El principio de responsabilidad. Ensayo de una ética para la civilización tecnológica*. Barcelona: Herder.

MESA CUADROS, Gregorio (2015): «Aguas, Ambiente y Derechos». En: Mora Aliseda, Julián (Dir.). 2015. *Gestión de recursos hídricos en España e Iberoamérica*. Madrid: Thomson Reuters Aranzadi, pp. 29-54.

– (2012): «Elementos para una teoría de la Justicia Ambiental». En: Mesa Cuadros, Gregorio (ed.) 2012. *Elementos para una teoría de la Justicia Ambiental y el Estado Ambiental de Derecho*. Bogotá: Unijus Universidad Nacional de Colombia, pp. 25-62.

– (2010): *Derechos ambientales en perspectiva de integralidad: concepto y fundamentación de nuevas demandas y resistencias actuales hacia el «Estado ambiental de derecho»*. 2ª ed. Bogotá: Facultad de Derecho, Ciencias Políticas y Sociales – Universidad Nacional de Colombia. 1ª ed. en 2007 y 3ª ed. en 2013.

– (2009): «Deuda ambiental y climática: amigos o depredadores-contaminadores del ambiente». En: *Pensamiento Jurídico*, núm. 25. Bogotá: UN, pp. 77-90.

– (2008): «De la ética del consumo a la ética del cuidado: de cómo otro mundo sí es posible desde otra manera de producir y consumir». En: *Revista Pensamiento Jurídico*, núm. 22. Bogotá: UN, pp. 333-345.

MITRE GUERRA, E. (2012): «La protección del derecho al agua en el derecho constitucional comparado y su introducción en los criterios de tribunales internacionales de derechos humanos». En: *Pensamiento Jurídico*, núm. 35, 231-252, Bogotá: Universidad Nacional de Colombia.

Naciones Unidas (2003): *Agua para todos. Agua para la vida. Informe de las Naciones Unidas sobre el desarrollo de los recursos hídricos en el mundo*. París: Unesco.

– Comité de Derechos Económicos, Sociales y Culturales (2002) *Observación General No. 15. El derecho al agua (artículos 11 y 12 del Pacto Internacional de Derechos Económicos, Sociales y Culturales)*. Ginebra: Organización de las Naciones Unidas. 29° período de sesiones. E/C.12/2002/11.

OMS-Organización Mundial de la Salud (2012): *Abastecimiento del agua y monitoreo del saneamiento*. En: http://www.who.int/water_sanitation_health/monitoring/jmp2012/es/.

PETRELLA, Riccardo (2002): *El manifiesto del agua. Argumentos a favor de un Convenio Mundial del Agua*. Barcelona: Icaria – Intermón – Oxfam.

PICOLOTTI, Juan Manuel (s.f.): *El derecho al agua en la República Argentina*. Buenos Aires: Cedha. Disponible en: http: www.cedha.org.ar/docs/doc173-spa.doc.

PINTO, M. E.; TORCHIA, N., y MARTÍN, L. (2008): *El derecho humano al agua: particularidades de su reconocimiento, evolución y ejercicio*. Buenos Aires: Abeledo Perrot.

PNUD (2006): *Informe de Desarrollo Humano 2006. Más allá de la escasez: poder, pobreza y la crisis mundial del agua*. PNUD.

REES, William E. (1996): «Indicadores territoriales de sostenibilidad». En: *Ecología Política*, 12, 1966, pp. 27-42.

RIECHMANN, Jorge (2006): *Biomímesis: ensayos sobre imitación de la naturaleza, ecosocialismo y autocontención*. Madrid: Libros de la Catarata.

ROJAS MEJÍA, Bibiana (2006): «El Recurso Hídrico y su protección jurídica», en *Perspectivas del Derecho Ambiental en Colombia*. Bogotá: Universidad del Rosario.

SALMÓN G., E. (2012): «El derecho humano al agua y aportes del sistema interamericano de derechos humanos». *Universitas. Revista de Filosofía, Derecho y Política*, núm. 16, 245-268, Bogotá: PUJ.

SCANION, Jhon *et al.* (2009): «Water as a human right?». *Serie Política y Derecho Ambiental*, núm. 51. Unión Mundial para la Naturaleza. Disponible en http://www.iucn.org/dbtw-wpd/edocs/EPLP-051.pdf.

Segerfeldt, Fredrik (2006): *Agua a la venta: cómo la empresa privada y el mercado pueden resolver la crisis mundial del agua*. Washington D.C.: Cato Institute y Universidad Peruana de Ciencias Aplicadas.

Shiva, Vandana (2004): *Las guerras del agua: privatización, contaminación y negocio*. Barcelona: Icaria.

Short, Damien (2014): *History of Ecocide*. Londres: University of London.

Smets, Henri (2006): *Por un derecho efectivo al agua potable*. Bogotá: Universidad del Rosario.

Uribe H., Julio César y Colmenares, Rafael (coord.) (1998): *La manzana de la discordia. Debate sobre la naturaleza en disputa*. Bogotá: Tercer Mundo.

Wackernagel, Mathis (2001): *Advacing sustainable resource management: using ecological footprint analysis for problem formulation, policy development, and communication*. Prepared for DG Environment, European Commission Project officers: Marc Vanheukelen, Otto Linher, 20 p. [Recurso electrónico UC3M]

– (1996): «¿Ciudades sostenibles?». En: *Ecología Política*, 12, 1966, pp. 43-50.

Wackernagel, Mathis y Rees, William (2001): *Nuestra huella ecológica. Reduciendo el impacto humano sobre la tierra*. Trad. Bernardo Reyes. Santiago de Chile: Instituto de Ecología Política/LOM eds.

Zemmali, Ameur (1995): «La protección del agua en período de conflicto armado». *Revista Internacional de la Cruz Roja*, núm. 131. Ginebra: disponible en http://cicr.org/Web/spa/sitespa0.nsf/html/5TDLEE.

CAPÍTULO XXVIII

LA RIMUNICIPALIZZAZIONE DEL SERVIZIO DI APPROVVIGIONAMENTO IDRICO ALLE POPOLAZIONI IN ITALIA. IL CASO DELLA SICILIA: LA NUOVA LEGGE

Tina Noto

Università degli studi di Palermo

I. INTRODUZIONE

L'acqua, prima ancora che costituire un bene giuridico, rappresenta una risorsa vitale per la sopravvivenza dell'uomo. Non è un caso che le più grandi civiltà vi abbiano trovato, proprio in questo elemento, la culla onde lasciar sviluppare il loro germe e che, dunque, il soddisfacimento del fabbisogno idrico sia stato determinante nella localizzazione e crescita degli insediamenti umani.

Man mano che lo sviluppo urbano diveniva sempre maggiore, tuttavia, lo sfruttamento «estensivo» non si è rivelato più praticabile: le risorse a cui attingere sono diventate limitate, i costi crescenti, la qualità dell'acqua è divenuta rilevante. L'attenzione si è dunque incentrata sulla gestione integrata della disponibilità locale della risorsa con l'impiego di tecnologie avanzate e l'esigenza di una regolamentazione efficace. In tempi recenti, l'impiego sostenibile della risorsa ha assunto rilevanza sempre maggiore, con la finalità di non pregiudicarne la disponibilità futura.

Quanto a questi aspetti, l'Italia si caratterizza nel confronto a livello internazionale per valori elevati dei prelievi medi annui per abitante. Siffatta elevata captazione riflette in parte gli intensi usi agricoli ed una elevata dispersione della rete; altresì il consumo pro capite per usi civili è molto elevato[1]. Si aggiunge una dimensione sociale connessa all'accesso alla risorsa. La disponibilità e la regolarità nell'erogazione dell'acqua non è omogenea tra le aree del Paese, con uno svantaggio per l'area meridionale[2].

I dati riferiti sono solo alcuni dei vari aspetti attinenti al c.d. «oro blu», definizione che cela al suo interno numerosi ed importanti conflitti di natura etica, giuridica, economica. L'espressione, infatti, rimanda all'idea di acqua come un bene economicamente rilevante, ma è tendenza attuale nonché dogma moderno quello di considerare tale imprescindibile risorsa un diritto fondamentale, nonché bene comune.

Proprio in questa ottica, l'Italia segue la corrente globale che tende verso la «ri-municipalizzazione» della gestione del servizio. Per *rimunicipalizzazione* è da intendersi, in termini generali, il ritorno del servizio di somministrazione di acqua, prima privatizzato, alle autorità locali o al controllo pubblico, in quanto appare meglio preparato a fornire servizi ai cittadini e per promuovere il diritto all'acqua.

Nel presente lavoro, si analizzerà tale fenomeno alla luce delle teorie sui *commons* ed il modo attraverso cui la legislazione italiana e, in particolare, la normativa della regione Sicilia hanno recepito e tentato di armonizzare la gestione del servizio con le dette teorie. La nuova legge regionale siciliana ha di recente recepito le istanze di pubblicizzazione dell'acqua e le ragioni che fondano tali esigenze sono pressoché universali e rinvenibili anche in altri casi nel mondo: un basso rendimento delle compagnie private, scarsa o insufficiente investimento, conflitti sui costi ed incremento dei prezzi con conseguenti fatture astronomiche.

---

1. Nel 2012 il prelievo nazionale di acqua a uso potabile ammonta a 9,5 miliardi di metri cubi, di cui l'84,8% proviene da acque sotterranee, il 15,1% da acque superficiali e il restante 0,1% da acque marine o salmastre. Dati contenuti nel dossier realizzato dall'Istat in occasione della «Giornata dell'acqua 2015» (http://www.istat. it/it/archivio/153580, comunicato stampa pubblicato il 20 marzo 2015).

2. La disponibilità giornaliera pro capite al meridione è pari a tre quarti di quella del Centro-Nord; irregolarità nell'erogazione riguardano oltre un quarto delle famiglie meridionali contro un quindicesimo di quelle del Centro-Nord, secondo quanto riportato in un'indagine condotta da *Cittadinanzattiva*, in occasione della Giornata mondiale dell'acqua.

II. ACQUA, «DIRITTO ALL'ACQUA» E BENI COMUNI: UNA RIFLESSIONE TEORICA

Proprio per il suo intrinseco ed indiscusso valore, l'acqua è stata al centro di un fervente dibattito politico, prima ancora che giuridico. Nel 2011 fu al centro della consultazione popolare dei referendum di giugno con il quale il corpo elettorale si è pronunciato per l'abrogazione dell'art. 23 *bis* del d.l. 25 giugno 2008, n. 112, conv. in l. 6 agosto 2008, n. 133[3].

L'Italia vede, così, oltre 27 milioni di cittadini rispondere all'appello del comitato promotore del referendum sull'acqua pubblica[4]. Il risultato fu un'altissima percentuale di elettori la quale si è espressa favorevolmente rispetto ai quesiti della iniziativa referendaria. Tale risultato è sintomo di una mutata sensibilità civica che apre ad una seria riflessione sui beni comuni.

La logica sottostante alla concezione attuale di bene comune, determinata anche da un mutato sentire sociale, è quella di sottrarre argomenti a sostegno della classica dicotomia Stato/mercato, per raggiungere una «terza dimensione», una differente relazione tra il pubblico ed il privato, contemperando altresì l'interesse generale.

La tradizionale definizione di bene comune fornita dalle scienze economiche fissa due caratteristiche: è comune un bene il cui godimento può difficilmente essere impedito a qualcuno e il cui godimento da parte di un individuo riduce la possibilità del godimento altrui[5]. Tuttavia, siffatta accezione non è quella comunemente intesa nell'odierno dibattito politico e giuridico. Generalmente si vuole esprimere l'idea secondo cui certe cose siano o debbano essere tenute, al di fuori dei meccanismi e dei condizionamenti del mercato. Però in questa categoria vengono annoverate cose alquanto eterogenee al punto da avere almeno quattro sensi in cui l'espressione *beni comuni* è impiegata[6].

---

3. Sugli effetti del referendum, se ne discuterà nel successivo capitolo. Per un maggiore approfondimento, cfr. LUGARESI, *Diritto all'acqua e privatizzazione del servizio idrico*, in SANTUCCI, SIMONATI, CORTESE (a cura di), *L'acqua e il diritto*, Atti del Convegno, tenutosi presso la Facoltà di Giurisprudenza dell'Università di Trento il 2 febbraio 2011, pp. 43 ss.

4. Il referendum si è tenuto in Italia il 12 e 13 giugno 2011. I quesiti sui servizi idrici derivano da una iniziativa civica promossa dal Forum italiano dei movimenti per l'acqua, una rete che raggruppa varie associazioni.

5. OSTROM, GARDNER, WALKER 1994: 6-7.

6. Così E. DICIOTTI: «in riferimento a cose, come ad esempio una lingua o una cultura, che costituiscono il prodotto dell'attività non di un singolo individuo, ma di una collettività; per designare cose, come ad esempio i sensi e gli affetti, cui si ritiene che sia attribuito (o forse che dovrebbe essere attribuito) un particolare valore da tutti gli esseri umani; per indicare beni necessari per la realizzazione del bene comune;

L'accezione che qui conviene accogliere, ed appare interessante alla luce del presente lavoro, è quella secondo cui un bene è comune se è oggetto di diritti condivisi da una pluralità di individui.

L'acqua, oltre ad essere un bene pubblico, è da considerarsi bene «comune», in quanto raccoglie le caratteristiche intrinseche di questa categoria attraendo su di sé una serie di «pretese» da parte di più soggetti, pretese le quali devono necessariamente essere contemperate attraverso un bilanciamento che può operarsi solo tramite l'intervento dei pubblici poteri. Siffatte pretese, partono da una dimensione, in primo luogo, individuale.

Dalla lettura delle fonti del diritto internazionale, pare di poter affermare con un certo grado di sicurezza, l'esistenza ed il riconoscimento di un diritto (soggettivo) all'acqua e che, il più delle volte, è indicato quale diritto fondamentale il quale scaturisce dalla tutela del diritto alla vita ed alla dignità umana. Se spostiamo l'attenzione sul piano del diritto interno italiano, l'acqua è ritenuta «bene primario essenziale alla vita e salute umana alla stregua degli artt. 2 e 32 della Costituzione»[7]. Il carattere umano e fondamentale del diritto in parola, si tradurrebbe in una esigenza: «*che l'accesso sia garantito con un metodo adeguato e, diremmo oggi, sostenibile, non che l'accesso sia garantito tout court*»[8].

Il diritto all'acqua oggi si caratterizza quale «nuovo diritto sociale», non contemplato direttamente dalle costituzioni liberali che richiede rilevanti prestazioni da parte della collettività, «*è un diritto sociale " nuovo ", perché nuovo è il bisogno ad esso sottostante, generato dalla crescente scarsità del bene necessario, dalla sperequazione con la quale è distribuito o è accessibile, dalle contese provocate dalla competizione per il suo accaparramento*»[9].

I beni comuni, o *commons*, vengono frequentemente intesi come cose che sono oggetto di diritti condivisi da una pluralità di individui. Come chiaramente espresso da illustri autori, «*le norme regolano il comportamento umano e quindi hanno ad oggetto azioni. I diritti sono conferiti da norme e dunque anch'essi, in un certo senso, hanno ad oggetto azioni*»[10]. Affinché

---

per riferirsi a cose che sono, o dovrebbero auspicabilmente diventare, oggetto di diritti condivisi da insiemi più o meno estesi di individui o da tutti gli esseri umani», *I beni comuni nell'attuale dibattito politico e giuridico*, in *Ragion Pratica*, n. 40 dicembre 2013, Bologna.

7.   In questi termini si è recentemente espresso il Tar Lazio, Roma, sez. II *bis*, ord. 5 aprile 2015, n. 1488.

8.   Così LUGARESI, *op. cit.*, p. 109.

9.   D. ZOLO, «Il diritto all'acqua come diritto sociale e come diritto collettivo. Il caso palestinese», in *Diritto Pubblico*, Il Mulino, 1/2005, p. 32.

10.   Così E. DICIOTTI, *op. cit.*, p. 349.

possa compiersi un'azione, occorre utilizzare una porzione di mondo, ad esempio un bene immobile o mobile, pertanto le norme, disciplinando il comportamento umano, disciplinano, seppur indirettamente, anche l'uso di beni materiali. Si può concludere che, in una certa maniera, non vi è un diritto che non abbia ad oggetto beni.

Chi si pone a sostegno dei beni comuni, afferma che questi beni siano necessari per garantire l'effettivo godimento dei diritti fondamentali, ossia di diritti costituzionali caratterizzati da universalità ed indisponibilità. Ma, come meglio precisato da Diciotti, «*i beni comuni non sono necessari per garantire l'effettivo godimento dei diritti fondamentali, ma sono una* condizione necessaria *dell'esistenza di questi*». Dunque, laddove non vi siano beni comuni, i diritti fondamentali rimangono confinati nel ghetto delle etichette e definizioni.

Ora, nell'attuale dibattito giuridico, viene avanzato un principio secondo cui determinati beni devono essere o diventare comuni, come nel caso della risorsa idrica. Tuttavia, essendo la definizione di beni comuni una definizione generica, occorrerebbe specificare il senso in cui lo si intende, ossia se oggetto di pretese condivise piuttosto che di diritti di proprietà condivisi.

La disciplina dei beni comuni può tendere verso un polo, ad esempio quello della democrazia, oppure verso il polo dell'universalismo o, ancora, del localismo, verso l'economia di mercato o verso il comunismo.

Ricondurre il dibattito sui beni comuni al tema relativo all'acqua, necessariamente implica superare le logiche della mera economia di mercato e le istanze della deliberazione pubblica, promuovendo un modello che tenda a trovare un punto di incontro alla luce dei fallimenti dei modelli di natura liberale e di quelli a stampo comunista, garantendo un margine di tutela ed uno spazio alle libertà fondamentali. Occorre trovare la terza dimensione alla quale si alludeva al principio del capitolo, una dimensione tesa a risolvere la competizione ed i conflitti esistenti da un lato tra la contrattazione privata degli imprenditori interessati ad accedere al relativo mercato e, dall'altro, dalla collettività preoccupata di tutelare in nome di quell'interesse generale, un bene scarso e «preteso», oltre che conteso, quale è l'acqua.

III. IL QUADRO NORMATIVO IN ITALIA. GLI EFFETTI DEI REFE-RENDUM DEL 2011

Sulle questioni sollevate fin qui, conviene restringere l'ambito di analisi e focalizzare l'attenzione sull'esperienza normativa italiana, entro cui si inserirà, poi, il più specifico caso della Regione siciliana. È essenziale un breve *excursus* storico, per comprendere appieno le dinamiche evolutive di questo settore di intervento del potere pubblico.

In base al codice civile italiano del 1865, si operava una *summa divisio* tra acque pubbliche e private: le prime erano i fiumi ed i torrenti, mentre le altre acque appartenevano ai privati. Tale limitata pubblicizzazione era dovuta allo scarso interesse per l'acqua come bene pubblico[11]. Durante il ventennio fascista, si è assistito ad una crescita dell'interesse: inizialmente con il Testo Unico sulle acque[12] e, poi, con il nuovo codice civile del 1942, col quale si stabilisce che appartengono al demanio dello Stato «i fiumi, i torrenti, i laghi e le altre acque definite pubbliche dalle leggi in materia» (art. 822, comma 1, c.c.). Ma soprattutto si individua nell'attinenza del bene al «pubblico interesse generale» il criterio distintivo tra acque pubbliche e private. Tuttavia, l'uso estensivo di questa clausola ad opera della giurisprudenza ha comportato un significativo ampliamento della prima categoria a scapito della seconda: in altre parole, le acque private sono state ridotte a quelle con scarsa portata o di minima importanza idrografica.

Con l'introduzione della c.d. Legge Galli[13], nella prima metà degli anni Novanta, si accentua la pubblicizzazione delle acque disponendosi che «tutte le acque superficiali e sotterranee, anche non estratte dal sottosuolo, sono pubbliche e costituiscono una risorsa che è salvaguardata ed utilizzata secondo i criteri di solidarietà». Quest'ultima impostazione sancisce il venir meno della distinzione tra acque pubbliche e private, con la definitiva acquisizione del patrimonio idrico al demanio. Ma la maggior novità della legge è l'introduzione dell'espressione «servizio idrico integrato» in luogo di «acquedotti» dando il via alla gestione in affidamento[14] ispirata a modelli e logiche più aziendali, in linea con i principi di economicità ed efficienza. Tutte le attività relative al ciclo dell'acqua vengono riorganizzate in un sistema integrato, appunto,

---

11. L'interesse alla fruizione collettiva era limitato solamente ai trasporti fluviali ed alla fluitazione.
12. R.D. 11 dicembre 1933, n. 1775 – *Testo unico delle disposizioni di legge sulle acque e impianti elettrici* (pubblicato in *Gazzetta Ufficiale* 8 gennaio 1934, n. 5).
13. L. 5 gennaio 1994, n. 36 recante *Disposizioni in materia di risorse idriche*.
14. La legge Galli introduce all'art.1, comma 1, la dichiarazione di pubblicità di tutte le acque. Inoltre, tale legge crea gli Ambiti Territoriali Ottimali (ATO) i quali consistono in porzioni di territorio su cui sono organizzati i servizi pubblici integrati. Su di essi agiscono le Autorità d'ambito, strutture dotate di personalità giuridica che organizzano, affidano e controllano la gestione del servizio idrico integrato. Con la L. n. 42/2010 –«*Conversione in legge, con modificazioni, del decreto-legge 25 gennaio 2010, n. 2, recante interventi urgenti concernenti enti locali e regioni*»– le Autorità d'ambito avrebbero dovuto essere abolite e le funzioni attribuite nuovamente alle regioni; tale tematica è connessa ai referendum abrogativi del 2011.

in un ambito territoriale più ampio rispetto a quello comunale, previsto dalla precedente disciplina. È la stessa legge a stabilire delle tariffe del servizio idrico integrato[15].

Nel 2006 viene introdotto il c.d. Codice dell'ambiente (d. lgs. 152/2006)[16] che all'art. 144, comma 1, stabilisce che tutte le acque superficiali e sotterranee, ancorché non estratte dal sottosuolo, appartengono al demanio dello Stato: salvo alcune eccezioni, l'utilizzazione delle acque da parte dei privati deve essere previamente autorizzata o concessa. Occorre precisare, altresì, che l'imputazione delle risorse idriche al demanio va coordinato –sul piano delle competenze legislative e delle funzioni amministrative– con le Regioni e le autonomie locali, a seguito della riforma del Titolo V della Costituzione.

Nel 2009 con l'approvazione del c.d. «decreto Ronchi»[17] si stabilisce quale modalità ordinaria di gestione del servizio, l'affidamento a soggetti privati mediante gara o l'affidamento a soggetti a capitale misto pubblico/privato.

Rilevante è, inoltre, la qualificazione del servizio idrico prima quale servizio *a rilevanza economica* e, successivamente, come servizio *a rete di rilevanza economica*. Viene meno, così, il controllo diretto dell'ente locale titolare, in favore degli enti di governo degli ambiti territoriali istituiti dalle regioni.

Il 2011 è l'anno in cui, seguendo un percorso non proprio lineare, i cittadini italiani sono stati chiamati alle consultazioni referendarie che vedevano come oggetto, tra le altre, le questioni relative all'acqua ed alla gestione del servizio di approvvigionamento.

Quanto alla vittoria del sì, in relazione al primo quesito referendario il quale ha abrogato l'art. 23 *bis* del c.d. «Decreto sviluppo»[18], la Corte costituzionale italiana si era espressa affermando che sarebbe conseguita l'applicazione immediata della normativa comunitaria *«relativa alle regole concorrenziali*

---

15. L'art. 13, comma 2, della legge Galli recita: «La tariffa è determinata tenendo conto della qualità della risorsa idrica e del servizio fornito, delle opere e degli adeguamenti necessari, dell'entità dei costi di gestione delle opere, dell'adeguatezza della remunerazione del capitale investito e dei costi di gestione delle aree di salvaguardia, in modo che sia assicurata la copertura integrale dei costi di investimento e di esercizio».

16. D. Lgs. 3 aprile 2006, n. 152, *«Norme in materia ambientale»*, pubblicato nella *Gazzetta Ufficiale* n. 88 del 14 aprile 2006 – Supplemento ordinario n. 96.

17. D. L. 25 settembre 2009, n. 135, *«Disposizioni urgenti per l'attuazione di obblighi comunitari e per l'esecuzione di sentenze della Corte di giustizia delle Comunità europee»* (pubblicato in *Gazzetta Ufficiale* n. 223 del 25-9-2009), convertito in legge, con modificazioni, dall'art. 1, comma 1, della L. 20 novembre 2009, n. 166.

18. D. L. n. 112/2008.

minime in tema di gara ad evidenza pubblica per l'affidamento della gestione di servizi pubblici di rilevanza economica»[19], senza tuttavia specificare a quali norme si dovesse concretamente fare ricorso.

Quid iuris? La risposta la si rinviene in una ordinanza della Corte costituzionale, la n. 24 del 26 gennaio 2011, in cui si afferma l'apparente vuoto normativo venutosi a creare con l'abrogazione dell'art. 23 *bis* sarebbe colmato dal diritto comunitario, il quale non esclude la gestione privata; in altri termini, il risultato del quesito è l'applicazione delle regole dell'Unione europea, meno severe, circa la scelta del soggetto privato che gestirà il servizio idrico integrato.

La stessa Corte rimanda alle norme dell'Unione che consentono, non impongono, la gestione diretta del servizio pubblico da parte dell'ente locale, *«allorquando l'applicazione delle regole di concorrenza ostacoli, in diritto o in fatto, la «speciale missione» dell'ente pubblico (art. 106 TFUE). È evidente, dunque, l'apertura a favore dello strumento* in house»[20].

Da ciò ne consegue che gli enti locali vedono il riespandersi delle loro competenze in ordine alla scelta e modalità del servizio, non incontrando più le forti limitazioni imposte dal legislatore nei confronti dell'affidamento diretto. Alla luce di questo panorama ordinamentale, alcune amministrazioni locali hanno riconsiderato come possibile una rimunicipalizzazione del servizio idrico integrato attraverso il ricorso ad un modello gestionale dell'azienda speciale.

Occorrerebbe un intervento legislativo mirato, senza entrare nel merito della definizione dell'acqua come pubblica o privata, in quanto la sua natura pubblicistica appare fuori da qualsiasi dubbio. Tuttavia resta da valutare se la gestione, questa sì può essere pubblica o privata, debba essere affidata al potere pubblico o seguire logiche privatizzatrici e se queste ultime possono tutelare l'interesse generale.

IV. IL CASO DELLA REGIONE SICILIANA. BREVI CENNI SU-LL'EVOLUZIONE STORICA

La Sicilia, regione a statuto speciale[21], da oltre quarant'anni vede battaglie in favore dell'acqua pubblica, che nell'ultimo quindicennio sono sfociate

---

19. Come si legge nella sentenza Corte Cost. 12 gennaio 2011, n. 24, con la quale la Corte era stata chiamata ad esprimersi circa l'ammissibilità del quesito referendario.
20. PIPERATA, G., *Liberalizzazione ed interesse generale*, p. 8.
21. Una regione a statuto speciale è una regione che gode di particolari forme di autonomia. In Italia, le regioni a statuto speciale sono cinque, tra cui la Sicilia, dotate di

in una imponente mobilitazione la quale, oggi, ha raggiunto l'obiettivo dell'approvazione della legge regionale 11 agosto 2015, n. 19, recante norme sulla *Disciplina in materia di risorse idriche*[22]. La regione siciliana è la prima regione italiana a recepire l'indicazione referendaria del 2011 che vuole riportare sotto il controllo pubblico la gestione del ciclo dell'acqua.

La vicenda, piuttosto travagliata, si è dipanata attraverso battaglie contro la privatizzazione del servizio idrico integrato, processo che ha determinato concretamente una sorta di «spartizione a tavolino» delle varie ATO provinciali per l'affidamento della gestione del servizio ad un unico concorrente, con profili di illegittimità, peraltro sollevati dal garante per la concorrenza ed ignorate dagli organi preposti.

Nel 2010, in questo clima tumultuoso, nasce la proposta di legge di iniziativa popolare e consiliare per l'acqua pubblica. A seguito dell'esito referendario[23] favorevole, la proposta di legge approda all'Assemblea Regionale siciliana per essere tuttavia integralmente riscritta nel corso dell'attuale governo Crocetta. Tale testo, però, non vede l'approvazione in quanto ne stravolge i contenuti a carattere pubblicistico e viene nuovamente riscritto da una Commissione a cui partecipano i promotori dell'originario disegno di legge ad iniziativa popolare.

Il governo centrale, nelle varie legislazioni che si sono succedute, ha tentato di ignorare l'esito referendario, «costringendo» i comuni a mettere sul mercato i servizi pubblici locali e ad accentrare il livello decisionale.

La legge di iniziativa popolare era incardinata all'art. 14 dello Statuto autonomo della regione il quale assegna competenze esclusive alla regione in materia di acque pubbliche. La Sicilia, dunque, avrebbe potuto essere la prima regione a recepire il risultato referendario mantenendo come unica forma di gestione quella pubblica. La maggioranza ha optato per il mantenimento delle tre forme di gestione previste dalla legge nazionale: pubblica, mista e privata, pur limitando in maniera stringente la gestione privata. In definitiva, adesso spetterà ai Comuni dimostrare l'efficienza e l'economicità della gestione pubblica.

Resta, tuttavia, la possibile questione di legittimità costituzionale di questa legge, quanto ai profili di potestà, che pende come una spada di Damocle sul testo normativo. Ad oggi, non è stata sollevata alcuna questione di legittimità formale.

---

uno *statuto*, detto *speciale*, approvato con legge costituzionale.

22. Legge regionale n. 19, pubblicata in *Gazzetta della Regione Siciliana* in data 21 agosto 2015.
23. Si allude al «referendum sull'acqua pubblica» del giugno 2011.

V. SEGUE: IL TESTO DELLA LEGGE, DALLA TEORIA ALLA PRATICA (?)

Il testo della nuova legge sulla gestione delle risorse idriche appare essere dunque frutto di compromesso tra istanze che tendevano alla privatizzazione della gestione e le istanze di chi auspica, invece, una gestione affidata al pubblico potere.

La legge si apre con l'enunciazione dei principi che hanno ispirato il suo contenuto, sancendo che l'acqua è considerata *«bene comune pubblico non assoggettabile a finalità lucrative quale patrimonio da tutelare, in quanto risorsa pubblica limitata, essenziale ed insostituibile per la vita e per la comunità, di alto valore ambientale, culturale e sociale»*[24]. Inoltre, si evidenzia che la disponibilità e l'accesso all'acqua potabile e all'acqua *«necessaria per il soddisfacimento dei bisogni collettivi»*[25] costituiscono un diritto umano, individuale e collettivo, facendo chiaro ed esplicito riferimento al contenuto della Risoluzione ONU n. 64 del 28 luglio 2010.

In questo quadro si inseriscono poi tutta una serie di finalità, non tralasciando di indicare, quali forme di gestione, il governo pubblico e partecipativo della gestione integrata delle risorse idriche, tenendo conto della salvaguardia «dei diritti e delle aspettative delle generazioni future».

Gli obiettivi sono la promozione di un uso responsabile e sostenibile dell'acqua, ispirato a criteri di efficienza, efficacia ed economicità, trasparenza ed equità sociale; la gestione dei beni del demanio idrico è affidata al pubblico potere, specificando l'assenza di finalità lucrative; si prevede il miglioramento della qualità delle acque nel rispetto degli obiettivi relativi al buono stato ecologico delle acque in linea con il «Piano per la salvaguardia delle risorse idriche europee» della Commissione europea. Altro importante punto è costituito dalla previsione *«dell'erogazione giornaliera per l'alimentazione e l'igiene umana di un quantitativo minimo vitale pari a 50 litri per persona per tutti i residenti della Regione»*; e, per finire, l'impiego di tecnologie sostenibili e la sostituzione progressiva dell'uso dell'energia elettrica con impianti di produzione di energia rinnovabile.

Si è optato per una soluzione, come dire «standardizzata», che vede al centro l'enunciazione del diritto all'acqua come qualcosa di universalmente

---

24. Art. 1, Legge regionale 11 agosto 2015, n. 19.
25. La quantità giornaliera di acqua ritenuta generalmente necessaria per i bisogni essenziali dell'individuo è di 50 litri, il che significa 18,25 metri cubi all'anno, secondo le stime riportate da Gleick nel suo *Basic Water Requirements for Human Activities: Meeting Basic Needs*, pubblicato in *Water International*, 1996, vol. 21 n. 2, pp. 83 ss.

inteso. Come ho voluto evidenziare in questo lavoro, tuttavia, non si può pensare al diritto all'acqua come qualcosa di sganciato dal diritto alla vita, dal diritto alla salute e dal diritto alla dignità delle persone, dovendosi invece intendere come un diritto non omogeneo, se considerati i vari ordinamenti, «*determinandosi i contenuti dello stesso, prima ancora che dalla legge, dalle situazioni locali e dal rapporto tra acqua e persone, in termini di bisogni essenziali e necessità vitali*»[26].

VI. BIBLIOGRAFIA ESSENZIALE

CASALINI, D.: *Fondamenti per un diritto delle acque dolci*, Torino, Giappichelli, 2014.

CORTESE, F.: «L'acqua pretesa», in G. SANTUCCI, A. SIMONATI, F. CORTESE (a cura di), *L'acqua e il diritto*, Atti del Convegno tenutosi presso la Facoltà di Giurisprudenza dell'Università di Trento il 2 febbraio 2011, Trento, Litotipografia Alcione, 2011, pp. 183-209.

DICIOTTI, E.: «I beni comuni nell'attuale dibattito politico e giuridico: un chiarimento concettuale, un'apologia e una critica», in *Ragion pratica*, 41/2013, pp. 347 ss.

GIORGIS, A.; DEALESSI, F.: «L'(incerto) oggetto giuridico dei referendum sulle modalità di gestione del servizio idrico», in *La Rivista dell'Associazione Italiana dei Costituzionalisti*, n. 00 del 02.07.2010, tratto dal web.

HARDIN: *The tragedy of the Commons*, in *Science*, New Series, Vol. 162, No. 3859. (Dec. 13, 1968), pp. 1243-1248.

LUGARESI, N.: «Diritto all'acqua e privatizzazione del servizio idrico», in G. SANTUCCI, A. SIMONATI, F. CORTESE (a cura di), *L'acqua e il diritto* cit., pp. 43 e ss.

OSTROM E.: *Governing the Commons. The Evolution of Institutions for Collective Action (Political Economy of Institutions and Decisions)*, Cambridge University Press, 1990.

PIPERATA, G.: «Liberalizzazione ed interesse generale», in *Diritti Lavori Mercati*, sez. seconda, 2015.

PELLIZZARI, S.: «La pianificazione amministrativa della risorsa idrica», in G. SANTUCCI, A. SIMONATI, F. CORTESE (a cura di), *L'acqua e il diritto*, cit., pp. 357 e ss.

---

26. Così LUGARESI, in *Diritto all'acqua e privatizzazione dei servizi idrici, op. cit.*, p. 28.

SIMONATI, A.: «Il regime pubblicistico dell'acqua», in G. SANTUCCI, A. SIMONATI, F. CORTESE (a cura di), *L'acqua e il diritto*, cit., pp. 89 e ss.

ZOLO, D.: «Il diritto all'acqua come diritto sociale e come diritto collettivo. Il caso palestinese», in *Diritto Pubblico*, Il Mulino, 1/2005, pp. 125-142.

CAPÍTULO XXIX

LOS RETOS Y AVANCES DEL TRATADO DE COOPERACIÓN AMAZÓNICA PARA LA GESTIÓN COMPARTIDA DE LAS AGUAS

Viviane Passos Gomes

Doctora en Derecho, Universidad de Sevilla

Francisco Delgado Piqueras

Catedrático de Derecho Administrativo, Universidad de Castilla-La Mancha

SUMARIO: I. INTRODUCCIÓN. II. RETOS, ESTRUCTURA Y FUNCIONAMIEN-TO DEL TRATADO DE COOPERACIÓN AMAZÓNICA. III. AVANCES HISTÓRICOS DEL TRATADO DE COOPERACIÓN AMAZÓNICA EN LA GESTIÓN COMPARTIDA DE LAS AGUAS. IV. CONCLUSIONES. V. REFERENCIAS BIBLIOGRÁFICAS.

I. INTRODUCCIÓN

La Región Amazónica posee una vasta extensión territorial que alberga la mayor biodiversidad, la mayor cuenca del río y la selva tropical más grande del mundo. Sin embargo, toda esta riqueza se distribuye en ocho países del norte de la América Latina.

Frente a la existencia de pluralidad de espacios normativos, el Tratado de Cooperación Amazónica se presenta como principal instrumento de derecho ambiental internacional, destinado a orientar las acciones de protección y uso de los recursos naturales de los países amazónicos, en ellos incluidos el gran manantial de aguas de la región.

La cuenca Amazónica representa 20% de toda el agua dulce que entra en los océanos y representa la mayor biodiversidad acuática del planeta. Estos sistemas acuáticos amazónicos juegan un papel importante en el ciclo de carbono global, influenciando la manutención del ciclo hidrológico y del clima no solo de los países amazónicos, como de varias regiones de la América Latina. Además, en la Amazonia, el uso y aprovechamiento del agua genera impactos sociales, pues el agua es esencial para los pueblos amazónicos, representando el principal medio de transporte, el medio principal de obtención de energía y producción de alimentos.

La importancia de la cuenca hidrográfica de la Amazonia impone que su protección internacional sea establecida a partir de los esfuerzos coordinados de estos países, en el sentido de tomar medidas preventivas y represivas dirigidas a evitar y reparar daños causados por las actividades antrópicas.

En este sentido, este estudio pretende resaltar la importancia del papel del Tratado de Cooperación Amazónica para la gestión de su cuenca compartida. De esta manera, primeramente iremos destacar los principales retos y desafíos del Tratado, así como su estructura organizativa y operativa, para posteriormente focalizar en los principales hitos históricos que durante los 35 años de vigencia del Tratado se tradujeran en algún avance para la gestión de las aguas compartidas de la Región.

II. RETOS, ESTRUCTURA Y FUNCIONAMIENTO DEL TRATADO DE COOPERACIÓN AMAZÓNICA

Antes de adentrarnos específicamente en la influencia del Tratado de Cooperación Amazónica en la gestión compartida de la aguas de la región, en este apartado se introducirán los aspectos más relevantes sobre la formación, objetivos, estructura y funcionamiento del Tratado.

La idea de un tratado para la región amazónica fue concebida inicialmente por el gobierno brasileño y presentada a las otras naciones a principios de 1976, con el objetivo principal de hacer una integración económica e industrial, dando énfasis a instrumentos que garantizasen el libre comercio. Sin embargo, esta idea se convirtió en un plan de cooperación en la investigación y la explotación de sus recursos, para unir a la región a través de redes de transporte y comunicación, y establecer una base de datos central de información[1].

---

1. En este sentido SOLA pondera que la iniciativa brasileira se justifica en razón de su posición geográfica: «Diante da intensificação dos tratados bilaterais à época, o Brasil buscou estabelecer um quadro multilateral capaz de fornecer e apontar os contornos nas negociações na Bacia Amazônica onde sua posição é a jusante, ou seja, em desvantagem em relação a Peru, Bolívia e os demais que possuem as cabeceiras dos principais rios». SOLA, F. *Direito das Águas na Amazônia*. Juruá,

El Tratado de Cooperación Amazónica (TCA) –en adelante sólo TCA– fue firmado en Brasilia el 3 de julio de 1978, por Bolivia, Brasil, Colombia, Ecuador, Guyana, Perú, Surinam y Venezuela[2], pero sólo entró en vigor el 2 de agosto de 1980, y no fue abierto para futuras adhesiones.

Su área de aplicación no sólo involucra la parte de los territorios de los países signatarios en la cuenca Amazónica, así como cualquier territorio de estos países, que por sus características geográficas, ecológicas o económicas, se considera estrechamente vinculado a ella, por lo que en este caso el concepto de cuenca fluvial internacional también incluye ecos regiones eco a ella conectadas. (Artículo II)[3].

Así que el hecho de haya diferentes definiciones sobre la Amazonia (una considerada legalmente y la otra que adviene del Tratado, incluyendo otros territorio que a ella se vinculan), hace con que los países amazónicos tengan un desafío a más de integrar las políticas públicas, considerando igualmente las demás interacciones con el medio ambiente en la Región[4].

Originalmente, el tratado tiene 28 artículos, en los cuales se establecen pautas de cooperación internacional para ser desarrolladas por los países firmantes, y su objetivo principal, en conformidad con el artículo I, es «promover el desarrollo armónico de sus respectivos territorios amazónicos, de manera que esas acciones conjuntas produzcan resultados equitativos y mutuamente provechosos, así como para la preservación del medio ambiente y la conservación y utilización racional de los recursos naturales de esos territorios».

En definitiva, se trata de un instrumento multilateral importante y único destinado a la cooperación internacional de los países amazónicos que opera básicamente en dos frentes: la cooperación científica para la explotación de los recursos naturales de la cuenca del Amazonas y la creación de un sistema

---

Curitiba, 2015, p. 168.
2. Cabe señalar que la Guayana Francesa –territorio ultramar de Francia– sólo tiene estatuto de observador en la OTCA.
3. «Os signatários podem ser identificados como: 1.Ribeirinhos do rio Amazonas: Peru, Brasil e Colômbia, esta em uma das margens; 2. Ribeirinhos de distintos rios afluentes do Amazonas: Bolívia, Equador e Venezuela; Hidrograficamente não ribeirinho, mas que se localizam na zona de influência da Bacia Amazônica: Guiana e Suriname.» SOLA, *Op. Cit.*, p. 166.
4. Conforme manifiesta SILVA, S. T. da: «O Tratado de Cooperação Amazônica, a Agenda Estratégica e a Rio+20», en OLIVEIRA, C. C.; SAMPAIO, R.S. da R. (Org.), *Instrumentos Jurídicos para o Implementação do Desenvolvimento Sustentável*. 1ª ed. Rio de Janeiro: FGV, Direito Rio/Programa em Direito e Meio Ambiente, 2012, v. 1, p. 189.

de comunicación eficiente entre los países de región. Más concretamente, se ocupa de cuestiones tales como el desarrollo económico, la protección del medio ambiente, la navegación comercial, el uso racional de los recursos hídricos, la utilización de flora y fauna, la promoción de la investigación científica, el intercambio de información sobre las medidas de conservación, aspectos de la salud, la protección de la cultura indígena, el aumento el turismo, la conservación de las riquezas etnológicas y arqueológicas, entre otros.

Además, el Tratado sirve para ser el marco adecuado para el debate y el formato de los nuevos acuerdos de integración en la región. Efectivamente, el Tratado trajo la intensificación de los acuerdos bilaterales entre estos países, sobre todo centrados en áreas de cooperación en las zonas fronterizas.

En este sentido, SOLA[5] explica que, en general, el enfoque metodológico de los acuerdos bilaterales han obedecido a la lógica de fomentar mecanismos interinstitucionales, que poseen una planificación estructurada basados en estudios físicos y sociales básicos de los respectivos problemas nacionales, para un posterior análisis regional, que será transformada en planes de desarrollo estratégicos binacionales. Por lo tanto, la ejecución de cada plan o programa binacional es de responsabilidad de la Comisión integrada por representantes de los Ministerios de Relaciones Exteriores de cada país.

En cuanto a la estructura organizativa del Tratado, se puede decir que los organismos clave para el desarrollo de sus objetivos son: la Secretaría Permanente (que hasta 2002 era, de hecho, temporal); el Consejo de Cooperación Amazónica; las Comisiones Nacionales Permanentes; y los Comités Especiales, cuyos competencias se han plasmado en los artículos de la XXI al XXIII del Tratado.

En cuanto a la estructura operativa, básicamente las actividades que impulsan los principales acuerdos de cooperación son las Reuniones de Ministros de Relaciones Exteriores, de las Reuniones de los representantes diplomáticos de cada país que integran el Consejo de Cooperación Amazónica –en adelante solo CCA– y las Reuniones de Presidentes que son carácter extraordinario[6].

---

5. SOLA, *Op. cit.*, p. 171.
6. La Reunión de Presidentes de los Países Amazónicos no es una instancia ordinaria del Tratado de Cooperación Amazónica (TCA). Se trata de un foro fundamental para el diálogo sobre los intereses comunes, el intercambio de opiniones acerca de los temas que afectan la zona, y el consenso en cuanto a las acciones orientadas a lograr el desarrollo de la región por medio de políticas y estrategias conjuntas. Los Jefes de Estado se han reunido tres veces en Manaos, Brasil. El mes de mayo de 1989 discutieron el futuro de la cooperación para el desarrollo y la protección del patrimonio de sus respectivos territorios amazónicos; en febrero de 1992, en

De conformidad con el artículo XX, la Reunión de Ministros de Relaciones Exteriores de los países signatarios debe ocurrir siempre que lo considere apropiado y conveniente para establecer lineamientos básicos para las políticas comunes en la región y para evaluar el desarrollo del proceso de cooperación regional y adoptar decisiones para el logro de los objetivos establecidos en el instrumento. La condición impuesta por el Tratado que se realice, es que sea de la iniciativa de cualquiera de los países signatarios, y que cuente con el apoyo de al menos otros cuatro Estados Miembros. Generalmente estas reuniones son precedidas por reuniones del Consejo.

Es de destacar que la Reunión de los Ministros es el máximo órgano dentro del Tratado, el nivel de toma de decisiones para la realización y la coordinación de los acuerdos, mientras que el Consejo es el segundo más alto de grado de la jerarquía, y cabe a este considerar las iniciativas y proyectos presentados por las partes y adoptar las decisiones pertinentes para estudios y proyectos bilaterales o multilaterales.

La verdad es que tanto las Reuniones de Ministros y como las del CCA no han tenido regularidad en los últimos años. Aunque que verse el Tratado que las Reuniones del Consejo deberían ser realizadas anualmente, efectivamente, en los 35 años de vigencia del tratado solo fueron realizadas 18 Reuniones del Consejo[7] e 13 Reuniones de Ministros[8]. La consecuencia de

---

preparación a la Conferencia de las Naciones Unidas para el Medio Ambiente y el Desarrollo, y en noviembre de 2009 donde, además de abordar temas sobre Cambio Climático expresaron su firme respaldo a la gestión de la Secretaría Permanente de la Organización del Tratado de Cooperación Amazónica (SP/OTCA).

7. Las reuniones del Consejo de Cooperación detallamos a seguir: I Reunión (1983, Lima – Perú); II Reunión (1986, La Paz – Bolivia); III Reunión (1988, Brasilia-Brasil); IV Reunión (1990, Bogotá-Colombia); V Reunión (1993, Quito-Ecuador); VI Reunión (1994, Lima-Perú); VII Reunión (1995, Lima– Perú); VIII Reunión (1997, Caracas-Venezuela); IX Reunión (1998, Caracas-Venezuela); X Reunión (2000, Caracas-Venezuela); XI Reunión (2002, Santa Cruz de la Sierra-Bolivia); XII Reunión (2004, Manaos-Brasil); XIII Reunión (2005, Iquitos-Perú); XIV Reunión (2010, Lima-Perú); XV Reunión (2011, Brasilia-Brasil); XVI Reunión (2012, Cochabamba, Bolivia); XVII Reunión (2013, El Coca-Ecuador); XVIII Reunión (2014, Paramaribo-Surinam).

8. Estas fueron las 13 Reuniones de Ministros de Relaciones Exteriores realizadas en el ámbito del TCA: I Reunión (1980, Belém-Brasil); II Reunión (1983, Santiago de Cali-Colombia); III Reunión (1989, Quito-Ecuador); IV Reunión (1991, Santa Cruz de la Sierra-Bolivia); V Reunión (1995, Lima-Perú); VI Reunión(2000, Caracas-Venezuela); VII Reunión (2002, Santa Cruz de la Sierra-Bolivia); VIII Reunión (2004, Manaos-Brasil); IX Reunión (2005, Iquitos-Perú); X Reunión (2010, Lima-Perú); XI Reunión (2011, Manaos-Brasil); XII Reunión (2013, El Coca-Ecuador); XIII Reunión (2014, Paramaribo-Surinam); XIV Reunión (2015, debe ser en Venezuela).

esta falta de frecuencia de las reuniones se reflejó en la eficacia de la TCA, por lo que durante tres décadas fueron pequeños los avances para la cooperación amazónica. Sólo con el aumento del ritmo de las reuniones, es que el TCA pasó a tener una profundización temática e institucional más grande.

Las Comisiones Nacionales Permanentes – CNP, a su vez, son responsables de la aplicación de las disposiciones del Tratado en el territorio nacional y la aplicación de las decisiones adoptadas por las Reuniones de Ministros de Relaciones Exteriores y por las Reuniones del CCA. Según SOLA, aunque formalmente establecido en la mayoría de Estados de la OTCA, las CNP no han sido significativamente operativas en su funcionamiento, así que actualmente se invierte el fortalecimiento institucional de las comisiones. En cuanto a los Comités Especiales, de conformidad con el artículo XXIV del Tratado, estos pueden ser constituidos para estudiar problemas o asuntos específicos cuando sea necesario.

III. AVANCES HISTÓRICOS DEL TRATADO DE COOPERACIÓN AMAZÓNICA EN LA GESTIÓN COMPARTIDA DE LAS AGUAS

En este apartado, nos cabe destacar las reuniones y los hitos históricos más relevantes para la gestión compartida de las aguas en el ámbito del TCA.

La V Reunión de Ministros de Relaciones Exteriores que tuvo lugar en 1995, en la que resultó en la Declaración de Lima, se propusieron actividades de cooperación específicas para la gestión de los recursos hídricos, y se ha reafirmado la propuesta de la reunión anterior para crear efectivamente nuevas estructuras institucionales.

Cabe destacar el Protocolo de Enmienda firmado en Caracas el 14 de diciembre de 1998, que entró en vigor el 2 de agosto de 2002, por lo cual efectivamente se ha ampliado la estructura institucional del Tratado, con la creación de la Organización el Tratado de Cooperación Amazónica (OTCA) –en adelante solo OTCA– que ahora cuenta con una Secretaría Permanente, alterando así el artículo XXII del Tratado.

La OTCA tiene su sede en Brasilia-Brasil[9], y tiene personalidad jurídica para hacer acuerdos con las partes contratantes, con los Estados no Miem-

---

9. Según MAMED y CAVALCANTE, el hecho de que no haya al menos una oficina del TCA en cada capital de los países amazónicos puede comprometer la efectividad en el proceso de cooperación, pues, la distancia física de este órgano de los problemas amazónicos reales consumados a nivel de cada país, puede resultar una peligrosa superficialidad en las políticas a desarrollar. MAMED, D.O., CAVALCANTE, J.R., «Coo-

bros y con otras organizaciones internacionales. En otras palabras, la OTCA es un organismo con mandato específico de los ocho países amazónicos para defender los recursos naturales de la región y definir las estrategias gestión y protección de las aguas de esta cuenca, a través del consenso y soluciones adaptadas a los problemas ambientales compartidos, aunque ante situaciones heterogéneas.

También cabe a la OTCA establecer un espacio de diálogo político y técnico; gestionar a nivel regional la ejecución de actividades, programas y proyectos de acuerdo con los mandatos de los países miembros; identificar las fuentes de financiamiento; producir de información de referencia para la región y fortalecer su capacidad institucional[10].

El Secretario Permanente no es un órgano político, sino un órgano auxiliar de los Ministros de Relaciones Exteriores y del Consejo de Cooperación, y de acuerdo con la modificación hecha por el Protocolo está encargado «de implementar los objetivos previstos en el Tratado en conformidad con las resoluciones emanadas de las reuniones de Ministros de Relaciones Exteriores y del Consejo de Cooperación Amazónica». Cabe también a esta secretaría, elaborar en coordinación con las partes contratantes, sus planes de trabajo y programa de actividades, así como formulará su presupuesto-programa, los cuales deberán ser aprobados por el Consejo de Cooperación Amazónica».

En cuanto a la planificación de las acciones de la OTCA, en el 2004 en la VIII Reunión de Ministros de Relaciones Exteriores en Brasilia se adoptó el Plan Estratégico 2004-2012. Este primer plan estratégico fue formulado por la OTCA e identifica las prioridades estratégicas y áreas temáticas, siendo una de ellas la gestión del agua. Para llevar a cabo esta planificación, fue realizado algunos acuerdos internacionales, en particular con otras organizaciones internacionales, así como se han ejecutado algunos proyectos.

Más específicamente con respecto a la gestión del agua compartida, dentro del Plan Estratégico se desarrolló el proyecto «Manejo Integrado y Sostenible de los Recursos Hídricos Transfronterizos de la cuenca del río Amazonas», firmado en 2005 en Washington-USA. Este proyecto está financiado por el Fondo para el Medio Ambiente Mundial – Global Environmental Facility (FMAM-GEF), con el apoyo del Programa de las Naciones Unidas (PNUMA) y de la Secretaría General de la Organización de los Estados Americanos (SG-OEA). Los resultados obtenidos en la fase de preparación del proyecto se publicaron en 2007, donde se señala que este programa debe

---

peração Internacional para Tutela Ambiental na Amazônia: o Papel da Organização do Tratado de Cooperação Amazônica», en *Anais do Universitas e Direito, PU-CPR*, 2012, p. 166.

10. SILVA, S.T., «O Tratado de Cooperação...», *Op. Cit.*, p. 191.

centrarse en dos frentes para proteger y utilizar las aguas de la cuenca del Amazonas: estudiar el bioma y sus interacciones con la cuenca del Amazonas y la relación entre el clima global y ciclo hidrológico del Amazonas.

Segundo Informe XXX, los resultados esperados para este programa son: la construcción de la visión compartida para la cuenca del río Amazonas; diagnóstico analítico Transfronterizo de la Cuenca; investigaciones sobre ecosistemas acuáticos, aguas subterráneas y sedimentación en áreas transfronterizas; Atlas de Vulnerabilidad Hidro-climática de la Cuenca Amazónica; Proyectos Pilotos en Gestión Integrada de los Recursos Hídricos; Proyectos Demostrativos bajo prioridades especiales de adaptación y respuesta al cambio climático; Sistema Integrado de Información; Estrategias de Comunicación, Educación y Financiamiento; Plan de Participación Pública de Múltiples Actores; Programa de Acciones Estratégicas, PAE[11].

Según el Informes del Programa GEF Amazonas, varios logros están siendo alcanzados en cada uno de sus componentes del proyecto. Bajo el Componente I del Proyecto– Entendiendo a la sociedad amazónica, se estableció la actividad «Cooperación institucional en la cuenca amazónica» un mapeo institucional se registraron las entidades nacionales encargadas de la gestión de los recursos hídricos, incluyendo una evaluación de los recursos organizativos, humanos, infraestructura y las necesidades financieras para mejorar la participación de los países en esta materia. El segundo componente busca «Comprender la base de los recursos naturales de la cuenca amazónica», siendo una de sus metas «Mejorar el conocimiento sobre los ecosistemas acuáticos amazónicos», la cual se realiza en diversas áreas es-

---

11. Según el Informes del Programa GEF Amazonas, varios logros están siendo alcanzados en cada uno de sus componentes del proyecto. Bajo el Componente I del Proyecto– Entendiendo a la sociedad amazónica, se estableció la actividad «Cooperación institucional en la cuenca amazónica» un mapeo institucional se registraron las entidades nacionales encargadas de la gestión de los recursos hídricos, incluyendo una evaluación de los recursos organizativos, humanos, infraestructura y las necesidades financieras para mejorar la participación de los países en esta materia. El segundo componente busca «Comprender la base de los recursos naturales de la cuenca amazónica», siendo una de sus actividades «Mejorar el conocimiento sobre los ecosistemas acuáticos amazónicos», la cual se realiza en diversas áreas específicas (hotspots) y servirá como guía para ser replicado por el Proyecto en toda la Amazonía. El Componente III del Proyecto comprende la identificación y mapeo de los puntos críticos de contaminación del agua y prepara la formulación de medidas preventivas para controlar la contaminación del agua en la cuenca del Amazonas. De esta forma, los resultados de las diversas investigaciones científicas, que realiza el Proyecto GEF Amazonas servirán como insumo para formular el Programa de Acciones Estratégicas, PAE, principal objetivo del Proyecto. OTCA, *Informe del Programa GEF Amazonas: Aguas Amazónicas*, Año 1, Número 2, Junio de 2013.

pecíficas (hotspots) y servirá como guía para ser replicado por el Proyecto en toda la Amazonía. El Componente III del Proyecto comprende la identificación y mapeo de los puntos críticos de contaminación del agua y prepara la formulación de medidas preventivas para controlar la contaminación del agua en la cuenca del Amazonas. De esta forma, los resultados de las diversas investigaciones científicas, que realiza el Proyecto GEF Amazonas servirán como insumo para formular el Programa de Acciones Estratégicas, PAE, principal objetivo del Proyecto.

La existencia de tensiones políticas entre los países amazónicos causó una pausa en las negociaciones del Tratado, lo que resultó en cinco años (2005-2010) sin que hubiera las Reuniones de Ministros.

En el proceso de retomada de negociaciones en 2009, hubo una reunión de Presidentes de la Amazonía, que se adoptó la Declaración de Manaos, y fue entonces cuando los Jefes de Estado decidieron «dar la OTCA con un papel nuevo y moderno como un foro cooperación», pero también reconoció que el desarrollo sostenible de la Amazonía es una prioridad y debe hacerse «a través de una gestión integrada, participativa, compartida y equitativa, a fin de dar una respuesta autónoma y soberana a los retos ambientales actuales».

Al año siguiente, ya que el nivel ministerial, en su X Reunión (en el 2010 en el Perú), los ministros de los países aprobaron la Agenda de Cooperación Estratégica de la Amazonía[12] (2010 a 2018), la cual da a la OTCA un papel como foro para la cooperación, el intercambio, el conocimiento y las acciones de corto, mediano y largo plazo. Uno de los enfoques temáticos de esta Agenda es la gestión del agua, cuyo objetivo principal es «apoyar la construcción y difusión de un marco de referencia para la gestión eficiente, integrada e integral de los recursos hídricos, para promover un mayor acceso de la población al recurso agua, a sus servicios, especialmente al saneamiento como medida que contribuya a mejorar la calidad de vida de las poblaciones amazónicas»[13].

---

12. El Informe sobre las Acciones del OTCA resalta que «esta Agenda incorpora una visión transversal y multisectorial de todos los programas, proyectos y actividades identificados, para dar respuesta a las inquietudes y requerimientos de los Países Miembros y a los mandatos del TCA. Para su implementación se han previsto mecanismos de ajuste y revisión que le permiten ser una herramienta orientadora, flexible y adaptable a fin de que refleje adecuadamente todos los intereses comunes». OTCA, *El Cambio Climático en la Región Amazónica – Acciones de la OTCA*, PRA/OTCA, 2014.

13. El referido Informe de la OTCA sobre Impactos del Cambio Climático en el Agua destaca que la actual agenda conjunta sobre el agua contempla un Programa de Acción Estratégico para la gestión integrada y sostenible de los Recursos Hídricos,

Otro hito histórico que merece ser destacado es la XI Reunión de Ministros de Relaciones Exteriores, celebrada en la ciudad de Manaos, Brasil en **2011**. En la oportunidad, fue firmada la Declaración de los Ministros de Relaciones Exteriores de los Países Miembros de la OTCA para la Conferencia de Rio+20, en la se comprometieron a evaluar y determinar acciones y medidas en esta conferencia, con el fin de alcanzar el desarrollo a través del equilibrio entre o aprovechamiento sustentable dos recursos, su protección y conservación.

IV. CONCLUSIONES

En que pese, las negociaciones habidas en la década de 90 para la institucionalización del Tratado y el avance traído por la creación de la OTCA y su Secretaria permanente instalada en 2002, se puede afirmar que en los 35 años de vigencia del Tratado son tímidos los resultados alcanzados.

Sin embargo, desde el relanzamiento institucional del Tratado en 2009 las reuniones del consejo efectivamente se tornaran anuales y las reuniones ministeriales también ganaron ritmo, refletando inmediatamente en la cantidad y calidad de los proyectos y programas actualmente en marcha en el ámbito del TCA, principalmente en la producción de estudios prospectivos que forman la base para el arbitraje de los derechos entre los países.

También ha de resaltar que ha sido fundamental la creación de la OTCA como órgano centralizador de cambios de informaciones y facilitador de actividades conjuntas, en ellas incluidas las acciones para la gestión de los hídricos compartidos en la Amazonia.

Con la creación de la OTCA, el TCA sigue, por lo tanto, la tendencia internacional que adopta como modelo más adecuado para gestión de las aguas compartidas la creación de órganos e instituciones vinculados a una autoridad supranacional, capaces de generar la efectiva cooperación institucionalizada, donde exista una profundización de las interacciones entre los países aumentando la confianza y mayor acercamiento en los procesos decisorios.

Además, es notoria la importancia de la OTCA para reducir los costes de los procesos de información y negociación. En definitiva, la creación de la OTCA ha sido fundamental para aumento das inversión financieras para ejecución de los objetivos del TCA. Desde 2000 existe un presupuesto anual cuotas de contribución anual para cada país miembro, además con la OTCA

---

teniendo en cuenta la variabilidad y el cambio climático. Idem.

también se ha incrementado a realización de programas y proyectos financiados por diferentes organizaciones internacionales.

El TCA, como único instrumento multilateral que reúne los países Amazonia con objetivo específico de protección de sus recursos naturales y la OTCA, como órgano que lleva a cabo las actividades del tratado, son fundamentales para gestión de los recursos naturales del región. Sin embargo, son las normas jurídicas domésticas en materia ambiental las que dictan el alcance de esta protección, de ahí la importancia de estas normas internas estén coadunadas con los modernos institutos y principios de derecho ambiental internacional.

V. REFERENCIAS BIBLIOGRÁFICAS

DELGADO PIQUERAS, F. y PASSOS GOMES, V.: «Algunas reflexiones sobre la gestión integrada de las cuencas hidrográficas compartidas», en BENEDITO LOPES, M. A. (director): *Agua y Derecho: Retos para el Siglo XXI – Reflexiones y estudios a partir del WATER LAW, Congreso Internacional de Derecho de Agua*, Aranzadi, Alicante, 2015.

EMBID IRUJO, A. y MARTÍN, L.: «La experiencia legislativa del decenio 2005-2015 en materia de aguas en América Latina», *CEPAL – Serie Recursos Naturales e Infraestructura*, núm. 173, Naciones Unidas, Santiago de Chile, 2015.

MAMED, D. O. y CAVALCANTE, J. R.: «Cooperação Internacional para Tutela Ambiental na Amazônia: o Papel da Organização do Tratado de Cooperação Amazônica», *Anais do Universitas e Direito – PUCPR*, 2012, pp. 152-168.

OTCA: *El Cambio Climático en la Región Amazónica – Acciones de la OTCA*, PRA/OTCA, 2014.

– *Informe del Programa GEF Amazonas: Aguas Amazónicas*, Año 1, Número 2, 2013.

SILVA, S. T. da: «Gestão compartilhada das águas na Amazônia», ZAMUDIO, H. B., *et al.* (ed.), en *Amazonia y Agua: Desarrollo Sostenible em el Siglo XXI*, Unesco Extea, 2009, pp. 437-444.

– *O Direito Ambiental Internacional*, en Coleção para Entender, Ed. del Rey, Belo Horizonte, 2009.

– «O Tratado de Cooperação Amazônica, a Agenda Estratégica e a Rio+20», en OLIVEIRA, C. C., y SAMPAIO, R. S. da R. (Org.), en *Instrumentos Jurídicos para o Implementação do Desenvolvimento*

Sustentável. 1ª ed., Rio de Janeiro: FGV, Direito Rio/Programa em Direito e Meio Ambiente, 2012, v. 1, pp. 187-202.

– DANTAS, F. A. de C.: «Águas na Amazônia e Direito Ambiental Internacional», en *Revista NEJ – Eletrônica*, Vol. 17, núm. 1, 2012, pp. 39-47.

SOLA, F.: *Direito das Águas na Amazônia*. Juruá, Curitiba, 2015.

VAL, A. L., *et al.*: «Amazônia: Recursos Hídricos e Sustentabilidade», en BICUDO, C. E. de M., TUNDISI, J. G., SCHEUENSTUHL, M. C. B. (Orgs.), *Águas do Brasil: análises estratégicas*, Instituto de Botânica, 2010.

CAPÍTULO XXX

DERECHO ANCESTRAL DE LAS AGUAS INDÍGENAS EN CHILE

Miriam Luz Rojas Vega

Universidad Arturo Prat, Chile

I. INTRODUCCIÓN

Las comunidades indígenas de Chile a lo largo de la historia se han visto segregadas y menoscabadas en sus derechos consuetudinarios, pues sus
derechos ancestrales sobre los recursos naturales y las tierras conforme la
legislación nacional han sido ignorados por falta de una coexistencia entre
dichos derechos y la legislación positiva nacional.

Es preciso señalar que las culturas indígenas, además de otorgarle validez
económica al agua y considerarla un bien cultural, se encuentra integrada en
su vida, es parte de su cosmovisión, constituyendo un elemento sagrado. Es
decir, su uso no sólo está destinado a la satisfacción de necesidades básicas.

Existe dificultad para poner en práctica un derecho consuetudinario hídrico, sobretodo en Chile, debido a la diversidad climática que ostenta, por
lo cual la aplicación del aludido derecho debe ser específica.

II. DERECHO ANCESTRAL SOBRE AGUAS INDÍGENAS Y DIFICULTAD EN SU REGULACIÓN

Los pueblos indígenas de Chile subsistían fundamentalmente gracias a la agricultura (cultivo de papas y quínoa) y ganadería de auquénidos (llamas y alpacas)[1].

Se organizaban socialmente en ayllus, consistente en un conjunto de individuos o de familias unidas por ciertos vínculos como un origen común (real o ficticio) que eran descendientes de un antepasado común mítico y vivían en un lugar determinado[2]. Dicho vínculo común podía ser de sangre, territorio, económico, de idioma, religioso o de tótem (creencia o adoración a un ser natural o sobre natural que había dado origen a la familia).

Posteriormente, producto de la guerra de nuestro país con Perú y Bolivia se modificaron las fronteras de Chile y esto también afectó a los pueblos indígenas en especial al Aymará que fue dividido y privado de sus tierras y recursos, pues el Estado ostentaba su dominio, sin perjuicio de la existencia de escritura que certificara que era de propiedad privada, situación que no se daría en la práctica en razón a la naturaleza del dominio de los indígenas, escenario que tiene como objetivo revertir y evitar la institución del «Derecho de propiedad ancestral indígena sobre las tierras y recursos naturales».

El 27 de julio de 1990 se publicó el decreto núm. 30 que creó la Comisión Especial de Pueblos Indígenas con la finalidad de orientar al Presidente en las decisiones concernientes a los Pueblos Originarios. Dicha organización era conformada por representantes del gobierno y de organizaciones indígenas, la cual cumplió funciones hasta 1993 y su mayor aporte fue el proyecto de legislación para el reconocimiento de los derechos de los pueblos indígenas, el cual sirvió de base para la dictación de la Ley núm. 19.253 sobre Protección, Fomento y Desarrollo indígena, en adelante Ley Indígena.

Los pueblos originarios desde antaño han debido vivir con incertidumbre respecto del dominio de sus tierras y acceso a recursos naturales, lo cual es inmensamente perjudicial porque generalmente deben trasladarse, perdiendo en todo o parte su cultura al tener que adaptarse a nuestra sociedad, perdiendo identidad.

En la actualidad, los pueblos indígenas han impulsado un fenómeno social para mantener su identidad denominado Emergencia Indígena[3], a través

---

1.   Información disponible en: http://www.archivochile.com/Pueblos_originarios/ hist_doc_gen/POdocgen0004.pdf.
2.   Información disponible en: http://www.historiacultural.com/2010/03/ayllu-inca-organizacion-social.html.
3.   Información disponible en: http://books.google.cl.

del cual se promueve la integración de los grupos indígenas y su participación en las discusiones sociales, y culturales sobre temas que les competen.

Este movimiento ha logrado algunos cambios los últimos años como el arribo a la presidencia de Bolivia por primera vez en su historia de un miembro de la etnia aimara, la Ley Indígena de Chile de 1993, el art. 75, inc. 15 de la Constitución Nacional Argentina que reconoce la preexistencia étnica y cultural de los pueblos indígenas, la Ley Orgánica de las nacionalidades y pueblos indígenas del Ecuador, entre otros.

El derecho ancestral pretende proteger el aprovechamiento histórico y actual de las aguas, se basa en la preservación y restitución de las aguas usadas tradicionalmente por comunidades indígenas[4]. La concepción de los indígenas es que el agua es una herencia de los antepasados y es un derecho al cual no pueden renunciar, porque su conservación económica, social y cultural depende de ello.

Cabe preguntar entonces: ¿cuál es el fundamento para otorgar un derecho ancestral o estatus jurídico especial sobre tierras y recursos naturales, como el agua, a pueblos que no han adquirido el dominio conforme a nuestro sistema jurídico?

La Corte Interamericana de Derechos Humanos ha resuelto este tema al señalar que es un derecho de propiedad argumentando que estos pueblos han sustentado su derecho de propiedad en haber contado con esos recursos para subsistir y mantener su cultura y que, si no se reconociera ese tipo de propiedad, desde la perspectiva de los derechos humanos se excluiría a miles de personas que tienen una tradición jurídica diferente a la anglosajona y la occidental. Cabe señalar que para mantener la multiculturalidad de los pueblos indígenas no es recomendable legitimar sólo un sistema registral de bienes.

La Propiedad Ancestral Indígena se encuentra definida expresamente en la ley Indígena, en su artículo 3° transitorio, inciso 2°, el cual dispone que, *«Igualmente, la Corporación y la Dirección General de Aguas, establecerán un Convenio para la protección, constitución y restablecimiento de los derechos de agua de propiedad ancestral de las comunidades atacameñas de conformidad al artículo 64 de la Ley Indígena»*[5].

El artículo 64 instaura la protección de las aguas de uso indígena de la zona norte y las considera como *«bienes de propiedad y uso de la Comunidad Indígena establecida por esta ley, las aguas que se encuentran en los*

---

4.   YÁÑEZ FUENZALIDA, Nancy: *Las Aguas Indígenas* en Chile, 1ª Edición, Editorial LOM Ediciones, año 2011, capítulo I de título «Los pueblos indígenas y el agua», p. 13.
5.   Ibíd., p. 19.

terrenos de la comunidad, tales como los ríos, canales, acequias, vertientes, sin perjuicio de los derechos que terceros hayan inscrito de conformidad al Código General de Aguas»[6].

Con el Derecho Ancestral Indígena se reconoce el derecho consuetudinario de los pueblos originarios, no obstante, que el Estado ha cometido el gran error de dar preferencia al derecho nacional por sobre el indígena, pues trata de homologarlo con la sociedad chilena e integra los recursos indígenas y sus tierras al desarrollo nacional, ignorando el derecho preferencial que tienen las etnias sobre estos.

Existen situaciones de usos de agua que son de hecho, que los han realizado las personas durante largos años, sin un título concesional previo. Tales usos se han producido históricamente por agricultores y ribereños, y se siguen produciendo día a día; y el Derecho tiene que enfrentar esa realidad.

Siempre existen, respecto de las aguas, usos legítimos y usos ilegítimos y la gente se va acostumbrando a realizar esos usos aparentemente «ilegítimos» (no concesionales), pues la propia autoridad no lo impide, y dentro de muchas comunidades de personas, principalmente agrícolas, cercanas a la primera fase de los ríos, se van produciendo esos usos de facto, de hecho. Por la generalidad de ese uso y por la forma equitativa en que todos esos usuarios se reparten el agua, se va gestando una costumbre.

La costumbre se va llevando a cabo tradicionalmente por todas las personas con una conciencia de que es legítima; incluso, con una regulación pacifica de tales usos consuetudinarios, cuyas aguas son obtenidas a través de obras hidráulicas construidas en común y administradas por organizaciones comunitarias, organizaciones éstas que luego son reconocidas por la legislación (véanse artículos 187 y ss., Código de Aguas)[7].

Hoy en día, es innegable la existencia de derechos consuetudinarios, o de usos consuetudinarios reconocidos como derechos, ya que gran parte de los usuarios consuetudinarios de agua están organizados, y entre ellos se han otorgado recíproco reconocimiento a sus propios usos basados en la costumbre anteriores a cualquier constitución de derechos de aprovechamientos de agua por acto de autoridad realizada a favor de terceros y son previos al origen de los derechos inscritos por sociedades comerciales[8].

Adicionalmente, la autoridad, cuando crea nuevos derechos de aguas no puede ocasionar perjuicios a terceros, y dentro de estos terceros se deben considerar no sólo a los que tienen derechos constituidos (concesión

---

6. Ibíd., p. 20.
7. Ibíd., p. 25.
8. Información disponible en: http://www.derechoalagua.cl.

de aguas), sino que también a quienes, a raíz de usos consuetudinarios de aguas, la ley les ha reconocido su derecho[9].

En el artículo 7 del DL 2.603 encuentra su fundamento el procedimiento de regularización de derechos de aguas consuetudinarios. Tal artículo, además de establecer una poderosa presunción de «dominio del derecho de aprovechamiento de aguas» (y que por lo tanto, origina una aplicación inmediata del artículo 19 núm. 24 inciso 10° de la Constitución, y de todo su entramado sustantivo y procedimental), es el origen del «reconocimiento» de los usos consuetudinarios de aguas, y es central para comprender el espíritu del procedimiento de regularización de derechos de aguas establecido en el artículo 2° transitorio del Código del ramo[10].

«El artículo 7° del DL. 2.603, de 1979, refleja el propósito del legislador de presumir que los usos consuetudinarios de aguas, cumpliendo los requisitos correspondientes, constituyen derecho; los reconoce, como señala la Constitución»[11].

Entonces, los derechos de aguas consuetudinarios que no están inscritos, por esta falta de inscripción no adolecen de problemas de existencia, sino de un mero problema de falta de formalización registral, falta ésta que no implica la inexistencia del derecho. Tales derechos existen, pero no están directamente inscritos. Es un derecho sobre el cual se tiene propiedad (artículo 7° DL. 2.603, de 1979, y 19 núm. 24 inciso décimo de la Constitución), y que precisamente por ello debe ser reconocido[12].

III. DERECHO INDÍGENA Y MEDIO AMBIENTE

Las cuestiones ambientales constituyen uno de los principales elementos de conflicto entre los pueblos indígenas y el Estado, pues aún existe falta de consenso al establecer el origen el del derecho humano al medioambiente, su naturaleza e incluso contenido.

La relación entre los pueblos indígenas y el medioambiente es una relación totalmente distinta que la existente entre culturas no indígenas y éste. Para los pueblos indígenas es la causa principal de su propia existencia, es el punto donde se encuentra dicha existencia con sus creencias, prácticas cultu-

---

9. VERGARA, Alejandro: «Estatuto jurídico, tipología y Problemas actuales de los derechos de aprovechamiento de aguas». Centro de estudios públicos, 1998, disponible en: www.cepchile.cl/dms/archivo_1656_372/rev69_vergara.pdf.
10. Ibíd., p. 176.
11. Ibíd., p. 176.
12. Ibíd., p. 176.

rales y sus recursos económicos. Sus relaciones culturales y espirituales son estrechas con el medio ambiente, en el que han vivido desde siempre y en torno al cual principalmente giran sus actividades económicas.

Los pueblos indígenas no contemplan ni preparan la tierra como un recurso para luego ser vendida a mercados impersonales que la exploren y exploten sin importar sus costos, ni tampoco ven a los árboles, plantas y animales como mero adorno del entorno social. Para ellos la tierra está dotada de un significado sagrado y es parte fundamental de la existencia e identidad de un pueblo.

Si bien este derecho humano al medio ambiente se encuentra ya positivado, tanto en el ámbito nacional e internacional, ha sido imposible llegar a un acuerdo unánime entre los diversos Estados para establecer una declaración internacional sobre el derecho humano al medio ambiente, pese a esto no deja de ser cierto que es un derecho ampliamente reconocido constitucionalmente.

Para los pueblos indígenas el derecho al medio ambiente es un derecho colectivo más que individual, porque la unidad social es la que articula la vida y la cultura en la comunidad. Además, es un derecho solidario que para estas culturas no significa solamente que las personas lo disfruten y se beneficien de ese medioambiente, sino que es un derecho solidario con las generaciones futuras, para que encuentren un medioambiente lo más intacto posible.

Para los pueblos indígenas, el medio ambiente es el origen de todo, así como para las culturas no indígenas, el derecho al a vida es todo, para le indígena, el medio ambiente es su existencia. Es el derecho principal, y sin éste no se podrían desarrollar sus formas de vida tradicional, ni su cultura, perdiendo el elemento fundamental de la cohesión cultural, espiritual y económica.

El contenido del derecho medio ambiental radica en dos derechos pasados a llevar que, a su vez, son su motor de existencia, el Derecho a la Tierra y al Territorio. Ambos derechos colectivos, complementarios e interdependientes.

Se basa, en esa relación especial que existe entre los pueblos indígenas y el medio ambiente y en las condiciones que necesita para ponerla en práctica, como son la propiedad de la tierra y la explotación de los recursos naturales según las prácticas tradicionales que han acompañado siempre esa relación entre la comunidad y su territorio.

Desde la antigüedad los hombres han tratado de obtener mayor cantidad de precipitaciones o aumentar caudales de ríos mediante una amplia variedad de técnicas, como, por ejemplo, para evitar el granizo se usaba el encendido de fuegos, disparo de cañones, tocar de campanas y para que precipitara la lluvia se provocaban descargas eléctricas mediante el uso de cometas y el rociado de las nubes con aire líquido y polvo desde los aviones.

La escasez de agua, recurso imprescindible para todo ser vivo, es una circunstancia evidente en el norte de Chile, la cual aqueja a las comunidades indígenas, pues los caudales de ríos, vertientes, etc. han disminuido abruptamente debido a los efectos globales del cambio climático y especialmente a las extracciones de agua por terceros de forma directa o indirecta de las aguas superficiales y/o subterráneas.

Respecto al cambio climático generado por el calentamiento global y otros factores ecológicos, es necesario señalar que la zona norte de nuestro país ha sido la más afectada, pues además debe sortear las extracciones que realizan las empresas mineras.

Conforme a un estudio efectuado por el Centro de Investigación y Desarrollo de Recursos Hídricos (Ciderh)[13], concluye que además de existir una evidente escasez de recursos hídricos en la zona, las aguas se encuentran altamente contaminadas con arsénico, boro, manganeso y salinidad excesiva. En razón a lo anteriormente expuesto, es agua significativamente peligrosa para el consumo humano e ineficiente para cosechar todo tipo de cultivo.

Una medida que se ha propuesto para mitigar la escasez hídrica es construir embalses de agua para aprovisionarla y sustituir la función de los glaciares de acumulación y regulación hídrica, pero sólo sirve transitoriamente, ya que en un año de escasez puede tolerar la demanda del recurso, no así en períodos largos de sequía.

Otro procedimiento ya utilizado en otros países como China, es provocar la lluvia bombardeando las nubes con cloruro de sodio[14], pero es necesario tener nubes.

Con todo lo anterior, las medidas para enfrentar esta problemática son insuficientes al confrontarlas con los daños provocados, como ocurre en la exploración de glaciares en la cual estos son cubiertos con arena, sal y rocas para construir caminos cubriéndolos con polvo, derritiéndolos anticipadamente, la remoción masiva de hielo con maquinaria pesada sepultando glaciares bajo botaderos de estériles.

---

13. Centro de Investigación y desarrollo de recursos hídricos, Disponible en: http://www.unap.cl/prontus_ciderh.
14. MANNS, Patricio: *Las Batallas del Agua,* 1ª Edición, Editorial Aun Creemos en los Sueños, año 2013, capítulo «Los Milenios del Agua», p. 13.

En síntesis, se contamina y acidifican las aguas a causa de la reacción química del material de descarte en contacto con la atmósfera percolando aguas abajo hacia ríos y esteros afectando el consumo humano, la agricultura y el ecosistema.

El Relator Especial de Naciones Unidas, José Martínez de Cobo, define a los pueblos indígenas, a saber; «son comunidades, pueblos y naciones indígenas, las que teniendo una continuidad histórica con las sociedades anteriores a la invasión y pre coloniales que se desarrollan en sus territorios, se consideran distintos de otros sectores de las sociedades que ahora prevalecen en estos territorios o en partes de ellos. Constituyen ahora sectores no dominantes de la sociedad y tienen la determinación de preservar, desarrollar, transmitir a sus futuras generaciones sus territorios ancestrales y su identidad étnica como base de su existencia continuada como pueblo, de acuerdo con sus propios patrones culturales, sus instituciones sociales y sus sistemas legales»[15].

Respecto al pronunciamiento de organizaciones internacionales, la Organización Internacional del Trabajo (en adelante, OIT), ha jugado un papel protagónico en la defensa de los derechos humanos de los pueblos indígenas desde la aprobación del Convenio Núm. 169 relativo a la protección de los derechos humanos de los pueblos indígenas. En virtud de la aplicación de este convenio, los pueblos indígenas de los catorce países que lo han ratificado tienen en este Comité de expertos de la OIT a un nuevo mecanismo internacional de protección de sus derechos.

El convenio de la OIT es un instrumento especializado que reconoce el derecho de los pueblos indígenas sobre su territorio y recursos naturales y la obligación que tiene el Estado de consultar cada vez que se van a ejecutar proyectos de inversión que puedan afectar los derechos territoriales que le pertenecen por derecho ancestral.

La salvedad que se presenta ante las denuncias realizadas ante la OIT es que las quejas tienen que ser realizadas por organizaciones de trabajadores o sindicatos, en representación de las organizaciones o comunidades indígenas afectadas. Estas quejas pueden ser realizadas de manera colectiva por el conjunto de una organización, comunidad o pueblo y que, al existir entre los derechos reconocidos en el Convenio de derechos ambientales, las quejas que tengan su origen en cuestiones ambientales pueden realizarse directamente sin necesidad de relacionar esas vulneraciones ambientales con las

---

15. MARTÍNEZ DE COBO, José, informe final «Estudios del problema de la discriminación contra las poblaciones indígenas», año 1986.

de otros derechos humanos, como se ha tenido que hacer siempre ante otros órganos internacionales.

1. DERECHO INDÍGENA AL AGUA Y MEDIO AMBIENTE

El derecho al medio ambiente, tal y como lo contemplan los pueblos indígenas se encuentra suficientemente determinado y diferenciado. La falta de unificación en un proyecto de declaración sobre el derecho medio ambiental ha llevado a sobrepasar la realidad y lucha que han mantenido desde siempre las comunidades indígenas respecto de su territorio y uso de recursos naturales.

Existen varios informes, entre estos, el más relevante es el Comité de Derechos Humanos de marzo de 2007, el cual exige a Chile una serie de medidas que benefician a los indígenas e indica las situaciones de incumplimiento del Pacto Internacional de Derechos Civiles y Políticos y el Pacto de Derechos Económicos y Sociales y Culturales.

Estas normas se encuentran vigentes, ratificadas por Chile y tienen rango constitucional conforme al artículo núm. 5, por lo tanto, la forma de interpretar la normativa en comento es insuficiente, pues aun cuando ostentan dicha calidad, el Comité de Derechos Humanos declara que el Estado vulnera los derechos territoriales de los pueblos indígenas al no demarcar y restituir sus tierras y al favorecer la ejecución de megaproyectos en sus territorios.

Las cuestiones ambientales y sobretodo el ejercicio de los derechos reconocidos en la Constitución o en los tratados internacionales han sido una de las principales causas de reclamación de los diferentes organismos internacionales por parte de los pueblos indígenas, los cuales han visto en estas instancias del derecho internacional la última esperanza de recuperar lo que es suyo.

En el ámbito internacional existe una disposición de proteger los derechos ancestrales de los pueblos indígenas a los recursos hídricos, protegiendo su hábitat, usos consuetudinarios y cultura.

Lo anterior se ve reflejado en que la mayoría de los países han ratificado el Convenio 169 de la OIT, el cual en su artículo 15 reconoce los derechos de los pueblos indígenas sobre los recursos naturales situados en sus tierras.

Igualmente, la mayoría de los países de Latinoamérica han ratificado la Convención Americana de Derechos Humanos junto a la competencia de los órganos encargados de su aplicación, Comisión Interamericana de Derechos Humanos y Corte Interamericana de Derechos Humanos.

IV. ÍNDICE BIBLIOGRÁFICO

AYLWIN, Jose: «Pueblos indígenas, territorio y autonomía», *Revista Pentukun,* núm. 4, pp. 23-46, U. de la frontera, Temuco, Chile, 1995.

BARROS, Alonso: *«Identidades y propiedades: transiciones territoriales en el siglo XIX atacameño», Estudios atacameños,* núm. 35, San Pedro de Atacama, 2008.

–   «Pachamama y desarrollo: paisajes conflictivos en el desierto de Atacama», *Estudios Atacameños,* núm. 13, San Pedro de Atacama, 1997.

CARRASCO, Anita: «Estrategias de resistencia indígena frente al desarrollo minero. La comunidad de Likantatay ante un posible traslado forzoso», *Estudios atacameños,* núm. 38, San Pedro de Atacama, 2009.

CEPAL: *Un examen de la migración internacional en la comunidad Andina basado en datos censales,* 2ª edición, Santiago de Chile, 1999.

Declaración de Rio sobre el medioambiente y el desarrollo, Río de Janeiro, Brasil: (s.n.),1992.

Organización Mundial del Trabajo: Convenio 169 sobre pueblos indígenas y tribales, Ginebra, Suiza: (s.n.),1989.

VERGARA, Alejandro: «Estatuto jurídico, tipología y problemas actuales de los derechos de aprovechamiento de aguas». Centro de estudios públicos. www.cepchile.cl/dms/archivo_1656_372/rev69_vergara.pdf.

YÁÑEZ, Nancy: *Las aguas indígenas en Chile,* 1ª edición, Santiago, Chile, Lom ediciones, 2011.

–   *La gran minería y los derechos indígenas en el norte de Chile,* 1ª edición, Santiago, Chile, Lom ediciones, 2008.

–   *Los derechos de los pueblos indígenas en Chile*, 1ª edición, Santiago, Chile, Lom ediciones, 2003.

http.//www.bcn.cl, Proyecto de ley que modifica el código de aguas y otros cuerpos legales respecto del uso de las aguas subterráneas.

http.//www.bcn.cl, Ley indígena 19253.

http.//www.bcn.cl, Ley 19.300 bases ambientales.

http.//www.bcn.cl, Código de aguas.

http.//www.chululo.cl, Revista indígena San Pedro de Atacama.

http.//www.dga.cl, Dirección General de Aguas.